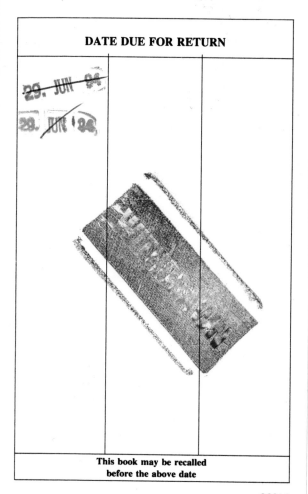

JUAN CARLOS ONETTI

EL ESCRITOR Y LA CRÍTICA

Directores: RICARDO Y GERMÁN GULLÓN

TÍTULOS DE LA SERIE

Benito Pérez Galdós, edición de Douglas M. Rogers.
Antonio Machado, edición de Ricardo Gullón y Allen W. Phillips.
Federico García Lorca, edición de Ildefonso-Manuel Gil.
Miguel de Unamuno, edición de Antonio Sánchez-Barbudo.
Pío Baroja, edición de Javier Martínez Palacio.
César Vallejo, edición de Julio Ortega.
Vicente Huidobro y el Creacionismo, edición de René de Costa.
Jorge Guillén, edición de Biruté Ciplijauskaité.
El Modernismo, edición de Manuel Durán.
Miguel Hernández, edición de María de Gracia Ifach.
Jorge Luis Borges, edición de Jaime Alazraki.
Novelistas hispanoamericanos de hoy, edición de Juan Loveluck.
Pedro Salinas, edición de Andrew P. Debicki.
Novelistas españoles de postguerra, I, edición de Rodolfo Cardona.
Vicente Aleixandre, edición de José Luis Cano.
Luis Cernuda, edición de Derek Harris.
Leopoldo Alas «Clarín», edición de José María Martínez Cachero.
Francisco de Quevedo, edición de Gonzalo Sobejano.
Mariano José de Larra, edición de Rubén Benítez.
El Simbolismo, edición de José Olivio Jiménez.
Pablo Neruda, edición de Emir Rodríguez Monegal y Enrico Mario Santí.
Julio Cortázar, edición de Aurora de Albornoz.
Gabriel García Márquez, edición de Peter Earle.
Mario Vargas Llosa, edición de José Miguel Oviedo.
Octavio Paz, edición de Pere Gimferrer.
El Surrealismo, edición de Víctor G. de la Concha.
La novela lírica, I y II, edición de Darío Villanueva.
El «Quijote» de Cervantes, edición de George Haley.
Gustavo Adolfo Bécquer, edición de Russell P. Sebold.
«Fortunata y Jacinta», de B. Pérez Galdós, edición de Germán Gullón.
Juan Benet, edición de Kathleen M. Vernon.
Juan Carlos Onetti, edición de Hugo J. Verani.
José Lezama Lima, edición de Eugenio Suárez Galbán.

TÍTULOS PRÓXIMOS

Lope de Vega, edición de Antonio Sánchez-Romeralo.
El Naturalismo, edición de José María Martínez Cachero.
Manuel Azaña, edición de José Luis Abellán y Manuel Aragón.
Ramón del Valle-Inclán, edición de Ricardo Doménech.
José Ortega y Gasset, edición de Antonio Rodríguez Huéscar.
«La Regenta», de Leopoldo Alas, edición de Frank Durand.
Novelistas españoles de postguerra, II, edición de José Schraibman.
Teatro español contemporáneo, edición de Ricardo Doménech.

JUAN CARLOS ONETTI

Edición de
Hugo J. Verani

taurus

Cubierta
de
ANTONIO JIMÉNEZ
con viñeta
de
MANUEL RUIZ ÁNGELES

6003642034

© 1987, Hugo J. VERANI
© 1987, ALTEA, TAURUS, ALFAGUARA, S. A.
TAURUS EDICIONES
Príncipe de Vergara, 81, 1.º - 28006 MADRID
ISBN: 84-306-2181-4
Depósito legal: M. 19.313-1987
PRINTED IN SPAIN

ÍNDICE

III

BIBLIOGRAFÍA

NOTA PRELIMINAR

Antes del obligado exilio de Juan Carlos Onetti en Madrid en 1975, la lectura de su obra narrativa era un privilegio de minorías. La reedición de sus libros en España, la publicación de su última novela, *Dejemos hablar al viento* (1975), y el otorgamiento del codiciado Premio Cervantes en 1981, le han conferido la proyección internacional que su talento de escritor ampliamente merecía. Si bien el reconocimiento de la importancia de su narrativa fue tardío, la revaloración crítica ya es firme y abundante; nadie duda hoy en día la posición de privilegio del novelista uruguayo entre los narradores del mundo hispánico.

La obra de Onetti posee una auténtica y honda coherencia interna. Sus relatos presentan una reiterada situación esencial: la soledad radical de hombres desplazados, de solitarios perdidos en una ciudad inhóspita, que no encuentran una razón de ser en su vida sórdida, condenados a repetir gestos y actitudes semejantes, a inventarse otros modos de vida posibles en los que se realizan sus sueños irrealizables —amistad, amor, poder, respeto—. Sus personajes se consumen en el desencanto y en el escepticismo, depositando su esperanza de redención en la invención de historias en las que ejercen control sobre su destino. Cambian las situaciones y los ambientes, pero en todo caso el esquema novelístico se vuelve una toma de conciencia del desamparo del individuo, una búsqueda de autoafirmación que se fragmenta en una pluralidad de máscaras, farsas y simulacros, en un sondeo ambiguo y polivalente que desencadena una multiplicidad de inferencias inquietantes. Una y otra vez Onetti nos hace partícipes de su asombro —de su «triste asombro», como dice el narrador de *La cara de la desgracia*— frente al hostil vacío del mundo. La representación de un mundo sórdido y corrupto, de una forma de la existencia que responde a móviles degradantes —la conciencia de marginalidad, la inutilidad del esfuerzo, la imposibilidad del amor, la inevitabilidad del fracaso— determina un contexto espectral, un orden de cosas irremediables y sin sentido. Sus novelas son, en palabras de Carlos Fuentes, «las piedras de fundación de nuestra modernidad enajenada». Bien podría decirse, en un sentido amplio, que la persistente autodestrucción y el voluntario y progresivo retiro del mundo, independiente de cualquier circunstancia imaginable, se asemeja a la lenta agonía de un largo suicidio. Es que Onetti no narra otra cosa que la imposibilidad de vivir.

Su primera novela, *El pozo* (1939), es un hito fundamental de la literatura hispanoamericana, una de las primeras tentativas plenamente logradas de renovar las técnicas narrativas dominantes en la época. Desde entonces pierde utilidad la valoración de la obra narrativa en comparación con una realidad preexistente; la novela trae una interiorización del mundo narrativo, nuevos enfoques para presentar la cambiante y compleja realidad humana, y, ante todo, se justifica e impone como acto de creación literaria. *La vida breve* (1950) es la novela que inicia el período de madurez creadora de Onetti. Es, además, la matriz genética de un espacio privado, la fantasmal ciudad de Santa María, con sus propias tradiciones, historias y habitantes, territorio mítico concebido como refugio compensador de la soledad. Pero Santa María va adquiriendo autonomía y se vuelve factor unificante de creación. A partir de *La vida breve,* los relatos de Onetti se entrecruzan, complementan y prolongan, como si fueran fragmentos de una historia más vasta, y componen un ciclo narrativo —la saga de Santa María, como ha venido llamándosele— que llega a una admirable culminación en sus principales novelas, *El astillero* (1961) y *Juntacadáveres* (1964), y se cierra definitivamente en *Dejemos hablar al viento,* donde Santa María arde, devorada por el fuego purificador, la irónica «operación limpieza» fraguada por el comisario-narrador. Pocos como Onetti han creado tan vasto universo autorreferente, que se repliega sobre sí mismo y genera su propia verdad.

El carácter fundamental de la narrativa de Onetti es la continua proyección imaginativa, la continua afirmación de los poderes de la ficción. De tal suerte, su narrativa se convierte en el ritual de rehacer el mundo a imagen de ideales inalcanzables, ficción que se sabe ficción y es, ante todo, una tentativa de transformar las desgracias cotidianas en arte. La creación artística se vuelve un momentáneo refugio del presente vacío, un arma de protección contra la inanidad del individuo y la irrevocable corrosión de todo lo existente.

La presente antología recoge una selección —obligadamente restringida por las limitaciones de espacio— de estudios que ofrecen un panorama útil, lo más orgánico posible y desde enfoques críticos diversos, de la obra de Onetti. En la bibliografía final se consignan las primeras ediciones de cuentos y novelas de Onetti y todos los libros escritos sobre su obra; se añade, además, una lista mínima de estudios que bien podrían haber sido incluidos en esta muestra.

Me place expresar mi agradecimiento a los autores de los textos recopilados en este volumen por la generosa autorización para reproducir sus trabajos, y, en particular, a don Ricardo Gullón, maestro y amigo, por su confianza en encomendarme esta tarea.

H. J. V.

I
VISIÓN DE CONJUNTO

ONETTI ANTES DE ONETTI

LA INFANCIA SECRETA

Los primeros veinte años de Juan Carlos Onetti permanecen en una nebulosa que el propio novelista ha ayudado a crear. Escéptico ante la posibilidad de recordar verazmente la infancia, pudoroso ante ese magma que lo fundamenta como la base de un iceberg, Onetti ha esquivado casi siempre la información sobre su origen y sobre los «años de aprendizaje». Más de una vez, sin embargo, ha reiterado el origen irlandés de su apellido, que se habría escrito inicialmente *O'Netty* y las sucesivas deformaciones transformaron en el nombre actual. Sobre sus antepasados, Onetti sólo rescata la figura de su bisabuelo, secretario personal del general Fructuoso Rivera, que intervino en las guerras de la independencia y contra Rosas cuando éste intentó ampliar su predominio político a las tierras orientales.

Juan Carlos Onetti nació en Montevideo el 1.º de julio de 1909, hijo de Carlos Onetti (a esa fecha, un funcionario de aduanas) y de Honoria Borges. De la niñez queda el recuerdo de los lugares, los barrios donde fue desenvolviéndose paulatinamente la vida escolar, y el liceo interrumpido porque no podía «aprobar dibujo». Aún adolescente, comenzó a trabajar los diversos oficios terrestres —portero, mozo de cantina, vendedor de entradas en el Estadio Centenario, funcionario en una empresa de neumáticos— que continuaría muchos años hasta desembocar en la actividad periodística al filo de los treinta. Sobre estos años de infancia, Onetti ha descorrido y corrido el velo con la velocidad de un pestañeo:

«Sí, fue una infancia feliz. Pero tal vez no exista ningún

período de la vida tan profundamente personal, tan íntimo, tan mentiroso en el recuerdo como éste. Hay decenas de libros auto-biográficos sobre el tema: la experiencia me ha enseñado a sal-tearlos. Ningún niño puede contarnos su paulatino y sorpresivo, desconcertante, maravilloso, repulsivo descubrimiento de su mundo particular. Y los adultos que lo han intentado — salvo cuando engañan con talento literario— padecen siempre de un exceso de perspectiva. El niño inapresable se diluye; lo recons-truyen con piezas difuntas, inconvincentes y chirriantes. En pri-mer plano, inevitable, está siempre el rostro ajetreado del mayor, hombre o mujer. Decir la infancia implica sin remedio un fraca-so equivalente a contar los sueños. Como decía un amigo, no habrá jamás comprensión verdadera entre Oriente y Occidente. Yo fui un niño conversador, lector, y organizador de guerrillas a pedradas entre mi barrio y otros. Recuerdo que mis padres esta-ban enamorados. El era un caballero y ella una dama esclavista del sur del Brasil. Y lo demás es secreto. Se trata de un santuario sagrado.» [1]

Las puertas de ese santuario han permanecido cerradas o entornadas. Poco, muy poco ha dejado entrever el autor, fuera de sus hábitos de lectura: a los trece o catorce años un «ataque de Knut Hamsun», con lecturas voraces y el comienzo de su activi-dad de escritor. También a la infancia corresponde un reciente recuerdo: «Cuando era niño me encerraba en uno de esos arma-rios que ya no se ven más por el mundo, esos armarios enormes que cubrían toda una pared y que casi siempre estaban llenos de trastos. Bueno, pues yo me escondía dentro con un gato y un libro. Dejaba la puerta entreabierta para poder ver y allí perma-necía durante horas. Mis padres me buscaban por todas partes y terminaban por creer que me había ido a la calle. Y esta pasión por la lectura fue incrementada por el descubrimiento de un pariente lejano (en el parentesco y en la distancia). Había llega-do a mis oídos que este hombre tenía la colección completa de las aventuras de *Fantomas*. Entonces yo me tenía que hacer cinco kilómetros a pie para conseguir que me prestara un tomo en cada visita. Me parece verlo todavía: me recibía tirado en la cama. Con una boina puesta porque era totalmente calvo; tenía una gran barriga y sobre ella balanceaba una palmatoria con una vela y con las manos extendidas sostenía un libro. Entonces yo

[1] Onetti, «Infancia», en *Onetti*, selección de Jorge Ruffinelli, Montevideo, Biblioteca de Marcha, 1973, pp. 7-8.

llegaba a mi casa, devoraba el libro y volvía a hacer los cinco kilómetros para saber lo que seguía. Naturalmente esta constancia tuvo un premio: al fin resultaba que en el último tomo había un parrafito que decía: "Estas aventuras continúan en las aventuras de la hija de *Fantomas*". Mi pariente no tenía ni un solo tomo de estas aventuras. Todavía sigo buscando las aventuras de la hija de *Fantomas*.» [2]

Los dos recuerdos más extensos que Onetti ha expresado de su infancia se integran a un espacio abierto, a la exterioridad (calle, guerrillas a pedradas), y a un espacio cerrado, a la interioridad (la lectura, el ensimismamiento, el armario o la casa). La vida de Onetti ha recorrido ambos ámbitos con similar intensidad y equilibrio. Y es en la actividad exterior, en el contacto áspero con la realidad donde ha tomado los elementos luego interiorizados en su literatura. Una oscilación constante entre *exterior* e *interior* pauta su confrontación con la realidad hasta encontrar, en la producción literaria posterior y madura, la imbricación perfecta de ambos elementos, la disolución en un solo ámbito donde lo interior y lo exterior se corresponden.

En 1929 el entusiasmo adolescente lo empujó a intentar un primer encuentro con la realidad histórica: quiso viajar a la Unión Soviética, ser testigo y participar de aquella inicial tentativa socialista, pero su deseo se disipó en la primera entrevista con el embajador soviético. El «viaje» fue de todas maneras realizado. No a la Unión Soviética sino a Buenos Aires; no por motivos románticos, sino para ganarse la vida. Se casó por primera vez (con María Amalia Onetti), y en marzo de 1930 inició el primer trasplante a la ciudad cosmopolita que tantas señas dejaría en su obra. Primeros tiempos duros, se concentraron en la venta de máquinas de escribir para la marca «Víctor» («nunca vendí ninguna»), mientras, por afición más que por trabajo, escribía algunas crónicas de cine en la columna periodística que mantenía Conrado Nalé Roxlo en *Crítica*.

Es así como a partir de 1930 se abrió en la vida de Onetti el primero de los dos períodos argentinos. Ese fue desde 1930 hasta 1934, y estuvo signado por el primer contacto con una ciudad pletórica, moldeada por el aluvión inmigratorio y modernizada por el avance de las clases medias, irigoyenistas, que habían

---

[2] «Por culpa de *Fantomas*», *Cuadernos Hispanoamericanos*, núm. 284 (febrero 1974), p. 222.

accedido al poder político catorce años antes para sufrir el colapso (golpe de Uriburu) precisamente en 1930. El segundo período fue más extenso: corrió desde 1941 hasta 1955, una década y media, y fue en él, durante él, o por sus incitaciones, que se gestaron además de varios cuentos, cuatro novelas importantes: *Tierra de nadie* (escrita en Montevideo pero publicada en Buenos Aires, 1941), *Para esta noche* (1943), *La vida breve* (1950) y *Los adioses* (1954).

CIUDAD Y ENSOÑACIÓN

La presencia de Buenos Aires —o, más ampliamente, de Argentina— en la obra de Onetti es notoria y se corresponde con los mismos períodos de sus estadías. En los primeros cuentos la conciencia urbana surgió acuciosa, simultáneamente con el encuentro de nuevas formas narrativas provenientes de la novelística anglosajona, que ya habían comenzado a modificar con su influencia el perfil de la literatura sudamericana (Borges, Mallea, Arlt). En las novelas del segundo período (1941-1955) esa presencia fue aún más marcada: *Tierra de nadie* quiso captar y expresar el espíritu colectivo de una «generación perdida» de posguerra; *Para esta noche,* si bien inspirada en el fin de la guerra civil española, poseía resonancias que hicieron dubitativa —si no peligrosa— su primera publicación. *La vida breve,* a su vez, tomó pie en la silueta del hombre de Buenos Aires, en su alienación pesada y gris, y lo lanzó a la aventura fundamental del mundo onettiano: la creación de una ciudad imaginaria. *Los adioses,* por fin, buscó su clima en las zonas de Córdoba para narrar una historia de ambigüedades vitales, subjetiva hasta la exasperación y la morosidad, y a la vez reminiscente de *La montaña mágica,* de Mann, por las vicisitudes que padecen sus personajes.

No fue el interés de Onetti, sin embargo, escribir la novela de Buenos Aires, representar una ciudad particular y llegar así a una nueva forma de provincianismo. Era lo «urbano», aquello que Buenos Aires tenía de común con todas las metrópolis, la materia buscada para sus cuentos y novelas. Precisamente en su primer cuento édito, «Avenida de Mayo-Diagonal-Avenida de Mayo» (1933), esa cualidad común y transferible aparece expresada con sencillez y sin excitaciones: «En la Puerta del Sol, en Regent Street, en el Boulevard Montmartre, en Broadway, en

Unter den Linden, en todos los sitios más concurridos de todas las ciudades, las multitudes se apretaban, iguales a las de ayer y a las de mañana.»

Porque la contradicción y el conflicto estaban allí, en el hecho de que para los lectores y novelistas sudamericanos los lugares prestigiados por la literatura extranjera fueran más verosímiles, poseyeran mayor fuerza representativa. ¿No resultaba acaso más familiar Combray que la Boca, Yoknapatawpha que Buenos Aires, Montmartre que cualquier barrio montevideano? En este sentido, Onetti no solamente supo advertir el problema y tratar de solucionarlo por dentro, escribiendo él mismo, sumándose a los pioneros de la narrativa urbana, sino que lo explicitó con un propósito deliberado. Algunos años después, cuando desde *Marcha* arrojaba «piedras al charco» de la modorra cultural montevideana, aún conservaba muy claros los términos de dicho conflicto: «Montevideo no existe», dijo. «Aunque tenga más doctores, empleados públicos y almaceneros que todo el resto del país, la capital no tendrá vida de veras hasta que nuestros literatos se resuelvan a decirnos cómo y qué es Montevideo y la gente que la habita.» [3]

El 1.º de enero de 1933 Juan Carlos Onetti tenía 24 años y publicaba su primer cuento. Poco antes, en 1932, *La Prensa* había organizado un concurso para el área sudamericana, y «Avenida de Mayo-Diagonal-Avenida de Mayo» apareció entre los diez primeros textos seleccionados. Tiempo más tarde, Onetti recordó aquel cuento y reconoció en él «la influencia de J. Joyce, a pesar de que todavía no había descubierto el monólogo interior» [4]. James Joyce y también John Dos Passos son presencias sondeables aquí, sin desmedro de la inspiración original del breve cuento. De Joyce tal vez provenga el monólogo interior indirecto sobre el que avanza la organización de su discurso narrativo; de Dos Passos, la presentación fragmentaria y simultaneísta de la ciudad a través de la sensibilidad de su personaje. Aunque no es seguro que Onetti haya conocido la edición española de *Manhattan Transfer* (Madrid, Cenit, 1929), que obtuvo ecos ciertos en la cultura hispanoamericana [5], la verdad es que

---

[3] Periquito el Aguador [J. C. Onetti]: «La piedra en el charco», *Marcha,* 25 de agosto de 1939.

[4] Guido Castillo, «Ahora en Montevideo», *El País,* 28 de enero de 1962.

[5] En 1929 Lino Novas Calvo escribía sobre *Manhattan Transfer,* en *Revista de Avance,* y José Carlos Mariátegui, en *Mundial* y *Variedades.*

ambos coinciden en establecer lo que Sinclair Lewis llamaría más adelante a propósito de la trilogía *U.S.A.*: un «panorama del oído, el olor, el ruido y el alma» de Nueva York (en el ejemplo de Dos Passos), o de Buenos Aires, agregaríamos (en el de Onetti).

En este cuento inicial el autor utiliza una técnica impresionista obligado a dar con apariencias simultáneas las diversas sensaciones de Víctor Suaid, el personaje, y también el movimiento de ese mundo transeúnte, en constante desplazamiento. El costumbrismo de principios de siglo había introducido la «estampa» literaria, esto es, la quietud de la imagen, correspondiente al descubrimiento del arte fotográfico. Ahora, el movimiento incesante buscado por los narradores para dar la sensación de vida en la *sucesión* de imágenes más que en la imagen misma, delata un fenómeno cada vez más sensible en la literatura moderna: la influencia del cine. De ahí, pues, el comienzo abrupto del cuento, pero más aún el denodado esfuerzo por presentar sus calles con la sucesión vertiginosa (o la casi simultaneidad) de las imágenes: noticias periodísticas en las marquesinas luminosas, los carteles comerciales avisando con agresividad marcas de cigarrillos, las figuras acartonadas pero sugerentes de los divos cinematográficos (donde se *reconoce* en forma tácita la influencia que señalábamos), el perfume de las mujeres que se cruzan con Víctor Suaid, o simplemente los ruidos de los automóviles, sus luces, su actividad.

Sensaciones e imágenes se unen para nutrir uno de los motivos fundamentales de la narrativa de Onetti, originado también en su primer texto: *el soñador*. Tres años después publicó un cuento aún más significativo en este sentido, «El posible Baldi», pero ya en «Avenida de Mayo-Diagonal-Avenida de Mayo» puede reconocerse el personaje inaugural en una larga estirpe de soñadores que se evaden de la realidad, que luchan contra ella, que la niegan o que la transforman merced al ejercicio de la imaginación. Todas estas instancias cabrán poco a poco en su literatura, pero lo importante es consignar la presencia de ese soñador en el temprano texto de 1933. Víctor Suaid es allí un ciudadano, sin duda alguna: el cuento lo inserta en su medio, en su hábitat. Pero al mismo tiempo, por motivos no explícitos, comienza a trasladarse con su imaginación hacia lugares exóticos o por lo menos lejanos y nunca vividos, nunca visitados. Primero, «una exasperada visión polar, sin chozas ni pingüinos», luego la policía montada canadiense, y Alejandro Iván y

Nicolás II «limpiando a cada paso la nieve de las botas con el borde de su úlster de pieles».

Como remedando el fluir de la conciencia, cada una de estas imágenes se eslabonan con el presente y vuelven luego a sumergirse en la fantasía, sin artificio, casi sin deliberación, como en obediencia a uno de aquellos mecanismos de la memoria involuntaria de que hablara Proust. Sólo que aquí constituyen una cadena ininterrumpida de estímulos y efectos, donde los efectos actúan a su vez convirtiéndose en estímulos para nuevas reacciones. Así, es posible escapar hacia lo imaginario con sólo las luces de un automóvil: «Como trofeos de fácil triunfo, llevó dos luces del coche al desolado horizonte de Alaska.» O: «Instaló las luces robadas del auto en el cielo que se copiaba en el Yukón.» A la inversa, el paisaje imaginado, o la imagen misma, se desvanecen ante la realidad del presente, o dicho de otro modo, ante la presencia de la realidad: «Cuando Brughtton se agachó, cubriendo con su cuerpo enorme la fogata, y él, Víctor Suaid, se irguió en el Coroner listo para disparar, una mujer hizo brillar sus ojos y el crucifijo entre la piel de su abrigo, tan cerca suyo que sus codos intimaron.»

No es casual que ciudad y ensoñación se presenten juntos en estos primeros cuentos. Onetti escribió —e instó a escribir— una literatura urbana acorde con la nueva realidad de los países del Plata. Pero ello no quería decir que la ciudad fuera un ámbito neutro, aceptado y aceptable sin más, simplemente un medio diferente en el que ubicar nuevas historias y nuevos personajes. La ciudad era un ámbito de conflicto, un ámbito dramático, y el hombre urbano era un espécimen conflictual y trágico a la vez. El sueño —y el ensueño— comenzaron a jugar un papel preponderante en la curiosa mecánica de la rebeldía. Los frutos del ensueño serían compensaciones ante la realidad inquerida, y el acto de ensoñar, un acto de rebeldía individual. De ahí que los primeros cuentos propusieran la vida cotidiana como el opuesto de la aventura, y se correspondieran con un mismo ciclo de rebeldía «pura», anarquista, del cual *El pozo* (1939) era la primera concreción y a la vez un semillero de motivos futuros, y *Tierra de nadie* y *Para esta noche* otros dos ejemplos indiscutibles de la misma índole.

Lo admirable es que este conflicto se haya podido dar de manera tan nítida y lúcida desde los comienzos mismos, en «Avenida de Mayo-Diagonal-Avenida de Mayo», y mejor todavía, en «El posible Baldi» (1936). En este último cuento, el proceso que lleva de la realidad a la imaginación para volver de nuevo a la realidad, adjunta por primera vez la conciencia dolorosa del tránsito. En «Avenida de Mayo...», Víctor Suaid no ignoraba «lo extrañamente literaria que era su emoción», y sin embargo esa conciencia, a su vez, no era indicio de dolor. Lo contrario sucede en «El posible Baldi», donde reaparece el motivo del soñador y Onetti realiza en términos narrativos una reflexión audaz sobre la dialéctica realidad-ficción como un homenaje de hombre sedentario a la aventura interior.

Baldi es, como Víctor Suaid, un típico ciudadano, y su vida resulta tan vulgar y anónima como la de esos centenares de burócratas «empleados, señores, jefes de oficinas», despectivamente nombrados por la mujer que lo escucha embelesada creyéndolo «diferente». El cuento no quiere sino presentar la doble imagen de la fábula y la credulidad: la credulidad como un rasgo de estupidez sentimental, la fábula como el uso peligroso, devorador, de la mentira. Con el encuentro fortuito de estos dos personajes, credulidad y fábula comienzan a levantar la historia, a edificarla. Baldi, el «hombre inofensivo que contaba historias a las Bovary de plaza Congreso», se inventa otra vida, diferente, llena de aventuras inverosímiles, con un franco desprecio por la ciega admiración de la mujer atenta a él. Decidido a quebrar el hechizo irracional en que ella está sumergida, la invención de Baldi acude al venero del grotesco: miente haber sido un traficante de negros, racista, criminal, guardián en legendarias minas de diamante, dentro de una escenografía que anuncia ya los campos de concentración y sus «alambres electrizados», y su historia crece y se desgarra a medida que advierte en su interlocutora, al contrario, cada vez mayor veneración.

El cuento pudo detenerse allí, en la simple muestra de dos conductas, pero Onetti introdujo el conflicto, la semilla del mal, en el propio discurso de su personaje masculino. Porque la mentira creciente lo supera, como a un aprendiz de brujo, y retrocede para golpearle con la fuerza de un bumerán. Y es que el Baldi mentido, el «posible» Baldi, empieza a existir con tanta o mayor fuerza que el gris Baldi verdadero, haciéndole reflexionar sobre su vida presente, su «lenta vida idiota, como la de todo el mundo», en contraste con el sabor espléndido de la aventura. «Porque el doctor Baldi no fue capaz de saltar un día sobre la cubierta de una barcaza, pesada de bolsas o maderas. Porque no se había animado a aceptar que la vida es otra cosa, que la vida es lo que no pudo hacerse en compañía de mujeres fieles ni hombres sensatos. Porque había cerrado los ojos y estaba entregado, como todos. Empleados, señores, jefes de las oficinas.»

En eso consiste la inútil rebeldía de los primeros personajes onettianos, en tratar de componer con el juego libre de la imaginación lo que no se atrevieron a vivir por cobardía o por otras formas de la mediocridad. Importante es señalar que para no caer en las mismas redes de sus personajes, Onetti superó paulatinamente la visión inicial tomando por un camino intermedio e inesperado: se propuso «mujeres infieles» y «hombres insensatos» con los cuales alimentar su narrativa, e hizo *realidad,* casi mágicamente, el sendero del ensueño en que estaban todos proyectados. ¿Qué otra cosa que lo opuesto a «mujeres fieles» y «hombres sensatos» poblará el ciclo de Santa María? ¿Qué otra cosa que la «realidad» del ensueño y de la imaginación es ese ciclo mismo? Bastaría recordar a Larsen desde la creación de Santa María (un Larsen muy diferente del que aparece en *Tierra de nadie*), en pos del sueño del prostíbulo en la costa, Larsen en pos del sueño de un astillero derruido. Quienes se alían a Larsen en sus empresas absurdas, quienes confían en él o le ofrecen aventuras más absurdas aún (Petrus), comparten esa cualidad de seres atípicos, extraordinarios. Son los que no se han avenido a la entrega requerida por la ciudad con su vida burocrática y valores tan insulsos como el de la sensatez. «Un sueño realizado» (1941) y luego la huida hacia el imaginario territorio de Santa María, en *La vida breve* (1950), inauguran la «realización» de los sueños, y superan la etapa de la rebeldía desesperada y sin sentido, encarnada en casi todos los cuentos del primer período e incluso en las tres novelas mencionadas, *El pozo, Tierra de nadie* y *Para esta noche.*

Antes de publicar «El posible Baldi», Onetti había dado a conocer en *La Nación* un relato basado en ciertos hechos reales y vividos (su visita a un internado bonaerense): «El obstáculo» (1935). Habría razones, temáticas y estilísticas, para decir que «El obstáculo» es un relato ajeno a las preocupaciones del primer Onetti, y sin embargo se encuentran en él elementos útiles para la conformación de varios motivos, algunos ya existentes, otros en germen. Por lo pronto, las vicisitudes de los muchachos internados provoca en el narrador una actitud de «rebeldía», más social que individual, más palpable y verificable que la rebeldía existencial de sus otros cuentos, y sin duda menos original. Un rasgo, sin embargo, se destaca notoriamente en este largo texto, más allá de su escritura laxa o del planteo moderadamente ingenuo. Y es la presencia sicológica de la ciudad y el juego de oposiciones generado entre el espacio interior (el reformatorio, la cárcel) y el espacio exterior (la ciudad, la libertad). Para el desvalido personaje central, para ese paria marginado, diez años de reformatorio constituyen toda una vida, y son diez años de lejanía que significan, precisamente, por omisión o ausencia, la mitificación del «exterior» codiciosamente imaginado, la ciudad que se recuerda de los años infantiles superpuesta a la ciudad narrada y descrita por los mayores. «Buenos Aires. Pensó en la ciudad y quedó desconcertado, rascando la superficie áspera de la tranquera. Porque detrás del nombre estaban el bajo de Flores, los diarios vendidos en la Plaza, la esquina del Banco Español, el primer cigarrillo y el primer hurto en el almacén. Estaba la infancia, ni triste ni alegre, pero con una fisonomía inconfundible de vida distinta, extraña, que no podía entenderse del todo ahora. Pero también estaba el Buenos Aires que habían hecho los relatos de los muchachos y los empleados, las fotografías de los pesados diarios de los domingos. Las canchas de fútbol, la música de los salones de tiro al blanco de Leandro Alem.»

En oposición a los otros relatos de Onetti, la ciudad constituye aquí el espacio ensoñado. Se sueña para reconquistar la ciudad, no para huir de ella.

PERIQUITO EL AGUADOR

Estos tres son los cuentos de Onetti directamente relacionados con su vida en Buenos Aires, mientras compartía la misma existencia gris y cotidiana de Baldi y de Suaid, vendiendo máquinas de escribir o publicando algunas crónicas de cine en *Crítica*. En 1934 regresó a Montevideo, continuó el diverso oficio de la sobrevivencia, se casó por segunda vez (y nuevamente con una prima: María Julia Onetti), y en 1939, gracias a la fundación de *Marcha* encontró un camino más seguro y próximo a su vocación de escritor: el periodismo. *Marcha* significó para Onetti la oportunidad para desarrollar en diferentes vías el talento que venía madurando casi en secreto. Durante un par de años su actividad fue múltiple: desempeñó la secretaría de redacción, escribió agresivos comentarios literarios, volcó ironía en una serie de cartas firmadas «Grucho Marx» (sin *o*), redactó cuentos policiales inventando autores anglosajones cuando la urgencia periodística lo exigía, y seleccionó materiales para la página literaria. Fue asimismo en el local de *Marcha* (Rincón 593) donde escribiera la segunda versión de *El pozo,* extraviada la primera en Buenos Aires hacia 1932 [6].

Algunos años después, Onetti recordaba con sentimiento y humor aquellos tiempos iniciales: «En la época heroica del semanario (1939-1940), el suscrito cumplía holgadamente sus tareas de secretario de redacción con sólo dedicarles unas 25 horas diarias. A Quijano se le ocurrió, haciendo numeritos, que yo destinara el tiempo de holganza a pergeñar una columna de alacraneo literario, nacionalista y antimperialista, claro. Recuerdo haberle dicho, como tímida excusa, desconocer la existencia de una literatura nacional. A lo cual contestóme, mala palabra más o menos, que lo mismo le sucedía a él con la política y que no obstante, sin embargo y a pesar podía escribir un macizo y matemático editorial por semana sobre la nada. Así nació Periquito el Aguador, empeñado en arrojar su piedra semanal en la desolación del charco vacío.» [7]

En 1939 la narrativa uruguaya padecía aún las rémoras del nativismo, y a excepción de Onetti y otros pocos escritores (antes que él, Bellán), la ciudad no había podido desplegarse como el espacio literario correspondiente al notorio crecimiento de la urbanización. La época batllista, que se extendió mucho más allá de las dos presidencias de Batlle y Ordóñez, e incluso de su muerte, no pareció significar para la literatura lo que ya habían significado para la vida social: un énfasis puesto sobre Montevideo, sobre el despegue industrial y comercial de los sectores medios, la constitución de una sociedad del «bienestar» que se adelantaba, gracias a las reformas laborales y al proteccionismo estatal, a otros países de América Latina, y se ponía a la par de las naciones europeas más desarrolladas. Para la narrativa, y hasta para la poesía, seguía prevaleciendo, sin embargo, la vida azarosa (y ya anacrónica) del gaucho, que en algunos casos (Morosoli, Dotti) se acercaba a la realidad en la figura del campesino o el hombre de pueblo.

Onetti había cumplido su primer ciclo argentino haciendo

---

[6] Cf. la excelente crónica de esos años en HUGO ALFARO, «Una larga marcha», *Antología de Marcha,* Montevideo, Biblioteca de Marcha, 1970, pp. 7-52.

[7] ONETTI, «Onetti explica a Periquito el Aguador», *Capítulo Oriental,* Montevideo, octubre de 1968.

conciencia de la necesidad de una literatura urbana, y había escrito cuentos, precisamente, a partir de los conflictos del hombre ante la ciudad. De ahí que haya negado tan tenazmente la «existencia» de una literatura uruguaya, o que fustigara desde «La piedra en el charco» las vetustas concepciones estéticas y el espíritu provinciano que delataba el miedo al cambio, el miedo a narrar el propio presente. La prédica de «Periquito el Aguador» aún conserva la frescura y el meditado atrevimiento de la polémica, y sirve sin duda para palpar de propia mano, en algunos de sus fragmentos, cuál era el clima intelectual de la época y cuáles las convicciones de quien sería, con el pasar del tiempo, uno de los más grandes narradores contemporáneos.

«Periquito el Aguador» decía, por ejemplo: «Poco importan las raíces de una retórica ni la exacta definición de término. Ser retórico es repetir elementos literarios en lugar de crearlos. Desde el punto de vista de la creación tanto vale el idioma de profesor de castellano del señor Horacio Maldonado como los romances gitanos escritos en el interior de la república. La misma falsedad de unos y otros.

»[...] Es un problema de sinceridad. Escribirse un *Hambre* —a la Hamsun, claro— y pesar cien dichosos kilos, es un asunto grave. Pergeñarse algunos *Endemoniados* —a la rusa, no hay por qué decirlo— y preocuparse simultáneamente de los mezquinos aplausos del ambiente intelectual criollo, es motivo para desconfiar.

»[...] Este peligro nos sobrecoge. Ya había demasiado con la célebre frase "El genio es una larga paciencia". Hubo quien la entendió literalmente y sigue especulando con la larga paciencia de los lectores.

»Aparte de su talento, K. [atherine] Mansfield debe su triunfo a esto: por primera vez, y por última, hasta ahora —pese a la legión de "bas bleu" anteriores y posteriores— una voz de mujer dijo de un alma de mujer. Katherine Mansfield tuvo mucho de milagro: no fue cursi, no fue erudita, no se complicó con ningún sobrehumano misticismo de misa de once.

»Las que no sólo leen de corrido, las mujeres de sólida cultura que hasta dan conferencias y todo, esas no se conforman con la estructuración de sonetos de catorce versos, describiendo la fuerza de perturbación erótica que poseen los ojos verdes del amado. Escriben sobre Cristo, Marx, el Cosmos o la técnica del autor del Bisonte de Altamira.

»Un escritor puede hacer literatura en cualquier parte del

mundo. La vida es tan rica en Nueva York como en las islas de Pascua cuando se tiene la sensibilidad que se necesita.

»Cuando un escritor es algo más que un aficionado, cuando pide a la literatura algo más que los elogios de honrados ciudadanos que son sus amigos [...], podrá verse obligado por la vida a hacer cualquier clase de cosa, pero seguirá escribiendo. [...] Escribirá porque sí, porque no tendrá más remedio que hacerlo, porque es su vicio, su pasión y su desgracia.

»Que cada uno busque dentro de sí mismo, que es el único lugar donde puede encontrarse la verdad y todo ese montón de cosas cuya persecución, fracasada siempre, produce la obra de arte. Fuera de nosotros no hay nada, nadie. La literatura es un oficio; es necesario aprenderlo, pero más aún es necesario crearlo.»

Fiel a sus convicciones, Onetti dirigió su narrativa a buscar una verdad personal («y todo ese montón de cosas...») a través de los signos propuestos por la realidad del entorno. En diciembre de 1939 publicó *El pozo* en una tirada escasa de quinientos ejemplares que demoraría veinte años en agotarse. Si no por la repercusión (que no tuvo) *El pozo* fue sin embargo importante para el propio narrador: estableció allí el balance de sus obsesiones, puso formas a la rebeldía, explicitó por boca de su personaje Eladio Linacero las inquietudes que antes lo habían movido a escribir cuentos como «El posible Baldi» y, sobre todo, expresó de manera ya rotunda y agresiva algunos de los motivos desarrollados y continuados en las novelas y cuentos posteriores. En *El pozo* pueden encontrarse los temas más disímiles que empezaban a componer su mundo narrativo: la muchacha, el soñador, la insatisfacción de lo real, la incomunicación, el fracaso, la ausencia de tradiciones fundadoras, la soledad del individuo. *El pozo* es un relato de exasperado subjetivismo, donde se advierte sin lugar a dudas la dinámica de su creación, basada en que el hombre es un elaborador de experiencias objetivas, reales, pero éstas no importan, sino por sus efectos en la vida personal. El tan nombrado «pesimismo» de Onetti encontraba allí su mejor fundamentación, dado que al hombre «natural» lo sustituía de pronto el hombre urbano, industrial, mecanizado o el burócrata; en fin, siempre el hombre distanciado de sus orígenes místicos, alejado de su naturaleza por las mediaciones de la organización social.

En esta época, en este contexto literario, Onetti publicó «Convalecencia», un relato secreto que tuvo aún más curioso destino que los textos anteriores, por cuanto permaneció hasta hace muy poco en el anonimato [8], pese a haber logrado el premio principal en el primer concurso del semanario *Marcha*. En efecto, el 23 de junio de 1939 *Marcha* publicaba las bases de su certamen cuentístico, que no por azar coincidían con la prédica de «Periquito el Aguador»: «Un examen actual de la literatura uruguaya dejará forzosamente una impresión pesimista. Hay numerosas firmas de prestigio pero es indiscutible que nuestras letras no se renuevan. Entendemos que ellas sufren hoy de una pobreza, falta de carácter y de *élan* que las mantienen por debajo de la calidad espiritual y el grado de cultura del pueblo uruguayo. Aun cuando no se establecen limitaciones para la intervención en este concurso, *Marcha* declara que su móvil es descubrir y presentar escritores nuevos, capaces de dar a la literatura nacional e impulso que tanto necesita.»

Sin saberlo, el resultado del concurso (cuyo jurado formaban Adolfo Montiel Ballesteros, Emilio Oribe y Francisco Espínola), premió al escritor que en las tres décadas siguientes cumpliría con mayor talento los cometidos reclamados por *Marcha*. Pero Onetti presentó su cuento con seudónimo (el nombre de una prima), pues su condición de secretario de redacción le impedía comprometer la objetividad de los miembros del jurado. Las actas del fallo, fechadas el 22 de enero del año siguiente, señalan que después de leer los 96 cuentos presentados, el jurado resuelve «aconsejar que sea dividido el premio entre los autores de los trabajos titulados "Convalecencia", "¡Traidor!" y "Encuentro" que son, respectivamente, H. C. Ramos, Juan C. Caputti y Francisco L. Toledo». Invitada a hacer algunas declaraciones sobre el certamen, «H. C. Ramos» dijo lo que hoy puede leerse reconociendo entre líneas el humor y la ironía del narrador enmascarado en mujer: «Recién a último momento decidí mandar ese trabajo al concurso de *Marcha*. El premio me sorprende... y no me sorprende; pero esto es largo de explicar... ¿Declaraciones? Hace tiempo que escribo. Preparo un libro de cuentos. Pienso que no hay aún una literatura auténticamente femenina y que a la vez pueda interesar a toda persona inteligente. Trabajo en eso y el tiempo dirá.»

«Convalecencia» no es solamente curioso por la circunstancia en que apareció. Con un decantado nivel narrativo, que lo

---

[8] Cf. J. Ruffinelli, «Un cuento secreto de Juan Carlos Onetti», *Latinoamericana,* año I, núm. 1, Buenos Aires, 1973.

convierte en su primer cuento plenamente logrado, introduce la perspectiva femenina con admirable convicción, para contar un episodio subjetivo donde la soledad del amor y la enfermedad mortal se unen en la conciencia de su convaleciente protagonista. Onetti tenía a la vista el modelo de James Joyce (a quien no ha dejado de admirar nunca) y esa soberbia aventura artística que es el monólogo de Molly Bloom, y sin embargo se distancia de la técnica experimental propiamente dicha, se sacude de los registros vanguardistas de «Avenida de Mayo...» y «El posible Baldi», y aboca la escritura a una narración lineal llena de sutilezas en la observación de los pequeños detalles que componen el mundo —y por detrás del mundo, el sufrimiento— de su personaje. «Convalecencia» inaugura de algún modo una concepción de la literatura como el vehículo para explorar las «historias secretas» y privadas de los seres, como si esas vidas privadas, muchas veces inaccesibles hasta para el propio narrador, y por supuesto para los demás personajes, fueran adquiriendo el derecho al espacio literario que antes no poseían, desplazando las superficialidades anecdóticas de la literatura al uso.

Todavía en «Avenida de Mayo-Diagonal-Avenida de Mayo» y en «El posible Baldi», esa historia privada (signada por la imaginación) era transferible. En el primer caso porque el narrador muestra el caleidoscopio de la mente —estímulos y respuestas— de Víctor Suaid, en el segundo porque es el propio Baldi quien ordena su fantasía y la vuelca verbalmente al exterior. En «Convalecencia», la historia secreta ya no es comunicable; el lector tendrá datos, signos, detalles para reconstruirla, pero ninguna explicación inequívoca ni definitoria del narrador. Este proceso (que llevará la literatura de Onetti a sumergirse cada vez más en el terreno de la ambigüedad) tuvo en un cuento de 1941, es decir de esta misma época, el ejemplo palmario de la incomunicabilidad de lo íntimo: fue «Un sueño realizado», que se cierra precisamente con la confesión de un entendimiento que no se puede transmitir: «Esas cosas que se aprenden para siempre y no sirven después las palabras para explicar.»

No en vano «Convalecencia» y «Un sueño realizado» se unen en ese extremo: sus personajes centrales son dos mujeres que se acercan a la muerte por vías indirectas. Tanto el mundo interior femenino como ese nuevo tema introducido en la literatura, provocan la retracción de Onetti. Mujer y muerte constituyen dos recintos enigmáticos en los que el narrador se siente inclinado magnéticamente a entrar. Pero el ingreso es difícil, tentativo, lleno de respeto y de temor por lo desconocido. Y una de esas entradas, negadora de la mujer madura y de la muerte, negadora del tiempo que corroe con la desilusión y la vejez, consistirá en mitificar la edad perdida, elaborando un nuevo recinto inviolable y resistente, siempre renovado en la medida en que las generaciones se suceden: el recinto de la *muchacha,* el mito de la virginidad y la pureza, dentro de una realidad en constante decaimiento. A contrapesar esa realidad, consciente sin embargo de que la batalla estaba perdida, Onetti dedicó desde entonces su obra literaria.

LA MUCHACHA

La *muchacha* aparece en la literatura de Onetti como negación, en un gesto romántico de resistencia a las leyes del mundo y de la vida. De la realidad, en suma. De ahí que sea siempre un personaje irreal, creado por esa necesidad, y no una figura encarnada verosímilmente en personajes literarios centrales. La muchacha se desliza hacia el plano del mito, y en todas las narraciones es más fruto de la contemplación, de la mediación intelectual y afectiva del ser adulto, que de la representación «realista».

Angel Rama ha hecho una generalización eficaz de las adolescentes onettianas; en efecto, todas ellas aparecen bajo formas similares, pues obedecen a una necesidad inalterable. Hay en ellas más rasgos comunes que distintos. «En primer término es la mujer púber, en ese difícil pasaje que corresponde al abandono definitivo de la infancia, sin ingresar todavía a la vida adulta; oscila entre los trece y los dieciséis años, tiene conciencia clara de su naturaleza femenina pero aún la domina intelectivamente, mezclando dos órdenes distintos en inestable entrecruzamiento: una función mental lúcida y clara y una sensibilidad cauta, casi infantil, siempre pudorosamente retenida. En segundo término, y a pesar que le está adscrito el tema amoroso, nunca es Venus y casi siempre es Afrodita, para usar la dicotomía de la cultura griega, y desde luego, las figuras de esa familia de jóvenes templadas que resultan varoniles: Electra, Antígona, Eurídice. En tercer término tiene una entereza sin fisuras, usa su pureza como un desafío al mundo, al descaecimiento de la materia en el tiempo, y parece dueña de la llave de la perfección ideal, vencedora del tiempo, de la muerte, altiva y desdeñosa para las debilidades de la carne, ausente incluso de ellas, prácticamente intocada por la sensualidad.»[9]

En rigor, la muchacha constituye el «tercer sexo» del que hablara alguna vez Díaz Grey. Está más allá del universo masculino y femenino, y es precisamente lo sexual aquello que llega a corromperla: «El sexo, no el amor, es el instrumento del cambio», observa Rubén Cotelo al estudiar el papel de agente destructor personificado por el hombre. Cotelo, que ha insistido con frecuencia en considerar a Onetti un escritor religioso, no duda en vincular el tema de la muchacha con una «implícita concepción católica de la mujer, un horror casi medieval a la corrupción de la carne, un perverso, deformado, parcializado culto mariolátrico», que desemboca, no por azar, en la creación de una ciudad imaginaria que se llama Santa María. «Santa María, sin pecado concebida, que engendró a su Hijo por obra y gracia del Espíritu Santo, virgen y madre, el epítome, el modelo inalcanzable, absoluto, total, que rige la concepción de Onetti y que preside su obra».[10]

Aunque no fuera éste el centro de la producción de Onetti, por cierto constituye uno de los núcleos temáticos más importantes, y recorre sus relatos y novelas desde los orígenes. He aquí algunos ejemplos de diversas épocas y textos distintos, en los cuales Onetti ha ido desarrollando, sin reiteraciones mecánicas, una figura capital para la comprensión de su proceso narrativo:

a) En su primer texto publicado, «Avenida de Mayo-Diagonal-Avenida de Mayo», aparece por primera vez. Es María Eugenia, evocada por el personaje Víctor Suaid, quien recuerda a la mujer vistiéndola en su memoria como niña, con su «disfraz» de colegiala, en una figura femenina donde se mezcla la niña y la «mujer madura, escéptica y cansada». María Eugenia inaugura la galería de mujeres en las que el narrador o el personaje buscan rescatar a la muchacha que alguna vez fueron.

b) El motivo de la muchacha vuelve a aparecer en una novela inédita de 1933, *Tiempo de abrazar,* de la que hablamos más adelante. Pero vale la pena anotar que aquí la adolescente aparece paradigmáticamente llamada *Virginia,* se contrapone con la sensual Cristina, y hasta es descrita por el narrador destacando sus caracteres asexuados, suaves, casi andróginos.

---

[9] Angel Rama, «Origen de un novelista y de una generación literaria», en Juan Carlos Onetti, *El pozo,* Montevideo, Arca, pp. 99-100.

[10] Rubén Cotelo, «Cinco lecturas de Onetti», en *Onetti, op. cit.,* pp. 59-66.

c) *El pozo,* de 1939, constituye en muchos aspectos la matriz temática y en gran parte estilística, de la producción posterior, como si fuese un centro generador del cual partieran, desarrollándose, los motivos que más tarde conformarían novelas y cuentos. El motivo de la *muchacha* aparece perfectamente enfocado, teórica y narrativamente. Teórica, cuando Eladio Linacero dice: «He leído que la inteligencia de las mujeres termina de crecer a los veinte o veinticinco años. No sé nada de la inteligencia de las mujeres y tampoco me interesa. Pero el espíritu de las muchachas muere a esa edad, más o menos. Pero muere siempre; terminan siendo todas iguales, con un sentido práctico hediondo, con sus necesidades materiales y un deseo ciego y oscuro de parir un hijo.» Un pasaje de *El pozo* ilustra asimismo inequívocamente la señalada búsqueda de la *muchacha* en la mujer, que es una búsqueda de la pureza, del paraíso perdido, en los rasgos reminiscentes que perviven en la mujer adulta. En ese pasaje el narrador recuerda un episodio anterior: la noche en que recordaba a su mujer en la época del noviazgo, «con un vestido blanco y un pequeño sombrero caído sobre una oreja». Era entonces Ceci y no Cecilia (como en otro cuento famoso, «Bienvenido, Bob», el personaje muchacho era Bob y no Roberto). Impulsado por ese recuerdo, Eladio decide despertar a su mujer e intentar, en absurda empresa, atrapar a la muchacha que había sido. El intento, claro está, termina en el fracaso. Pero importa precisamente como índice significativo: «Entonces tuve aquella idea idiota como una obsesión. La desperté; le dije que tenía que vestirse de blanco y acompañarme. Había una esperanza, una posibilidad de tender redes y atrapar el pasado y la Ceci de entonces. Yo no podía explicarle nada; era necesario que ella fuera sin plan, no sabiendo por qué. Tampoco podía perder tiempo, la hora del milagro era aquélla, en seguida. Todo esto era demasiado extraño y yo debía tener cara de loco. Se asustó y fuimos. Varias veces subió la calle y vino hacia mí con el vestido blanco donde el viento golpeaba haciéndola inclinarse. Pero allá arriba, en la calle empinada, su paso era distinto, reposado y cauteloso, y la cara que acercaba al atravesar la rambla debajo del farol era seria y amarga. No había nada que hacer y nos volvimos.»

d) El ritual que había utilizado Eladio Linacero para convocar el «espíritu» muerto de la muchacha —ritual y por lo tanto repetición de actos y gestos, uso de las mismas o similares vestimentas— reaparece en un cuento de 1940, «Un sueño realizado». La descripción de la mujer se basa en una mezcla de rasgos adolescentes y maduros, y es así como la recuerda el narrador —un viejo empresario teatral en bancarrota—: «La mujer tendría alrededor de cincuenta años y lo que no podía olvidarse de ella, lo que siento ahora cuando la recuerdo caminar hasta mí en el comedor del hotel, era aquel aire de jovencita de otro siglo que hubiera quedado dormida y despertara ahora un poco despeinada, apenas envejecida pero a punto de alcanzar su edad en cualquier momento, de golpe, y quebrarse allí en silencio, desmoronarse roída por el trabajo sigiloso de los días.»

e) En su novela *Para esta noche,* publicada en 1943, Onetti desenvuelve cumplidamente el motivo de la adolescente, esta vez representada en el personaje de Victoria Barcala, una niña de trece años que el protagonista debe acompañar e intenta salvar de la hecatombe bélica, de la persecución fascista, en un país innominado [11]. Onetti *desarrolla* la actitud del personaje masculino a lo largo del relato, haciéndolo pasar de la figuración paterna a la figuración del amante. Ossorio ve por primera vez a Victoria Barcala como «una chiquilla de once a doce años», que se acerca «rápida, con sus cortos pasos indecisos, la grave cara infantil viniendo a encajarse en la luz [...] y su aire profundo de inocencia y duelo». En una primera instancia, Ossorio la presenta como la «hija» ante el mundo exterior, pero los otros empañan y ensucian esa versión sustituyéndola por la de una relación antinatural que no existe. Onetti coincide aquí con la noción sartreana de la «mirada»: son los otros quienes imponen y edifican la realidad, quienes tiñen lo real con su propia subjetividad corrupta. En ese mismo proceso, el hombre va adquiriendo progresivamente un sentimiento de cariño, y en una nueva instancia llega a sentir lástima y piedad por los años que habrán de sobrevenir matando el «espíritu de la muchacha»: «Ossorio miraba la cara de la niña, movía los ojos sobre las luces del pelo, medía la distancia entre los ojos, la socavada separación de la nariz y la boca, la inmóvil impensada expresión de orgullo, pureza y cálido desdén de la cara de la niña, la amortiguada luz del ensueño y la insobornable justicia que descendía por las mejillas desde la raya de sombra de las pestañas. "Algún día tendrá un

---

[11] Desarrollo con mayor amplitud este tema en el ensayo «La ocultación de la historia en *Para esta noche* de Juan Carlos Onetti», *Nueva narrativa hispanoamericana,* Vol. III, núm. 2, septiembre 1973, pp. 145-159. Incluido en el volumen *Onetti, op. cit.,* pp. 156-179.

hombre, mentiras, hijos, cansancio. Esa boca".» Esta última línea alude a una idea reiterativa en toda la producción literaria de Onetti: la pureza se pierde, deviene la madurez como un aviso de caducidad, y más tarde la natural corrupción de las cosas, y la muerte. Finalmente el sentimiento irrumpe en el hombre, o, mejor que el sentimiento, la conciencia del mismo, una concienciación *retrospectiva,* pues dice *recordar* «de golpe cuánto la había estado queriendo [...] y cómo había sufrido desde entonces por ella». La novela se clausura con una imagen repetida —la mano del hombre cubre o protege «el misterio»— que no ha sido nunca bien leída por la crítica. Muerta la niña, Ossorio reposa la mano sobre su sexo, antes de morir él mismo, como un último gesto, ya inútil y absurdo, de amor. Sin duda *Para esta noche* es el texto narrativo donde Onetti ha desarrollado mejor, más claramente, los difíciles sentimientos del adulto por la adolescente, por la muchacha casi núbil. Más aún: es probablemente el único texto en el que dicho sentimiento aparece cumpliendo un proceso, es decir, no mitificado, no impuesto de una vez.

Otros textos posteriores a 1950 retoman el motivo de la muchacha; particularmente *Tan triste como ella* (1963), donde se reitera la conciencia de Eladio Linacero ante su mujer Cecilia; esta vez es «el hombre» quien insiste en separar la «muchacha» del pasado de la «mujer» que es su esposa en el presente. Hay en esa novela corta un diálogo muy sugestivo del cual no quiero transcribir sino lo esencial:

—¿Todo? Tal vez no lo comprendas. Ya hablé, creo, de la muchacha.
—De mí.
—De la muchacha —porfió él.

Puede afirmarse que esta es una de las constantes mayores en la narrativa de Onetti, medular para su noción fatalista sobre el descaecimiento humano. Según Onetti, envejecer es decaer, y se envejece desde edad temprana; envejecer significa transigir con el mundo, acomodarse a sus reglas, aceptar las proposiciones fáciles de la realidad, dejarse aletargar por los mediocres llamados de la vida cotidiana. El mito de la muchacha, como decía antes, supone una actitud de rebeldía prometeica aunque esencialmente frustrada, ante una realidad mucho más poderosa que cualquier rebeldía.

Es así como el problema del tiempo (a un nivel narrativo,

nunca metafísico o seudometafísico) vertebra en buena parte la literatura onettiana: la rodea, la acosa, la asedia, la desafía. En el primer capítulo de *Tiempo de abrazar,* su novela inconclusa, ese problema está visto desde la perspectiva juvenil: un muchacho compara su energía con las fatigas de un viejo profesor y teme el futuro que los igualará. De todos modos hay tiempo, hay años en los que confiar, y la vejez, para un joven, no es realmente problema acuciante. En cambio, la perspectiva cambia totalmente en uno de los mejores cuentos de Onetti: «Bienvenido, Bob», publicado en 1944, y en un fragmento titulado «Nueve de Julio» (1945). En «Bienvenido, Bob» el narrador recuerda la juventud de Bob, el hermano de Inés, y la hostilidad que aquél le manifestaba cuando él pretendía casarse con su hermana. En la memoria, aquella juventud «implacable» y «rabiosa» (dos adjetivos caros a Onetti) defendía sus propios valores sin falsa educación. Bob y el narrador libraban un duelo secreto por la muchacha, el segundo abrazando la perspectiva del matrimonio con motivaciones egoístas, las de un hombre acabado que se adhiere a su última esperanza; y Bob, sintiendo la «vejez» de su enemigo como un germen de corrupción vital que su hermana no merecía. La hostilidad es lúcida, encuentra sus razones hirientes y se hace explícita, así, cuando Bob encara al narrador para decirle:

«Usted no se va a casar con ella porque usted es viejo y ella es joven. No sé si usted tiene treinta o cuarenta años, no importa. Pero usted es un hombre hecho, es decir deshecho, como todos los hombres a su edad cuando no son extraordinarios.»

Y más adelante aún:

«Usted es egoísta; es sensual de una sucia manera. Está atado a cosas miserables y son las manos las que lo arrastran. No va a ninguna parte, no lo desea realmente. Es eso, nada más; usted es viejo y ella es joven. Ni siquiera debo pensar en ella frente a usted. Y usted pretende...»

El narrador recuerda a Bob, recuerda el desafío, recuerda esas palabras cruelmente gratuitas, pero ya han pasado varios años y la rebeldía ha sido aplastada por la mejor venganza: el inexorable pasaje del tiempo. Ahora Bob es Roberto, y del muchacho henchido de una juventud pura e implacable sólo queda un «hombre de dedos sucios llamado Roberto, que lleva una vida grotesca, trabajando en cualquier hedionda oficina, casado con una gorda mujer a quien llama "miseñora"». La pureza inicial y, luego, la muerte de esa pureza, el fracaso del proyecto original del ser humano, se reitera en esta imagen de la edad juvenil como un paraíso perdido frente a la edad adulta que es un reino corrupto. El narrador es muy claro al contrastar las dos imágenes —Bob, Roberto— del mismo personaje y al decir que Roberto «sufre sus crisis de nostalgia»: «Lo he visto lloroso y borracho, insultándose y jurando el inminente regreso a los días de Bob.» Días luminosos sin duda, y diferentes a los que transcurren en el «tenebroso y maloliente mundo de los adultos». Porque es este mundo al que el narrador le ofrece la «bienvenida», en un gesto que conserva la ambigüedad de los actos humanos (como el envío de las fotos en otro cuento magistral, «El infierno tan temido», de 1962), pues en ellos puede verse tanto la fruición por la derrota, que confirma así la vileza esencial del mundo adulto, como una prueba de amor.

«Nueve de Julio» se publicó originariamente como «fragmento de la novela en preparación», *La cara de la desgracia*, aunque luego no fue incluido en el relato de ese título ni parece guardar relación alguna con su anécdota. Lo que interesa destacar es que, al igual que «Bienvenido, Bob», es un relato de desafío, duelo y venganza; culmina con un acto desencadenante del narrador y con su reflexión clarificadora: «No lo hice para que se matara, no lo hice siquiera para convencerlo de que yo tenía razón. Nada más que para que no continuara mirándome y sonriendo con aquella expresión inquieta de su cara de adolescente enclenque, con el brillo de burla de su juventud ante un hombre al que considera definitivamente terminado.» Es una *mirada* juvenil, inexperiente y soberbia, hasta diríase simplemente *juvenil,* la que determina la *vejez,* la caducidad insoportable para cualquier hombre que ha salido de la edad de la inocencia. Acaso la literatura de Onetti no sea otra cosa que una literatura de aprendizaje y de experiencia, una prueba de cómo pasar el conocimiento del adulto al joven: fría, cruelmente, con la misma frialdad y desaprensión que la juventud siente por el mundo maduro.

HACIA SANTA MARÍA

Por cierto, la historia misma estaba confirmando a Onetti en su visión pesimista o inclemente de la realidad: la segunda guerra, el advenimiento del nazismo, la caída de la República Española fueron experiencias fundamentales del período. En 1936 había intentado infructuosamente viajar como voluntario a España. Años después las historias contadas por dos anarquistas que habían logrado huir de la última ofensiva del falangismo dieron origen a una de sus novelas más sombrías: *Para esta noche,* que no fue sin embargo el justificado sustituto de la acción. Por eso, al editarla en 1943, señaló en su prólogo: «En muchas partes del mundo había gente defendiendo con su cuerpo diversas convicciones del autor de esta novela, en 1942, cuando fue escrita. La idea de que sólo aquella gente estaba cumpliendo de verdad un destino considerable, era humillante y triste de padecer. Este libro se escribió por la necesidad —satisfecha en forma mezquina y no comprometedora— de participar en dolores, angustias y heroísmos ajenos. Es, pues, un cínico intento de liberación.» Dos años antes había publicado *Tierra de nadie,* un testimonio novelístico de la sacudida que la contienda mundial estaba provocando en el Río de la Plata al generar una colección de seres desubicados, extraviados, carentes de otro sentido que la persecución de utopías (como la isla Faruru) o el desenlace del suicidio.

Entre 1943 y 1950 Onetti publicó siete cuentos y sólo cuatro de ellos fueron recogidos en volumen. «Mascarada» (1943), «Bienvenido, Bob» (1944), «La larga historia» (1944), «Nueve de Julio» (1945), «Regreso al sur» (1946), «Esbjerg, en la costa» (1946) y «La casa en la arena» (1949). «Mascarada» ha sido considerado siempre el texto más hermético y opaco de Onetti. En efecto, sin la menor concesión, el narrador describe la deambulación de su personaje femenino por un parque, y no puede saberse, más allá de un confuso intento de conversar con alguien, con un hombre, cuáles son sus propósitos, qué busca María Esperanza. El cuento menciona, además, el «recuerdo» de una «espantosa cosa negra que había sucedido unas horas antes», sin dar ningún asidero, ninguna clave al lector. Que Onetti ha sido consciente del excesivo hermetismo de su cuento puede deducirse de dos agregados de su puño y letra que figuran en un ejemplar de *El infierno tan temido* (Montevideo, Asir, 1962), y que ahora estamos incorporando en una versión definitiva del relato. Uno dice (señalo la adición en bastardilla): «El rostro malicioso del recuerdo, *de la orden de buscar hombres y traer dinero,* amenazaba tocar su corazón.» El otro amplía el final: a la imagen del hombre que le toma de la mano y le hace «una pregunta, una risa, otra pregunta, por todo dos preguntas que ella no alcanzó a comprender» (con estas palabras terminaba el cuento) se agrega ahora: «*Pero comprendió, más feliz, tanto para ella como para la multitud que no puede entender, que podría cumplir con el negro, espantoso recuerdo, con la orden breve de buscar hombres y volver con dinero.*» Gracias a esta versión actual puede recomponerse la historia secreta, descifrar los implícitos y entender que el conflicto de María Esperanza es el de una mujer empujada a la prostitución, ingenuamente «feliz», al fin, por descubrir que puede superar sus escrúpulos y cumplir con el deseo del hombre que la ha enviado.

«La larga historia» constituye la primera escritura de un brillante relato de los años sesenta: *La cara de la desgracia*. En el cuento, la historia aparece narrada con mayor concisión no sólo porque es más breve, sino, principalmente, porque carece de la proyección metafísica y religiosa que su segunda instancia acabó por imprimirle. En un doble plano simultáneo se narra un conflicto de culpa —el hermano del personaje se ha suicidado por motivos de los que éste se cree responsable— y una relación erótica con una muchacha, apenas adolescente, en un hotel de provincia. Como en otros textos, aquí el hecho desencadenante del final queda en las sombras, opaco para el lector, y el escritor no se juega por ninguna explicación; por el contrario, las omite, las borra. Pues el relato es una charada policial, un ejercicio de misterio que cuenta con muy pocas pistas, diseminadas incluso en un terreno áspero y confuso. Ese suceso desencadenante es el asesinato de la muchacha, cuya sospecha recae en el personaje. La fundamental diferencia con *La cara de la desgracia* está en el hecho de que el personaje de la novela es claramente inocente y sin embargo asume el castigo, como desplazando la responsabilidad por la muerte del hermano. Así la historia se convierte en una parábola sobre el tema de la culpa.

Tres cuentos cierran este ciclo y el último de ellos se instala ya en un ciclo nuevo, el de Santa María. «Regreso al sur» (1946) posee el tono, el tema, la estructura y los personajes del melodrama rioplatense por definición: el tango. Con sobria medida narra las desgracias de amor de un personaje visto aquí desde la perspectiva de su sobrino. La mujer lo ha dejado por un guitarrista de cafés, y esa razón constituye la invisible valla que durante años separa al tío Horacio de la zona sur. Las finales vueltas de tuerca son previsibles por su simetría, por el claro diseño de fatalidad y destino que el autor quiere imprimirles para extraer de ellos su significación, su paradoja. Pero lo más significativo del cuento, desde el punto de vista literario, es la exploración de temas propios de un género musical, la captación de un espíritu muy particular y sospechablemente intransferible, que muy pocos han podido pasar a otros órdenes sin caer en el manierismo o en la literatura de costumbres. «Esbjerg, en la costa» es también un relato de soledad y melancolía, y asimismo de lealtad más allá del riesgo y del delito. Como las muñecas chinas, el relato engloba una soledad en otra: la primera es la de Kirsten, nostálgica de su Dinamarca natal; la segunda es la de Montes, quien intenta estafar, sin suerte, con la buena intención de comprarle a su mujer un pasaje de regreso; la tercera es la del narrador, quien cubre el robo y protege a la pareja desdichada. Lo que uno hace por el otro es un intento de destruir las soledades, de *comunicarse* con la soledad ajena, pero el cuento testimonia la impotencia de toda intención, y se resume en esa definitiva «sensación de que cada uno está solo, que siempre resulta asombrosa cuando nos ponemos a pensar».

«La casa en la arena» (1949) establece un corte, una quiebra, en la narrativa de Onetti, y es el umbral del gran ciclo de Santa María, que comenzaría al año siguiente con su novela *La vida breve*. Si no de la propia trama de esta novela, «La casa en la arena» es de todos modos un desprendimiento de sus materiales; principalmente, por la aparición del doctor Díaz Grey, quien sería en *La vida breve* un personaje imaginado por otro personaje, Brausen.

Creo que no es posible considerar este cuento sin un marco referencial futuro: *La vida breve* y la creación de ese territorio llamado Santa María. Porque incluso las hipotéticas respuestas al *dato omitido* en este relato (por ejemplo: ¿qué hace Díaz Grey en esta casa aislada? ¿De qué acusación pretende protegerlo Quinteros?) podrían encontrarse en *La vida breve*. Allí encontraríamos al doctor Díaz Grey y el suministro de morfina a las pacientes (recuérdese a Elena Sala) recomendadas por Quinteros. Esta y otras muchas vinculaciones son bien hallables con la novela de 1950 y el comienzo de Santa María, pero en su cualidad de relato, quiero destacar en «La casa en la arena» la introducción de uno de los procedimientos más importantes de la literatura de Onetti: la perspectiva cambiante, que se acentuaría progresivamente en otros libros con el fin de comprobar la relatividad de lo real.

El relato se abre con la descripción de Díaz Grey en su consultorio, y se cierra en una imagen similar: es lo único estructuralmente fijo, inmóvil, estable. El resto, es decir, la recreación de los hechos, instaura una realidad en constante cambio, ofreciendo su mejor ejemplo en el episodio del anillo que Díaz Grey entierra «ocho veces» en la arena para que luego aparezca, sin explicación, en su propia palma y bajo los ojos de la mujer. La relatividad del recuerdo está explicando la naturaleza relativa de toda literatura y de toda realidad. Onetti llevaría esta idea a su expresión más extrema en una novela de 1959, *Para una tumba sin nombre,* donde los hechos aparecen corregidos, variados, modificados y aun infinitamente modificables, de acuerdo con la versión de cada uno de los testigos o participantes.

El otro rasgo importante del cuento es el ya señalado: en él se filia tradicionalmente el origen de Santa María, aun cuando ésta no es nombrada. Sin embargo, creo que Santa María aparece por primera vez en un fragmento de *Tiempo de abrazar,* publicado en 1943 con el título «Excursión». Hay allí la referencia, muy en germen, a todo un núcleo temático extraordinariamente importante en *La vida breve* (Díaz Grey, Elena Sala) y una frase que habrá que atribuir a la ironía, a la semántica o a la casualidad. «Este médico de ahora es muy bueno, se preocupa mucho... Me decía Elena cuando entra en la sala.» Tan importante o significativo como esto, resulta la descripción de un pueblo de provincia, que muy bien podría calificarse de proto-Santa María, de prefiguración asombrosamente exacta. La descripción dice así: «Frente a él, del otro lado de las vías, una hilera de chalets, jardines, los terrones de la calle. Más lejos, ya en el cielo azul, un pedazo verde oscuro de eucaliptos. A la derecha, la plaza desierta, la iglesia de ladrillos, vieja y severa, con el enorme disco del reloj.» Los lectores del Onetti posterior, el que comienza en *La vida breve* y va a hacer de la imaginada Santa María el territorio real de sus historias, pueden sin duda encontrar en este breve episodio de *Tiempo de abrazar* el origen más lejano de la ciudad mítica.

Tiempo de abrazar [12]

«En aquel tiempo, allá por el 34, yo padecía en Montevideo una soltería o viudez en parte involuntaria. Había vuelto de mi primera excursión a Buenos Aires fracasado y pobre. Pero esto

[12] Parte de este capítulo fue publicado originariamente en la revista *Eco,* tomo XXVI/4, núm. 154 (1973), con el título: «Onetti y su novela perdida», pp. 193-208. Dado que *Tiempo de abrazar* se publicó después, despojo de ese

no importaba en exceso porque yo tenía veinticinco años, era austero y casto por pacto de amor, y sobre todo, porque estaba escribiendo una novela "genial" que bauticé *Tiempo de abrazar* y que nunca llegó a publicarse, tal vez por mala, acaso, simplemente, porque la perdí en alguna mudanza.» Esto escribe Onetti en una espléndida semblanza de Roberto Arlt [13], y no meramente como un dato autobiográfico de esa época. En efecto, Arlt leyó *Tiempo de abrazar* y recomendó su publicación («Entonces, si estás seguro que no publiqué ningún libro este año, lo que acabo de leer es la mejor novela que se escribió en Buenos Aires este año. Tenemos que publicarla»). *Tiempo de abrazar* no se publicó, sin embargo, en 1934 ni después, aunque en un concurso de 1941 fue elegida como la segunda entre siete novelas que aspiraban a concurrir al certamen neoyorkino de Rinehart y Farrar. Extraviada luego, dio pábulo al origen de una leyenda: era la novela que pudo haber competido con Ciro Alegría y *El mundo es ancho y ajeno;* era una novela de «ciudad», vanguardista por ende, que pudo haber desplazado el indigenismo todavía influyente.

Tiempo de abrazar fue leída solamente por amigos, y por los miembros de un jurado hacia 1941. El concurso referido ya, tenía como propósito preseleccionar la novela *uruguaya* destinada a competir en el certamen internacional de Rinehart y Farrar. Cada país sudamericano debía enviar una novela representativa y en el Uruguay el fallo recayó sobre *Yyaris,* de Diego Nollare (seudónimo de Alberto Idoyaga de Olarte, quien dos años después publicó su segundo y hasta hoy último libro, *Ciénaga fecunda*), pero otras seis novelas resultaron asimismo finalistas: *Tiempo de abrazar,* por Juan Carlos Onetti; *El caballo y su sombra,* por Enrique Amorim; *Hermano Perro,* por Juan de Lara; *Pompeyo Amargo,* por Dionisio Trillo Pays; *Muchachos,* por L. Machado Ribas, y *Hombres en la luna,* por Selva Már-

---

ensayo un buen caudal descriptivo, pero no he querido modificar su escritura. Como señalo más adelante, *Tiempo de abrazar* se dio por perdida durante muchos años, hasta que rescaté buena parte de la novela en 1974 y la publiqué junto con los cuentos de 1933-1950 (Montevideo, Arca, 1974). Hay edición posterior, de Bruguera (España), sin prólogo, y fue presentada tramposamente como primera edición.

[13] Onetti, «Semblanza de un genio rioplatense». Prólogo a la edición italiana *I sette pazzi (Los siete locos)* de ROBERTO ARLT, publicado en español en *Marcha,* 28 de mayo de 1971; *Macedonio,* núm. II, Buenos Aires, 1971, y en *Nueva novela latinoamericana 2* (recop. Jorge Lafforgue), Buenos Aires, Paidós, 1972, pp. 363-377.

quez. Apenas conocido el resultado, uno de los miembros del jurado, Juan Mario Magallanes, declaró: «Quiero decir aquí que destaco tanto como la obra elegida, la titulada *Tiempo de abrazar,* presentada con seudónimo. [...] Creo que *Tiempo de abrazar* será un libro de gran éxito literario el día que se publique, y dará lugar a juicios apasionados.» [14] Las profecías de Magallanes no llegaron a cumplirse porque al poco tiempo se extraviaban las copias disponibles de la novela y sus originales. Sólo se conocieron algunos fragmentos aparecidos en *Marcha,* en 1943 [15].

Ni siquiera los primeros o los más importantes de esos fragmentos revelan mucho de la sustancia novelística del libro, de ahí que éste haya quedado restringido a unas breves y confusas noticias sobre su contenido. Porque, en realidad, ¿qué es *Tiempo de abrazar?* ¿Qué se propuso Onetti en esa novela? ¿Podemos hoy, con doce o trece capítulos rescatados, hacernos una idea cabal de su asunto y compartir el entusiasmo que en su época manifestaba Magallanes? La estructura y el desenvolvimiento de esa docena de capítulos permite sin duda alguna afirmar que el tema fundamental de *Tiempo de abrazar,* desde su propio título, es la vida emotiva de Julio Jason y la búsqueda del amor auténtico, con todas las instancias familiares y de medio ambiente, que se suponen lastres, contrapesos de los sentimientos individuales más legítimos y puros. *Tiempo de abrazar* comienza presentando a Julio Jason en su medio, pero ya desde el tercer capítulo ingresa en el relato Virginia y la novela se dirige resueltamente hacia el tema del amor juvenil. La técnica del relato, la manera como ésta avanza y se desarrolla, tienen que ver con sus cuentos ya nombrados y también con la estructura de *El pozo.* En efecto, con razón Leo Pollmann advierte, refiriéndose a la novela de 1939, la existencia de «islas episódicas» y el hecho de que se lleve «adelante la acción como a empujones o por medio de cuadros». Hasta la sintaxis misma deja ver disper-

---

[14] *Marcha,* núm. 88, 14 de marzo de 1941, p. 5.

[15] El primer fragmento de *Tiempo de abrazar* publicado en *Marcha* (25 de junio de 1943) fue presentado de este modo: «Publicamos hoy un fragmento de la novela inédita de Juan Carlos Onetti *Tiempo de abrazar.* Obra escrita hace ya varios años, sus páginas están llenas de un intenso lirismo, que recorre la novela y le da el acento de una encendida afirmación. El novelista ceñido y casi ausente de la vibración de su tema, que escribiera luego *Tierra de nadie* y *El perro tendrá su día* [primer título de *Para esta noche*] (su mejor obra, aún inédita), hizo su casi única profesión de fe en la vida en las páginas de *Tiempo de abrazar,* su obra más efusiva y diáfana.»

sión aparentemente inconexa: «Los párrafos descansan sobre sí mismos, desvinculados unos de otros.» [16]

Un ejemplo claro de este aspecto lo ofrecen los cuatro capítulos iniciales de *Tiempo de abrazar:* en el primero, Jason dialoga con su profesor de literatura francesa, M. Gigord, y todo el episodio, lleno de digresiones, retrocesos, recuerdos, diálogos e imprecisiones, parece dirigido principalmente a contrastar la sensación de vejez (Gigord) y juventud (Jason). En el segundo, otro personaje (Seidel), intenta convencer a Jason para que éste le preste asistencia en un turbio asunto de bolsa de valores: el tema es la codicia, y aquí se establece otro tipo de contraste entre la corrupción y la inocencia, el diablo tentador y el iniciado. En el tercero, un grupo de ocho amigos conversan sobre arte, vida, filosofía y otros temas de salón, en un nivel intelectual y sofisticado que tal vez provenga, como modelo literario, de las novelas de Huxley. Es en este capítulo cuando aparece por primera vez Virginia y despierta la admiración de Jason. En el cuarto, finalmente, Jason se reúne con Cristina, su amante, pero ya ha comenzado a funcionar en la conciencia la imagen de Virginia y a producirse en él una previsible crisis emocional. Lo significativo es que no hay transición alguna entre estos cuatro capítulos, y apenas existe implícito un vínculo por el hecho de contar, como figura más o menos central, con un mismo personaje.

Más allá de este descarnado esquema anecdótico, la novela se alimenta ricamente de sensaciones e ideas, que van conformando la imagen personal, densa y convincente, de Jason, así como del ambiente en que se mueve. La contraposición del viejo profesor y el discípulo no pauta simplemente la eterna antinomia entre cansancio y vigor, vejez y juventud. Apunta a algo más profundo: estados de ánimo y actitudes ante la vida, que son siempre contradictorias y fecundas. Las imágenes de M. Gigord aparecen, en forma clara, como las de la derrota: «Trabajosamente se puso de pie»; «Comenzó a subir [las escaleras], tanteando cuidadosamente con los pies»; «Se adivinaba la debilidad de las piernas en la indecisión del paso; e iba subrayando el balanceo negativo de la cabeza...»; «Aquel viejo que trepaba cansadamente...» De parte de Jason hay una *lucidez* (la del narrador identificado con su personaje) acerca de la situación, no sólo el simple y directo vigor animal. Como otros jóvenes de la

---

[16] LEO POLLMANN, *La «nueva novela» en Francia y en Iberoamérica,* Madrid, Gredos, 1971, p. 87.

narrativa de Onetti, Jason lleva en sí el impulso de la rabia y cierto nihilismo que, paradójicamente, es el que lo hace avanzar y vivir. De él también se dice que está «triste y hastiado» y que «nada valía la pena». No se trata de abatimiento físico, del cansancio de células y órganos, sino de una suma de energías que no encuentra dónde expresarse mientras el mundo le muestra, a través de sus mayores (M. Gigord, aquí), el futuro y su carga desilusionante. De ahí que la imagen de la juventud sea como la de un estallido retardado, una potencia difusa, contradictoria, instintiva y brutal y a la vez inteligente y desorientada. La juventud es la suma «de sus sueños, de sus odios, de sus ganas brutales de llegar a ser él mismo por completo, de lograr a puñetazos la brecha por la cual le sería dado expresarse totalmente». El doloroso conflicto que cuenta con indudable destreza este capítulo inicial de la novela consiste en que M. Gigord está mostrándole a Jason el resultado de esa explosiva juventud, en que deviene el fin del camino.

El segundo capítulo es otra muestra de la corrupción del mundo. Interesa en él la visión de Seidel como un hombre mediocre, incapaz de vida interior y sutil, que se corresponde con la aparición física, con sus «zapatos sin brillo» y el «borde comido de los pantalones». Seidel es un complemento del retrato de Gigord, pero de esta miseria humana es posible huir, y, en efecto, ni el tema ni el personaje aparecen nuevamente en los diez capítulos siguientes. En cambio, los amigos que dialogan sobre filosofía y literatura proponen una visión más amable de la vida, aunque tal vez tan estéril como las anteriores. Su conversión gira sobre el eterno problema del «contenido» y la «forma». Jason encarna un suave eclecticismo que supone la adecuación y el equilibrio entre la expresión y lo expresado. Sus palabras, nada memorables, de todos modos intervienen implícitamente, a través de este episodio, en la misma discusión entablada en esos años en el ambiente cultural del autor (no son pocas las novelas que discuten en su propio *corpus* las concepciones artísticas, empezando con el *Quijote*). Sin embargo, acaso más importante que este debate resulta, en el episodio, la aparición de dos temas principalísimos en la narrativa de Onetti. Uno de ellos es el del «soñador». El capítulo se inicia precisamente con la mención de «Tanglefoot» y «los bosques que hiciera arder Juan Suter en California». El olor a resina, un delicado y casual olor a resina en el aire tiene el efecto de la magdalena proustiana: retrotrae al personaje a la infancia y le deja una sensación indefinible de reminiscencia en que se mezcla la fantasía del «soñador». El otro tiene que ver con el irresuelto conflicto entre la pureza y el sexo, de honda raíz romántica. El hecho de que la mujer posea glándulas y actividad fisiológica conmueve la imagen santificada de la pureza, castrada también gracias a largos siglos de falsa educación religiosa. Para Jason, Virginia (cuyo nombre está implicando etimológicamente la virginidad) [17] se eleva a una categoría etérea: «El perfil de Virginia era puro, infantil, dulce de inocencia.» Pero súbitamente se superpone el llamado de la realidad: «¿Podía olvidar, acaso, que sobre el blando cuero del asiento descansaba su sexo? [...] Ella tenía sexo [...] y fingía no saberlo, sosteniendo un hipócrita gesto de pureza.»

El cuarto capítulo narra el encuentro de Jason y Cristina. Sirve de transición hacia el verdadero centro de la novela, y amplía, ahora en el registro de la sensualidad, las tribulaciones de Jason. El *ennui* del comienzo reaparece: «Bah, todo inútil y doloroso. La vida era inútil y dolorosa; pero una pereza de Mar de las Antillas —palmeras, chozas, uniformes blancos— lo retenía indiferente y calmado en el sillón, las piernas estiradas sobre la mesa.» Y también aquí el olor de la resina le trae como recuerdos imágenes sueltas: «Tiempo, lluvia, escalera, el mar», que a su vez resultan desencadenantes de la memoria: «Años atrás. El "Maryland" se balanceaba en el río...»

En el quinto y séptimo capítulos se narran dos instancias de la seducción. En el primero, Jason visita a Virginia. El se muestra cansado, con cierto hastío de vivir, y deja paso al soñador. «Los dientes blancos y la piel canela y un algo de húmedo, dulce y tibio de su expresión en la risa, le trajeron caprichosas sensaciones tropicales.» En el capítulo VII, Virginia ataca el *ennui* de los derrotistas, y le da a Jason, así, la oportunidad para que reflexione, ante el vigor demostrado, sobre qué efectos tendría «tirar un millón de Virginias Cras sobre la ciudad. Un ejército de muchachas decididas y burlonas, que rompieran todo [...], que alegremente hicieran astillas la moral, el pecado, la decencia, el temor. Todos los mamarrachos que hacían retroceder a los hombres, como espantapájaros». En una pausa del diálogo central, unas breves frases preludian el beso, una referencia a la

---

[17] Me señala Onetti: «Lo de "Virginia" es deliberado, porque "Cras" en latín quiere decir "mañana". Entonces, en mi locura, pensé en la "virgen del mañana". Es decir, desprovista del fetichismo de la virginidad, es la virgen del mañana que se da a quien quiera, de quien esté enamorada.»

impulsividad animal frente a la presencia de la hembra. La manera como Onetti se refiere a este breve aunque intenso contacto físico, recuerda el personaje de *El pozo* y su episodio con Ana María. Como allí, aquí se busca confusamente no sólo provocar un goce sino humillar. Vale la pena comparar ambos momentos:

«La agarré del cuello y la tumbé. Encima suyo, fui haciendo girar las piernas, cubriéndola, hasta que no pudo moverse. Solamente el pecho, los grandes senos, se le movían desesperados de rabia y de cansancio. Los tomé, uno en cada mano, retorciéndolos. Pudo zafar un brazo y me clavó las uñas en la cara. Busqué entonces la caricia más humillante, la más odiosa. Tuvo un salto y se quedó quieta en seguida, llorando, con el cuerpo flojo» *(El pozo)*.

«La besó con fuerza, restregándose en los labios humedecidos, con un vago deseo de humillarla, de hacer que lo odiara, que le golpeara enfurecida en la cara. Pero cuando comprendió que ella se abandonaba temblando entre sus manos y que no tenía contra él más que una dulce muchachita que abría ansiosamente la boca, cerró los ojos como si se entregara al sueño, muerto de cansancio» *(Tiempo de abrazar)*.

El capítulo sexto es cabalmente una de las señaladas «islas episódicas» puesto que, separándose de todo lo que se ha narrado hasta el momento, relata un viaje de Jason al campo [18], viaje sin propósito explícito ni claro, como no sea huir de la ciudad buscando la soledad o el encuentro pánico con la naturaleza. Goza el momento, aspira el aire «fuerte y áspero» y el narrador acota: «Esta era la vida. Todo lo demás, mentira.» Lo singular es que la situación, por más autenticidad que se busque en ese instante, implica la dramática vivencia de la ajenidad. Por su conciencia urbana, Jason es el forastero, el ciudadano, el desterrado (hasta en el sentido literal) de esa naturaleza que le inspira el sentido de la verdad. Las escasas secuencias narrativas del capítulo se concentran en el diálogo con un campesino, diálogo artificioso en su composición, demostrativo de cuán poco sabía Onetti acerca del campo y la sicología de sus hombres. El episodio es importante (téngase en cuenta, incluso, que la novela, según lo recuerda el autor, concluía con la definitiva huida de

---

[18] Este capítulo se publicó con el título «Excursión», en *Marcha*, el 19 de marzo de 1943, en un recuadro que no señala su condición de fragmento novelístico ni su origen.

Jason hacia la naturaleza) por el motivo que proyecta sobre la narrativa de esos años: el anhelo de partir, de abandonar todo y de alcanzar una «vida tan libre como había soñado» es de algún modo un anhelo compartido por otros personajes de diferentes relatos, así Aránzuru en *Tierra de nadie* con su sueño de la isla Faruru y su final escapatoria, así también los personajes que en *La vida breve* (1950) huyen hacia Santa María, el territorio inventado por Brausen. Muchos personajes de Onetti, asimismo, en su imaginación están huyendo hacia el paraíso: son los soñadores que no soportan la dureza resistente, pétrea, de lo real.

El siguiente capítulo retoma la anécdota amorosa y busca darle una nueva entonación, esta vez contrastando los sentimientos de Jason y de su amigo Lima, la preocupación de uno y la conducta frívola del otro. Para Jason hay un solo motivo de pensamiento: Virginia. Es que ha caído en la trampa de muchos personajes onettianos: la de temer por el futuro, la de saber que nada es eterno. Jason presiente, así, que la quinceañera de la que se ha enamorado, la tan extraordinaria Virginia, devendrá un día lo que no es, morirá en ella el espíritu de la muchacha. «Y luego, si los años deformaran a Virginia, y a la muchachita fresca e incontaminada sucediera la señora honesta, arrepentida de aquel extravío de la adolescencia...»

Los capítulos IX y X vuelven a tomar como tema las relaciones entre los dos jóvenes. Importa en el primero observar la índole del sentimiento de Jason, el hecho de que «idealice» a la muchacha separándola del común de las adolescentes («No me gustaría que fuera como todas...»), así como su apreciación de un nivel infrecuente de inteligencia («Si no fueras tan inteligente...»). Aparte acusar ciertos rasgos misóginos cuando se refiere a las «náuseas» que llega a provocarle a veces «todo lo femenino», el episodio es sin duda de la mayor elocuencia ya que contiene la descripción del prototipo femenino conformado por *la muchacha,* en quien despunta la sexualidad, una sexualidad sin sexo, llena de delicadeza; la figura física sin exuberancias, casi de efebo («¿Te gusta sentirme un muchacho?», pregunta Virginia), pero que tampoco señala arrestos varoniles. El exacto medio entre ese comienzo de diferenciación sexual —en un extremo— y de saturación sexual —lo que llama «cien por ciento mujer»— es en definitiva aquel que encarna la «muchacha».

A este punto de su novela, el escritor ha logrado hacer progresar el tema de la relación de los dos jóvenes, así como dibujar más o menos firmemente los rasgos del entorno vital. Por eso dedica el siguiente capítulo, el XI, a culminar la relación Jason-Cristina. Las últimas líneas del episodio no dudan en sugerir una ruptura («Sintió claramente una despedida mucho más larga y cierta que el débil hasta mañana que se dijeron») del vínculo al cual Jason parece haber estado atado más que nada por imperiosidad sexual. El capítulo le es útil al novelista, ya perfilado el personaje delicado y femenino de Virginia, para establecer un contraste entre las dos mujeres y delimitar así más claramente, si cabe, la raíz de las preferencias sentimentales. Es el modo de «ser» femenino el que pasa aquí a primer plano en el análisis espontáneo de Jason, en su opción masculina entre la llamada poderosa y total de la *mujer* que hay en Cristina, y la incitación más cauta y pudorosa de la *muchacha* que es Virginia. Importa detenerse en este aspecto, pues arroja luz sobre la constitución de algunos personajes femeninos de Onetti. «Podría decirse que Cristina era sexualmente agresiva», señala el narrador, «en tanto Virginia pacífica. Mientras ella cazaba, la muchacha se hacía cazar. Las armas de Cristina eran su cuerpo, sus movimientos, sus palabras. Todo dirigido hacia él en forma directa. [...] La muchachita, en cambio, operaba de manera distinta. Más sutil, más afinada, más suave». La comparación se extiende y se ahondan mucho más las diferencias en el resto del personaje, pero lo citado es suficiente para advertir y confirmar la acusada preferencia por ese modo de «ser» más neutro, aunque siempre femenino, encarnado en la muchacha.

El último de estos doce capítulos es uno de pausa, de sosiego, de tregua. No narra, detiene la acción. Describe a Jason enfermo, en cama, pensando. En su pensamiento se mezcla el presente (Virginia, la habitación, las formas divisadas en la ventana) y el pasado (la escena familiar, la presencia de la madre). En una segunda instancia, su reflexión se orienta discursivamente (de ahí su defecto) hacia el tópico del desencuentro de sentimientos y estados de ánimo entre dos personas distantes.

Aquí la copia rescatada se interrumpe. *Tiempo de abrazar* «vuelve a extraviarse». Y sin embargo aún hay dos continuaciones aprovechables, dos líneas involuntariamente tendidas que proveen los fragmentos publicados en *Marcha* en 1943. Hacia junio de ese año aparecen juntos dos capítulos diferentes: el XI (ruptura de las relaciones de Jason con Cristina) y el XIX, que narra una entrevista entre Jason y el señor Cras. El padre de la muchacha es presentado como un hombre de negocios, atildado, formal, ante quien disuena el temperamento anárquico y emocional de Jason. El diálogo lleva a contraponer dos actitudes generacionales, explicitadas en la novela en términos parecidos a los que podría llevar hoy y siempre: el hombre maduro desprecia la lucidez de la juventud y le antepone su experiencia, mientras el muchacho considera que todo es sólo fruto de la incomprensión de los demás.

Finalmente, el extenso fragmento publicado en diciembre de 1943 tiene por objeto narrar un demorado y gozoso encuentro erótico de los dos jóvenes, en una exaltación de la desnudez, de las formas graciosas del cuerpo, que en gran parte lo transforman en un canto a la sensualidad. Probablemente no existe en toda la literatura de Onetti un episodio de esta índole, donde el placer físico, la dicha animal, la conciencia agradecida del goce entregado se den con plenitud y franqueza igual. El capítulo se demora en una única escena: los amantes en el lecho, extasiados, felices, con sólo una débil sombra proyectándose: la de un futuro que no verá repetirse el frágil hechizo vivido ya que ellos existen, como individuos, en un mundo dominado por la mezquindad, la incomprensión y la intolerancia. En este episodio se ofrece una de las claves fundamentales del sentimiento de la soledad onettiana y de la comunicación. Esta clave está en el hecho de que la compañía carnal implique el mayor conocimiento humano, luego del cual cada uno se repliega a su aislamiento. «Tuvo miedo de su próxima soledad. El departamento sin ella; la cama sin su cuerpo; los sillones sin sus piernas nerviosas; los libros sin la curiosidad de su mirada grave. Todo iba a quedar sin sentido; incomprensible como un escrito cifrado cuya clave se hubiera perdido.» Lo curioso, lo singular de este capítulo, y de todo *Tiempo de abrazar,* es que postula un universo que desaparecería por completo en las siguientes novelas y cuentos, donde los personajes se afanarán precisamente por vivir desencuentros, desdichas, infortunios, y donde el sexo implicará vergüenza, frustración, sufrimiento o dolor. Acaso haya que interpretar la obra narrativa de Onetti como una búsqueda incesante de las claves de ese «escrito cifrado» en que se transforma la existencia sin la comunión con el ser amado. Tal vez todo, desde aquí, desde esta novela que muchos consideraron deliberadamente extraviada, sea exclusivamente el proceso de una lenta y difícil búsqueda, y bajo esa luz debamos volver a leer sus libros.

* * *

Es ímproba tarea (acaso desaconsejable) determinar el valor literario de una novela incompleta, aun cuando, como en este caso, nos asista la convicción de poseer su mayor parte, sus lineamientos definitivos. Sin embargo, *Tiempo de abrazar* resulta enormemente sugestiva como un paso inicial en el desarrollo de un escritor, donde ya muchos de sus temas aparecen esbozados o medianamente cumplidos. Por su intento estético, en 1933 *Tiempo de abrazar* significaba un plausible esfuerzo de modernización de las letras: un ejemplo palmario de la conciencia ciudadana y de los problemas del hombre desprendido de las tragedias del terruño pero aprisionado en las angustias y neurosis de la gran ciudad. Si al publicarse tan demoradamente, en 1974, a cuarenta años de escrita, no obtiene el «gran éxito» y los «juicios apasionados» que le auguraba Magallanes, nadie en cambio negará que posee la sólida virtud de haber sabido reflejar la *«edad de la promesa»* debatiéndose en ansias de amor y de sensualidad e inserta en una ciudad que el novelista tenía el deber de crear con un arte inteligente, pero también naturalmente indócil, rebelde, diferente.

Con «Los niños en el bosque» ocurre algo similar: escrito en 1936, inédito desde entonces, incompleto en los únicos manuscritos encontrados, el relato permite inferir que se trataría de una novela. Pero aunque no sepamos cuál iba a ser o fue su desarrollo, de todos modos podemos calibrar o reconocer virtudes innegables de un Onetti juvenil (en 1936 tenía 27 años) enfrentado a una realidad y a una galería de personajes que no serían los suyos característicos de la madurez. Este es el mundo de la calle, del barrio, de la adolescencia, de las fidelidades, de la amistad, de la defensa de valores propios frente a los disvalores de la sociedad, del tiempo y del curso cotidiano. Acaso sí, por esas hebras de relación con el mundo, este Onetti juvenil se comunica con el Onetti que vendrá después. Por esas hebras uno encuentra su continuidad en el otro. Porque ya aquí los personajes sienten cierto peso hostil de la realidad, sienten cómo la vida ensucia, sienten la necesidad de «otra vida marginal y fantástica», pero ante todo defienden, con toda la ingenuidad que se quiera, la *pureza* de la que son depositarios.

Entre otros motivos de admiración, hay uno que se destaca: es la sutileza y la inteligencia con que despliega el tema y el personaje de homosexual. Adelantándose a la literatura de sus contemporáneos, desembarazado de inhibiciones fáciles, Onetti plantea en el centro mismo de su trama una serie de actitudes conflictivas, con todo un sensualismo en confusa pugna con la conciencia. Lo espléndido es que tema tal haya sido tratado sin falsas posturas moralizadoras, ni siquiera elaborando un personaje marginal más (como sería el amigo de Barthé en las novelas sanmarianas), sino con cabal atención a un problema básico de sentimientos. Que son sentimientos ambiguos e informes porque tales constituyen siempre los de la adolescencia.

Tan notoria es la frescura del relato —que utiliza en los diálogos un coloquialismo nada impostado, y descripciones breves, precisas y restallantes— que sorprende, como sorprende también *Tiempo de abrazar*. Aquel Onetti de comienzos del treinta prefiguraba al Onetti posterior (no en vano Wordsworth dice «*The Child is the Father*» en el famoso poema), preocupado ya entonces por el tema de la corrupción de la pureza, pero lo hacía desde un lado de la valla —el lado juvenil— empuñando un concepto espontáneo y positivo de la existencia. En «Los niños en el bosque» eso se advierte claramente con la protección que los dos amigos dispensan al muchacho homosexual, teñida esa actitud por ambiguas ensoñaciones eróticas que no tienen, sin embargo, el menor asomo de malicia y menos aún de cinismo. Poco a poco Onetti pasaría esa valla y se ubicaría del otro lado, el de la madurez. Y desde allí sentiría simpatía por los jóvenes, pero una simpatía confundida con piedad. Es que después de haber mirado cara a cara a la *desgracia,* como ejemplifica cada una de sus novelas, es difícil desligarse de la conciencia desdichada que confiere el tiempo.

[Prólogo a *Tiempo de abrazar y los cuentos de 1933 a 1950,* Montevideo, Arca, 1974, pp. ix-liv.]

MARIO BENEDETTI

JUAN CARLOS ONETTI
Y LA AVENTURA DEL HOMBRE

La atmósfera de las novelas y los cuentos de Juan Carlos Onetti, dominados y justificados por su carga subjetiva, estaba anunciada en una de las confesiones finales de *El pozo* (su primer libro, publicado en 1939): «Yo soy un hombre solitario que fuma en un sitio cualquiera de la ciudad; la noche me rodea, se cumple como un rito, gradualmente, y yo nada tengo que ver con ella.» Ni Aránzuru (en *Tierra de nadie*) ni Ossorio (en *Para esta noche*) ni Brausen (en *La vida breve*) ni Larsen (en *El astillero*), dejaron de ser ese hombre solitario, cuya obsesión es contemplar cómo la vida lo rodea, se cumple como un rito y él nada tiene que ver con ella.

Cada novela de Onetti es un intento de complicarse, de introducirse de lleno y para siempre en la vida, y el dramatismo de sus ficciones deriva precisamente de una reiterada comprobación de la ajenidad, de la forzosa incomunicación que padece el protagonista y, por ende, el autor. El mensaje que éste nos inculca, con distintas anécdotas y en diversos grados de indirecto realismo, es el fracaso esencial de todo vínculo, el malentendido global de la existencia, el desencuentro del ser con su destino.

El hombre de Onetti se propone siempre un mano a mano con la fatalidad. En *Para esta noche,* Ossorio no puede convencerse de la posibilidad de su fuga y es a ese descreimiento que debe su ternura ocasional hacia la hija de Barcala. Sólo es capaz de una moderada —y equívoca— euforia sentimental, a plazo fijo, cuando querer hasta la muerte significa lo mismo que hasta esta noche. En *La vida breve* llega a tal extremo el convencimiento de Brausen de que toda escapatoria se halla clausurada, que al comprobar que otro, un ajeno, ha cometido el crimen que él se había reservado, protege con riesgo al homicida mejor aún de lo que suele protegerse a sí mismo. Para él, Ernesto es un mero ejecutor, pero el crimen es inexorablemente suyo, en el crimen de Brausen. La única explicación de su ayuda a Ernesto, es su obstinado deseo de que el crimen le pertenezca. Lo protege, porque con ello defiende su destino. *La vida breve* es, en muchos sentidos, demostrativa de las intenciones de Onetti. En *Para esta noche,* en *Tierra de nadie,* había planeado su obsesión; en *La vida breve,* en cambio, intenta darle alcance. Emir Rodríguez Monegal ha señalado que *La vida breve* cierra en cierto sentido ese ciclo documental abierto diez años atrás por *El pozo.* El ciclo se cierra, efectivamente, pero en una semiconfesión de impotencia, o más bien de imposibilidad: el ser no puede confundirse con el mundo, no logra mezclarse con la vida. De esa carencia arranca paradójicamente otro camino, otra posibilidad: el protagonista crea un ser imaginario que se confunde con su existencia y en cuya vida puede confundirse. La solución irreal, ya en el dominio de lo fantástico, admite la insuficiencia de ese mismo realismo que parecía la ruta preferida del novelista y traduce el convencimiento de que tal realismo era, al fin de cuentas, un callejón sin salida.

Sin embargo, no es en *La vida breve* donde por primera vez Onetti recurre a este expediente. Paralelamente a sus novelas, el narrador ha construido otro ciclo, acaso menos ambicioso, pero igualmente demostrativo de su universo, de las interrogaciones que desde siempre lo acosan. En dos volúmenes de relatos: *Un sueño realizado y otros cuentos* (1951) y *El infierno tan temido* (1962), ha desarrollado temas menores dentro de la estuctura y el espacio adecuados. A diferencia de otros narradores uruguayos, ha hecho cuentos con temas de cuento, y novelas con temas de novela.

Es en «Un sueño realizado», el relato más importante del primer volumen, donde recurre francamente a una solución de índole fantástica, y va en ese terreno más allá de Coleridge, de Wells y de Borges. Ya no se trata de una intrusión del sueño en la vigilia, ni de la vulgar pesadilla premonitoria, sino más bien de forzar a la realidad a seguir los pasos del sueño. La reconstrucción, en una escena artificiosamente real, de todos los datos del sueño, provoca también una repetición geométrica del desenlace. El autor elude expresar el término del sueño; ésta es en realidad la incógnita que nunca se despeja, pero es posible aclararla paralelamente al desenlace de la escena. En cierto sentido, el lector se encuentra algo desacomodado, sobre todo ante el último párrafo, que en un primer enfrentamiento siempre desorienta. Desde el principio del cuento, la mujer brinda datos a fin de que Blanes y el narrador consigan reconstruir el sueño con la mayor fidelidad. Así recurre a la mesa verde, la verdulería con cajones de tomate, el hombre en un banco de cocina, el automóvil, la mujer con el jarro de cerveza, la caricia final. Pero cuando se construye efectivamente la escena, se agrega a estas circunstancias un hecho último y decisivo: la muerte de la mujer, que no figuraba en el planteo inicial. El desacomodamiento del lector proviene de que hasta ese momento la realidad se calcaba del sueño, es decir, que los pormenores del sueño permitían formular la realidad, y ahora, en cambio, el último pormenor de la escena permite rehacer el desenlace del sueño. Es este desenlace —sólo implícito— del sueño, el que transforma la muerte en suicidio. El lector que ha seguido un ritmo obligado de asociaciones, halla de pronto que éste se convierte en otro, diametralmente opuesto al anunciado por la mujer.

No es esta forzosa huida del realismo, el único ni el principal logro de «Un sueño realizado». Cuando el narrador presenta a la mujer, confiesa no haber adivinado, a la primera mirada, lo que había dentro de ella

ni aquella cosa como una cinta blanduzca y fofa de locura que había ido desenvolviendo, arrancando con suaves tirones, como si fuese una venda pegada a una herida, de sus años pasados, para venir y fajarme con ella, como a una momia, a mí y a algunos de los días pasados en aquel sitio aburrido, tan abrumado de gente gorda y mal vestida,

y agrega:

La mujer tendría alrededor de cincuenta años y lo que no podía olvidarme de ella, lo que siento ahora que la recuerdo caminar hacia mí en el comedor del hotel, era aquel aire de jovencita de otro siglo que hubiera quedado dormida y despertara ahora un poco despeinada, apenas envejecida pero a punto de alcanzar su edad en cualquier momento, de golpe, y quebrarse allí en silencio, desmoronarse roída por el trabajo sigiloso de los días.

Es decir, que ésta también es una rechazada, alguien que no pudo introducir su soledad en la vida de los otros, pero sin que esto llegue a serle de ningún modo indiferente; por el contrario, le resulta de una importancia terrible, sobrecogedora.

Cuando ella le explica a Blanes cómo será la escena, y concluye diciéndole: «Entretanto yo estoy acostada en la acera, como si fuera una chica. Y usted se inclina un poco para acariciarme», ella sabe efectivamente que alcanzará su edad (la de la chica que debió ser) en ese momento y podrá así quebrarse en silencio, desmoronarse roída por el trabajo sigiloso de los días. Esa propensión deliberada hacia la caricia del hombre, ese elegir la muerte como quien elige un ideal, fijan inmejorablemente su ternura fósil, desecada, aunque obstinadamente disponible. Para ella, Blanes no representa a nadie; es sólo una mano que acaricia, es decir, el pasado que acude a rehabilitarse de su egoísmo, de su rechazo torpe, sostenido. La caricia de Blanes es la última oportunidad de perdonar al mundo. En «Un sueño realizado», Onetti aísla cruelmente al ser solitario e indeseable, superior a la tediosa realidad que construye, superior a sus escrúpulos y a su cobardía, pero irremediablemente inferior a su mundo imaginario.

Los cuentos de Onetti tienen, no bien se los compara con sus novelas, dos diferencias notorias: la obligada restricción del planteo, que simplifica, afirmándolo, su dramatismo, y también el relativo abandono —o el traslado inconsciente— de la carga subjetiva que en las novelas soporta el protagonista y que constituye por lo general una limitación, una insistencia a veces monótona del narrador. La simetría, que en las novelas parece evidente, en *La vida breve* (el asesinato de la Queca se halla en el vértice mismo del argumento) y más disimulada en *El astillero* (la entrevista de Larsen con el viejo Petrus, que en muchos sentidos da la clave de la obra, tiene lugar en el centro de la novela), constituye en los cuentos una modalidad técnica. Siempre hay un movimiento de ida y otro de vuelta, una mitad preparatoria y otra definitiva. En la primera parte de «Un sueño realizado» la mujer cuenta su sueño; en la segunda, se construye la escena. También en «Bienvenido, Bob», el narrador diferencia hábilmente la adolescente del comienzo, «casi siempre solo, escuchando jazz, la cara soñolienta, dichosa, pálida», del Roberto final, «de dedos sucios de tabaco», «que lleva una vida grotesca, trabajando en cualquier hedionda oficina, casado con una gorda mujer a quien nombra "miseñora"». En «Esbjerg, en la costa», la estafa separa dos zonas bien diferenciadas en las relaciones de Kirsten y Montes. En «La casa en la arena», la llegada de Molly transforma el clima y provoca las reacciones siniestras, faulknerianas, del Colorado. Ese vuelco deliberado, que significa en Onetti casi una teoría del cuento, no quita expectativa a sus ficciones. La mitad preparatoria suele enunciar los caminos posibles; la final, pormenoriza la elección.

En los cuentos de Onetti —y, de hecho, también en sus novelas— es poco lo que ocurre. La trama se constituye alrededor de una acción grave, fundamental, que justifica la tensión creada hasta ese instante y provoca el diluido testimonio posterior. Con excepción de «Un sueño realizado» —cuya solución es en cierto modo un mero regreso a su desenlace— los otros cuentos del primer volumen carecen precisamente de solución. Existe una esforzada insistencia en descubrir el medio (con sus pormenores, sus datos, sus inanes requisitos) en que el relato se suspende. Existe asimismo el evidente propósito de fijar las nuevas circunstancias que, a partir del punto final, agobian al personaje.

Nada culmina en «Bienvenido, Bob», como no sea el increíble desquite, pero en el último párrafo se establece la cronicidad de un presente que seguirá girando alrededor de Roberto hasta agotar su voluntad de regreso, su capacidad de recuperación.

Voy construyendo para él planes, creencias y mañanas distintos que tienen la luz y el sabor del país de juventud de donde él llegó hace un tiempo. Y acepta: protesta siempre para que yo redoble mis promesas, pero termina por decir que sí, acaba por muequear una sonrisa creyendo que algún día habrá de regresar al mundo y las horas de Bob y queda en paz en medio de sus treinta años, moviéndose sin disgusto ni tropiezo entre los cadáveres pavorosos de las antiguas ambiciones, las formas repulsivas de los sueños que se fueron gastando bajo la presión distraída y constante de tantos miles de pies inevitables.

Nada culmina tampoco en «Esbjerg, en la costa», pero Montes

terminó por convencerse de que tiene el deber de acompañarla [a Kirsten], que así paga en cuotas la deuda que tiene con ella, como está pagando la que tiene conmigo; y ahora, en esta tarde de sábado como en tantas noches y mediodías [...] se van juntos más allá de Retiro, caminan por el muelle hasta que el barco se va [...] y cuando el barco comienza a moverse, después del bocinazo, se ponen duros y miran, miran hasta que no pueden más, cada uno pensando en cosas tan distintas y escondidas, pero de acuerdo, sin saberlo, en la desesperanza y en la sensación de que cada uno está solo, que siempre resulta asombrosa cuando nos ponemos a pensar.

De modo que la tarde de sábado es también allí un presente crónico, un incambiable motivo de separación, que desde ya corrompe todo el tiempo e invalida toda escapatoria.

En cuanto se desprende de sus relatos, puede inferirse que el mensaje de Onetti no incluye, ni pretende incluir, sugerencias constructivas. Sin embargo, resulta fácil advertir que el hombre de estos cuentos se aferra a una posibilidad que lentamente se evade de su futuro inmediato. Roberto tiende, sin esperanza, a recuperar la juventud de Bob; Kirsten no puede olvidar su Dinamarca, y Montes no puede olvidar la Dinamarca de Kirsten; sólo la mujer de «Un sueño realizado» consigue su caricia, a costa de desaparecer.

Lo peculiar de todo esto es que la actitud de Onetti —como dice Orwell acerca de Dickens— «ni siquiera es destructiva. No hay ningún indicio de que desee destruir el orden existente, o de que crea que las cosas serían muy diferentes si aquél lo fuera». Onetti dice pasivamente su testimonio, su versión cruel, agriamente resignada, del mundo contra el que se estrella; pero arrastra consigo un indisimulado convencimiento de que no incumbe obligadamente a la literatura modificar las condiciones —por deplorables que resulten— de la realidad, sino expresarlas con elaborado rigor, con una fidelidad que no sea demasiado servil. Es claro que estos cuentos no logran transmitir en su integridad el clima oprimente de Onetti ni todos los matices de su mundo imaginario. Sus novelas resultan siempre más agobiadoras. Eladio Linacero padece una soledad más inapreciable y más cruel que la del último Bob; Brausen realiza sueños más vastos que la mujer acariciada por Blanes; el Díaz Grey de *La vida breve* está en varios aspectos más encanallado que su homónimo de «La casa en la arena»; el Larsen de *El astillero* está más seguro en su autoflagelación que el Montes de «Esbjerg, en la costa». No obstante, esos relatos breves son imprescindibles para apreciar ciertas gradaciones de su enfoque, de su visión agónica de la existencia, que no siempre recogen las novelas. Los cuentos parecen asimismo (con excepción de «El infierno tan temido») menos crueles, menos sombríos. Por alguna hendidura penetra a veces una disculpa ante el destino, un breve resplandor de confianza, que los Brausen, los Ossorio, los Aránzuru, los Linacero, no suelen irradiar ni percibir. Confianza que, por otra parte, no es ajena a «la sensación de que cada uno está solo, que siempre resulta asombrosa cuando nos ponemos a pensar».

Entre el primero y el segundo de los volúmenes de cuentos

publicados por Onetti, hay otro relato, titulado «Jacob y el otro», que obtuvo la primera de las menciones en el concurso literario que en 1960 fuera convocado por la revista norteamericana *Life en español*. Situado, como la mayor parte de sus narraciones, en la imaginaria y promedial Santa María, «Jacob y el otro» abarca un episodio independiente, basado en dos personajes (el luchador Jacob van Oppen y su representante el Comendador Orsini) que sólo están de paso. Santa María los recibe, a fin de presenciar una demostración de lucha y un posible desafío, en el que estarán en juego quinientos pesos. El desafiante es un almacenero turco, joven y gigantesco, pero su verdadera promotora es la novia («pequeña, intrépida y joven, muy morena y con la corta nariz en gancho, los ojos muy claros y fríos») que precisa como el pan los quinientos pesos, ya que está encinta y necesita el dinero para la obligatoria boda.

Con este planteamiento y la aprensión de Orsini por la actual miseria física de su pupilo, Onetti construye un cuento acre y compacto, mediante sucesivos enfoques desde tres ángulos: el médico, el narrador, el propio Orsini. Con gran habilidad, el escritor hace entender que quienes gobiernan el episodio son la novia del turco y Orsini, mientras que Jacob y el desafiante son meros instrumentos; pero en el desenlace uno de esos instrumentos se rebela y pasa a actuar por sí mismo. Aunque Onetti empieza por contar ese desenlace (en la versión del médico que opera al gigante maltrecho), en realidad el lector ignora de qué luchador se trata; sólo imagina el nombre, y por lo común imagina mal. Lo que verdaderamente pasó, sólo se sabrá en las últimas páginas. Es un relato cruel, despiadado, en que los personajes dejan al aire sus peores raíces; por lo tanto, no invita a la adhesión. Pero con personajes desagradables y hasta crapulosos, puede hacerse buena literatura, y el cuento de Onetti es una inmejorable demostración de esa antigua ley.

El volumen que se titula *El infierno tan temido,* incluye, además del relato que le da nombre, otros tres: «Historia del caballero de la rosa y de la virgen encinta que vino de Liliput», «El álbum» y «Mascarada». Este último es, seguramente, el menos eficaz de todos los cuentos publicados hasta ahora por Onetti. La anécdota es poco más que una viñeta, pero soporta una cargazón de símbolos y semisímbolos, que la agobian hasta frustrarla. No obstante, puede tener cierto interés para la historia de nuestra narrativa. Se trata de un cuento publicado separadamente hace varios años, cuando todavía no estaba de moda la novela objetiva. Si se lee el cuento con atención, se verá que el personaje María Esperanza está visto (por cierto que muy primitivamente) como objeto, y como tal se lo describe, sin mayor indagación en su intimidad. «El álbum» cuenta, como casi todas las narraciones de Onetti, una aventura sexual. Pero —también como en casi todas— plantea sobre la aventura un reducido misterio, un arcano de ocasión, que oficia de pretexto, de justificación para lo sórdido. El muchacho de Santa María que se vincula a una desconocida, a una extraña que «venía del puerto o de la ciudad con la valija liviana de avión, envuelta en un abrigo de pieles que debía sofocarla», juega con ella el juego de la mentira, de los viajes imaginarios, de la ficción morosamente levantada, palmo a palmo. Pero cuando la mujer se va y sólo queda su valija, el crédulo se enfrenta con un álbum donde innumerables fotografías testimonian que los viajes narrados por la mujer no eran el deslumbrante impulso de su imaginación, sino algo mucho más ramplón: eran meras verdades. Ese desprestigio de la verdad está diestramente manejado por Onetti, que no puede evitar ser corrosivo, pero en esa inevitabilidad funda una suerte de tensión, de ímprobo patetismo.

En «El caballero de la rosa» el logro es inferior. Hay un buen tema, una bien dosificada expectativa, tanto en la grotesca vinculación de la acaudalada doña Mina con una pareja caricatural, como en el proceso que lleva a la redacción del testamento. Pero la expectativa conduce a poca cosa, y el agitadísimo final sólo parece un flojo intento de construir un efecto. Hay buenos momentos de prosa más o menos humorística, pero si se recuerda la excepcional destreza que Onetti ha puesto otras veces al servicio de sus temas, este relato pasa a ser de brocha gorda. En compensación, «El infierno tan temido» es el mejor cuento publicado hasta hoy por Onetti. En su acepción más obvia, es sólo la historia de una venganza; pero en su capa más profunda, es algo más que eso. Risso, el protagonista, se ha separado de su mujer, a consecuencia de una infidelidad de extraño corte (ella se acostó con otro, pero sólo como una manera de agregar algo a su amor por Risso). La mujer desaparece, y al poco tiempo empieza a enviar (a él, y a personas con él relacionadas) fotos obscenas que, increíblemente, van documentando su propia degradación. Risso llega a interpretar esa agresiva publicidad, ese calculado desparramo de la impudicia, como una insólita, desesperada prueba de amor. Y quizá (pese al testimonio de alguien que narra en tercera persona y adjetiva violentamente contra la mujer) tuviera razón. Lo cierto es que el último envío acierta «en lo que Risso tenía de veras de vulnerable»; acierta, en el preciso instante en que el hombre había resuelto volver con ella. Lucien Mercier ha escrito que este cuento «es una introducción al suicidio». Yo le quitaría la palabra *introducción:* es el suicidio liso y llano. La perseverancia con que Risso construye su interpretación, esa abyección que él transfigura en prueba de amor, demuestra algo así como una inconsciente voluntad de autodestrucción, como una honda vocación para ser estafado. En rigor, es él mismo quien cierra las puertas, clausura sus escapes, crea un remedo de credulidad para que el golpe lo voltee mejor. De tan mansa que es, de tan mentida o tan inexperta, su bondad se vuelve sucia, más sucia acaso que la metódica, entrenada venganza de que es objeto. Para meterse con tema tan viscoso, hay que tener coraje literario. Como sólo un Céline pudo hacerlo, Onetti crea en este cuento la más ardua calidad de obra artística: la que se levanta a partir de lo desagradable, de lo abyecto. Es ese tipo de literatura que si no llega a ser una obra maestra, se convierte automáticamente en inmundicia. La hazaña de Onetti es haber salvado su tema de este último infierno, tan temido.

«Yo quiero expresar nada más que la aventura del hombre.» Esta declaración de intenciones aparentemente mínimas, pertenece a Juan Carlos Onetti y consta en un reportaje efectuado por Carlos María Gutiérrez. Por más que la experiencia aconseje no prestar excesivo crédito al *arte poética* de los creadores, conviene reconocer que ésta de Onetti, tan cautelosa, es asimismo lo suficientemente amplia como para albergar no sólo su obra en particular, sino casi toda la literatura contemporánea. Desde Marcel Proust a Michel Butor, desde Italo Svevo a Cesare Pavese, desde James Joyce a Lawrence Durrell, son varios los novelistas de este siglo que podrían haber refrendado ese propósito de expresar nada más que la aventura del hombre. Todo es relativo sin embargo; hasta la aventura.

Para Proust, la aventura consiste en remontar el tiempo hasta ver cómo el pasado proyecta «esa sombra de sí mismo que nosotros llamamos el porvenir»; para Pavese, en cambio, la aventura es un destello instantáneo («la poesía no nace de *our life's work,* de la normalidad de nuestras ocupaciones, sino de los instantes en que levantamos la cabeza y descubrimos con estupor la vida»); para Butor, en fin, la aventura consiste en rodear la peripecia de incontables círculos concéntricos, todos hechos de tiempo. Y así sucesivamente. Ahora bien, ¿cuál será, para Onetti, la aventura del hombre? Ya que su *arte poética* no derrama mucha luz sobre el creador, tratemos de que esta vez sea la creación la que ilumine el *arte poética*.

Con doce libros publicados en poco menos de treinta años, Onetti representa en nuestro medio uno de los casos más definidos de vocación, dedicación y profesión literaria. Desde *El pozo* hasta *Juntacadáveres* este novelista ha logrado crear un mundo de ficción que sólo contiene algunos datos (y, asimismo, varias parodias de datos) de la maltratada realidad; lo demás es invención, concentración, deslinde. Pese a que sus personajes no rehúyen la vulgaridad cotidiana, ni tampoco las muletillas del coloquialismo vernáculo, por lo general se mueven (a veces podría decirse que flotan) en un plano que tiene algo de irreal, de alucinado, y en el que los datos verosímiles son poco más que débiles hilvanes.

Hay, evidentemente, como ya lo han señalado otros lectores críticos, una formulación onírica de la existencia, pero quizá fuera más adecuado decir insomne en lugar de onírico. En las novelas de Onetti es difícil encontrar amaneceres luminosos, soles radiantes; sus personajes arrastran su cansancio de medianoche en medianoche, de madrugada en madrugada. El mundo parece desfilar frente a la mirada (desalentada, minuciosa, inválida) de alguien que no puede cerrar los ojos y que, en esa tensión agotadora, ve las imágenes un poco borrosas, confundiendo dimensiones, yuxtaponiendo cosas y rostros que se hallan, por ley, naturalmente alejados entre sí. Como sucede con otros novelistas de la fatalidad (Kafka, Faulkner, Beckett), la lectura de un libro de Onetti es por lo general exasperante. El lector pronto adquiere conciencia, y experiencia, de que los personajes están siempre condenados; sólo resta la posibilidad —no demasiado fascinante— de hacer conjeturas sobre los probables términos de la segura condena.

Sin duda, desde el punto de vista narrativo, este quehacer parece destinado a arrastrar consigo una insoportable dosis de monotonía. Onetti ha sido el primero en saberlo. No alcanza, para estar en condiciones de proponer un mundo de ficción, con estar seguro, como lo está Onetti, del sinsentido de la vida humana. No alcanza con dominar la técnica y los resortes del oficio literario. La máxima sabiduría de este autor es haber reconocido, penetrantemente y desde el comienzo, esa limitación temática que a través de veintinueve años habría de convertirse en rasgo propio.

Desde *El pozo* supo Onetti que su obra iba a ser un renovado, constante trazado de proposiciones acerca de la misma encerrona, del mismo círculo vicioso en que el hombre ha sido inexorablemente inscrito. En aquel primer relato figuraba una reveladora declaración: «El amor es maravilloso y absurdo, e, incomprensiblemente, visita a cualquier clase de almas. Pero la gente absurda y maravillosa no abunda, y las que lo son, es por poco tiempo, en la primera juventud. Después comienzan a aceptar y se pierden». Virtualmente, todas las novelas que siguieron a *El pozo,* son historias de seres que empezaron a aceptar y se perdieron, como si el autor creyese que en la raíz misma del ser humano estuviera la inestabilidad de su autodestrucción, de su propio derrumbe.

Poco después de ese comienzo, Onetti tal vez haya intuido (o razonado, no importa) que había dos caminos para convertir su cosmovisión en inobjetable literatura. El primero: la creación de un trozo de geografía imaginaria, que, aunque copioso en asideros reales, pudiera surtir de nombres, de episodios y personajes, a todo su orbe novelístico, con el fin de que el tronco común y el intercambio de referencias (como sucedáneos de una más directa sustancia narrativa) sirvieran para estimular el mortecino núcleo original de sus historias. Una compilación codificada de todas las novelas de Onetti revelaría que aquí y allá se repiten nombres, se reanudan gestos, se sobreentienden pretéritos. Ningún lector de esta morosa saga podrá tener la cifra completa, podrá realizar la indagación decisiva, esclarecedora, si no recorre todas sus provincias de tiempo y de lugar, ya que ninguna de tales historias constituye un compartimiento estanco; siempre hay un nombre que se filtra, un pasado que gotea sin prisa enranciando el presente, convirtiendo en viscosa la probable inocencia. Mediante esa correlación, Onetti construye una suerte de *enigma al revés,* de misterio preposterado, donde la incógnita —como en su maestro Faulkner— no es la solución, sino el antecedente, no el desenlace, sino su prehistoria. Esto es más importante de lo que pueda parecer a simple vista, porque no sólo revela una modalidad creadora de Onetti, sino que, en última instancia, también sirve para desemejarlo de Faulkner, su célebre, obligado precursor.

Es cierto que el novelista norteamericano (por ejemplo, en *¡Absalom, Absalom!*) perfora el tiempo a partir de una peripecia que se nos da desde el comienzo; es cierto asimismo que esa novela consiste en una inmersión en el pasado, gracias a la cual la anécdota se ilumina, adquiere sentido, recorre su propia fatalidad. Pero también es cierto que cada personaje de Faulkner posee una fatalidad distinta, particular, propia, mientras que en Onetti la fatalidad es genérica: siempre ha de conducir a la misma condena. Todos los personajes de Faulkner —como ha anotado Claude-Edmonde Magny— han sido hechizados por el destino, pero todos tienen un destino diferente. De ahí que en Onetti resulte más coadyuvante aún que en Faulkner (y asimismo más funcional o inevitable) el recurso de desandar el pasado, de rastrear en él la aparente motivación, porque si el desenlace preestablecido (no por capricho, sino por legítima convicción de su autor) es la condena, entonces parece bastante explicable que a Onetti no le interese saber hacia dónde va el personaje (de todos modos, él ya lo sabe, y el lector también), sino de dónde viene, porque es en el pasado donde reside su única raigambre de misterio.

El otro camino entrevisto desde el comienzo por Onetti para convertir su obsesión en literatura, es el andamiaje técnico, el bordado estilístico. A medida que se fue acercando a esa novela-clave que, hasta la aparición de *El astillero,* fue considerada como su obra mayor (me refiero a *La vida breve*), su oficio literario se fue enrareciendo, fanatizando en el merodeo del detalle, en una vivisección vocabulista que provisoriamente lo acercó a algunas de las más influyentes y diseminadas manías de Jorge Luis Borges. Si las palabras de Jean Génet («la oscuridad es la cortesía del autor hacia el lector») resultasen verdaderas, de inmediato Onetti pasaría a ser el más cortés de nuestros literatos.

Paradójicamente, ese barroquismo de la frase, de la imagen, de la adjetivación, no sirvió para ocultar los trucos, sino para revelarlos. *La vida breve* no es tan sólo importante como novela de gran aliento, como obra ambiciosa parcialmente lograda, sino también, y principalmente, como medida de un indudable viraje de su autor, como punto y aparte de su trayectoria. Después de esa novela, y a partir de *Los adioses* (1954), Onetti pudo apearse de la complicación verbal, del puntillismo estilístico. No se bajó de golpe, claro, y es obvio que durante años ha venido extrañando el camino. Ni *Los adioses* (1954) ni *Una tumba sin nombre* (1959) ni *La cara de la desgracia* (1960), alcanzan para mostrar a un escritor capaz de transitar la llaneza estilística con la misma seguridad que antes tuviera para lo complejo. Pero en *El astillero* (1961) Onetti se acerca a un equilibrio casi perfecto, a una economía artística que resulta algo milagrosa si se tiene en cuenta la ingrata materia humana que maneja, el ejercicio del asco en que prefiere inscribir su asentada, luctuosa sabiduría.

En apariencia, *El astillero* sigue un orden cronológico, una línea de trazado sinuoso pero de segura dirección; el barroquismo ha desaparecido casi totalmente de la adjetivación y el compás metafórico, provocando la imprevista consecuencia de que las pocas veces en que se hace presente

(A través de los tablones mal pulidos groseramente pintados de azul, Larsen contempló fragmentos rombales de la decadencia de la hora y del paisaje, vio la sombra que avanzaba como perseguida, el pastizal que se doblaba sin viento. Un olor húmedo, enfriado y profundo, un olor nocturno o para ojos cerrados, llegaba del estanque)

ocasione un efecto de contraste, cree un lote de brillantes imágenes que se estaciona al borde de la sordidez y momentáneamente la reivindica. En *El astillero,* Onetti ha reservado la hondura y hasta la complejidad para el sentir último de la historia, que es, como en sus obras anteriores, la obligada aceptación de la incomunicación humana. Sólo en *El pozo* había usado Onetti un lenguaje tan obediente al interés narrativo, tan poco encandilado por el aislado destello verbal.

Muchos de los más exitosos gambitos literarios de Onetti provienen de su habilidad para trasladar (transformándolo) un procedimiento heredado, para apoyar una técnica de segunda mano sobre bases de creación personal, por él inauguradas. Así como ha transformado el fatalismo sureño de Faulkner mediante el simple expediente de volverlo estático, incambiable; así como ha trasplantado el regusto de Céline por la bazofia, mediante el simple recurso de quitarle dinamismo e insuflarle un desaliento tanguero; así también ha conseguido renovar otros procederes y técnicas, exprimidos hasta el cansancio por varios lustros de influencias encadenadas. Por ejemplo: Onetti crea un ámbito fantasmagórico, irreal, sin recurrir a ninguna de las tutorías de la literatura fantástica; nada más que valiéndose de convenciones realistas, de diálogos creíbles, de seres aplastados, de monólogos interiores que sólo adolecen de la improbabilidad de estar demasiado bien escritos. Que con ese regodeo en lo vulgar, esa chatura cotidiana, esa impostación de lo probable, haya podido levantar un mugriento, húmedo, neblinoso, pero también alucinado alrededor, que a veces parece estar aguardando el paso de la Carreta Fantasma, debe ser acreditado a la maña concertadora de este escritor, a su capacidad de sugerir, más allá de los límites de su mero lenguaje literario.

Pero hay un traslado todavía más sutil. En *El astillero,* Onetti emplea una técnica que hasta ahora había sido monopolizada por los poetas. Un poeta suele partir de sobreentendidos; suele dar por obvios ciertos episodios que sólo él y su sombra (en algunos casos, tan sólo su sombra) conocen; suele referirse, en las entrelíneas, a esa propiedad privada, como si fuera *vox populi* y no *vox Dei.* Otros novelistas han precedido a Onetti en la adopción de ese truco, pero —desde Max Frisch hasta Lawrence Durrell— todos han sido víctimas del prejuicio de explicarse; siempre concluyen por brindar las claves que al principio trataron de escamotear. Onetti, en cambio, realizando también en su obra esa vocación de solitario (y, a veces, de prescindente) que lo ha mantenido tercamente al margen de grupos, revistas, compromisos y manifiestos, siempre se guarda algún naipe en la manga, la baraja que en definitiva no va a ceder a nadie, esa que seguramente romperá en pedazos, en estricta soledad, ni siquiera frente al espejo. Detrás de los sobreentendidos, el lector vislumbra la presencia de un creador que no quiere darse nunca por entero, que cree en esa última inútil reserva, como si allí pudiera concentrarse y justificarse un magro desquite contra ese sinsentido de la vida que constituye su obsesión más firme, su pánico más sereno y sobrecogedor.

En las líneas generales, en la esfumada superficie, *El astillero* es increíblemente simple: sólo la fantasmal empresa de un tal Petrus, sólo un astillero situado junto a la conocida Santa María, que Brausen había definido en *La vida breve* como «una pequeña ciudad colocada entre un río y una colonia de labradores suizos»; un astillero ruinoso que no tiene ni trabajo ni obreros ni clientes, sólo un Gerente Técnico y un Gerente Administrativo, que llevan sin embargo planillas e improvisan el cobro extraoficial de sus gajes mediante la malbaratada venta de antiguos materiales. A ese anexo santamariano llega Junta Larsen (el mismo Larsen que había aparecido en las primeras páginas de *Tierra de nadie;* el mismo Junta del penúltimo capítulo de *La vida breve*), Larsen el proscrito, el gordo, cínico cincuentón que, junto a sus agrias composiciones de lugar, todavía conserva una última disponibilidad de fe, una dosis inédita de entusiasmo, una dulzona, miope ingenuidad. Está condenado, claro, *porque es de Onetti;* admitámoslo de una buena vez para que no nos siga exasperando. Pero antes de alcanzar su condena, antes de tragarla como una hostia, como un indigesto espíritu santo, Larsen deberá recorrer su periplo, deberá sorprenderse frente a Kunz y Gálvez (los gerentes de mentira), besar la frente perdida de Petrus, rehusar la comunicación con la mujer de Gálvez, intentar la seducción de la semitarada Angélica Inés, pero deberá también acostarse con Josefina, la sirvienta, o sea, la mujer genética, universal, usada.

Con el abandono del barroquismo, con la consciente sobriedad de *esta aventura* de *este hombre* llamado Larsen, ha quedado en evidencia un Onetti que hasta ahora sólo había sido intuido, adivinado, a través de promesas, símbolos, fisuras. En *Para esta noche* escribió Onetti unas palabras introductorias que definían aquella novela como un cínico intento de liberación. *El astillero,* ¿será algo de eso? En opinión de Díaz Grey (ese comodín de Onetti que a veces es él mismo, otras veces es sólo Díaz Grey, y otras más es alguien tan impersonal que resulta Nadie), Larsen puede ser definido así:

> Este hombre que vivió los últimos treinta años del dinero sucio que le daban con gusto mujeres sucias, que atinó a defenderse de la vida sustituyéndola por una traición, sin origen, de dureza y coraje; que creyó de una manera y ahora sigue creyendo de otra, que no nació para morir sino para ganar e imponerse, que en este mismo momento se está imaginando la vida como un territorio infinito y sin tiempo en el que es forzoso avanzar y sacar ventajas.

Antes, en *La vida breve,* Junta Larsen había tenido «una nariz delgada y curva y era como si su juventud se hubiera conservado en ella, en su audacia, en la expresión imperiosa que la nariz agregaba a la cara». Y más lejos aún, en *Tierra de nadie,* Larsen había avanzado, «bajo y redondo, las manos en el sobretodo oscuro», o había estado esperando, «gordo, cínico». Sí, Larsen fue desde siempre, desde su origen literario, un cínico, pero cuando llega al Astillero ya está gastado, maltratado, pobre, tan débil y doblado que se resigna a la fe, una fe crepuscular, deshilachada («entonces, con lentitud y prudencia, Larsen comenzó a aceptar que era posible compartir la ilusoria gerencia de Petrus, Sociedad Anónima, con otras formas de la mentira que se había propuesto no volver a frecuentar»); es un Larsen que ha perdido dinamismo y capacidad de menosprecio, que ha perdido sobre todo la monolítica entereza de lo sórdido, que se ha dejado seducir por una postrera, tímida confianza, no importa que el pretexto de esa confianza esté tan sucio y corrompido como el imposible futuro próspero del Astillero; al igual que esos ateos inverecundos que en el último abrir de ojos invocan a Dios, Larsen (que no usa seguramente a Dios) en su última arremetida tiene la flaqueza de alimentar en sí mismo una esperanza.

Por eso, si bien *El astillero* es también como *Para esta noche,* un intento de liberación, no es, empero, un cínico intento. Larsen ha sido tocado por algo parecido a la piedad, ya que el autor no puede esta vez ocultar una vieja comprensión, una tierna solidaridad hacia este congénito vencido, hacia este vocacional de la derrota. Pasando por encima de todos los cínicos, de todos los pelmas, de todos los miserables, que pueblan el mundo de Onetti novelista, el personaje Larsen tiende un cabo a su colega Eladio Linacero, que en *El pozo* había formulado una profecía con apariencia de deseo: «Me gustaría escribir la historia de un alma, de ella sola, sin los sucesos en que tuvo que mezclarse, queriendo o no.» Onetti ha ejercitado ahora aquel deseo de una de sus criaturas. Aquí está escrita la historia del alma de Larsen: y hasta ha sido escrita sin los sucesos (sencillamente porque no hay sucesos).

También aparece con mayor claridad (debido tal vez a que, sin barroquismo, todo se vuelve más claro) que Larsen, más definidamente aún que Linacero, o que el Aránzuru de *Tierra de nadie,* o que el Ossorio de *Para esta noche,* o que el Blanes de «Un sueño realizado», no es una figura aislada, un individuo, sino El Hombre. En un artículo sobre *El astillero,* Angel Rama señalaba la vertiente simbólica, pero es posible ampliar el hallazgo. Onetti va de lo particular (Larsen) a lo general (El Hombre) pero después regresa a lo particular, y El Hombre pasa a ser además *todo hombre,* cada hombre, Onetti incluido. En el castigo que, desde antiguo, Onetti viene infligiendo a sus personajes, hay algo de sadismo, pero al cerrarse el circuito Larsen-El Hombre-Onetti, el viento ya ha cambiado la dirección del castigo y éste pasa a llamarse autoflagelación. Una autoflagelación que también tiene cabida en el obsesivo tratamiento de la virginidad, de la adolescencia.

Allí ha estado, para muchos personajes de Onetti, la única posibilidad de pureza, de última verdad. En *El astillero,* el creador castiga triplemente a Larsen: la virgen (Angélica Inés) que a los quince años «se había desmayado en un almuerzo porque descubrió un gusano en una pera», tiene alguna anormalidad mental («está loca», dice Díaz Grey, «pero es muy posible que no llegue a estar más loca que ahora»); la mujer de Gálvez, que representa para Larsen la única posibilidad de comunicación, aparece ante sus ojos corrompida, primero por el embarazo, luego por el alumbramiento, volviéndose por lo tanto inalcanzable; sólo Josefina es asequible, pero Josefina es la mujer de siempre, su igual, hecha de medida no ya para la comunicación, sino para que él tenga conciencia de que se halla «en el centro de la perfecta soledad». Por eso es triple el castigo: la virginidad (Angélica Inés) está desbaratada por la locura, la comprensión (mujer de Gálvez) está vencida por el alumbramiento, la posesión (Josefina) está arruinada por la incomunicación.

Entonces uno se da cuenta de que esta suerte de odio del creador hacia sí mismo (o quizá sea más adecuado llamarle inconformidad) fue más bien una constante a través de los doce libros y los veintinueve años; sólo que estuvo hábilmente camuflada por un verbalismo agobiador, por una visión de lupa que al lector le mostraba el poro aunque le hurtaba el rostro. Fue necesario llegar a *El astillero* para encontrar un Onetti que empuña por primera vez una segunda franqueza (¿bruta?, ¿químicamente pura?), un Onetti que por primera vez supera, al comprenderlo, al transformarlo en arte, ese sentimiento de autodestrucción y de castigo, un Onetti que por fin se inclina sobre ese Larsen que (para él) es todos nosotros, y es también él mismo, a fin de sentirlo «respirar con lágrimas».

¿Aventura del hombre? Por supuesto que sí. Pero sobre todo la aventura del hombre Onetti, que a través de los años y de los libros ha venido afinando artísticamente su actitud solitaria, corroída, melancólica, deshecha, hasta convertirla en este sobrio diagnóstico de derrota total que es *El astillero,* hasta reivindicarla en una depurada y consciente piedad hacia ese ser humano, que para Onetti es siempre el derrotado. Ni el abandonado Astillero sirve ya para reparar barco alguno, ni el abandonado individuo sirve ya para reparar ninguna de las viejas confianzas. Pero en mi ejemplar de *El astillero,* quedó subrayado, sin embargo, un amago de escapatoria, un sucedáneo de la esperanza:

Lo único que queda para hacer es precisamente eso: cualquier cosa, hacer una cosa detrás de otra, sin interés, sin sentido, como si otro (o mejor otros, un amo para cada acto) le pagara a uno para hacerlas y uno se limitara a cumplir en la mejor forma posible, despreocupado del resultado final de lo que hace. Una cosa y otra cosa, ajenas, sin que importe que salgan bien o mal, sin que no importe qué quieren decir. Siempre fue así: es mejor que tocar madera o hacer bendecir; cuando la desgracia se entera de que es inútil empieza a secarse, se desprende y cae.

Ahora que Onetti, con *El astillero,* ha cumplido *en la mejor forma posible,* esperamos que su anuncio tenga fuerza de ley; esperamos que en la lobreguez de su vasto mundo de ficción, la desgracia se entere de que es inútil, y empiece a secarse, y se desprenda y caiga.

Después de leídos y releídos los doce libros de Onetti, uno tiene la impresión de que en algún día (o año incompleto, o simple temporada) del pasado, este autor debe haber concebido no sólo la idea de una Santa María promedial y semi-inventada, sino también la historia total de ese enquistado mundo, con los respectivos pobladores y el correspondiente tránsito de anécdotas. Uno tiene la impresión de que únicamente después de haber creado, distribuido, correlacionado y fichado, ese universo propio, Onetti pudo empezar calmosamente a escribir su saga. Sólo a partir de una organización y un orden casi fanáticos, es posible admitir la increíble capacidad del narrador para hacer que sus novelas se crucen, se complementen, y hasta recíprocamente se justifiquen. Sólo a partir de esa trama general, concertada y precisa hasta límites exasperantes, es posible comprender que la historia narrada en *Juntacadáveres* (1964), ya estuviera bosquejada en una novela de 1959, *Una tumba sin nombre;* que *El astillero* (1961), la pericia que luego es desarrollada en *Juntacadáveres,* significara un mero episodio en el pasado del protagonista; que el cuento «El álbum», incluido en *El infierno tan temido* (1962), estuviera atravesado por varios personajes que reaparecen en la novela más reciente; y, sobre todo, que en el penúltimo capítulo de *La vida breve* (1950) ya apareciera, como un misterioso diálogo marginal, la misma conversación que, quince años más tarde, sirve de cierre a *Juntacadáveres.* Recomiendo al lector un tranquilo cotejo de estos dos diálogos. Se verá que algunas frases son textualmente reproducidas; otras, en cambio, reaparecen con una leve variante, como si el autor hubiera querido dejar constancia de la inevitable erosión, que, de recuerdo en recuerdo, soportan las palabras.

Antes destaqué, con referencia al cuento «Mascarada», cierta condición de adelantado de la novela objetiva que podría ser reclamada por Onetti. Pero ahora veo más claramente otro rasgo afín. Piénsese que una de las novedades introducidas por Robbe-Grillet *(Le voyeur)* o Michel Butor *(L'emploi du temps)* fue la omisión de un hecho fundamental dentro de la minuciosa construcción de una novela. Pues bien, Onetti se ha pasado *omitiendo* hechos importantes, pero en vez de confiarlos eternamente a la vocación remendadora del lector cómplice, con tales elusiones ha escrito nuevas novelas, en las cuales por supuesto también hay sectores omitidos (algunos de ellos ya desarrollados en novelas anteriores; otros, a desarrollar probablemente en novelas futuras). Presumo que, para algún erudito de 1990, representará una desafiante tentación el relevamiento de un índice codificado que incluya todos los personajes onettianos, sus cruces y relaciones, así como las anécdotas de cada novela que aparecen imbricadas en las demás.

Pese a todos los presupuestos (mundo único, encerrona del hombre, derrota total) que el lector de Onetti está dispuesto a admitir y reconocer en su obra, *Juntacadáveres* significa un viraje, aun cuando, de una primera y apresurada lectura, pueda inferirse una confirmación de aquellos presupuestos. Si *El astillero* era una historia virtualmente despojada de sucesos, *Juntacadáveres* en cambio es una historia con sucesos. Larsen (el personaje que hiciera, creo, su primera aparición en *Tierra de nadie)* ahora abre y regenta un prostíbulo en Santa María, pero la fructuosa empresa es sólo un pretexto para enfrentar al farmacéutico y concejal Barthé con el histriónico cura Bergner. Como consecuencia de la despiadada pugna, el único derrotado es Larsen, cuyo apodo Juntacadáveres recaba su origen de una demostrada capacidad para conseguir que «gordas cincuentonas y viejas huesosas» *trabajen* para él. Pero esa historia, primariamente sórdida, se entrelaza con otra: la de Jorge Malabia (ya incorporado al mundo de Onetti en *Una tumba sin nombre* y en «El álbum») extrañamente atraído por Julita, la viuda de su hermano, que cada día inventa una puesta en escena distinta para su obsesión cardinal. La relación, entre tierna y monstruosa, que mantiene el lúcido adolescente y la cuñada loca, se convierte (no sé si en cumplimiento de la voluntad del autor, o a pesar de ella) en el centro narrativo de la novela. El problema del prostíbulo, la consiguiente lucha entre el cura y el boticario, el malón de tóxicos anónimos que van socavando las paces conyugales del pueblo, la ambigua intervención de Marcos (hermano de Julita) en contra y en pro de Larsen, la infaltable presencia del testigo Díaz Grey, la relación de éste con el fidelísimo Vázquez (otro conocido de relatos anteriores); todo eso pasa a un plano secundario, aunque, eso sí, descrito con gran destreza formal y riqueza de lenguaje.

El paseo por la ciudad, que las prostitutas Nelly e Irene llevan a cabo en su lunes de asueto; las meditaciones de Díaz Grey sobre la tentación del suicidio y la teoría del miedo; la descripción del demagógico silencio del cura; el texto mismo de los anónimos (conviene transcribir esta obrita maestra de la ponzoña):

Tu novio, Juan Carlos Pintos, estuvo el sábado de noche en la casa de la costa. Impuro y muy posiblemente ya enfermo fue a visitarte el domingo, almorzó en tu casa y te llevó a ti y a tu madre, al cine. ¿Te habrá besado? ¿Habrá tocado la mano de tu madre, el pan de tu mesa? Tendrás hijos raquíticos, ciegos y cubiertos de llagas, y tú misma no podrás escapar al contagio de esas horribles enfermedades. Pero otras desgracias, mucho antes, afligirán a los tuyos, inocentes de culpa. Piensa en esto y busca la inspiración salvadora en la oración,

son muestras de un asombroso dominio del oficio, incluidos los efectos puros y los impuros. No obstante, aun justificado con esa pericia, el tema del prostíbulo no puede competir con el episodio del adolescente y la loca, acaso como decisiva prueba de que los cadáveres metafóricos juntados por el veterano Larsen, nada tienen que hacer frente al cadáver de carne, de locura y de hueso, comprendido y querido por Jorge Malabia, ese neófito del destino que en la última página pronuncia una obscenidad, como absurda (y sin embargo pertinente) manera de reencontrarse con la dulzura, la piedad, la alegría, y también como única forma de abroquelarse contra el mundo normal y astuto que lo está esperando más allá del final. En la obra de Onetti, Julita puede ser considerada una más de las formas de pureza (un concepto que, en éste y otros casos, el autor no vacila en asimilar a la locura) extinguidas, o quizá salvaguardadas, en última instancia por la muerte. Pero esta es acaso la primera vez en que semejante rescate por distorsión no deja como secuela la fatalizada actitud del «hombre sin fe ni interés por su destino». En este libro, Onetti pone en boca de Jorge Malabia la misma palabrota que pronunciara Eladio Linacero en la primera de sus novelas. Sin embargo, y pese a la persistente influencia de Pierre Cambronne, hay una visible distancia entre una y otra actitud. El antiguo protagonista, después del exabrupto, seguía diciendo: «y ahora estamos ciegos, en la noche, atentos y *sin comprender*».

Jorge Malabia, en cambio, inmediatamente después de haberlo pronunciado, se baja del insulto cosmoclasta para acceder a la comprensión, a la cifra de un mundo por fin aprendido.

La verdad es que, de todos modos, para el lector y el crítico de Onetti, *Juntacadáveres* cumple una función despistadora. Por lo pronto me atrevería a decir que esta novela es mucho más entretenida que cualesquiera anteriores. Presumo que el lector se estará preguntando si esto es elogio o diatriba. La verdad es que frecuentemente se confunde fluidez narrativa con frivolidad, y viceversa; no falta quien considera el tedio estilístico como casi sinónimo de la hondura. *Juntacadáveres* es entretenida y no me parece justo reprocharle esa cualidad. Claro que no se trata del magistral despojo, de la impecable concepción de *El astillero;* seguramente *Juntacadáveres* no llega al nivel de esa obra mayor. Conviene recordar, sin embargo, que *El astillero* es la culminación de un largo recorrido, y por lo tanto Onetti pudo volcar en ese libro lo más depurado de su oficio, los más insobornables de sus descreimientos, lo más profundo de su corroída y corrosiva sapiencia. Pero *Juntacadáveres* es otra cosa, otro camino, tal vez otra actitud.

Angel Rama ha señalado con razón que «no es casual que la mayoría de las obras de Onetti transcurran en lugares cerrados y en horas nocturnas, ni es extraño que sean escasas las referencias al paisaje natural, el cual tiende a manifestarse surrealísticamente, en estado de descomposición alucinatoria». Pero ¿se ha fijado alguien en el paisaje, en el aire libre de esta nueva novela? Compárese el alucinado, pero también neblinoso y sucio alrededor, de *El astillero,* con esta descripción insólitamente aireada, incluida en la nueva novela: «El olor de los jazmines invadió a Santa María con su excitación sin objeto, con sus evocaciones apócrifas; fue llegando diariamente como una baja y larga ola blanca...», y luego: «Noviembre se llenó de asombros triviales por el exceso de jazmines y en su mitad fue un noviembre normal, reconocible, con precios y cifras de las cosechas, con renovadas discusiones sobre puentes, caminos y tarifas de transportes, con noticias de casamientos y muertes.» Tengo la impresión de que tanto la cualidad amena como el enriquecimiento del alrededor, responden a un cambio sustancial en la actitud de Onetti. Una transformación que no es tan visible, porque el tema elegido (la instalación del prostíbulo, frente al plúmbeo puritanismo, frente a la hipocresía provinciana) lleva implícitas connotaciones tan sórdidas, que el lector ingresa en la novela esperando la agotada cosmovisión de siempre. No la halla, al menos como un gesto totalizador, y el chasco puede automáticamente convertirse en desconfianza, como si la (todavía tímida) vitalidad que respira la novela, fuera una suerte de traición a la ya veterana complicidad del lector, a su demostrada baquía en los meandros del mundo onettiano. Reconozco que *Juntacadáveres* es una novela desigual, que aquí y allá deja personajes y cabos sueltos, con zonas varias de decaimiento literario; pese a ello, no puedo avalar el diagnóstico negativo emitido por otros críticos. Después de *El astillero* y su veta gloriosamente agotada, la última novela me parece una nueva apertura que puede deparar formidables sorpresas. Hasta *El astillero* inclusive, tuve la impresión de asistir como lector a un proceso (notablemente descrito) de deterioro. Ahora, frente a *Juntacadáveres,* me parece reconocer un Onetti renovado. Como si después de la madurez, no fueran obligatorios el desgaste, la corrosión. Todo pronóstico parece aún prematuro, pero *Juntacadáveres,* con su entrenada y prometedora inmadurez, podría ser también un punto de partida, el comienzo de un buen talante creador. Sin abandonar los temas y los ambientes que desde siempre le obsesionan, sin reconciliarse con el absurdo llamado destino, sin exiliarse de sus viejos pánicos, Onetti parece haber trazado dos rayas sobrias y conclusivas debajo de la suma de sus consternaciones, para abrir de inmediato una cuenta nueva, una revisada disposición de ánimo. En *Juntacadáveres* hay, como siempre, seres fatigados, prostituidos, deshechos; pero lo nuevo es cierta tensión vital, cierta capacidad de recuperación, cierto impulso hacia adelante y hacia arriba. No es mucho, pero acaso *Juntacadáveres* sea el primer desprendimiento de la desgracia. Por algo vuelven al diálogo los temas políticos, las nomenclaturas sociales, que no aparecían desde las novelas de la primera época.

La recorrida curiosa, ingenua, bien dispuesta, de Nelly e Irene; la sólida capacidad de comunicación de María Bonita; el duro aprendizaje del amor que realiza Jorge Malabia; la plebeya lucidez de Rita; sirven para verificar que Onetti ha escapado, o está escapando, a la tentación del circular y obsesivo regodeo en la fatalidad. «Volvió a sentir», dice el autor refiriéndose a Díaz Grey, «con tanta intensidad como cinco años atrás, pero con una cariñosa curiosidad que no había conocido antes, la tentación del suicidio». Esa puede ser también la actitud del actual Onetti, ya no frente al suicidio sino frente a lo fatal: una cariñosa curiosidad. Pero la curiosidad y el cariño no forman parte de la muerte, sino de la vida. Y eso se nota. Santa María y sus hechos no han variado en su aspecto exterior. No obstante, cabe recordar, como fue dicho en *El pozo* (hace casi treinta años), que «los hechos son siempre vacíos, son recipientes que tomarán la forma del sentimiento que los llene». Eso es lo que ha variado: el sentimiento. Y es de esperar que el cambio ayude a Onetti a convertir su vieja derrota metafísica en una nueva victoria de su arte.

[Publicado en «La cultura en México», suplemento de *Siempre!*, núm. 342, 4 septiembre 1968, pp. 2-6.]

EL NARRADOR INGRESA AL BAILE
DE MÁSCARAS DE LA MODERNIDAD

La modernidad es siempre un cataclismo que sobreviene inesperadamente en la vida de los hombres y de las sociedades que, por definición, no eran modernos. Por lo cual la central experiencia que cumplen no es la del sistema modernizado que irrumpe desde fuera sobre ellos, sino la de la disolución de la cultura más tradicional en la que se habían formado desde la infancia, la que es trastornada por los valores y formas de la modernidad. No se vive, entonces, ni uno ni otro sistema, sino su pugna, un desgarrado combate que pone a los seres humanos en carne viva. Este trance agónico es el registrado en las obras de los llamados modernizadores, de cualquier tiempo o de cualquier lugar de la periferia de las metrópolis avanzadas que sean.

Esa experiencia constituye el centro animador de la literatura de Juan Carlos Onetti, el novelista uruguayo nacido en Montevideo en 1909, quien en los años treinta comienza a publicar sus primeros cuentos, en 1939 da a conocer su primer relato, *El pozo,* y desde ese mismo año argumenta en sus artículos en el semanario *Marcha,* recién fundado, la filosofía y la estética que corresponden a la nueva situación modernizada que vivía el Río de la Plata, la que estaba en plena expansión desde la década anterior y por obra de los vanguardistas de las dos ciudades rivales del Plata, Buenos Aires y Montevideo. En toda América Latina desde el fin de la primera guerra mundial se había registrado la nueva ola modernizadora que tomaría estado público estruendoso en una fecha clave, 1922, por obra de una pléyade de escritores que había nacido en los alrededores del 900. A su segunda generación perteneció Onetti, cuando ya la *avant garde* europea se había instalado en tierras americanas y procuraba servir de flexible instrumento para expresar problemas, angustias, expectativas, de los hombres del continente, cuando ya no se trataba de colonizar un territorio artístico, sino de probar en qué medida confería significación a la concreta circunstancia que se vivía, con todas sus asperezas y contradicciones.

Porque lo propio de la modernización fue la contradicción: en 1931 se inicia la más exigente revista literaria argentina, *Sur* (directora, Victoria Ocampo), que abría de incorporar la vanguardia estética y el liberalismo católico al Río de la Plata [1], al mismo tiempo que el golpe de Uriburu inicia la larga serie de gobiernos militares que se sucederán durante medio siglo sobre el trasfondo social de una intensa crisis que busca una renovación de la estructura política y, sobre todo, socio-económica, del país. Aun más que las muy citadas influencias de Waldo Frank y de José Ortega y Gasset (ya director de su modernizadora *Revista de Occidente)* en la creación de *Sur* pesa la que Paul Valéry definió agudamente como la «Política del Espíritu» en lo que ésta tendría de universal en la coyuntura de la nueva ola expansiva de la cultura de Occidente. Durante las décadas de los treinta y cuarenta, que corresponden a su período creativo, *Sur* propone militantemente una modernización que implica la incorporación de pleno derecho de las letras argentinas al consorcio occidental del Espíritu, a su central concepción universalista, en tanto los militares tratan de resguardar por la fuerza el provinciano sistema de dominación.

No fue diferente la proposición que en Uruguay formuló desde su llegada en 1934, el pintor Joaquín Torres García (1874-1949), quien venía de la fundación de *Cercle et carré,* de la lección ordenadora de Mondrian y de los neoplasticistas y quien ya había estructurado coherentemente su doctrina del «universalismo constructivo». Con escándalo del medio organizará una Escuela que conmueve las bases de la plástica uruguaya, enseñará y discutirá, establecerá un sistema canónico y ya en 1938 habrá edificado su *Monumento Cósmico* en uno de los parques urbanos y habrá publicado su libro *La tradición del hombre abstracto (Doctrina constructivista).* Vista la orientación de las metrópolis modernizadoras en que él había desarrollado su estética y la confusa filosofía que la amparaba, la proposición de Torres García será racionalizadora, ordenadora y jerárquica,

---

[1] V. E. Paz Leston, «El proyecto de la revista *Sur*», en *Capítulo,* núm. 106, Buenos Aires, Centro Editor de América Latina, 1981.

universalista y abstracta, con apelación a un zodíaco de símbolos pretendidamente ecuménicos que permitirían organizar un discurso intelectual significativo [2]. Poco o nada de esto sería recogido por el joven novelista uruguayo, como en cierto sentido tampoco por los jóvenes pintores discípulos del maestro, quienes a partir de sus enseñanzas se pusieron a pintar de nuevo a su ciudad, Montevideo. El resultado fue sorprendente y sólo comprensible en su novedad si se lo contrasta con las imágenes que el impresionismo rezagado acumulaba: la ciudad ingresó a un orden donde las imágenes del puerto, de las altas puertas coronadas de abanicos de vidrios coloreados, los ríspidos cortes de las esquinas, se instalaban en la bidimensionalidad plástica y se encendían por el uso de colores primarios, rebajados o ensuciados por la pizca de gris que pretendía dar la luz media, el tono medio, la realidad media, traducir, en fin, la ideología de una sociedad de clases medias. El salto que va del alucinado racionalismo de Mondrian al constructivismo significativo de Torres García, se repetía desde éste a su adaptación en un lejano barrio de la periferia latinoamericana, por insidiosa introducción de su real-concreto.

Pero las sucesivas metamorfosis conservaron incólume una nueva concepción del arte que se remontaba a Cézanne: la estricta unidad de la obra artística, su desafiante autonomía, la rigurosa composición interna, el uso coordinado de sus elementos significativos, su instalación prioritaria en el plano estético, su voluntad de otorgar significado al entorno, el reconocimiento de la libertad que se ejerce en la creación. Esta fue la parte que se aceptó de la modernización, aunque no habrían de faltar críticos que la condenaran por rezagada (respecto a los parámetros metropolitanos) sin reparar en que la adaptación permitiría reincorporar la sociedad a la modernización en el nivel en que le era dable hacerlo, aportando sus sabores propios como sólidos constituyentes. La garantía de la producción artística se encontró en la experiencia de la autenticidad, tal como drásticamente la afirmó Onetti: «Es cierto que no sé escribir» —dice su personaje Eladio Linacero en *El pozo*— «pero escribió de mí mismo». Al resguardar este vínculo con lo vivido realmente, se podrían abordar las formas literarias modernizadoras (predicadas por la vanguardia europea y norteamericana de entre ambas

---

[2] V. F. García Esteban, *Panorama de la pintura uruguaya contemporánea*, Montevideo, Alfa, 1965.

guerras que comenzaban a traducirse al español en el Plata) sin peligro de extravío o mimetización inane.

Aquí aparece una consigna que ha de establecer el aparte de aguas entre los escritores y artistas, diseñando al menos dos vías diferentes y paralelas del proceso de modernización. Esa consigna fue definida por Julio Cortázar cuando comentó admirativamente la publicación de la novela de Leopoldo Marechal *Adan Buenosayres* (1948): «Muy pocas veces entre nosotros se había sido tan valerosamente leal a lo circundante, a las cosas que están ahí mientras escribo estas palabras, a los hechos que mi propia vida me da y me corrobora diariamente, las voces y las ideas y los sentimientos que chocan conmigo y son yo en la calle, en los círculos, en el tranvía y en la cama» [3]. La consigna de lealtad a lo circundante, no será meramente temática, sino también artística y, sobre todo, comunicativa, pues implica preservar la relación dialogante con el lector perteneciente a la misma circunstancia viva, incorporándola a la obra como el otro término de la ecuación creativa, partícipe al fin del proceso de la creación. Ambos, Julio Cortázar y Juan Carlos Onetti son herederos de esta actitud y en sus evoluciones han ido estrechando sus vínculos en esa modernización artística a la que se exigía que no prescindiera del lector. Se diría más: esa fue la consigna de la generación de narradores rioplatenses que emerge después de los vanguardistas de los veinte dentro de un abanico amplio de vía (que va de realistas sociales como Bernardo Verbitsky (1907), Enrique Wernicke (1915), Bernardo Kordon (1915), Juan José Manauta (1919), a los sutiles realistas-fantásticos como Juan Rodolfo Wilcok (1919), José Bianco, el propio Cortázar y a los realistas críticos como Ernesto Sábato o Juan Carlos Onetti) que aunque utilizan las enseñanzas del rigor borgiano, se distancian del maestro cuando éste se orienta hacia sus relatos metafísicos, desde «Tlön, Uqbar, Orbis Tertius» (1938), procediendo entonces a recuperar progresivamente el magisterio del otro gran polo narrativo del vaguardismo argentino, el Roberto Arlt (1900-1942) que habrá de triunfar definitivamente cuando la emergencia de la generación de narradores hacia 1955, cuyo nombre clave es David Viñas, impone un realismo existencial que se adecúa a los tiempos revueltos que le tocan en suerte.

Juan Carlos Onetti es, en su primera época, representada por *El pozo* (1939) y aun antes la inédita *Tiempo de abrazar,* por

---

[3] En *Realidad,* año III, núm. 14, Buenos Aires, marzo-abril 1949.

Tierra de nadie (1941), *Para esta noche* (1943), *La vida breve* (1950) y los cuentos que escribe en el periódico y que tendrán muy posterior recopilación sistemática [4], el mejor ejemplo del realista crítico de la nueva narrativa. La lealtad a la circunstancia se traduce en el debate de los asuntos contemporáneos urgentes, sobre todo los políticos y los morales, que tanto ocupan las conversaciones de los hombres de la época como las planas de los periódicos: Eladio Linacero en la soledad de su cuarto evocará dos líneas divergentes de asuntos que propone la circunstancia: las relaciones amorosas, dentro de la búsqueda de una autenticidad moral (Cecilia, Hanka, prostitutas, etc.) y las relaciones políticas, desde el debate de la izquierda antifascista, pero también anticomunista (Lázaro). A ambas líneas opondrá una tercera que las enfrenta y compacta en un discurso global, que es la de los sueños de la vigilia y de la invención artística (donde cabe Cordes), con lo cual tendremos trazado, desde el primer librito, *El pozo,* el triángulo sobre el cual se instalarán las obras del primer período. Esas tres tendencias organizan en *Tierra de nadie* los desvelos de una generación juvenil de rioplatenses, cumpliendo la traslación de la experiencia personal e interior de un hombre (Eladio Linacero) a un grupo social afín, lo que vale por una asunción de la circunstancia que vive la cultura rioplatense que está modernizándose. Las palabras que puso en la solapa de la edición primera de *Tierra de nadie* no pueden ser sustituidas por ninguna explicación aclaratoria: «Pinto un grupo de gentes que aunque puedan parecer exóticas en Buenos Aires, son, en realidad, representativas de una generación; generación que, a mi juicio, reproduce, veinte años después, la europea de la postguerra. Los viejos valores morales fueron abandonados por ella y todavía no han aparecido otros que puedan sustituirlos. El caso es que en el país más importante de Sudamérica, de la joven América, crece el tipo del indiferente moral, del hombre sin fe ni interés por su destino. Que no se reproche al novelista haber encarado la pintura de ese tipo humano con igual espíritu de indiferencia» [5].

Esta nota le había sido solicitada por el editor, inquieto de la recepción que podría tener una novela en que con fuerza y franqueza se exponían los problemas y los sueños de la nueva

---

[4] *Tiempo de abrazar y los cuentos de 1933 a 1950,* Montevideo, Arca, 1974, compilación y prólogo de Jorge Ruffinelli.

[5] *Tierra de nadie,* Buenos Aires, Editorial Losada, 1941.

generación, rehusándose a los disimulos o a las máscaras convencionales, lo que vale tanto como el reconocimiento de las dificultades que presentaba una modernización sobre pautas europeas en el medio más tradicional latinoamericano, aun tratándose de la Cosmópolis bonaerense que había celebrado Darío hacia 1900. El escritor deja entender que está escribiendo de seres reales y de problemas reales por ellos vividos, tal como ocurrirá con su mayor esfuerzo narrativo, *La vida breve,* todos cuyos personajes vienen directamente de modelos de la realidad con nombre y apellido conocidos. «Ahora sé escribir — pudiera haber dicho— y escribo de personas que conozco», continuando con esa lealtad a lo circundante que habrá de tener nueva expresión, en otra sucesiva ampliación de la experiencia auténtica, con *Para esta noche* que elabora los datos de la derrota de la República española trasladándolos a una ciudad que parece calcada sobre Buenos Aires y generando por lo tanto una suerte de modelo utópico al cruzar ambas perspectivas parejamente reales.

Las apremiantes influencias literarias del vanguardismo (las lecturas apasionadas de John Dos Passos, Louis Ferdinand Céline, William Faulkner, el omnímodo Marcel Proust) se depositan como capas geológicas en la composición de novelas y cuentos, robusteciendo la unidad artística con que ellas tratan de la circunstancia urgente, con una curiosa operación que es Onetti el primero en intentar, luego del diseño inicial distorsionado con que patentó el procedimiento Roberto Arlt: la conjugación en el mismo plano de la experiencia sensible, inmediata, vivida, de una problemática universal y otra particular rioplatense. Sólo si se lo ve en la perspectiva de la literatura latinoamericana que venía acumulándose desde hacía siete décadas (es decir, desde 1870) se puede medir a cabalidad lo que esta conjugación significa en el proceso de modernización y lo que atestigua de la transformación habida por incorporación de la periferia a las pautas de las metrópolis culturales. Hacia 1888 José Martí razonó el desencuentro entre ambas esferas con «tristeza infinita»:

Porque es dolor de los cubanos y de todos los hispanoamericanos, que aunque hereden por el estudio y aquilaten con su talento natural las esperanzas e ideas del universo, como es muy otro el que se mueve bajo sus pies que el que llevan en la cabeza, no tienen ambiente ni raíces ni derecho propio para opinar sobre las cosas que más les conmueven e interesan y parecen ridículos e intrusos, si, de un país rudimentario, pretenden entrarse con gran voz los asuntos de la humanidad, que son los del día en aquellos pueblos donde no están en las primeras letras como nosotros, sino en toda su animación y fuerza [6].

En la década del cuarenta, Onetti percibe que lo que se mueve bajo sus pies y lo que lleva en la cabeza sobre la vida de otros pueblos, es lo mismo; que los asuntos políticos y morales, que las pasiones artísticas y literarias, que las ideas y las lecturas, son equiparables en uno y otro universo, que todos están en la misma cosa. Hay en esto un cierto desafío insolente para oponerse al cansino tradicionalismo de una cultura que sigue elaborando historias de gauchos a pesar de que ya han desaparecido. Hay sobre todo una jubilosa aceptación del universo urbano por ser el marco forzoso que permite la conjugación de las dos esferas (nacional y metropolitana) y la traslación de significados, de una a otra, con aparente fluidez. Efectivamente, todas sus producciones del período son radical y rabiosamente urbanas: se instalan en el artificio de la urbe, en sus elaborados productos, en sus distorsiones, y rechazan toda derivación, a no ser a través del sueño, hacia la naturaleza que queda más allá de las edificaciones. Como dijera Julián del Casal, está poseído del «turbio amor de las ciudades», lo que obligadamente habrá de postular la búsqueda del elemento compensador. Del mismo modo que la estruendosa irrupción de la pastoril renacentista surge, como ha visto Arnold Hauser, de la constitución de las cortes urbanas que diseñan el primer mundo cerrado y artificial y generan esas réplicas naturales, aunque no por eso menos artificiales, que son los poemas y novelas pastoriles consagrados a las mismas prácticas del amor sutil, pero transponiéndolas a idealizados paisajes, del mismo modo el agobiante escenario urbano y la quiebra moral de los hombres sin fe que lo habitan, provoca el surgimiento del mito adolescente, de la inocencia perdida, de la frescura y la fuerza, de una sabiduría intocada que nace de la naturaleza virginal y enfrenta con segura arrogancia el universo decrépito y sucio de los mayores [7].

Ya dijimos que la modernización en curso se ejerce preferentemente en las formas artísticas, mucho más que en los significados, y que a través de la nueva concepción estética aplicada se procura introducir los sabores, las tradiciones inconscientes pro-

---

[6] Artículo publicado en *El Economista Americano,* Nueva York, julio de 1888, recogido en *Nuestra América,* Caracas, Biblioteca Ayacucho, 1977, p. 205.

[7] W. EMPSON, *Some versions of pastoral,* Londres, Chatto y Windus, 1935.

pias. Habría que agregar que son esas formas las que pasan a generar *mitos* que, aunque oponiéndoseles, pueden sobrevivir tras las rejillas que ellas construyen sobre la realidad: los adolescentes intocados que van poblando el mundo narrativo de Onetti, nacen bajo el imperio de esas formas, de las que extraen su altivez y su manera de actuar decididamente, pero contra esas formas abstractas y deshumanizadas reponen una sabiduría enigmática y milenaria, una naturaleza revisitada. Pero no son la naturaleza; como no lo era el «bon sauvage» rousseauniano. Son el *mito de la naturaleza* que es capaz de fraguar una determinada cultura en un determinado momento de su artificialización progresiva. Los adolescentes altivos y aparentemente seguros de Onetti, son también el producto de la ciudad y a la vez su rescate, bivalentes como Jano.

Esa duplicidad se traduce, en las concretas operaciones literarias del texto, por una solución narrativa que nunca abandonará Onetti: los adolescentes existirán para la mirada de los adultos, se ofrecerán a su concupiscencia y se rehusarán a ella. Hay algo aquí del gran tema de «Susana y los viejos» que atraviesa el arte occidental y que de los venecianos a Picasso adopta mil formas. Esos adolescentes sólo existen en el diálogo con los adultos, que así tengan cuarenta años son para ellos viejos decrépitos y operan por lo tanto, mucho más que en la realidad, en el imaginario que subtiende el deseo: son construidos como imágenes deseadas, surgen espléndidos en el imaginario adulto que procura rescatarse a sí mismo de la edad que transcurre, de la servidumbre y miserias del vivir cotidiano, de los fracasos y torpezas de la vida continua. La conjugación del adolescente y del viejo sólo puede cumplirse en el imaginario, como admirablemente es contado en «El álbum» (1953), donde la mujer adulta logra envolver al adolescente mediante la fascinación ya ejercida por Scheherazade en las *Mil y una noches,* es decir, a través del contar fabuloso que despliega dioramas ilusorios, magnificentes e irreales, aunque luego el reencuentro del álbum atestigüe que eran meramente verdaderos y autobiográficos. Es la tarea de la literatura que edifica el puente posible.

Con más frecuencia esos adolescentes pasan entre los viejos, incólumes a las llamas del deseo, simplemente avivándolas y permitiendo que los viejos los construyan en su imaginación deseante aunque procuren en ella destruirlos, en vano. Es la espléndida «Historia del caballero de la rosa y de la virgen encinta que vino de Liliput» (1954) que, a diez años, parece replicar al propio cuento de Onetti, «Bienvenido, Bob» (1944), en que los dos términos de la ecuación, el joven y el viejo, se enfrentan en un combate que no esconde su trasfondo homosexual y donde el joven pasa a ocupar el lugar del viejo. En cambio, en la «Historia del caballero de la rosa», que es una hazaña de la composición artística, es la absurda pareja juvenil la que vence, la que pasa incontaminada entre los ancianos maldicientes y concupiscentes, sin que nunca pierdan su halo enigmático, la ambigüedad de sus comportamientos, lo que en la literatura se logra por un mecanismo del que Onetti llegará a ser maestro: las llamadas técnicas del punto de vista a las que Henry James dio su esplendor inicial y que al situar la visión de lo real en la perspectiva subjetivizante de los personajes o del emisor del relato, propician diversas lecturas, tornan ambiguo el conjunto, enfrentan visiones opuestas, pero más que todo esto, resultan —en otro más elaborado nivel— leales a lo circundante.

Ya hemos apuntado que tal concepción implica el reconocimiento del lector como una parte decisiva del proceso creativo. No se trata meramente de las que hoy conocemos como teorías de la recepción literaria. Se trata de construir un artificio literario cuya resolución sólo sea posible mediante la sagacidad de una lectura capaz de combinar libremente los elementos puestos en juego, rearticularlos, conferirles un significado y levantar al fin la obra como invención propia de quien la ha leído. Se reclama la participación del lector. En una mala clasificación, Cortázar llamó a esto el lector macho, cuando en verdad debería haber dicho el lector-productor, reconociendo que una obra se construye originalmente en nuestra conciencia a lo largo de la lectura y que determinados autores y obras sólo alcanzan su virtualidad cuando manejando su materia esponjosa, somos capaces de ordenarla y construir un sentido último. Tampoco se trata de textos aleatorios y de plurales lecturas sustitutivas. No es ese el camino onettiano, visto que él cree firmemente que existe, entre las mil lecturas posibles, una sola válida, que es la suya propia. En vez de proponerla explícitamente, obligando así al lector a ser meramente quien obedece a la conciencia del autor, construye delicada y oscilantemente el edificio literario para que el lector lo rearticule y le confiera el significado que el autor se rehúsa a proponer imperativamente. De hecho, está buscando a un otro, pero que se le parezca. De hecho, está repitiendo el diálogo del viejo y el adolescente, forzándolo suavemente a entrar en las coordenadas del imaginario, a existir en el placer vicario de la lectura y a través de ese puente fantasma unirse a él, ser él, rendirse a él, aunque sugiriendo que es él quien se rinde, quien se entrega. Son modos de una pugnacidad amorosa que sólo existe mediante las máscaras y que un día en la literatura se llamó el *Combattimento di Tancredi e Clorinda.*

Estas obras corresponden al segundo período de la narrativa onettiana, a su nueva versión de la lealtad a lo circundante, la que se inicia francamente con la publicación de *Los adioses* (1954) que inaugura un discurso flotante que alcanza plenitud y evanescencia en su prodigioso relato *Para una tumba sin nombre* (1959). Década de los cincuenta en que trabaja en *Juntacadáveres,* la novela mayor que abandonará para escribir su continuación, *El astillero* (1961), y que retomará posteriormente y concluirá, publicándola recién en 1964. Ya estamos en el ciclo de Santa María, la invención pueblerina equivalente al Yoknapatawpha faulkneriano, que ha de regir su producción más importante, estatuyendo un corte firme con el optimismo ciudadano de su primer período. La urbe abarcadora es reemplazada por el pueblecito rural donde se mezclan, sin embargo, los inmigrantes europeos que lo han llevado adelante con rígido tesón, los nuevos patricios ricos (los Malabia), los notables y profesionales criollos (Díaz Grey), los desechos de la ciudad prostibularia (Larsen), construyendo un microcosmos que es posible describir y ordenar. También Santa María nació de un soñar literario (en *La vida breve)* y es por lo tanto un perfecto producto del imaginario, como es también el triunfo de ese tercer componente del inicial triángulo: la concepción moderna de la literatura, el afán de unificación artística del conjunto, la modernización que estatuye la autonomía del texto literario. Según sus confesiones, Santa María es su recuperación nostálgica del Montevideo abandonado durante el período en que vivió en Buenos Aires, aunque no es un intento de reproducirlo en las letras, sino una traslación de algunos componentes a un marco enteramente imaginario (y persuasivo) situado a mitad de camino: hay un río, un embarcadero, llega una línea de ferrocarril, se supone que de allí se pasa a otros pueblos y que se puede llegar a tumultuosas urbes capitalinas. Pero de ellas hemos retrogradado a escenarios ilusorios que vuelven a permitir la conjugación de los dos orbes: el cercano, tradicionalista, y el lejano, metropolitano, moderno. Hemos ajustado la visión aproximándola más a los presupuestos propios latinoamericanos, en el que es sin duda acentuación de la lealtad a lo circundante sin por eso abandonar la vía modernizadora. No de otro modo Gabriel García Márquez no hizo sino contar historias de Macondo a partir de la renovación estética a que lo incitó la lectura de la vanguardia europea. No de otro modo lo hizo el maestro de todos ellos, que vivió en el espejo opuesto de la sociedad sureña norteamericana: William Faulkner.

Este ajuste adulto, viene acompañado de otro que ya se había deslizado con las novelas del primer período pero que ahora adquiere primacía. El autor se ha preguntado «¿Qué es lo real?» con continua extrañeza y ha comenzado a suspender su credulidad en la objetividad de nuestro conocer. Su interrogación a los asuntos urgentes y contemporáneos se ha trasladado suavemente al instrumento del conocer, es decir, al hombre, y aun más al propio instrumento que él maneja para conocer: la literatura. Desde las últimas páginas de *La vida breve,* desde *Los adioses* claramente, Juan Carlos Onetti comienza a preguntar qué es la literatura e inaugura una serie de exploraciones cuya última y casi volatilizada expresión, será *Dejemos hablar al vieno,* su novela de 1979, donde efectivamente ya ni los personajes hablan, sino que se hablan entre sí los fragmentos de su propia literatura anterior, según son movidos por el viento. Más que una novela, esta última producción es un castillo de naipes, recortados de sus propias obras, de tal modo que no cualquier lector, sino sólo aquel que ha considerado que vivir dentro de la narrativa onettiana es «suficiente maravilla» podrá apreciar, organizar y dar sentido. Antes de *Dejemos hablar al viento,* había sido *Para una tumba sin nombre* el primer ejemplo categórico de volatilización de lo real mediante un juego de espejos en que se desvanecían las perspectivas concretas y sólo quedaba indemne el imaginario que rige el afán de narrar. Antes que *Para una tumba sin nombre,* las iniciales proposiciones, todavía embebidas de un afán realista mensurable, fueron la «Historia del caballero de la rosa» y *Los adioses,* textos prácticamente contemporáneos.

Al tiempo que Onetti retrograda de la ciudad cosmopolita e internacional al pueblo simple y nacional, mediante una encarnación del imaginario que se abastece con las máscaras propicias, al mismo tiempo retrograda de la historia expuesta con apariencia objetiva y convincente, al acto de narrar. Pasa del enunciado al acto de enunciación y comienza a preguntarse qué es la imaginación, qué es la narración que la objetiva. Ya antes, en *El pozo,* su personaje había percibido la conexión secreta entre un hecho (un suceso) y un sueño, pero sólo se había limitado a proponer un plan en que alternarían, dando aún la primacía al hecho (su torpe escena con Ana María un 31 de diciembre en Capurro) para luego contar la invención «soñada» de la cabaña de Alaska a la cual entra desnuda Ana María. En *Los adioses* se produce decididamente la inversión: la primacía corresponde al acto de narrar y la narración ha de abastecerse, en apariencia, de la vida y los hechos de un otro. Para que sea más nítido el deslinde, de un desconocido que aparece en el pequeño pueblo cordobés dedicado a la curación de tuberculosos, quien se caracteriza por su negativa a la comunicación fácil y por lo tanto no proporciona información sobre quién es, ni sobre sus relaciones afectivas, ni menos sobre sus ideas, sentimientos y emociones.

Pone en el primer plano escénico a un narrador —un ex-enfermo que se ha quedado en la región atendiendo un almacén— y en el centro, iluminado por los focos de la curiosidad, al hombre enfermo que viene a morir. Toda la novela, salvo una mínima ruptura representada por un par de frases de una carta, pertenece al discurso del narrador en el cual él integra las aportaciones de sus ayudantes (el enfermero, la Reina son los principales) con los datos de su experiencia y, sobre todo, con la tarea elaboradora de la imaginación («imaginé al hombre» es la fórmula socorrida, cuando carece de información). Las frases, del hombre enfermo, de la mujer, de la muchacha, que se incorporan como transcripciones, son también posibles de parcialidad, o al menos de sospecha de subjetivación. El desequilibrio de la estructura es flagrante y buscado.

La novela está construida mediante el funcionamiento de dos polos, uno positivo y otro negativo, que establecen un desequilibrado campo de fuerzas. Uno, ocupado por el almacenero-narrador, emite absolutamente toda la información disponible de que podamos disponer los lectores; el otro, ocupado por el hombre enfermo-protagonista, es el recipiente de toda esa información, pues está destinada por entero a describirlo e interpretarlo. Esta dislocada concentración sobre un polo está desmesurada en detrimento de la información respecto al polo emisor. Cada uno de ellos cuenta con dos ayudantes: el narrador dispone del enfermero y Reina que son recolectores de datos indispensables para la construcción de un discurso, ayudantes desprestigiados por el propio narrador; el protagonista dispone de dos ayudantes, la mujer y la muchacha que lo visitan, pero al igual que él sólo son vistos exteriormente aunque constituyen débiles fuentes informativas.

El narrador deviene una oquedad, nada se predica sobre su intimidad, transponiéndose todo él en palabra narrativa, en literatura; el protagonista sólo puede ser percibido como similar oquedad, como el objeto expuesto a la indagación behaviorista que debe reinterpretar palabras o gestos, actos carentes de soporte explicativo. De un modo u otro, ambos polos han sido vaciados de conciencia personal: si uno es un conjunto de acciones no significativas, el otro es un discurso interpretativo de tales acciones, para que alcancen significación.

A partir de la existencia de esos dos focos, se construye el campo de fuerzas, mediante elisión aparencial de uno y ostentación espectacular del otro. En un teatro, bajo la luz plena, hay un personaje que se mueve y balbucea algunas frases, en tanto a un lado, en la oscuridad, hay otro que explica el sinsentido y por tanto construye una historia. Aunque el personaje visible, el que concita la atención del lector, el que es intensificado al ser introducido en el enigma de las relaciones que mantiene con las dos mujeres que lo visitan, es hombre enfermo (el objeto), el verdadero protagonista, el que ocupa desmesuradamente el relato, el que lo produce, es el almacenero y puede convenirse que es él el auténtico enigma de la novela. El desequilibrio constituye lo propio del campo de fuerzas, haciendo de él una cacería, o, mejor, un «duelo nunca declarado» como certifica el narrador: «luchando él por hacerme desaparecer, por borrar el testimonio de fracaso y desgracia que yo me emperraba en dar; luchando yo por la dudosa victoria de convencerlo de que todo era cierto, enfermedad, separación, acabamiento».

Estamos nuevamente en el «combatimiento» y, como en el texto clásico, ambos combatientes visten los mismos trajes masculinos, reponiendo la subyacente nota homosexual que en este caso se acentúa por los discordes manejos de la información: en tanto que se acumulan presencias femeninas sobre el hombre enfermo, se prescinde totalmente de toda presencia efectiva (masculina o femenina) en el narrador, durante los quince años de su supervivencia en el pueblecito y todos los anteriores a su enfermedad. La novela cuenta esta pugna, sus altos y sus bajos, sus accidentes y sus derrotas y toda ella existe nada más que en las palabras del imaginario discursivo. A lo largo de ella el narrador se ve disminuido («Yo era el más débil de los dos, el equivocado, yo estaba descubriendo la invariable desdicha de mis quince años en el pueblo, el arrepentimiento de haber pagado como precio la soledad, el almacén, esta manera de no ser nada») y sin embargo intenta una y otra vez vencerlo, atraparlo, hasta la decepción final: «al hombre no le quedaba otra cosa que la muerte y no había querido compartirla».

Cuando sólo se dispone del discurso de un narrador, es forzoso que el autor opere dentro de él las oposiciones indispensables para que el lector rearticule el texto. Si el narrador confiere sentido a actos sueltos de su protagonista, el lector debe transformarse en hermeneuta del mensaje escrito. Esa soledad confesada, es vista en otro pasaje, no sobre sí, sino sobre los cercanos e interpretada pero para ellos y no para sí: «estaba solo y cuando la soledad nos importa, somos capaces de cumplir todas las vilezas adecuadas para asegurarnos compañía, oídos y ojos que nos atiendan. Hablo de los otros, no de mí». El sistema productivo del discurso queda aquí en evidencia: consiste en predicar sobre el otro lo que correctamente es interpretación de sí mismo. Es un sistema indirecto, como es indirecta la percepción que reinterpreta las acciones no explicadas de un otro. Las acciones ajenas, que por sí solas nada dicen, si no son referidas a una conciencia que las anima y significa, que por sí solas siempre son enigmáticas y confusas, deben ser vinculadas a una conciencia. A falta de ella, es la conciencia del narrador la que se traslada a ocupar ese puesto vacío y confiere entonces significado a los actos. Ya en *El pozo* había dicho Eladio Linacero que le gustaría «escribir la historia de un alma, de ella sola, sin los sucesos en que tuvo que mezclarse, queriendo o no», postulando esta rara disociación entre conciencia y existencia.

Onetti ha venido hablando en sus novelas de seres reales y conocidos, puestos como objetos sobre los cuales ejercer la pasión cognoscitiva. En *Los adioses* reconstruye la función literaria en una situación típica: el recolector de informaciones, de migajas de la realidad, de datos inseguros y enigmáticos, procede de inmediato a reelaborarlos. Si la mujer le dice que el hombre había sido jugador de básquetbol, el dato inédito genera un proceso de invención imaginaria que se expresa visualmente («comencé a verlo», «lo veía», «podía verlo») y en todo momento la técnica de composición radica en la recepción de un dato seguido por un proceso interpretativo que se aleja de ese dato para reconstruir la conciencia que estaba detrás y entonces proporcionarle sostén verdadero. Es la construcción de un alma para que permita comprender las acciones, aunque la incitación es de ellas que proviene, reduciéndose luego a simples apoyos del diagrama imaginario. No obstante, la oscilación valorativa: — ¿son las acciones o es el alma?— trabaja a lo largo de toda la novela y es sometida a una prueba definitiva, cuando la interpretación establecida descubre que los datos sobre los que se apoyaba eran erróneos. Con todo, este descubrimiento no modifica la tesitura principal del discurso del narrador.

Si la proposición central es un «imaginado duelo» entre dos fuerzas polares, ese esquema se reproducirá isotópicamente en toda la obra: el hombre enfermo será la presa de otro duelo, ahora entre la mujer y la muchacha. Cambia el sexo de los combatientes, pero no se altera el principio del combate que rige a la estructura general. De tal modo que la decepción de saber que la muchacha es la hija, nada cambia definitivamente en la apreciación del narrador: «Pero toda mi excitación era absurda, más digna del enfermero que de mí. Porque suponiendo que hubiera acertado al interpretar la carta, no importaba, en relación a lo esencial, al vínculo que unía a la muchacha con el hombre. Era una mujer en todo caso; otra.» El subsiguiente enigma que ha propiciado Onetti a partir de la lectura que de *Los adioses* hiciera Wolfgang A. Luchting [8] (según el cual a pesar del testimonio de la carta la muchacha podría no ser la hija, sino una amante) sugiriendo que podría ser hija y amante (cosa que para nada está indicada en el texto) en nada altera el campo de fuerzas. Lo que sí hace es burlar la capacidad del narrador, quien no podría prever más complejas posibilidades que las que tiene a su vista, es decir, en la construcción del alma ajena no podría traspasar los límites de la suya propia que procede a transferir.

Pues lo central de la novela es el reconocimiento de que el sueño voluntariamente soñado (que eso sería la literatura) necesita apoyarse en un repertorio de datos para construirse válidamente. Su tarea es rellenar el vacío que existe entre esos datos desperdigados mediante la imaginación deseante. Con lo cual simplemente registra la mayor fuerza del deseo: la invención de dobles. El almacenero construye en el hombre enfermo a su doble. Se proyecta en la forma vacía que es el hombre enfermo y se ama a sí mismo en el fantasma que han construido sus palabras, en esa objetivación del deseo de que es capaz el arte. Al reducir drásticamente la información sobre el narrador, vaciándolo interiormente como ocurre con el protagonista al que sólo puede conocerse por datos externos, Onetti remitió la existencia

---

[8] Los textos de Luchting y de Onetti. en *Los adioses,* Montevideo, Arca, 1970, 4.ª edición.

de esa interioridad, de esa alma, al discurso literario. El narrador lo construye, salvo que no lo hace sobre sí mismo, sino que lo transfiere al otro, al hombre enfermo y lo rellena con él, pudiendo repetir la consigna de la modernidad que acuñara Rimbaud: «Je est un autre».

Infunde su alma dentro de esa figura vacía y trata de adecuarla a sus diversas acciones, a sus pocas palabras, a sus enigmáticas relaciones y, a través del discurso literario, consigue la posesión a que aspira, aunque sólo para encontrarse con su espejo y descubrir que los datos son inseguros y polisémicos.

Hay en *Los adioses,* más que una teoría sobre el relato tal como sí expondrá en *Para una tumba sin nombre,* una indagación sobre la psicología del arte mediante el examen de los vínculos que religan el enunciado y la enunciación, el discurso y quien lo emite. Los sucesivos afantasmamientos, duplicados por enigmas no resueltos, orientan hacia la enunciación como único punto de apoyo válido y consistente, diríamos, única realidad. Aunque allí sólo se encontrará un vacío que emite palabras y sólo en ese tejido inconsutil se podrá aprender algo. Ese *algo* se refiere a otro, calza en sus palabras y en sus actos, siendo por lo tanto indisoluble de ellos. El narrador carece de autonomía: es un hermeneuta que tantea en el universo de los signos esparcidos y trata de definirse a sí mismo mediante las pulsiones que ellos ejercen, descubriendo que sólo puede existir en una otredad incierta. Como en la novela de Julien Green *(Si yo fuera usted)* traspone su conciencia dentro del otro, tratando de adecuarla al vacío caparazón de actos y palabras, siempre exteriores, de ese otro que es sólo un objeto en el que él entra como sujeto y debe resemantizar constantemente esos actos y palabras para que la adecuación se cumpla, cayendo en sucesivas trampas y engaños. El conocimiento del otro, postulado cándidamente por la literatura narrativa, es inseguro. Y al mismo tiempo, el conocimiento de sí mismo, que sería la contrapartida valedera luego del fracaso, no puede alcanzarse si no es a través de la existencia, así sea fantasmal, del otro. El discurso literario nace de una oscilación entre los dos peligros, Escila y Caribdis, y es la única realidad cierta, porque engendra el texto que cubre las páginas del libro. Se entiende que luego de este hallazgo Onetti haya pasado a la «Historia del caballero de la rosa» y a *Para una tumba sin nombre* en que los discursos se expanden arbitrariamente a partir de escasísimos datos objetivos («la mujer y el chivo») y con la misma arbitrariedad disuelven sus significados.

La lealtad a la circunstancia de que partió Onetti, era forzosamente lealtad al otro, a su existir en el mundo concreto de la intempestiva modernización. No creo que haya renunciado a ella, pero a partir de 1950 en que publicada *La vida breve,* inicia la serie de sus espléndidas «nouvelles» cuyo primer ejemplo es *Los adioses,* comienza a cuestionar la capacidad cognoscitiva del escritor, su orgullosa omnisciencia. El narrador será ahora su punto de mira y con el mismo adusto escepticismo con que vio a las criaturas de sus novelas anteriores, se pone a indagar en el instrumento del conocer. Como buen integrante de una «generación crítica» ve sobre todo sus deficiencias, sus imposibilidades, pero no se limita a ellas. Su objetivo es comprenderlo en su deambular: sólo en la realidad objetiva del otro puede aspirar a constituirse y a existir, a costa de su incertidumbre y de su propio desvanecimiento. Podemos comprobar que la modernización ha avanzado raudamente y que sus secretas operaciones han comenzado a develarse para los hombres de la periferia, pues Nietzsche ya había anunciado que sólo tras las máscaras se cobraba realidad en el democrático mundo moderno, se pasaba a ser «persona», es decir, máscara.

BIBLIOGRAFÍA

La obra de Juan Carlos Onetti ha sido objeto de una renovada exploración en los últimos años por un conjunto de jóvenes críticos. Entre sus obras cabe mencionar: DJELAL KADIR, *Juan Carlos Onetti,* Boston, Twayne, 1977; JOSEFINA LUDMER, *Onetti: los procesos de construcción del relato,* Buenos Aires, Sudamericana, 1977; MARYLIN R. FRANKENTHALER, *J. C. Onetti: la salvación por la forma,* Nueva York, Abra, 1977; HUGO VERANI, *Onetti: el ritual de la impostura,* Caracas, Monte Ávila, 1981; OMAR PREGO, MARÍA ANGÉLICA PETIT, *Juan Carlos Onetti o la salvación por la escritura,* Madrid, Sociedad General Española de Librería, 1981; FERNANDO CURIEL, *Onetti: obra y calculado infortunio,* México, UNAM, 1980, a los cuales habría que agregar los diversos ensayos y ediciones de obras desperdigadas de Onetti, que ha hecho Jorge Ruffinelli.

[Publicado en *Studi di Letteratura Ispano-americana* (Milán), núms. 13-14 (1983), pp. 45-61.]

JOSÉ PEDRO DÍAZ

SOBRE JUAN CARLOS ONETTI

Desde la exultante afirmación de Balzac, cuando proclamaba que se convertiría en el secretario de la sociedad, de modo que escribiría a su dictado, la idea de una relación estrecha, y aun de dependencia entre la realidad y la novela, es un tópico del que no es posible evadirse. La misma obra magistral de Auerbach, *Mimesis,* proclama ya así, de manera directa desde su título, la importancia de aquella relación. Y por su parte algunos escritores han puesto muy en evidencia la importancia que para ellos tiene una ajustada representación del mundo concreto, por el cuidado que pusieron en explorarlo minuciosamente antes de referirse a él en sus obras. Y puesto que mencionamos a Balzac, eso hace ya casi inevitable recordar que en el mismo *Avant propos* de la *Comedie humaine* en el que figura la afirmación que más arriba recordamos, aparece también la de que la variedad misma de acaeceres que la vida social ofrece, proporciona mayor riqueza que la que podría desplegar una atrevida imaginación.

Acaso sea bueno recordar también, a este propósito, no sólo las ingentes lecturas documentarias de Flaubert que preceden a la descripción de la intervención quirúrgica que realiza Charles y a la de la agonía de Mme Bovary por arsénico, sino su viaje a Cartago con el fin de documentarse para su proyectada *Salambó.* Y ello para no detenernos en la importancia que pudo tener su conocimiento del affaire Delamare, siquiera como motivación inicial de *Mme Bovary.*

Y mucho más que en el caso de Flaubert podría subrayarse en Zola la importancia de este esfuerzo de documentación previa; porque con ser tan cuidadosa como era la documentación que reunía Flaubert, no creo que haya cubierto para sus obras un tan amplio campo informativo como el que Zola desplegaba en sus completísimos «dossiers» que incluían resúmenes de lecturas, archivo de piezas documentales diversas, anotaciones personales sobre el terreno, diagramas y planos, y, si cabía, consultas a especialistas —médicos, ingenieros— en todo lo cual se basaba para escribir los primeros planes de sus obras.

Pero aunque la noción misma de novela implique la referencia a la realidad como una función constitutiva, inevitable, la creación misma de cada obra no se apoya sólo en la evocación de lo real concreto. Al mismo tiempo que está presente en el autor la realidad, también operan sobre él otras fuerzas. Esto es sin duda obvio, ya que es notorio que la evocación de la realidad es en definitiva sólo una función del relato, y que esa misma realidad que el autor se esfuerza por evocar, y de la que dejará consignados en la historia tantos elementos, se van impregnando, a lo largo de su trabajo, de la índole propia del autor mediante selecciones significativas, enlaces, correspondencias, modos de la acción, particular percepción de la materia de los objetos representados, etc. Y así, en el relato concluido, el mundo que en él evoca termina siendo también, siquiera en parte, proyección de la subjetividad del autor, en la medida en que aparecen elementos reales que no sólo valen por lo que son, sino también por lo que simbólicamente sugieren. Es el caso, por ejemplo, de la inquietante llama azul del alambique en la que se destila el alcohol de *L'Assommoir* con el que se envenenan sus personajes y que se ve encendida cada vez que se los describe bebiendo reunidos. O el ambiente sensual y mórbido, cálido, vivo y húmedo del invernadero en el que se consuma el encuentro erótico de los protagonistas de *La curée,* también de Zola.

Pero en estos casos en los que el autor construye, con elementos de la realidad que evoca, un conjunto simbólico, no está todavía proyectada necesariamente su interioridad. Esta se proyecta en cambio de manera más indirecta, pero también más fuerte, en obras en las que ocurre una más sutil impregnación, del tipo de la que ocurre en Flaubert, y no solamente en la tan personal *Education sentimentale,* sino también en *Mme. Bovary.* El «Mme. Bovary c'est moi», de Flaubert, no responde, desde luego, a una identificación que el autor se haya propuesto, pero no por eso la novela es menos reveladora de la interioridad del escritor. Y es sobre todo la calidad misma del trabajo que se impone el novelista lo que hace que frase a frase se infiltren en su obra particularidades esenciales de su propia índole.

El autor también se expresa en ese ejemplo, sin duda, mediante la secuencia de los hechos, por el sentido mismo de la vida de Emma, por el poder que sus sueños tienen para impedirle la aceptación de lo que la vida cotidiana le ofrece; pero la presencia de Flaubert baña todavía más que eso; él también está en el efecto contrapuntístico con que se recoge un diálogo, en los tonos que se infunden al paisaje, en las formas que debemos figurarnos al través de metáforas...

Por ahora sólo quiero subrayar, con estas referencias, la existencia de dos líneas de fuerza que operan simultáneamente en la obra narrativa: por un lado, el mundo; por otro, la interioridad. Acaso deba agregarse todavía que esas fuerzas no siempre se mantienen en equilibrio, y que así como Balzac planteaba como su máxima aspiración rivalizar con el Registro Civil, acentuando de ese modo el peso de lo real concreto, así podrá verse en los escritores de comienzos de este siglo un aumento sustancial de la importancia de la interioridad con un paralelo descaecimiento relativo de la importancia del mundo. La corroboración de este desequilibrio se da sin duda en la obra de Proust con el crecimiento de aquel inmenso yo narrativo que se despliega cobijando en su inagotable esfuerzo memorioso todo el acontecer.

En cierto modo, la obra de Onetti acentúa todavía más que en aquellos novelistas, la fuerza centrífuga de una interioridad dominante. Es cierto que en Onetti se trata de una actitud sumamente ambigua, ya que la evocación del mundo concreto cobra en sus relatos una fuerza muy intensa, pero eso ocurre precisamente porque se trata de instalar esa interioridad en lo real. El escritor otorga verdadera densidad a los elementos del mundo físico que señala en sus descripciones —aunque éstas sean a menudo muy parciales— y a la minuciosa evocación de algunos gestos. Y aún hay, en algunas obras suyas, circunstancias o particularidades del mundo físico que aparecen insistentemente determinando, en buena parte, su atmósfera; como el calor y la humedad que se padece en *El pozo* o la insistente y fría llovizna de *El astillero*.

Además, en Onetti, a menudo *se ve,* y aunque de manera recortada y no global, se ve con nitidez. Pero a la vez, tanto el modo como se apoya en la evocación de elementos físicos concretos, como sus propios temas, ponen en evidencia una calidad onírica que es en definitiva su más intensa determinación y sin duda su motivación más fuerte.

El primer indicio de esa pulsión onírica que motiva los relatos de Onetti lo proporciona ya su estilo.

Por lo pronto sus adjetivos y sus adverbios suelen ofrecer un particular y significativo desajuste con el término que califican o que modifican. Así puede leerse cómo el narrador de *Los adioses* indica, al iniciar el relato, que el personaje «quisiera no haber visto» ... «nada más que las manos; lentas, intimidadas y torpes, moviéndose sin fe, largas y todavía sin tostar, disculpándose por su actuación desinteresada». Los adjetivos y los adverbios utilizados implican un ser intelectual y moral; sin embargo, sólo están referidos a *las manos.* Y lo que ocurre en esta frase de *Los adioses* puede igualmente verse en otros textos suyos, porque es una de sus constantes, una constante que evidencia un movimiento de expansión de la interioridad antes que un reflejo de lo real.

Lo que Onetti describe no suele ser simplemente algo inerte; muy frecuentemente tiene, además, intencionalidad. Y esa intencionalidad a que me refiero no es un *sentido,* sino una carga afectiva o la expresión de un estado de ánimo. Las manos que nos mostró en el ejemplo anterior no sólo «carecen de fe», sino que «se disculpan por su actuación desinteresada». Y esa «actuación» de las manos consistió simplemente —según se dice en el párrafo que sigue— en los movimientos que hicieron para pagar y para recoger el cambio sobre la madera del mostrador:

Quisiera no haber visto más que las manos, me hubiera bastado verlas cuando le di el cambio de los cien pesos y los dedos apretaron los billetes, trataron de acomodarlos y, en seguida, revolviéndose, hicieron una pelota achatada y la escondieron con pudor en un bolsillo del saco; me hubieran bastado aquellos movimientos sobre la madera llena de tajos rellenados con grasa y mugre para saber que no iba a curarse, que no conocía nada de donde sacar voluntad para curarse [1].

Aquí el escritor está tratando de *realizar,* de convertir en real, de la manera más fiel posible, una imagen mental, antes

---

[1] *Los adioses,* p. 9. [Las obras de Onetti a que se alude se citan por las siguientes ediciones: *Los adioses,* Buenos Aires, Ed. Calicanto, 1976; *El astillero,* Buenos Aires, Ed. Compañía General Fabril Editora, 1961; *El pozo,* Montevideo, Ed. Arca, 6.ª ed., 1973; *La vida breve,* Buenos Aires, Ed. Sudamericana, 1950; *Cuentos completos,* Buenos Aires, Ed. Cedal, 1967.]

que hacer en su texto un *reflejo* de lo real; está tratando de conservar en lo que escribe los caracteres que son privativos de la imagen mental; no aspira a transformarla en un *analogon* de la imagen visual, sino que, por el contrario, procura mantener su temblorosa cualidad acuática, lo que ella tiene a la vez de incertidumbre formal a pesar de su intencionalidad manifiesta.

Lo mismo ocurre con los pasajes en los que se describe lo que no existe, y que son como derivaciones imaginarias de un núcleo que de ese modo se rodea, con persistencia levemente delirante, de caracterizaciones hipotéticas, hasta dejarlo situado, de modo que provoque en el lector las imágenes necesarias.

Un pasaje significativo puede ser éste, que elegimos también en *Los adioses:*

El hombre entró con una valija y un impermeable; alto, los hombros anchos y encogidos, saludando sin sonreír porque su sonrisa no iba a ser creída y se habría hecho inútil o contraproducente desde mucho tiempo atrás, desde antes de estar enfermo. ... Pero no pagó al irse, sino que se interrumpió y vino desde el rincón, lento, enemigo sin orgullo de la piedad, incrédulo, para pagarme y guardar sus billetes con aquellos dedos jóvenes envarados por la imposibilidad de sujetar las cosas. Volvió a la cerveza y a la calculada posición dirigida hacia el camino, para no ver nada, no queriendo otra cosa que no estar con nosotros, como si los hombres en mangas de camisa, casi inmóviles en la penumbra del declinante día de primavera, constituyéramos un símbolo más claro, menos eludible que la sierra que empezaba a mezclarse con el color del cielo [2].

Toda la fuerza del pasaje —y mucha de la fuerza de la novela— radica en la incontenible energía de este estilo, en su riqueza. Esta consiste sobre todo en una empecinada voluntad de sitiar la entraña misma del tema. Sitiar, rodear, aludir, eludir; no enunciar. Y además, y sobre todo, no partir de la descripción, sino, en todo caso, llegar a ella, siquiera parcialmente. Porque en su texto no es la descripción, la percepción ilusoria de los seres y las cosas en su materialidad, la que permite asirlos y comprenderlos; es, por el contrario, la abundante serie de alusiones a los probables sentidos que su aspecto o sus actos pudieran tener, las diferentes presunciones que podrían motivarnos, lo que termina por hacer que se coagule en nuestra imaginación una figura.

Así, la larga frase inicial sobre la sonrisa que no hay en la

---

[2] *Los adioses,* p. 10.

cara del hombre, sin que por ello pueda decirse que su rostro presenta un aspecto severo, aunque es una elucidación justamente de lo que no hay, es sin embargo un aporte sustancial para la construcción de nuestra imagen del hombre. Y reflexiones similares pueden hacerse a propósito de las frases siguientes de ese fragmento, como la que se refiere a su modo de moverse: «lento, enemigo sin orgullo de la piedad, incrédulo»; o la que describe, luego, su modo de quedarse «en la calculada posición dirigida hacia el camino, para no ver nada, no queriendo otra cosa que no estar con nosotros».

Además, estas mismas frases participan también de una fuerte ambigüedad, porque aluden a lo que el personaje —«el hombre»— siente, según imagina —¿por qué?— el narrador. Quien narra no es la tercera persona omnisciente, sino concretamente el dueño del comercio donde «el hombre» toma una cerveza. La utilización de la técnica del punto de vista nos hace participar de un pensamiento sobre el protagonista que proviene de otro personaje, quien, sobre lo que ve, imagina; pero esto significa no sólo que los datos nos llegan más fuertemente mediatizados, sino que precisamente tienen que atravesar, para llegar a nosotros, un mayor espacio «imaginante».

Ninguno de los hechos indicados: pagar el vaso de cerveza que se pidió; apostarse de algún modo en dirección al camino mientras se bebe, tiene especial significación. Por otra parte, el autor apenas deja caer algunas briznas de informaciones objetivas sobre ello. Pero abunda en cambio, eso sí, en consideraciones a propósito de posibles motivaciones subjetivas de los actos o de los gestos, de los posibles pensamientos de los personajes. Y aun, como se trata sólo de interpretaciones posibles y no necesariamente probables, no es raro que, para cada punto, puedan ofrecerse simultáneamente interpretaciones diferentes o simplemente ambiguas y, en todo caso, tan subjetivas que difícilmente se puede establecer un lazo muy estrecho entre ellas y la apariencia del personaje. Eso es lo que ocurre, por ejemplo, cuando se nos dice que «el hombre» se acercó a pagar no sólo «lento», sino «enemigo sin orgullo de la piedad, incrédulo». La pretensión descriptiva de esas palabras puede resultar escandalosa. Y no sólo allí aparecen descripciones de ausencia, enumeraciones de lo que no hay; a menudo el texto borra posibles significaciones para que en su hueco situemos una imagen.

Pero lo cierto es que como este tipo de información suele ir acompañada, como dijimos, de algunas briznas de datos objeti-

vos («lento», «guardar sus billetes», «dedos jóvenes»), en torno a
ellos termina por coagularse, apresándolos en su espesor, una
imagen suficiente.

Al distinguir entre la percepción y la imagen, Sartre escribe
que «l'objet de la perception déborde constanment la conscience; l'objet de l'image n'est jamais rien de plus que la conscience
qu'on en a; il se définit par cette conscience: on ne peut rien
apprendre d'une image qu'on ne sache déjà» [3].

Y bien, el texto de Onetti nos hace saber, de lo que nos
muestra, más cosas que las que podrían deducirse de la imagen
que presenta y cuyos detalles formales pueden quedar, en cambio, esfumados. Así, el lector puede recrearse, por su sugestión,
imágenes mentales válidas y eficaces, aunque imprecisas, y aun,
en su caso, enigmáticas, porque lo que el autor nos hace saber
no es casi nunca un dato sobre un hecho, sobre el acaecer, sino
que es sólo una a manera de emanación de sentimiento que la
imagen conlleva.

Porque las descripciones de Onetti no intentan presentarnos
la riqueza material o siquiera plástica del mundo; nos informan
de una conciencia de algo: antes que presentarnos unas manos
de cuya forma, color o movimiento, pudiéramos deducir la fatiga o el desaliento del personaje, sentimos ese desaliento ya incorporado a aquella forma, y debemos proyectar, crear al unísono
con el autor, un estilo de movimiento que lo encarne (aunque
acaso lo que nosotros inventemos difiera de lo que no dijo el autor).

Este predominio de la intencionalidad sobre el «reflejo» tiene
como consecuencia un intenso incremento de lo que podríamos
llamar la «riqueza interior» de lo representado en la medida en
que lo que se pretende ofrecernos como real se impregna de la
incertidumbre formal pero también de la carga afectiva de la
imagen mental originaria.

Muy probablemente se repite en nosotros lo que pudo ser el
proceso que siguió el autor. Eso nos hace pensar en la particular
calidad gráfica de la escritura de Onetti.

Alguna vez, en la redacción de un periódico donde él estaba
frente a una máquina de escribir en la que acababa de teclear
una nota, le oí decir, como respuesta a una observación mía,
que no, que cuando escribía «de verdad» no escribía a máquina,
sino a mano.

---

[3] J. P. SARTRE, *L'imaginaire,* París, NRF, 1948, p. 12.

Una página suya manuscrita de los originales de *Juntacadáveres* fue reproducida en el volumen colectivo *Onetti,* publicado por Jorge Ruffinelli [4]. Mirando su escritura imagino que ella responde exactamente a este proceso que sugiero. Es una escritura clara y limpia, evidentemente lenta, parsimoniosa, y en ella cada letra fue dibujada completamente. Nada hay allí de la rapidez tan frecuente en la escritura de otros novelistas. Se tiene la impresión de que la actitud del escritor es la de una morosa entrega a su propia ensoñación, de la que va fijando en el papel los elementos que lentamente va discerniendo en aquélla; es la actitud de ahondar en un sueño, pero no la de acumular elementos para conformar un simulacro de lo real. Creo ver en esa escritura la preocupación de ir siendo cuidadosamente fiel a la imaginación, de estar orientado por la voluntad de rastrear lo más entrañable de las imágenes que lo habitan y de ir describiendo lealmente lo que ve, lo que le parece poder precisar. Podría recordarse la expresión dantesca:

> Io mi son un che, quando
> Amor mi spira, noto, ed a quel modo
> Che ditta dentr, vo significando [5].

Es el pasaje en el que caracteriza el *dolce stil.* Y nosotros, entonces, diríamos:

> Io veggio ben come le vostre penne
> Diretro al dittator sen vanno strette [6].

La fidelidad de esta escritura que comentamos consiste también en anotar lo que debe ser descartado, lo que *no es.* Y a menudo es precisamente por este procedimiento que logra su calado más hondo. Porque la obra de arte opera frecuentemente realizando el negativo de lo que debemos ver, que vemos entonces mejor porque lo vemos en estado naciente en nuestra propia imaginación.

Otra forma que también asume este procedimiento consiste en aludir a hechos cuya ambigüedad es irreductible, porque radica en su propio origen imaginario, y de ese modo también pue-

---

[4] J. RUFFINELLI (ed.), *Onetti,* Montevideo, Biblioteca de Marcha, 1973. El facsímil del ms. figura en la p. 25.

[5] DANTE, *Purg.* XXIV, vv. 52-54.

[6] DANTE, *Purg.* XXIV, vv. 58-59.

den informarse hechos para los que son posibles precisiones diferentes sin que se sienta la necesidad de decidir entre ellas, simplemente porque no hay una que deba ser privilegiada: la imagen de que se trata conlleva ya imaginariamente esa imprecisión como parte sustancial de ella misma; es, ella misma ambigua.

Y la misma voluntad de soñar, de evocar innecesariamente acontecimientos dudosos que el autor experimenta, forma parte de las imágenes que nos ofrece, una parte que es a la vez corrosiva y creadora, porque si por un lado corroe efectivamente su capacidad de simular acabadamente lo real, por otro le incorpora una cualidad onírica que tiene mayor carga imaginativa. Así se lee en *El astillero:*

Ahora, en la incompleta reconstrucción de aquella noche, en el capricho de darle una importancia o sentido histórico, en el juego inofensivo de acortar una velada de invierno manejando, mezclando, haciendo trampas con todas estas cosas que a nadie interesan y que no son imprescindibles, llega el testimonio del barman del *Plaza* [7].

Por supuesto que la obra de Onetti consiste en *historias,* y aun en historias que ofrecen un delicado entrelazamiento entre ellas, a pesar de las contradicciones que pueden anotarse, o simplemente de algunas incongruencias o simplemente de las dificultades que se experimenten para entender el entrelazado de todos los hilos de la red. Pero, aquí y allá, con la frecuencia necesaria para generar la apertura, la porosidad onírica que requiere de su obra, el autor subraya la calidad incierta de sus noticias. Así el lector puede descubrir de pronto la evidente indiferencia del narrador a propósito de los hechos mismos; se le cuentan cosas que pudieran ser de un modo, o acaso de otro, o que quizá ni siquiera ocurrieron: en el Cap. *La glorieta II* de la misma obra *(El astillero)* se cuenta una visita de Larsen a la glorieta, donde encontraría a Angélica Inés, la hija de Petrus, y allí se lee:

...él era la juventud y su fe, era el que se labra o abre un porvenir, el que construye un mañana más venturoso, el que sueña y realiza, el inmortal. Y tal vez besara a la mujer antes de sentarse sobre su pañuelo desplegado en el asiento de hierro, antes de prolongar la sonrisa correla-

---

[7] *El astillero,* p. 108.

tiva, la de embeleso y asombro: he suspirado todo el día por este momento y ahora dudo de que sea cierto.

O tal vez sólo se besaran después de haber oído a la sirvienta y a los ladridos del perro alejarse hacia la casa sostenida por los postes de cemento, la casa cerrada para él, Larsen. («Nada más que para ver, estar en los lugares donde vive, la sala, la escalera, la pieza de costura». Había estado pidiendo. Ella se sonrojó y cruzó las piernas: estuvo gastando la risa cara al suelo y después dijo que no, que nunca, que tenía que invitarlo Petrus).

O tal vez, por entonces, no se besaran. Es posible que Larsen alargara su prudencia y esperara el momento inevitable en que descubriría en qué tipo de mujer encajaba la hija de Petrus, ... [8]

Pero luego de contar el encuentro en sus tres variantes (beso al llegar, beso después, o no beso) y sin decidir la veracidad de ninguna, se transcriben, sin vacilaciones, los pensamientos de Larsen:

«Más loca que cualquier otra que pueda acordarme», pensaba en la cama de lo de Belgrano irritado y admirándola. «Se ve que es de familia, que es rara, que nunca tuvo un hombre» [9].

Es evidente que la oscilación anterior a propósito de si y cuándo pudo besar Larsen a Angélica, contamina la información siguiente a propósito de lo que Larsen piensa mientras está tirado «en su cama de lo de Belgrano», de modo que si bien nos lo representamos efectivamente tirado sobre una cama, sentimos que él mismo no tiene una existencia más firme que las representaciones que se hace. La imagen que de él nos hacemos no es rígida, sino también levemente fluctuante, ondulante como una imagen reflejada en un agua que se mueve, y, como ella misma, translúcida. Pero esto no significa una debilidad, sino una diferencia en la naturaleza del personaje, que cobra de este modo una curiosa densidad imaginaria.

La misma calidad ambigua del relato continúa en el capítulo que sigue —La casilla I— que empieza aludiendo a un escándalo del que no se precisa otra cosa que su incierta posibilidad:

El escándalo debe haberse producido más adelante. Pero tal vez convenga aludir a él sin demora para no olvidarlo. De todos modos debe haber sucedido antes de que Larsen mirara nuevamente la cara de

[8] El astillero, pp. 48-49.
[9] El astillero, p. 49.

la miseria, antes de que Poetters, el dueño de lo de Belgrano, suprimiera las sonrisas y casi los saludos, antes de que terminara el crédito por las comidas y los lavados. [...]

El escándalo siempre puede ser postergado y hasta es posible suprimirlo. Puede preferirse cualquier momento anterior a la tarde en que, al parecer, Angélica Inés Petrus entró y salió de la oficina de Larsen para detenerse en la puerta que comunicaba la gran sala con la escalera de entrada y donde hacía lentos remolinos el viento, para volver sin apuros, sin orgullo ni modestia, con el vestido roto sobre el pecho, arrancado por ella misma desde los hombros hasta la cintura mientras regresaba con el abrigo desprendido hacia las retintas letras Gerencia General, sobre el vidrio despulido.

Podemos preferir el momento en que Larsen se sintió aplastado por el hambre y la desgracia, separado de la vida, sin ánimo para inventarse entusiasmos [10].

Esa incertidumbre, ese *flou,* ese esfumando del contorno de los hechos se proyecta como en una galería de espejos y alcanza a diferentes niveles del relato. Cuando, al terminar de aludir a ese *escándalo* que pudo ocurrir entonces, o acaso en otro momento, o que pudo quedar largamente demorado, el texto señala que «podemos preferir...», los hechos quedan flotando como en una ensoñación. Pero entonces, de manera precisa, se nos describe la tarea de Larsen en esa tarde, la inverosímil tarea que consistió en informarse cuidadosa e innecesariamente de los avatares de un presupuesto de reparaciones redactado siete años atrás y de imposible verificación.

Después del mediodía de un sábado estaba leyendo en su despacho un presupuesto de reparaciones dirigido un 23 de febrero de siete años atrás a Señores Kaye & Son Co. Ltd., armadores del barco *Tiba,* entonces con averías en El Rosario. Habían pasado cuarenta y ocho horas de viento y lluvia, de la presencia inolvidable e impuesta del río hinchado y oscurecido; hacía cuatro o cinco días que sólo se alimentaba de las tortas y las jaleas que acompañaban el té en la glorieta.

Dejó la carpeta y fue alzando la cabeza; escuchó el viento, la ausencia de Gálvez y Kunz, sintió que también le era posible escuchar el hambre, que había pasado ahora del vientre a la cabeza y a los huesos. Tal vez el *Tiba* se hubiera hundido en marzo, siete años atrás, al salir de El Rosario, cargado de trigo. Tal vez su capitán, J. Chadwick, pudo hacerlo navegar sin novedad hasta Londres, y *Kaye & Son Co. Ltd.* (Houston Line) lo hizo reparar en el Támesis. Tal vez Kaye & Son, o

---

[10] *El astillero,* pp. 51-52.

Mr. Chadwick, por poderes, aceptaron el presupuesto, o aceptaron el precio final, después del regateo, y el barco gris sucio, alijado, con nombre de mujer, descendió el río, y vino a echar anclas frente al astillero. Pero la verdad no podía ser hallada en aquella carpeta flaca que sólo guardaba un recorte de periódico, una carta fechada en El Rosario, la copia de otra que firmaba Juan Petrus y el minucioso presupuesto. El resto de la historia del *Tiba*, su desenlace feliz o lamentable, estaría perdido en las pilas de carpetas y bibliorratos que habían formado el archivo y que cubrían ahora medio metro de las paredes de la Gerencia General y se desparramaban por el resto del edificio. Quizás lo descubriera el lunes, quizás nunca. En todo caso, disponía de centenares de historias semejantes, con o sin final; de meses y años de lectura inútil [11].

En el texto se acumulan tantas más precisiones cuanto más claro es el nivel de gratuidad que tiene el relato, cuanto más intensa es su calidad de ensoñación, de juego vacío. Así, hay más precisiones sobre las remotas relaciones del Astillero con el navío *Tiba,* ese navío que pudo haberse hundido con todo su cargamento de trigo, pero que acaso llegó a Londres, donde pudo ser reparado, aunque quizás... Es evidente que de este modo se está creando una más poderosa imagen —si bien onírica— de ese navío que si simple y concisamente se recordara con seguridad cuándo y dónde fue reparado o hundido. Esa historia precisa y concreta hubiera podido ser quizás más fácilmente olvidada, pero no ésta de una criatura fantasmal que busca un lugar donde radicar; una imagen creada mediante suposiciones oscilantes que, a la vez que adelgazan sus posibilidades de existencia real, dilatan, por así decirlo, la dimensión de su esencia náutica y de errático destino.

En cuanto al posible escándalo vinculado a Angélica Inés, encontraremos alusiones a él cien páginas más adelante; pero allí el motivo se retoma en la misma tonalidad en que había sido anunciado, de modo que tampoco allí encontraremos certidumbres de nada.

En ese pasaje se afirma que:

Esta parte de la historia se escribe por lealtad a un fantasma. No hay pruebas de que sea cierta y todo lo que podemos pensar indica que es improbable [12].

---

[11] *El astillero,* pp. 52-53.
[12] *El astillero,* p. 144.

A pesar de lo cual se narra, por boca de Kunz, una improbable tempestuosa visita de Angélica Inés al astillero, y después de proporcionar la interpretación que hace de ella Kunz, el texto señala:

Esta es, por lo menos en lo esencial, la versión de Kunz, repetida por él, sin alteraciones sospechosas, al Padre Favieri y al doctor Díaz Grey. Pero no cree en ella; esta incredulidad sólo está basada en un conocimiento de Angélica Inés, alcanzado algunos años después. Tampoco cree que Kunz —que tal vez esté vivo y tal vez lea este libro— haya mentido voluntariamente. Es posible que Kunz haya interpretado la visita de Angélica Inés al astillero como un acto de pura raíz sexual; es posible que su vida solitaria, la frecuentación cotidiana de la por entonces inaccesible mujer de Gálvez lo hayan predispuesto a este tipo de visiones; y es también posible que haya sido engañado, retrospectivamente, al ver a la sirvienta cubrir con el abrigo a la muchacha: que haya pensado entonces que la protegía de la vergüenza y no simplemente del frío [13].

Lo que de la realidad se evoca es entonces simplemente aquello que sirve de apoyo para figurar lo que se sueña, aquello de lo que no se puede prescindir; pero eso que sirve de apoyo a lo soñado, esa inevitable parte de realidad, sólo es tolerada en la medida en que sólo es eso.

Esto que hemos venido señalando en la trama del texto, se afirma de manera todavía más directa a nivel del argumento mismo en varias otras obras, y aun, en algunas, ese tema es precisamente el núcleo genético del relato.

Así ocurre, por ejemplo, en «El álbum», el cuento de 1953, que integra el conjunto referido a Santa María. Ya se había publicado en 1941 *Tierra de nadie,* y en 1950 había aparecido, sobre todo, *La vida breve,* que es la gran novela fundacional de la serie. Pero «El álbum», aunque integra el conjunto, se centra sólo en un episodio de la vida del joven Jorge Malabia, el hijo del dueño del periódico de Santa María. Allí el joven cuenta en primera persona la historia de sus relaciones con la mujer que fue su primera amante, sus tretas para disimular sus encuentros con ella y, lateralmente, la amistosa intervención de un vendedor viajero y la ansiosa cercanía de su amigo El Tito, pero después, y sobre todo, se comenta su hábito de compartir con la mujer, además del encuentro de los cuerpos, el mundo imagina-

---

[13] *El astillero,* pp. 147-148.

rio de sus mentiras. («Tal vez nadie en el mundo sepa mentir así, pensaba yo», dice el protagonista). Y así se le hace necesidad encontrar con ella, diariamente, el mundo fabuloso de sus cacerías de zorros en Inglaterra, o sus peripecias en Escocia, aislada por la nieve en un castillo, o de su vida fastuosa en San Francisco o en Nueva York. Y el mundo que ella hace surgir de ese modo provoca una relación tanto o más íntima que el sexo, porque:

en el centro de cada mentira estaba la mujer, cada cuento era ella misma, próxima a mí, indudable. Ya no me interesaba leer ni soñar, estaba seguro de que cuando hiciera los viajes que planeaba con Tito, los paisajes, las ciudades, las distancias, el mundo todo me presentaría rostros sin significado, retratos de caras ausentes, irrecuperablemente despojados de una realidad verdadera.

Estaba el hambre, siempre; pero escucharla era el vicio más mío, más intenso, más rico. Porque nada podía compararse al deslumbrante poder que ella me había prestado, el don de vacilar entre Venecia y El Cairo unas horas antes de la entrevista, hermético, astutamente vulgar entre los doce pobres muchachos que miraban formarse palabras desconcertantes en el pizarrón y en la boca de míster Pool; nada podía sustituir los regresos anhelantes que me bastaba pedir susurrando para tenerlos, nunca iguales, alterados, perfeccionándose [14].

La historia hubiera continuado así, y los encuentros repitiéndose como un vicio, «cuando apareció el hombre».

Pero la previsible ruptura de la relación que la aparición de otro amante de la mujer determina, no es lo más importante de la historia. Es cierto que la mujer se va con «el hombre», pero Jorge explica, cuando cuenta cómo va a refugiarse junto a su amigo más joven, Tito, que:

Había venido para pensar, al amparo incomprensible de Tito, que yo no tenía celos del hombre de las cejas y la perla; que ella no me había mirado ni podría mirarme con aquella enardecida necesidad de humillación que yo había visto al cruzar el bar; que sólo temía, verdaderamente, perder peripecias y geografías, perder el merendero crapuloso de Nápoles donde ella hacía el amor sobre música de mandolinas; el estudio de San Pablo donde ella ayudaba de alguna manera a un hombre trompudo y contrito a corregir la arquitectura de las zonas templadas y las cálidas. No miedo a la soledad; miedo a la pérdida de una soledad que yo había habitado con una sensación de poder, con una

<hr />

[14] *Cuentos...*, p. 88.

clase de ventura que los días no podrían ya nunca darme ni compensar [15].

Más que la compañía física de la mujer siente la ausencia de su mundo fabuloso; no puede satisfacer lo que antes llamó «el vicio más mío, más intenso, más rico»: escucharla.

Por eso cuando su amigo, el corredor que le había facilitado los encuentros en el hotel, lo entera de que ella se fue dejando una deuda y su baúl como garantía, busca recobrar esos restos del naufragio. Y así se hace del baúl, que lleva a lo de su amigo Tito. Luego de beberse media botella de caña lo abre y descubre en él el álbum de fotografías que da título al cuento. Entonces

rompí el candado y fuimos extrayendo ropas sucias e inservibles, sin perfumes, con olor a uso, a sudor y encierro, revistas viejas, dos libros en inglés y un álbum con tapas de cuero y las iniciales C.M.
En cuclillas, envejecido, tratando de manejar la pipa con evidente soberbia, vi las fotografías en que la mujer —menos joven y más crédula a medida que iba pasando rabioso las páginas— cabalgaba en Egipto, sonreía a jugadores de golf en un prado escocés, abrazaba actrices de cine en un cabaret de California, presentía la muerte en un ventisquero de Ruan, hacía reales, infamaba cada una de las historias que me había contado, cada tarde en que la estuve queriendo y la escuché [16].

El cuento documenta un violento rechazo de la realidad y la confesión de la necesidad, del vicio de soñar, de dejar de lado la estupidez cotidiana, las pequeñas razones de cada uno de nuestros actos («También era parte de mi felicidad —se lee en el cuento— evitar las preguntas razonables: saber por qué estaba ella en Santa María, por qué recorría el muelle con la valija») [17].

Las historias que ella contaba, no sólo le importaban en la medida en que veía en ellas emanaciones de la mujer que amaba, no recuerdos, no hechos, sino sobre todo imágenes incorruptibles por irreales. Comprobar que hay allí, en el álbum, documentos que avalan aquellas historias que él creyó que eran fantasía, mentiras, desbordes de su riqueza interior, es justamente quitarles todo su valor. Cuando por culpa de ese álbum todo aquel mundo que construían los relatos de la mujer, se revela como lo que fue, mero reflejo de algo que ha ocurrido, de algo

[15] *Cuentos...*, pp. 91-92.
[16] *Cuentos...*, p. 94.
[17] *Cuentos...*, p. 92.

verdadero, de *lo real,* todo se desploma y se desintegra, porque perdió, para el personaje de Onetti, para Onetti, lo que constituía su armazón y su sostén, la fuerza de la ensoñación que lo creara.

Esta colisión entre el sueño y la realidad tiene su expresión en Onetti desde sus primeros textos. El más importante de sus relatos tempranos, *El pozo,* no sólo nutre la fisonomía de su protagonista con toda una serie de ensoñaciones, sino que desarrolla como tema precisamente la voluntad de moldear lo real de acuerdo con un sueño.

Ya en el primer párrafo se lee: «Me gustaría escribir la historia de un alma, de ella sola, sin los sucesos en que tuvo que mezclarse, queriendo o no. O los sueños. Desde alguna pesadilla, la más lejana que recuerde, hasta las aventuras de la cabaña de troncos» [18]. Aunque unas líneas más abajo también se lea: «Lo curioso es que, si alguien dijera de mí que soy "un soñador", me daría fastidio» [19].

Y el desarrollo del relato alterna la narración de episodios *reales* y otros que sólo responden a la ensoñación del protagonista. «También podría ser un plan ir contando un "suceso" y un sueño. Todos quedaríamos contentos» [20], dice al fin del primer párrafo.

Se da ya aquí la tonalidad de la narrativa entera de Onetti. El pequeño relato presenta de este modo un tema en el que el diálogo entre lo real y lo soñado aparece por primera vez, pero ese diálogo fundamental, que es a la vez lucha y verdadero *concierto,* reaparece modulándose en otros temas a lo largo de su obra.

Pero si importa esta presencia de «lo soñado», la persistencia de las historias que el personaje se cuenta con empecinamiento adolescente a propósito de Alaska o de la mina de oro de Klondike, o, y sobre todo, de la cabaña en la que una y otra vez entra Ana María mientras él está de espaldas pero sabe que está desnuda; mucho más importa el esfuerzo por hacer entrar en lo real las imágenes soñadas. En ese sentido el episodio más importante es el que narra la escena nocturna a la que, según cuenta el narrador, se hace referencia en el proceso de su divorcio con su mujer Cecilia:

---

[18] *El pozo,* pp. 8-9.
[19] *El pozo,* p. 9.
[20] *El pozo,* p. 9.

en el sumario se cuenta que una noche desperté a Cecilia, «la obligué a vestirse con amenazas y la llevé hasta la intersección de la rambla y la calle Eduardo Acevedo». Allí «me dediqué a actos propios de un anormal, obligándola a alejarse y venir caminando hasta donde estaba yo, varias veces, y a repetir frases sin sentido» [21].

Y luego el narrador refiere qué ocurrió realmente aquella noche: cuenta que estaba acostado junto a Cecilia esperando que se durmiera, ya que «nunca pude dormirme —dice— antes que ella». Y:

Después apagué la luz y me di vuelta esperando, abierto al torrente de imágenes.

Pero aquella noche no vino ninguna aventura para recompensarme el día. Debajo de mis párpados se repetía, tercamente, una imagen ya lejana. Era precisamente la rambla a la altura de Eduardo Acevedo, una noche de verano, antes de casarnos. Yo la estaba esperando apoyado en la baranda metido en la sombra que olía intensamente a mar. Y ella bajaba la calle en pendiente, con los pasos largos y ligeros que tenía entonces, con un vestido blanco y un pequeño sombrero caído contra una oreja. El viento la golpeaba en la pollera, trabándole los pasos, haciéndola inclinarse apenas, como un barco de vela que viniera hacia mí desde la noche. Trataba de pensar en otra cosa; pero, apenas me abandonaba, veía la calle desde la sombra de la muralla y la muchacha, Ceci, bajando con un vestido blanco.

Entonces tuve aquella idea idiota como una obsesión. La desperté, la dije que tenía que vestirse de blanco y acompañarme. Había una esperanza, una posibilidad de tender redes y atrapar el pasado y la Ceci de entonces. Yo no podía explicarle nada; era necesario que ella fuera sin plan, no sabiendo para qué. Tampoco podía perder tiempo, la hora del milagro era aquella, en seguida. Todo esto era demasiado extraño y yo debía tener cara de loco. Se asustó y fuimos. Varias veces subió la calle y vino hacia mí con el vestido blanco donde el viento golpeaba haciéndola inclinarse. Pero allá arriba, en la calle empinada, su paso era distinto, reposado y cauteloso, y la cara que acercaba al atravesar la rambla debajo del farol era seria y amarga. No había nada que hacer y nos volvimos [22].

«No había nada que hacer», ese es el tema. La imagen no puede encarnar en la realidad; no puede, propiamente, *realizarse,* sólo puede, a lo más, coagularse en la escritura a la espera de las imágenes que a su vez podrá generar el lector.

---

[21] *El pozo*, p. 29.
[22] *El pozo*, pp. 30-31.

También «Un sueño realizado», de 1941, había desarrollado ese tema. Pero, a pesar del título, es evidente que el sueño no podía *realizarse* —en eso consiste, precisamente, el tema—. O, si se realiza, ello ocurre al mismo tiempo que la muerte de la protagonista, y el lector no podrá saber si el hecho de que se realizara pudo tener que ver con su muerte, pero de todos modos esa muerte hace enmudecer el suceso. Por otra parte, este cuento también expresa el esfuerzo de hacer penetrar el sueño en la realidad, según la intención que proclama desde el título.

Contado en primera persona por un empresario fracasado, el cuento evoca el empeño de una mujer por hacer que se represente en el teatro una escena que soñó. Una parte del relato está destinado a informar sobre las confusiones que puede motivar esa aspiración de la mujer, las ilusiones y desilusiones del empresario y las dificultades para comprender que no se trata de representar «una obra», hasta que se plantea la verdadera naturaleza del intento, que consiste en reproducir algo soñado, pero no porque tenga sentido, al menos no un sentido que se pueda expresar directamente con palabras.

Frente al desconcierto del empresario, que cree que se trata de hacer representar «una obra», la mujer explica:

—No, es todo distinto a lo que piensa. Es un momento, una escena se puede decir, y allí no pasa nada, como si nosotros representáramos esta escena en el comedor y yo me fuera y ya no pasara nada más. No —contestó—, no es cuestión de argumento, hay algunas personas en una calle y las casas y dos automóviles que pasan [23].

No es cuestión de argumento, subrayó la mujer, porque se trata simplemente de una escena, de volver a ver algo que fue soñado. La escena debe representar el sueño, pero el sueño no representa nada, no tiene un significado que la mujer conozca, y ella tampoco le atribuye ninguno. Es indiscutible, sin embargo, que esa escena tiene *valor,* pero ese valor no puede ser explicado. A esta imposibilidad se alude expresamente en el mismo cuento. También aquí se trata, como ya señalamos, de sitiar, rodear, aludir, eludir, pero no de enunciar. En todo caso —y en este aspecto este cuento puede resultar, por eso mismo, clave de cuanto venimos observando a propósito de la obra de Onetti en general—; en todo caso, digo, se dice allí expresamente que no

---

[23] *Cuentos...,* p. 12.

se puede decir, pero además se explica que alguien puesto en la situación que el relato construye, puede entender no entendiendo.

Primero se lee la opinión de Blanes, el actor que debe intervenir en la representación y que, por haber hablado antes con la mujer puede explicar:

¿Le interesa saber? Todo es un sueño que tuvo, ¿entiende? Pero la mayor locura está en que ella dice que ese sueño no tiene ningún significado para ella, que no conoce al hombre que estaba sentado con la tricota azul, ni a la mujer de la jarra, ni vivió tampoco en una calle parecida a ese ridículo mamarracho que hizo usted. ¿Y por qué, entonces? Dice que mientras dormía y soñaba eso era feliz, pero no es feliz la palabra sino otra clase de cosa [24].

Y luego, cuando ya está por empezar la «representación», el narrador, que está en el centro del escenario disponiéndose a avisar a los actores para que empiecen, comprende de pronto:

Pero fue entonces que, sin que yo me diera cuenta de lo que pasaba por completo, empecé a saber cosas y qué era aquello en que estábamos metidos, aunque nunca pude decirlo, tal como se sabe el alma de una persona y no sirven las palabras para explicarlo [25].

Dos veces se explica del mismo modo el sentido de todo el relato; la primera en el pasaje que acabo de citar, y la segunda al fin, luego que la escena ya se representó y se sabe que la mujer, que debía tenderse sobre la acera durante la acción, había quedado muerta.

Son las últimas líneas del relato, donde el narrador, sin explicar, desde luego, explica que entonces

lo comprendí todo claramente como si fuera una de esas cosas que se aprenden para siempre desde niño y no sirven después las palabras para explicar [26].

Tanto por estas últimas palabras como por todo su desarrollo, éste es uno de los textos que puede considerarse como integrando el *arte poético* de Onetti. En ese sentido forma, con «El

---

[24] *Cuentos...*, p. 19.
[25] *Cuentos...*, p. 20.
[26] *Cuentos...*, p. 22.

álbum», con los pasajes que destacamos de *El pozo* y con varios capítulos de *La vida breve,* un conjunto privilegiado, uno de esos en los que el autor explicita de manera más directa aquello que es el verdadero núcleo de su creación.

Y lo explicita tan claramente como le es posible, pero no de otro modo que estéticamente, porque no se trata de nociones que comunicar, sino de una experiencia que ha de ser vivida; por eso se dijo ya que se trata de algo que se sabe «tal como se sabe el alma de una persona y no sirven las palabras para explicarlo».

Por su parte *La vida breve* mantiene desde el comienzo el tratamiento de un tema —el del autor que logra una vida vicaria mediante los personajes que inventa— en el que el lector advierte un desdoblamiento de lo que experimenta del mismo autor. Y esa calidad particular de estar sustentando una experiencia imaginaria es más importante, en la narrativa de Onetti, que las demás características que la conforman.

En tal sentido, la serie que se establece de Onetti a Brausen, y luego de Brausen a Arce en un plano y a Díaz Grey en otro, son formas de reiterar, mediante esa bifurcada galería de espejos, una inextinguible necesidad de habitar lo imaginario.

Por eso los momentos culminantes de esta narrativa no suelen ser, como es habitual en la novelística, los pasajes en los que se revela la índole peculiar de un personaje o la intensidad de sus acciones, sino, más frecuentemente, aquellos otros en los que se pone de manifiesto la relación que existe entre las imágenes que se nos proponen y el impulso que las motiva en el narrador. Parece sentirse en la obra el movimiento de inserción de lo imaginario en la vida del autor, parece percibirse el lugar desde el cual ese brote imaginario se despliega. Y eso acentúa una calidad de índole poética y en definitiva lírica. Lo que a la postre se nos expresa de ese modo es la emanación de las figuraciones imaginarias.

Para documentar estas últimas afirmaciones pueden aducirse muchas citas cuyo comentario rebasaría el espacio de que disponemos.

Traeríamos sobre todo a consideración pasajes de *La vida breve* en los que el personaje Brausen sale de Buenos Aires para internarse al fin en Santa María, la ciudad que inventó en su proyecto de guión cinematográfico y continúa en ella su vida. En ese momento hay una modulación en el desarrollo de la obra, y de ella resulta que, a la vez que el centro de gravedad se desplaza hacia los personajes de ficción (de ficción en la ficción), eso mismo determina una vuelta al autor, a una más directa presencia de Onetti. Así, cuando se lee que el narrador escribe, refiriéndose a Ernesto, el asesino de la Queca a quien Brausen ayudó a huir de Buenos Aires:

> Yo lo dejaba desahogarse, a veces le sonreía o le tocaba el hombro, afirmaba con la cabeza; pensaba en Juan María Brausen, uniendo imágenes resbaladizas para reconstruirlo, lo sentía próximo, amable e incomprensible, recordé que lo mismo había sentido de mi padre. Vi a Ernesto encoger los hombros, sacar un cigarrillo y encenderlo [27].

Podemos preguntarnos, ¿quién habla? ¿No es acaso el mismo Onetti? ¿No está pensando él mismo en Brausen como en el «Brausen mío», el Dios creador cuyo «nombre invocaba en vano» Díaz Grey ya en el cap. XXI? Hasta la vinculación con la imagen del padre, se corresponde con la figura divina.

En todo caso, aun a través de la figura de Brausen, que se ha venido haciendo, a medida que se acentúa este tema de la ficción, cada vez más translúcida, la presencia del autor se hace más notoria, y algunas de las páginas más densas del final de la novela giran en torno, precisamente, de ese goce de la creación.

> Periódicos viejos y tostados se estiraban en la ventana de la fonda y me defendían del sol; yo podía desgarrarlos y mirar hacia Santa María, volver a pensar que todos los hombres que la habitaban habían nacido de mí y que era capaz de hacerles concebir el amor como un absoluto, reconocerse a sí mismos en el acto de amor y aceptar para siempre esta imagen, transformarla en un cauce por el que habría de correr el tiempo y su carga, desde la definitiva revelación hasta la muerte; que, en último caso, era capaz de proporcionar a cada uno de ellos una agonía lúcida y sin dolor para que comprendieran el sentido de lo que habían vivido. ...Si alguno de los hombres que había hecho no lograba — por alguna sorprendente perversión— reconocerse en el amor, lo haría en la muerte, sabría que cada instante vivido era él mismo, tan suyo e intransferible como su cuerpo, renunciaría a buscar cuentas y a las eficaces consolaciones, a la fe y a la duda [28].

Y sobre todo estas líneas, también del cap. XVI:

---

[27] *La vida breve*, p. 353.
[28] *La vida breve*, p. 349.

Todos eran míos, nacidos de mí, y les tuve lástima y amor; amé también, en los canteros de la plaza, cada paisaje desconocido de la tierra; y era como si amara en una mujer dada a todas las mujeres del mundo, separadas de mí por el tiempo, las distancias, las oportunidades fallidas, las muertas, y las que eran aún niñas [29].

Pero la expresión de este goce de la paternidad creadora es en realidad sólo un aspecto particularmente saliente de lo que comentamos como una actitud más general: la voluntad de hacer entrar al mundo lo imaginado, que hemos visto ocurrir en la obra de Onetti en diversos planos, en el estilo, en los temas y en su tratamiento.

En alguna ocasión, para lograrlo, el narrador/autor Brausen tiende a metamorfosearse. Así pues, por ejemplo, cuando se transforma en Arce:

Estuve después sonriendo, en abandono, con el sombrero en la mano, como un mendigo en un portal, sonriendo mientras sentía que lo más importante estaba a salvo si yo me seguía llamando Arce [30].

O mientras abraza a la Queca, y siente que nada ocurre en la realidad, porque quien actúa sólo es Díaz Grey, el médico de su historia, pero no él mismo:

La apreté, seguro de que nada estaba sucediendo, de que todo era nada más que una de esas historias que yo me contaba cada noche para ayudarme a dormir; seguro de que no era yo, sino Díaz Grey, el que apretaba el cuerpo de una mujer, los brazos, la espalda y los pechos de Elena Sala, en el consultorio y en un mediodía, por fin [31].

Pero también en los personajes que inventa Brausen, lo soñado por ellos se infiltra en la ficción en la que existen. Cuando el médico Díaz Grey se encuentra en el hotel al que llegó con Elena Sala, recuerda de pronto un sueño en el que reconoce el modelo de su situación actual:

Elena había llegado al nivel de la galería y estaba detenida, enderezando el cuerpo, cuando el médico recordó asombrado un viejo sueño, una fantasía tantas veces repetida, única cosa que lo unía al futuro. Un sueño en el que se veía sentado en la terraza de un hotel de decrépita

---

[29] *La vida breve,* p. 354.
[30] *La vida breve,* p. 127.
[31] *La vida breve,* p. 107.

madera, más próximo al agua que éste, más húmedo y roído, con la negrura de los mejillones adheridos a las vigas semipodridas que lo sustentaban; sentado, solo y sin deseos, casi horizontal, mirando con la dulce curiosidad de los dichosos la escalinata por donde una pareja desconocida regresaba de la playa, imposibilitado de sospechas que el hombre y la mujer cargaban, junto con las bolsas de colores, la sombrilla y una cámara fotográfica, la alteración del destino del solitario Díaz Grey, distraído bebedor de refrescos ante un atardecer marítimo. Era a principios de otoño, en el sueño.

Pero ahora estaba subiendo él, ayudando tal vez a torcer un destino ajeno, expuesto a las caras que conservaban la indolencia al mirarlo. Llegó junto a Elena en la galería, buscó en vano el desprevenido Díaz Grey en alguna mesa [32].

Se abre de este modo otra galería de espejos que es también una verdadera fuga. Fuga en el sentido metafórico en la medida en que va repitiendo con variaciones de nivel y de tiempo el tema dominante, como la fuga musical, pero también en sentido directo, ya que se trata de evadirse de lo real para encontrar en cada momento un nuevo modo de situarse en lo imaginario o, en todo caso, de hacerse penetrar por lo imaginario, como ocurre en este pasaje en el que el narrador/Brausen siente ser Díaz Grey:

Y volvía a vivir cuando, alejado de las pequeñas muertes cotidianas, del ajetreo y la muchedumbre de las calles, de las entrevistas y la nunca dominada cordialidad profesional, sentía crecer un poco de pelo rubio, como un plumón, en mi cráneo, atravesaba con los ojos los vidrios de las gafas y de la ventana del consultorio en Santa María para dejarme acariciar el lomo por las olas de un pasado desconocido, mirar la plaza y el muelle, la luz del sol o el mal tiempo [33].

En suma, una sustitución del mundo por una serie de imágenes que valdrán tanto más cuanto más soñadas sean y una disolución de sí mismo que quiere ser sustituido por su propia proyección imaginaria.

[Publicado en *Studi di Letteratura Ispano-americana* (Milán), núms. 13-14 (1983), páginas 79-102.]

[32] *La vida breve*, p. 142.
[33] *La vida breve*, p. 107.

LOS POSIBLES DE LA IMAGINACIÓN

En cierta ocasión se acusó a Onetti de «negarse al mundo» y que su literatura «era un reflejo muy claro de su forma de vida» y que sus personajes «estaban desconectados de la realidad y se movían en un mundo distorsionado». La respuesta del escritor estuvo corroborada por lo mejor de su obra narrativa:

Primero tendría que preguntarle por qué cree que «su realidad» es «la realidad». Mis personajes están desconectados con la realidad de usted, no con la realidad de ellos. En cuanto al mundo distorsionado, concedo. Pero o uno distorsiona al mundo para poder expresarse o hace periodismo, reportajes, malas novelas fotográficas [1].

De estas declaraciones se desprendía que para Onetti no hay una sola realidad, sino tantas posibles realidades como subjetividades son capaces de percibirla. El esquema es idealista, pero además es artístico. El mundo *creado* está nítidamente separado del mundo real; sólo así puede acceder a la categoría de artístico. En este pasaje de la realidad al arte hay «la responsabilidad de una elección». Una elección y, luego, una *deformación,* las dos etapas con las cuales Roland Barthes trata de dar respuesta a la pregunta: ¿Qué es lo real?

Seleccionar y *deformar* son operaciones fundamentales en Onetti. Su conciencia de que «la literatura es lo irreal mismo» o más exactamente que la obra dista de ser una copia analógica de lo real, surge de cualquiera de sus páginas. Pero su sentimiento de irrealidad no es una conciencia de lo irreal del lenguaje, sino

---

[1] «Onetti y sus demonios interiores», entrevista publicada en *Marcha,* número 1310 (Montevideo, 1 julio 1966).

el resultado de una postura filosófica traducida a un código literario. La racionalidad arbitraria con que puede seleccionar y deformar los hechos obedece a los principios (no directamente explicitados, pero evidentes en un cuidadoso rastreo de las frases que lo significan) de lo que podría ser la formulación de «una ética de la estética».

La selección y la deformación debe conservar «el alma de los hechos». La definición del *alma de los hechos* fue dada por Onetti en su primera novela. Linacero, después de su frustrado intento de *reconstruir* una escena del pasado en que había sido particularmente feliz con Cecilia, escribe:

Hay varias maneras de mentir, pero la más repugnante de todas es decir la verdad, toda la verdad, ocultando el alma de los hechos. Porque los hechos son siempre vacíos, son recipientes que tomarán la forma del sentimiento que los llena [2].

La descripción de esos *sentimientos* se convierte en aspecto fundamental de su creación literaria. Lejos del juego barroco con las palabras o el estilo, el lenguaje de Onetti tiene, sin embargo, una particular densidad. Cada palabra supone un juicio de valor, ya que tiene un pasado, unos alrededores, una dirección y un sentido. Su prosa aparece, pues, gravada por una carga de referencias cerradas que van integrando, a lo largo de sus obras, un universo de *super-significaciones,* como diría Barthes, al punto que en *Dejemos hablar al viento* los sobreentendidos y los signos secretos, cuando no las guiñadas de complicidad al lector conocedor de su obra anterior, se multiplican. Onetti termina haciendo «literatura de su literatura».

El distingo entre lo real novelesco y lo real imaginario y sus relaciones con la realidad se impone. El juego de planos que va de una realidad chata y directa a la dimensión del sueño, tal como se estructura en *El pozo,* o la evasión de la realidad que procura la imaginación en *La vida breve* se basa en los principios de lo *posible* que Onetti respeta escrupulosamente: el que se realizará quizás y el que no se realizará nunca, lo posible de la acción y lo posible del ensueño, lo posible-posible y lo posible-imposible, principios resumidos por Robert Pingaud [3].

---

[2] *El pozo,* Montevideo, Arca, 1965, p. 36.
[3] «Le roman et le miroir», por Robert Pingaud (revue *Arguments,* París, febrero 1958).

En efecto, la ficción, es decir la evasión que procura la ensoñación, no impide que las leyes de la causalidad o de lo posible se apliquen inexorablemente al universo creado. El sueño, aun permitiendo el ingreso a *otra* realidad, no libera totalmente la fantasía. Ningún sueño de un personaje de Onetti es *imposible* en términos de verosimilitud. Los comportamientos son *previsibles,* la lógica tradicional y las leyes físicas del mundo real gobiernan idénticamente el mundo de la fantasía. Incluso, en algunos casos, las leyes que rigen el mundo imaginado son más estrictas y fatales que las que imperan en la realidad de todos los días. Los sueños no siempre brindan libertad a quien los concibe; la fantasía puede crear pesadillas esclavizantes.

En el mundo de Onetti, la selección y la deformación operada en el proceso de creación no importan tanto en función de la liberación de la fantasía, sino de la *conciencia* — el punto de vista del personaje y del autor— a través de los cuales se percibe el contorno. Esta visión subjetiva es la que otorga el *sesgo específico* que permite hablar de una originalidad particular a cada una de las obras de Onetti, aunque todas ellas constituyan un universo coherente e interdependiente, especialmente en los cuentos y novelas del ciclo de Santa María. Porque en el análisis de esta *summa* novelesca — compuesta por nueve novelas, tres de las cuales son novelas cortas, cuatro *nouvelles* y una veintena de cuentos recogidos en su mayoría en libros— resulta claro que Onetti, como su reconocido maestro William Faulkner, ha comprendido que, no sólo cada obra debe tener un diseño, sino que la totalidad debe obedecer a las leyes precisas de un «cosmos de mi propiedad», como llamaba el autor de *Absalón, Absalón* al condado de su creación —Yoknapatawpha— y como podría haber repetido Onetti de su *reino* de Santa María.

En la relación entre realidad y fantasía y entre el arraigo y la evasión que una y otra procuran, puede hablarse de un triple plano de expresión que debe ser analizado en detalle.

1) LO REAL NOVELESCO Y EL PUNTO DE VISTA COMO DISTANCIAMIENTO

Lo *real novelesco* se aparece como un ajustado equilibrio entre el realismo tradicional y la proyección simbólica o meramente imaginativa con que esa realidad circundante es *religada.* Onetti parece no olvidar el sabio consejo literario de Hurd: «antes de impresionarnos, primero hemos de *creer*». Y para hacer *creíble* su mundo lo *funda* sobre bases de verosimilitud histórica, geográfica y lo unce a las leyes físicas y sociales del mundo real.

Santa María ha sido deliberadamente *fundada* por Brausen para permitirle la evasión de la realidad cotidiana. A partir de ese momento, *existe* en forma independiente, pero todos sus elementos geográficos —paisaje, cielo, clima— sociales y humanos, son perfectamente reconocibles en un vago territorio litoraleño argentino. Hay muchas Santas Marías *reales* en Corrientes y Entre Ríos. Sus habitantes, por muy marginales que aparezcan, pueden ser los de cualquier ciudad de esas provincias y participan de una condición humana típicamente rioplatense. Onetti, vía Brausen, ha fundado *su condado* pero no cualquier *condado.* En Santa María no hay ni real-maravilloso, ni realismo mágico, ni literatura fantástica. Todo es verosímil y se integra con *naturalidad* en un contexto cultural y geográfico uruguayo-argentino. Aunque no se indique nunca con precisión su localización geográfica [4], su identidad cultural no ofrece ninguna duda.

Sin embargo, ello no impide que una *atmósfera* peculiar, tal como aparece en *El astillero,* se instale en ese *cosmos* literario. Escrita aparentemente en una impersonal tercera persona, el punto de vista del narrador de esta novela está lejos de ser el omnisciente de las obras tradicionalmente escritas en tercera persona. Lo real está relativizado a través de una visión ambigua y llena de significaciones equívocas. El lector tiene la sensación de que una presencia invisible circula como un testigo que mira, opina, proporciona datos y escamotea otros deliberadamente, pero al que nunca se ve ni se sabe quién es realmente.

No se sabe cómo llegaron a encontrarse Jeremías, Petrus y Larsen,

empieza un capítulo.

---

[4] Brausen confiesa a Gertrudis que una vez estuvo en *una* Santa María real: «Sólo una vez estuve allí, un día apenas, un verano; pero recuerdo el aire, los árboles frente al hotel, la placidez con que llegaba la balsa por el río. Sé que hay junto a la ciudad una colonia suiza.» Recuerda, además, que «había sido feliz allí, años antes, durante veinticuatro horas y sin motivo» *(La vida breve,* Buenos Aires, Sudamericana, 1950, pp. 20-21). En otra ocasión, Onetti confesó que «creo que a Santa María la fabriqué como compensación por mi nostalgia de Montevideo».

Hubo, es indudable, aunque nadie puede saber hoy con certeza en qué momento de la historia debe ser colocada, la semana en que Gálvez se negó a ir al astillero,

se dice en otro momento. Ese mismo narrador anónimo, afirma poco después:

Ahora, en la incompleta reconstrucción de aquella noche,

O:

Si tomamos en cuenta las opiniones y pronósticos de quienes conocieron personalmente a Larsen y creen saber de él, todo indica que después de la entrevista con Petrus buscó y obtuvo el medio más rápido para volver al astillero [5].

La realidad-real parece disolverse hábilmente en un territorio de hipótesis nebulosas y variables. El narrador es un *observador* que integra y reconstruye con distintas versiones lo que ha sucedido o cree que ha sucedido. El buen novelista «toma lo que quiere y deja el resto», le escribió Norman Douglas en cierta ocasión a D. H. Lawrence, y es evidente que Onetti, bajo la apariencia de alguien que aparenta prestar poca atención a técnicas y procedimientos narrativos, los utiliza con un profundo conocimiento de causa. Su rigurosa arquitectura literaria apenas puede ser disimulada.

Es evidente que la constante temática de la *evasión,* en cualquiera de sus variantes (la evasión en el espacio, en el tiempo, la marginalidad social o sicológica, incluyendo la locura, y aun la misma muerte como suprema evasión perfecta) se traduce en un procedimiento narrativo. La contemplación de lo que hacen los demás es la condición ideal del testigo y forma inequívocamente el punto de vista desde el cual una historia es narrada. En esa misma medida, las novelas y cuentos son relativizados en la formulación de posibles verdades y convertidos en múltiples hipótesis verosímiles, pero esencialmente arbitrarias.

El manejo de la primera persona del singular, que en la novela tradicional supone un compromiso del protagonista con

---

[5] *El astillero* está estructurada alrededor de capítulos titulados objetivamente: «Santa María, El astillero, La Glorieta, La Casilla y La Casa», a los cuales se va numerando progresivamente en la medida que la acción contada por el anónimo *testigo* progresa. Las citas del texto corresponden, respectivamente, a las páginas 31, 83 y 119 de la edición de Fabril Editora, 1961.

la acción que se desarrolla, importa poco en la obra de Onetti. El *yo* del narrador no habla de sí mismo, sino de los *demás, distancia* que permite una cierta indiferencia. La primera persona no es nunca la del personaje principal de la obra, sino la de un *testigo* secundario que observa, cuando no imagina, versiones contradictorias sobre lo que ocurre a su alrededor y, por lo tanto, subjetiviza indirectamente el relato. En la mayoría de las obras del ciclo de Santa María, esa primera persona es la del doctor Díaz Grey o la de Jorge Malabia. En otros casos esa primera persona está matizada con puntos de vista de terceros, también ajenos a la historia contada, lo que permite revelar o contradecir claves que el testigo privilegiado ha escamoteado o desconoce. El procedimiento se perfecciona en «Jacob y el otro», al punto que *todas* las variantes contadas eluden los datos básicos que forman la intriga sólo revelada en las últimas líneas de la novela.

Este mismo procedimiento permite que *Los adioses,* cuya anécdota contada por un autor omnisciente carecería de interés o se transformaría en un folletín sentimentaloide, se proyecte en una insospechada dimensión. El narrador está situado detrás del «mostrador de un almacén y bar» y encarna el típico narrador-testigo totalmente pasivo y ajeno a la acción. Desde esa postura recoge chismes de médicos y enfermeras, variantes de terceros y les añade su propia maledicencia personal.

La *postura* del testigo es esencial como procedimiento narrativo en *Para una tumba sin nombre.* Díaz Grey, el testigo privilegiado, también recoge distintas versiones (o mentiras) de una historia que, además, no le interesa mucho. La diversidad de estas historias permiten imaginar una posible felicidad basada en el hecho de que no hay *una sola* verdad. Así puede reflexionar sobre la historia que podría ser contada de manera distinta otras mil veces y lo hace para decirse:

lo único que cuenta es que al terminar de escribirla me sentía en paz, seguro de tener logrado lo más importante que puede esperarse de esta clase de tarea: había aceptado un desafío, había convertido en victoria por lo menos una de las derrotas cotidianas [6].

Pero esta recopilación de versiones, aun contradictorias, no es, ni pretende ser, asépticamente objetiva. Desde el principio de

---

[6] *Una tumba sin nombre* (en sucesivas ediciones llamada *Para una tumba sin nombre),* Marcha, Montevideo, 1959, p. 82.

esta novela corta, a través del espectáculo del entierro de una prostituta, Rita, en el cementerio de Santa María, hay una peculiar sensibilidad trabajando en lacerante hondura. El testigo que observa, aunque no esté comprometido con el suceso, transmite un creciente desasosiego. Díaz Grey empieza por confesar que «cuando vi o empecé a ver con desconfianza, casi con odio». La atmósfera apacible del cementerio en esa calurosa tarde de verano se tiñe de inmediato por esta simple mirada con las notas de incertidumbre y extraños presagios que caracterizan toda la obra. Díaz Grey *transforma* la realidad: «Miré hacia la izquierda y fui haciendo la mueca del odio y la desconfianza». Esa misma *mirada* mide «la enfermiza aproximación» del cortejo fúnebre. Como ha dicho Colin Wilson del *outsider* tipo: «una vez que ha dirigido su mirada, nunca más el mundo puede ser ya el mismo lugar franco que era» [7].

El procedimiento —un narrador aparentemente desinteresado— se repite en «Historia del caballero de la rosa y de la virgen encinta que vino de Liliput», donde el narrador-testigo es colectivo, en «Esbjerg en la costa» y en *Los adioses*. Esta relativización por la marginalidad y el aparente desinterés del protagonista en contarla, hace que «una historia sea conocida, sin entenderla bien», o que parta de una vaga creencia que se desmiente en el transcurso de la obra. Esta misma ambigüedad permite las dos variantes del final de *El astillero*. La utilización del plural, encarnando una especie de personaje-colectivo que recoge rumores y expresa el sentimiento chato de la comunidad, es también una forma de *fragmentar* el punto de vista y relativizar aún más la posible verdad en juego.

«Los pobladores antiguos podíamos evocar entonces» —se anota en *Juntacadáveres*— donde en los tres capítulos clave de la novela es la *colectividad* la que enjuicia y llega a dividirse en dos grupos separados por el hecho de que van o no van al prostíbulo. Por un lado, están, «nosotros, los que bajábamos el camino» y, por el otro, «los que no lo bajábamos». Unos son los que «íbamos a llamar en la gruesa puerta de la casa de la costa» y los otros son «los que no descendíamos el camino sinuoso y

---

[7] *El disconforme*, por Colin Wilson, Buenos Aires, Emecé, 1957, p. 17. Este sentido de extrañeza e irrealidad se aplica perfectamente a las páginas de *Para una tumba sin nombre*, en que Díaz Grey mide la «enfermiza aproximación» del cortejo fúnebre (pp. 12 y 13 de *op. cit.*) y en las que, como el héroe anónimo de Barbusse en *L'Enfer*, puede decirse «veo demasiado hondo y demasiado».

polvoriento», pero en cualquiera de los casos, es siempre una primera persona del plural la que narra, porque «todos aceptamos, indiferentes o no, que se quedaran [las prostitutas] para siempre».

El manejo del punto de vista para convertir lo real en novelesco, permite a Onetti borrar en muchos casos los finales probables de la narración. Resuelto con eficacia en *La cara de la desgracia,* el procedimiento es explicado en *Para una tumba sin nombre,* cuando el personaje-testigo Díaz Grey confiesa:

Esto era todo lo que tenía después de las vacaciones. Es decir, nada; una confusión sin esperanza, un relato sin final posible, de sentido dudoso, desmentido por los mismos elementos de que yo disponía para formarlo. Personalmente, sólo había sabido del último capítulo, de la tarde calurosa en el cementerio. Ignoraba el significado de lo que había visto, me era repugnante la idea de averiguar y cerciorarme [8].

Es decir, hay un rechazo de la *certeza* como posibilidad de conocimiento y hay una dignificación de la marginación del testigo. El desinterés aparece justificado en nombre de una especie de pudor por todo lo que pudiera ser participación afectiva en la historia narrativa. El procedimiento de contar la historia a través de la versión de terceros, pasivos espectadores de las acciones de los protagonistas principales, permite entonces amortiguar la explicitación de toda emoción, pero sobre todo elimina la certeza. La duda que provoca es *metódica* y forma parte de una verdadera filosofía existencial que va más allá de la hábil utilización de una técnica literaria.

2) LA IMAGINACIÓN DE LO REAL

La *relación* del autor con la historia que cuenta, al decir de Percy Lubbock, tiene otras variantes en Onetti. El narrador puede imaginar algo que sucede, pero que no puede percibir directamente. Un coche pasa delante de Jorge y Tito en *Juntacadáveres.* Lo ven, lo siguen con la mirada en su recorrido y, a partir del momento en que desaparece del campo de su percepción visual, empiezan a imaginar lo que sigue sucediendo:

[8] *Una tumba sin nombre, op. cit.,* p. 84.

Sin hablarnos, imaginamos el paso del estremecido cochecito negro por las calles del alrededor de la plaza, por el camino de Soria [...] Imaginamos a Carlos en el volante, falsamente atento al camino, desinteresado de lo que llevaba junto al brazo y sus espaldas; a Larsen, negro, disimulando el desconcierto [9].

También en *La vida breve* hay acciones reales imaginadas. Desde las primeras líneas de la novela está planteado este juego de lo posible-real. Se oye la voz de la Queca en el apartamento vecino y Brausen «imagina su boca en movimiento». Luego «supone» que pasa de la cocina al dormitorio. Al seguir escuchando y como una forma de asegurarse que lo que imagina es *cierto,* reflexiona a partir de un «deber ser» imperativo: «el hombre debía de estar en mangas de camisa, corpulento y jetudo». A partir de una voz se otorgan atributos físicos; los parcos datos de la realidad permiten potenciar imaginativamente indumentarias, gestos e intenciones.

En otros casos, el mismo procedimiento narrativo se perfecciona. Es el propio narrador el que imagina al protagonista, como sucede en *Los adioses,* una novela llena de ambiguas variantes.

Yo lo imaginaba solitario y perezoso, mirando la iglesia como miraba la sierra, desde el almacén, sin aceptarles un significado, casi para eliminarlos, empeñado en deformar piedras y columnas, la escalinata oscurecida [10].

La realidad ha pasado por dos filtros. El lector recibe una *interpretación* subjetiva de lo que puede haber sucedido, porque el narrador está empeñado en negar «el significado de lo que ve» y está «empeñado en deformar». Es más, está:

Aplicado con la dulce y vieja tenacidad a persuadir y sobornar lo que estaba mirando, para que interpretara el sentido de la leve desesperación que me había mostrado en el almacén, el desconsuelo que exhibía sin saber o sin posibilidad de disimulo en caso de haberlo sabido [11].

El propósito de *deformación* de lo real es deliberado y explícito. El contorno no se reconocerá en su relación con el mundo

[9] *Juntacadáveres,* Montevideo, Alfa, 1964, p. 14.
[10] *Los adioses,* Buenos Aires, Sur, 1954, p. 12.
[11] *Ibid.,* p. 13.

visible, pero sí en función de un universo propio y cerrado sobre sí mismo. Las imágenes anecdóticas pasan a ser símbolos temáticos, episodios que podían parecer indiferentes se significan y cobran importancia como imágenes-símbolo.

Onetti trabaja sus temas en la dirección de su *significación*. La versión que ofrece de *la* realidad de los personajes busca directamente el código de sobreentendidos y super-significaciones del lector, sin la mediación de una realidad chata y simplemente verosímil. Aun limitado a un pequeño territorio (confinado en Santa María a partir de *La vida breve)* y a una temática monocorde y algo unilateral, su mérito es la fuerza y la intensidad de la concentración de temas e imágenes que obtiene. Una intensidad que es, por un lado, emocional y, por el otro, retórica. La crítica ha llegado a decir que la proyección universal de los simples materiales cotidianos con los que trabaja, permiten hablar —para algunos de sus cuentos o novelas— de auténticas *fábulas morales.*

Utilizando la terminología de Ingarden se podría repetir que en la literatura de Onetti:

El estrato de los objetos representados nos sacude en nuestra experiencia de lectores, provocándonos una súbita inmersión en las cualidades metafísicas inherentes al relato [12].

El paso de *los objetos representados* a las *cualidades metafísicas* —como lo ha estudiado Angel Núñez en el caso de la narrativa de Roberto Arlt— significa un cambio de naturaleza esencial, pero fundamental en obras como *El astillero* o *La cara de la desgracia,* donde la anécdota contada pierde su importancia al disolverse en el tema tratado. Los acontecimientos no interesan como argumento, sino como proyección de la dimensión existencial del hombre.

3) LO REAL DE LO IMAGINARIO

A esta altura del análisis de la obra de Onetti parece obvio destacar cómo los sueños o los simples deseos pueden constituir experiencias imaginativas con vivencias tan profundas como los

---

[12] Citado por FÉLIX MARTÍNEZ BONATI, en *La estructura de la obra literaria,* Santiago, Universidad de Chile, 1960, pp. 33-34.

propios acontecimientos de una vida. Tan intensa es la escena imaginaria de Linacero esperando a su amada en una cabaña de troncos de Alaska o la aventura con el capitán Olaff disparando 21 cañonazos contra la luna, porque 20 años atrás «había frustrado su entrevista de amor con la mujer egipcia de los cuatro maridos», como el diálogo *real* tratando de convencer a la prostituta Ester de que se entregue gratuitamente porque es demasiado linda para pagarle.

El pasaje de una realidad a otra, hecho con la naturalidad que da la prolongación de una dimensión real en su ensoñación, ha permitido que se hablara de un mundo onírico en Onetti. Sueños, insomnios o pesadillas en definitiva parecen no importar demasiado. Las leyes que rigen uno y otro son idénticas, cuando no más represivas en el sueño como sucede también en el universo de Kafka. En Santa María —reino imaginario— no se respira más libremente que en Buenos Aires o en Montevideo.

Pero además los sueños pueden representarse, como sucede en el relato «Un sueño realizado», donde actores mediocres montan una obra de teatro adaptando el sueño de una mujer. No hay que olvidar que Santa María, ciudad imaginada por Brausen, estaba en el origen destinada a ser el escenario de una película. La lógica del relato que imagina Brausen es la de un guión cinematográfico, con escenas planeadas con cuidado y actores verosímiles. Santa María es también un sueño que podría realizarse.

Paralelamente, la preservación de los sueños, en tanto parecen refugios seguros para evadirse de la realidad, resulta fundamental. Brausen soñando a Díaz Grey mantiene en forma deliberada los ojos cerrados:

Para salvar lo que fuera posible del sueño recién muerto y fortalecer sin imposiciones lo que tuvieran de nostalgia y dulzura [13].

El mundo de Onetti estaría formado, entonces, por una serie de sueños superpuestos que van cobrando autonomía de una obra a la otra: la ciudad imaginaria de *La vida breve* adquiere una consistencia real en *Juntacadáveres.* Si no se ha leído la primera novela, no es posible dudar de la existencia de Santa

---

[13] *La vida breve* (*op. cit.,* p. 127). Más adelante, Brausen también se dice que: «Solamente en los sueños venía Gertrudis ahora» (*op. cit.,* p. 187).

María, tan indiscutible es ya su existencia en la segunda. Por esta razón, un crítico como Jacques Fressard ha ido más lejos en el análisis del universo de Onetti. Al comentar la traducción al francés de *El astillero* consideró que esta obra no sólo participa de la noción del absurdo moderno, sino de las viejas constantes hispánicas: la vida percibida como un sueño, la dialéctica quevedesca de ilusión-desilusión nutrida de humor y amargura a la vez [14].

4) El desarraigo como forma de autenticidad

Pero la evasión hacia una ciudad imaginaria no basta, porque un pueblo aislado, de vida apacible, no hace sino repetir las estructuras sociales y los mecanismos de poder de los grandes centros urbanos. Un *microcosmos no es más que la reducción en escala de un macrocosmos*. La dimensión no cambia la esencia.

Barthé, el farmacéutico progresista de Santa María y «profeta de los prostíbulos», ha nacido en el pueblo y «mantiene la ilusión de participar en los hechos lejanos que él considera decisivos». Esos hechos lejanos se trasladan a Santa María y se viven a escala local:

Un pequeño país en broma, desde la costa hasta los rieles que limitan la Colonia, donde cada uno cree en su papel y lo juega sin gracia.

Barthé no es, pues, una persona, sino que es:

Como todos los habitantes de esta franja del río, una determinada intensidad de existencia que ocupa, se envasa en la forma de su particular manía, su particular idiotez. Porque sólo nos diferenciamos por el tipo de autonegación que hemos elegido [15].

Díaz Grey es consciente de la dificultad de seguir siendo *él mismo*. Debe estar siempre alerta y no distraerse para seguir siendo *auténtico*. Si no, se vuelve el *Doctor* Díaz Grey:

---

[14] «Onetti en Francia», por Jacques Fressard, reproducido en *Marcha,* número 1381, Montevideo, 1967.
[15] *Juntacadáveres, op. cit.,* p. 27.

Hago el médico, el hombre de ciencia con conocimientos menos discutibles que los de las viejas que atienden partos, empachos y gualichos en el caserío de la costa[16].

La *autenticidad* supone, pues, una cierta forma de automarginación, un inevitable no tomarse demasiado en serio. No es extraño, pues, que otra forma de evasión pueda producirse a través de la propia condición social del personaje.

Inmigrantes, bohemios y extranjeros

Un número significativo de inmigrantes, extranjeros, desocupados, prostitutas, proxenetas, desclasados, artistas ambulantes y periodistas bohemios circula en las *orillas* del mundo de los *astutos*. Desde su condición auto-marginalizada, Linacero se refiere en *El pozo* a los *demás,* como «bestias sucias» que «no pueden comprender nada», porque:

La verdad es que no hay gente así, sana como un animal. Hay solamente hombres y mujeres que son unos animales[17].

El resto del mundo «no tiene remedio», los *astutos* segregan «una baba» que lo impregna todo —se dirá Jorge Malabia en *Juntacadáveres*— tratando de preservar a Julia de su contaminación. Que «nunca se les acercara» se dice preocupado por la suerte de su cuñada. Desde la perspectiva de estos personajes marginalizados, los demás son impuros y maledicientes, ensucian toda relación que pudiera parecer pura.

Los abundantes ejemplos de esta tensa relación entre la mayoría encarnada por la colectividad, y el individuo hostigado y aislado, hacen más evidente una autenticidad derivada de la marginalidad social y de un cierto desasimiento del prójimo, por no decir de una falta de solidaridad. El ejemplo de Ossorio en *Para esta noche* (1943) es significativo. Ossorio no es ni un héroe ni un idealista —como tampoco lo habían sido Linacero en 1939 o Aránzuru, el protagonista de *Tierra de nadie* en 1941—, intenta huir de una ciudad sitiada, donde una dictadura indefinida persigue, tortura y mata. En un escenario que podría

---

[16] *Ibid.,* p. 27.
[17] *El pozo, op. cit.,* p. 28.

ser el de cualquier capital hispanoamericana pero que, al parecer, le fuera inspirado a Onetti por lo que había sucedido en Valencia en los últimos días de la guerra civil española, según el testimonio de anarquistas refugiados en Montevideo, este antihéroe no hace más que huir de un lado a otro a lo largo de casi doscientas páginas. En su fuga salta de un cuarto anónimo a una habitación de hotel y de allí a sucesivas madrigueras que dejan de ser seguras apenas las pisa, trazando un movimiento circular a que está condenado de antemano. No hay intriga ni suspenso en una novela que podría tenerlos, porque todo ya está *fatalmente* escrito desde el principio.

Pero este solitario y marginal que es Ossorio arrastra en su huida a una niña adolescente, la hija de Barcala, el jefe del partido político proscrito. Los *demás* van ensuciando con sus observaciones y suposiciones la relación de Ossorio con la niña, al punto que el lector llega a dudar si detrás de la ambigua relación instaurada no hay, pura y simplemente, un caso de viciosa corrupción de menores.

Del mismo modo, la muchacha virgen de *La cara de la desgracia* en su deambular por las playas solitarias es considerada por el mozo del hotel como una chica fácil, ya prostituida. Los pasivos observadores de *Los adioses* imaginan una compleja relación del deportista tuberculoso con dos mujeres a la vez. Sólo después de su suicidio se sabe que la más joven era su hija.

Sentí vergüenza y rabia, mi piel fue vergüenza durante muchos minutos y dentro de ella crecían la rabia, la humillación, el viboreo de un pequeño orgullo atormentado,

se dice uno de los testigos al descubrir la *verdad,* hasta ese momento escamoteada. Por un instante piensa que *debe* decirla a todos los que han murmurado en el hospital y en los comercios del pueblo de la sierra. Pero la «excitación» le dura bien poco.

Lo único que hice fue quemar las cartas y tratar de olvidarme,

confiesa cobardemente, porque si bien el vínculo que unía a esa mujer con ese hombre era *diferente* a lo que se había imaginado suciamente, se trataba de cualquier manera siempre de «una mujer, en todo caso; otra» [18].

---

[18] *Los adioses, op. cit.,* p. 83.

Los *demás* se refugian a veces en el anonimato del *nosotros* con que algunos capítulos de *Juntacadáveres* están escritos. Detrás de la primera persona del plural surge la maledicencia, la fuerza de las opiniones colectivas y mediocres. En «La historia del caballero de la rosa y de la virgen encinta que vino de Liliput» el narrador colectivo establece desde el principio una línea divisoria —«en el primer momento creíamos conocer al hombre para siempre» —entre el individuo y la colectividad. El individuo, con su sensibilidad enfermiza, pero dueño de los únicos sentimientos válidos y de las emociones más auténticas, puede considerar —como en la obra teatral *Huit clos* de Jean Paul Sartre— que «el infierno son los *demás*».

Hostigados, acorralados, los individuos intentan protegerse, aparentando una dureza y una indiferencia que no tienen. «Habíamos jurado ser indiferentes», recuerda Jorge Malabia, intentando construirse una máscara de escepticismo. Hay un esfuerzo deliberado por ser marginal («estar al margen de todo»), a partir de la concientización de Linacero:

Ser un pobre hombre que se vuelve por las noches hacia la sombra de la pared para pensar cosas disparatadas y fantasiosas [19].

También Díaz Grey se esfuerza por ser indiferente cuando dice:

Exigimos que la gente de Santa María nos imaginara apartados, distintos, forasteros, y hacíamos todo lo posible para imponer esa imagen [20].

Ser apartados, distintos, forasteros, he aquí la fórmula para evadirse *in situ*. Algunos son forasteros por su propio origen: la danesa Kirsten en «Esbjerg, en la cosa»; la inglesa Molly en «La casa en la arena»; los judíos Stein en *La vida breve;* el alemán Von Oppen, el *comendattore* italiano Orsini y el sirio, llamado *el turco,* en «Jacob y el otro»; Gertrudis y Raquel, hijas de alemanes en *La vida breve.* Pero además, la ciudad de Santa María está rodeada por una colonia de labradores suizos y tiene sus principales locales con nombres centro-europeos: la cervecería Munich, el club Berna, el restaurante Baviera.

---

[19] *El pozo, op. cit.,* p. 54.

[20] *Una tumba sin nombre, op. cit.,* p. 25. La visión del *extranjero* se contrapone abiertamente al *nosotros* colectivo, dividido entre los que luchan por las *luces* y quienes lo hacen por el *oscurantismo,* tal como se desarrolla en *Juntacadáveres.*

Otros son apartados y marginales por su profesión. Artistas de teatro en «Un sueño realizado»; bailarines en la «Historia del caballero de la rosa...»; artistas trashumantes en «Mascarada» o casi circenses en «Jacob y el otro»; prostitutas como Ester en *El pozo;* Rita en *Para una tumba sin nombre;* María Bonita, Irene y Nelly en *Juntacadáveres.* La mujer de Risso, en «El infierno tan temido» es también artista de teatro y el mismo Risso pertenece a la bohemia periodística, como Lanza, Malabia, Linacero y Larsen que había trabajado en la administración del diario *El liberal* de Santa María antes de convertirse en proxeneta.

Cuando se aborda el mundo empresarial, la factoría está ya arruinada. El astillero de Jeremías Petrus no funciona ni funcionará nunca. Su no viabilidad industrial y el deterioro que le impide integrar cualquier circuito productivo condenan el esfuerzo de su rehabilitación a ser una empresa marginal. Los *apartados* como Larsen no integrarán nunca el mundo de los *astutos,* aunque sueñen con ser aceptados en el Club local. Hasta un comisario de policía como Medina, en *Dejemos hablar al viento,* es también médico y pintor y lleva una existencia marginal y fuera del *circuito.* Su amante Frieda von Kleist (personaje que había ya aparecido en el cuento «Justo el treintaiuno») es alcohólica, lesbiana y cantante frustrada. Cuando los personajes no son *apartados* o forasteros, son simplemente *distintos,* como Linacero, Brausen o Larsen. Esta condición de *diferente* nos aproxima a otra forma de evasión: la locura, esa llave que abre las puertas de lo insondable y aleja al ser humano definitivamente de *esta* realidad.

La evasión por la locura

La locura puede ser una *solución* para evadirse del mediocre contorno, como se propone abiertamente en *Juntacadáveres.* Julita, la mujer de Federico, hermano de Jorge Malabia, se refugia en la locura cuando queda viuda.

Ella eligió estar loca para seguir viviendo y esta locura exige que yo viva, yo no soy más que un sueño variable desde que ella volvió del cementerio y se apelotonó en el sillón [21],

---

[21] *Juntacadáveres, op. cit.,* p. 34.

reflexiona Jorge, atraído por ese abismo que atisba desde el peligroso juego de representar a su hermano Federico y convertirse en el amante de su cuñada. Marcos, la define con desparpajo, diciendo:

Yo le digo que nunca vi una mujer tan llena de amor, tan absolutamente loca, tan restallante. Entienda. Tan indiferente a todo esto que llamamos mundo, al olor de ropa con mugre agria que le llena el dormitorio. Cree en Federico vivo. Y lo llama a Malabia chico para exagerar los méritos del difunto. O para tener un odio que la escuche, un coro tal vez. Hay que dejarla y esperar. Entretanto, rezar [22].

Esa locura que produce amor —y no a la inversa, el amor que produce locura, como tradicionalmente se lee en cuentos y poemas— se puede reconocer, hasta en los mínimos detalles:

Enternecido, reconozco su locura en los zapatos de raso, con enormes tacos sin uso, brillantes en la comba de las suelas,

se dice Jorge [23].

Este *estado de amor* es, en algún caso, cómodo para los demás. «Comprendí, ya sin dudas, que estaba loca y me sentí cómodo» [24], afirma el protagonista en «Un sueño realizado». Pero el amor más intenso y patético lo provoca la idiotez infantilizada de la hija de Jeremías Petrus en *El astillero*. Larsen sucumbe a sus encantos de una forma ambigua: es la hija del propietario de la empresa que intenta volver a poner en funcionamiento, es decir, que se imagina casado con ella para entrar en la sociedad de los *astutos* de Santa María que hasta ahora lo ha rechazado. Pero al mismo tiempo se siente atraído por ese aire de niña grande e inocencia atolondrada que transparenta Angélica Inés. El *estado de amor* que emana de esa mujer-niña lo lleva a representar con todas las formalidades un serio noviazgo cuyas reglas sólo Larsen parece entender.

Locura de un tonto amor, como la que rodea a Moncha Insurralde en «La novia robada», o locura por cansancio como se adivina en las reflexiones de Larsen:

La tentación de decir absurdos procedía de aquella amenaza de cansancio, de aquel miedo al acabamiento que lo había cercado en los últimos

---

[22] *Ibid.,* p. 248.
[23] *Ibid.,* p. 192.
[24] *Un sueño realizado y otros cuentos,* Montevideo, Número, 1951, p. 19.

meses, desde el día en que creyó había llegado, por fin, la hora del desquite, la hora de palpar los hermosos sueños y en que aceptó la duda de que tal vez hubiera llegado demasiado tarde [25].

«Palpar los hermosos sueños», constituye todo un sugerente programa, una tentación para cruzar el umbral de la normalidad y aventurarse, cansado ya de la vida cotidiana, en un nuevo territorio. La evasión perfecta. Sin embargo, Larsen ha intuido que todo proyecto de huida tiene su tiempo y su medida. En «el largo viaje del día hacia la noche» que cubre la obra de Onetti, el privilegio de la locura sólo pertenece a unas pocas elegidas, siempre mujeres, las únicas que pueden hacer de su alienación un estado de felicidad permanente. Una evasión que sólo los hombres suicidas podrán superar en perfección.

La huida en el espacio real

En principio, había una evasión mucho más sencilla de concebir. Dejar un lugar por otro, irse simplemente. Sin embargo, la decisión de emigrar, de cambiar un espacio conocido por uno nuevo, aunque parece fácil de proyectar, resulta difícil de ejecutar en la práctica, tanta es la inercia y la desidia con que se la encara. El mejor ejemplo aparece en *Tierra de nadie.* La *tierra de nadie* es, sin lugar a dudas, la gran ciudad, una urbe babélica y caótica que se percibe a través de un personaje colectivo y diversificado en una multitud de seres desarraigados y llenos de proyectos que no se cumplen.

Tal como había hecho John Dos Passos en *Manhattan Transfer,* Onetti quiso captar el ser multiforme y variado de la ciudad, pero a diferencia del autor de la trilogía *USA,* la acción novelesca no está centrada en los escenarios del poder real, sino en las divagaciones de un grupo de marginales y desclasados. «Estoy aquí en una ciudad cualquiera», se dice impersonalmente, promediada la novela, cuando ya se ha hecho evidente que la vida no tiene sentido y que se vive como «en una casa cercada, en la trampa sin esperanza de huir.» Una capital moderna en un continente que se dice *nuevo,* como lo es Buenos Aires, se aparece como una ciudad sucia, gastada y agotada. Hay una atmósfera de deterioro prematuro, de aire viciado en lo que debería ser

---

[25] *Juntacadáveres, op. cit.,* p. 9.

tierra llena de posibilidades donde plasmar las esperanzas más desmesuradas. Julio Cortázar en *Los premios* recordará, años después, que «la tierra de nadie era el Buenos Aires en los últimos tiempos» [26]. Estamos lejos aquí de América, la tierra de promisión.

La única solución es huir. «Hum... hum... invierno... Hay que disparar, Diego; lejos, hasta el fin», como se dicen estos héroes desarraigados. Se trata de huir en el espacio real, emigrar o simplemente viajar. Pero imaginar una evasión a un punto geográfico donde fuera posible irse restaría todo misterio a la empresa. El proyecto de evasión tiene que ser hacia un lugar donde la dimensión de la esperanza pueda darse por la imposibilidad de acceso. El viaje proyectado en *Tierra de nadie* es hacia una exótica isla de Polinesia, la isla de Faruru, objeto de una herencia en confuso litigio, único lugar donde se puede vivir «sin hacer nada», pero sobre todo:

Unico sitio en que se puede no hacer nada sin hacerle mal a nadie y sin que nadie se interese [27].

El despropósito de la distancia que se aborda funda la dimensión de la esperanza de lo que se espera encontrar al término del viaje. Pero, como en todos los proyectos prácticos de los personajes de Onetti, se percibe desde el principio la falta de eficacia que transforma la posible dimensión heroica en patética. El viaje no se concreta, aunque se vivan algunas de sus consecuencias entre las cuatro paredes de un apartamento de Buenos Aires. Cuando es evidente que el viaje a ese *espacio del anhelo* no se realizará, Violeta, la más empeñada en recuperar el litigioso paraíso lejano, se viste de tahitiana:

Frente al espejo, de espaldas a él, la mujer se acomodaba flores blancas en la gruesa trenza rubia que le ceñía la cabeza. Estaba descalza, las piernas y el busto desnudos. Un montón de collares le colgaba temblando entre los senos y rodeándolos. Desde la cintura caía floja y crespa una falda espesa de paja y, acomodada en el respaldo del diván, había una pequeña guitarra de cuerdas brillantes [28].

---

[26] *Los premios,* Buenos Aires, Sudamericana, 1970, p. 305.
[27] *Tierra de nadie,* Montevideo, Ediciones de la Banda Oriental. 1965, 2.ª edición corregida por el autor, p. 178.
[28] *Ibid.,* p. 148.

El proyecto desemboca en el ridículo. Al final de *Tierra de nadie,* Aránzuru mira resignado la orilla del río barroso que bordea y descubre, como una revelación, que «ya no había isla para dormir en toda la vieja tierra». La moraleja es que un paraíso sólo puede seguir siéndolo si está definitivamente perdido o si es realmente inalcanzable.

Lo que es proyecto para unos, puede ser *nostalgia* para otros. Los inmigrantes de Onetti recuerdan a veces el escenario de sus orígenes y lo idealizan gracias al tiempo transcurrido. Porque, tal como hay un espacio del anhelo, también hay un *tiempo del anhelo.* Kirsten en «Esbjerg, en la costa», empieza rodeándose de objetos de su país de origen.

Se dedicó a llenar la casa con fotografías de Dinamarca, del rey, de los ministros, los paisajes con vacas y montañas.

Luego habla de las costumbres:

Pueden dejarse las bicicletas en la calle o los negocios abiertos,

idealización del espacio de los orígenes acentuada por la imposibilidad de volver:

Le dijo que los árboles eran más grandes y más viejos que los de cualquier lugar del mundo [29].

El remedio a la nostalgia que inspira el solar nativo es volver a él. Pero también aquí la solución sería demasiado sencilla. Montes, el marido de Kirsten, piensa en pagarle un viaje a los *orígenes.* Hace los cálculos de fechas y de costos, pero comprueba lo que era previsible desde un principio: no podrá disponer de esa suma de dinero aunque haga trampas en las apuestas de carreras que lleva por cuenta de otros. La desesperanza desemboca en una periódica ceremonia que el matrimonio cumple: ella, entusiasta y él, paciente («terminó por convencerse que tiene el deber de acompañarla»). Cada vez que un barco va a partir del puerto, horas y fechas atentamente comprobadas en el periódico local, van al muelle «mezclándose un poco con gentes, con abrigos, valijas, flores y pañuelos». Kirsten se siente feliz en

---

[29] «Esbjerg, en la costa», incluido en *Un sueño realizado y otros cuentos, ibid.,* pp. 46 y 47.

ese momento, escamotea por unas horas su nostalgia, «hace algún saludo» y cuando el barco empieza a moverse, después del bocinazo, los dos:

Se ponen duros y miran, miran hasta que no pueden más, cada uno pensando en cosas tan distintas y escondidas, pero de acuerdo, sin saberlo, en la desesperanza y en la sensación de que cada uno está solo, que siempre resulta asombrosa cuando nos ponemos a pensar [30].

Este cuento no sólo insiste en la posible soledad del individuo viviendo en pareja, sino en la imposibilidad de recuperar los orígenes perdidos en el tiempo y en el espacio. La constante temática del desarraigo en la narrativa hispanoamericana es el mejor reflejo de una identidad cultural constituida con los fragmentos de las identidades estalladas en centros culturales diversos. El Río de la Plata ha recogido un aluvión inmigratorio que proviene de rincones diversos y mantiene, a través de la nostalgia, y la esperanza de un retorno, los necesarios vínculos y puentes entre culturas diversas, pero al mismo tiempo justifica una evasión y una marginalidad social.

Sin embargo, haber viajado en alguna oportunidad puede también ser traumático. Concretar el proyecto de huida puede provocar rupturas definitivas. Moncha Insurralde en «La novia robada» traspone los límites de la locura en Europa. En Venecia, «convierte en parte suya lo que era más cerca de un sueño despierto que se pueda tener», sueño ratificado poco después en Barceló. El límite que separa la lucidez del delirio se cruza cuando un sueño se puede vivir; *ergo,* más vale sólo soñar.

La prueba de que es mejor proyectar una evasión que llevarla a cabo, se da en el breve relato «El álbum». Jorge Malabia se ha enamorado de una mujer imaginativa, Carmen Méndez, que en las tardes monótonas de Santa María que pasan juntos, le cuenta viajes a países remotos y aventuras extraordinarias. Jorge es feliz viviendo una ficción, pero cuando Carmen desaparece y tiene acceso a un baúl con sus pertenencias abandonadas, descubre en un álbum de fotos que esos viajes que él pensó eran imaginados, habían sido reales. Las pruebas —las fotos de los lugares descritos— en vez de reasegurarlo, lo defraudan y ensucian lo que Jorge había vivido como un reducto secreto de complicidad en la fantasía. Fotos, se dice apesadumbrado Jorge, que:

---

[30] *Ibid.,* p. 52.

Hacían reales, infamaban cada una de las historias que me había contado, cada tarde en que la estuve queriendo y la escuché [31].

Haber viajado a lugares remotos y prestigiosos y recordarlo minuciosamente, puede ser también un motivo para justificar la inactividad presente. Se vive del recuerdo, se lo invoca a todo momento, se lo reviste de notas de falsa nostalgia. Stein —en *La vida breve*— ha estado en París en su juventud. Este breve pasaje por la *Ciudad Luz* le permite, frente a cada dificultad de su vida actual, refugiarse en el pasado.

Después del viaje, y de todo aquel complejo de absurdas y repentinas explicaciones, de sorprendentes sutilezas, no le había quedado a Stein, para justificarse y defenderse ante un pasado personal, austero, que también él había imaginado, nada más que el «Oh, la Butte Montmartre», pronunciado con una sonrisa que él presumía apta para expresar lo inefable; el énfasis sobre Aragón y *Ce soir,* un desteñido «¡Aquello es vida!» y triviales anécdotas sin nacionalidad forzosa [32].

No es menos patético el juego de la pareja Stein: poner sobre la mesa del comedor un plano de París y jugar a decir sin mirar:

Si sus pasos o una cita de amor o negocios lo arrastran hasta el cruce de la Rue Saint Placide y la Rue du Cherche, y si usted necesita revisarse las espiroquetas en el Hospital Broussais, ¿qué vehículo debe tomar? Es apasionante, creo. En todo caso, Mami no puede evitar, cada vez, que se le caigan las lágrimas sobre el Sena. ¡Pobre Mami! A veces sale de noche, sobre todo ahora, con el buen tiempo, y se sienta en la vereda de un café. Ella cree que está allá [33].

«Perderse por las calles de París», se convierte en un rito que los Stein cumplen dos veces por semana con una dignidad puesta de relieve por la rutina y por los gestos calculados del juego. Desde la *orilla* americana en que viven, los lugares cotidianos de Europa se ensalzan y llegan a sacralizarse.

5) La salvación por la escritura

«No hay salida ni rodeando, ni a través», había dicho H. G. Wells en su angustiada visión del mundo contemporáneo. En los

[31] «El álbum», incluido en *El infierno tan temido,* Montevideo, Asir, 1962, página 49.

[32] *La vida breve, op. cit.,* p. 37.

[33] *Ibid.,* p. 63.

sucesivos mecanismos con que Onetti proyecta a sus personajes fuera del contexto de una realidad hostil y agresiva, todos parecen haber conducido a callejones sin salida, a las bocas enrejadas de túneles que se han recorrido casi a ciegas. Desde las impersonales habitaciones de inquilinatos o pensiones, la evasión proyectada por hombres solitarios ha desembocado en el aburrimiento o la tristeza, formas de la resignación y de un fatalismo esencial, nunca en la angustia o la desesperación. Al final del sueño y la frustrada evasión, no hay más que «mirarse envejecer parsimonioso, ecuánimes, sin sacar conclusiones» o, tal vez, «aburrirse sonriendo», como se propone Díaz Grey.

La tristeza como estado de amor

Jorge Malabia, en el cuidadoso análisis que hace de sus sentimientos, maneja con sutileza el pasaje de un estado —el aburrimiento— a otro —la tristeza— y el equilibrio posible que puede tener en algún momento la felicidad:

Yo, este al que designo diciendo éste, al que veo moverse, pensar, aburrirse, caer en la tristeza y salir, abandonarse a cualquier pequeña, variable forma de la fe y salir [34].

En esas sucesivas *salidas* de un estado al otro se puede llegar a:

Aquel punto exacto del sufrimiento que me hacía feliz; un poco más acá de las lágrimas, sintiéndolas formarse y no salir [35].

En ese *punto exacto* se rozan las emociones aparentemente más contradictorias, permitiendo que todo sea:

Un poco nebuloso, tristón, como si estuviera contento, bien arropado y con algo de ganas de llorar [36].

La tristeza, que puede ser también un *estado de amor* como se insinúa en *La cara de la desgracia* («Había empezado a que-

---

[34] *Juntacadáveres, op. cit.*, p. 55.
[35] *Una tumba sin nombre, op. cit.*, p. 23.
[36] *El pozo, op. cit.*, p. 27.

rerla y la tristeza comenzaba a salir de ella y derramarse sobre mí») [37], asegura un equilibrio entre la desesperanza y la rebeldía. Lo anota Brausen al final de una de sus noches de insomnio junto a la convaleciente Gertrudis:

Entonces sonreí, crucé el borde de la tristeza, dilatada, prácticamente infinita, como si hubiera estado creciendo durante mi sueño.

Al haber cruzado ese *borde,* Brausen comprende que:

Si no luchaba contra aquella tristeza repentinamente perfecta; si lograba abandonarme a ella y mantener sin fatiga la conciencia de estar triste; si podía, cada mañana, reconocerla y hacer que saltara hacia mí desde un rincón del cuarto, desde una ropa caída en el suelo, desde la voz quejosa de Gertrudis; si amaba y merecía diariamente mi tristeza, con deseo, con hambre, rellenándome con ella los ojos y cada vocal que pronunciara, entonces, estaba seguro, quedaría a salvo de la rebeldía y la desesperanza [38].

Quedar a salvo, ¿para hacer qué? La respuesta está en la *escritura.*

Arraigo y libertad

«Cualquier cosa repentina y simple iba a suceder y yo podría salvarme escribiendo», se dice Brausen en la noche en que ha decidido hacer *algo.* Se sienta ante una mesa donde «tenía bajo mis manos el papel necesario para salvarme, un secante y la pluma fuente». La escritura, la literatura, otra forma de la *evasión.*

Linacero no ha hecho otra cosa que evadirse por la palabra escrita a lo largo de la noche en que desarrolla el monólogo de *El pozo.* Se ha dicho al principio:

Me gustaría escribir la historia de un alma, de ella sola, sin los sucesos en que tuvo que mezclarse, queriendo o no. O los sueños. Desde alguna pesadilla, la más lejana que recuerde, hasta las aventuras en la cabaña de troncos [39].

---

[37] *La cara de la desgracia,* Montevideo, Alfa, 1960, p. 33.
[38] *La vida breve, op. cit.,* p. 4.
[39] *El pozo, op. cit.,* p. 10.

Sin embargo, esta *salida* no puede ser ni sencilla, ni directa. La facilidad de escribir de cualquier manera es condenada con igual energía. No basta sentarse y escribir sueños y pesadillas para quedar libre de su espectro. Como dice el viejo Lanza en «La novia robada» hablando de su creador, es decir, del propio Onetti:

Es fácil la pereza del paraguas de un seudónimo, de firmar sin firma: J. C. O. Yo lo hice muchas veces. Es fácil escribir jugando [40].

La «pereza del paraguas» había sido explicada años antes por Onetti en un reportaje periodístico donde lo interrogaban sobre las influencias que reconocía haber tenido en su escritura:

Centenares pienso. Tuve, desde la adolescencia, el terror de aparecer —luego de años de trabajo— descubriendo el paraguas. Y de exhibirlo con sonrisa satisfecha [41].

Escribir, sí, pero no de cualquier manera. En Onetti, bajo la apariencia de un anti-intelectualismo llevado al extremo de aparentar ignorancia, se descubre el catálogo de muchas de las técnicas de la narrativa contemporánea: la ambigüedad de Melville, los puntos de vista de Henry James, el monólogo interior de James Joyce, los personajes colectivos de Anderson (¿Winnesburgh Ohio influye en Santa María?), la redonda perfección del relato de Crane o la atmósfera de Faulkner.

La falta de fe en cualquier dogma filosófico, religioso o político, no le impide creer en la condición esencial del escritor. Como Lucien Goldmann dijera de Jean Genet, se podría decir de Onetti que «sólo el arte y la apariencia pueden constituir la compensación estética de una realidad engañosa e insuficiente» [42].

La exaltación de los poderes de la imaginación a través de la literatura constituiría, entonces, más que una huida una auténtica liberación. Se podría añadir, desde un punto de vista gnoseológico, que si contar es comprender, comprender es crear.

Una comprensión y una creación que en el *ejercicio* literario de Onetti se ha traducido en una *saga* mínima, pero intensa. Si

---

[40] «La novia robada», *op. cit.*, p. 9.
[41] «Ahora en Montevideo», por GUIDO CASTILLO. *El País* (Montevideo), 28 enero 1969.
[42] *El teatro de Jean Genet,* por LUCIEN GOLDMANN. Caracas, Monte Ávila.

su obra parece una empresa de evasión, agudizada con mecanismos que conllevan el hábil manejo de las mejores técnicas y procedimientos de la escritura, no constituye un fácil escapismo. Porque evadirse de una realidad determinada no supone evadirse de la realidad esencial del hombre, abandonar su problemática existencial, válida en todo tiempo y espacio.

Este es el verdadero significado de la evasión en la obra de Onetti: haber podido llegar al nudo central de la íntima soledad del individuo, a la tristeza metafísica de la condición humana, a través de la progresiva concientización de la inutilidad de la mayoría de los gestos y del despojamiento de todo lo accesorio que nos rodea y nos crea falsos arraigos con la realidad circundante. Y al llegar a ese nudo, arraigarse en lo esencial de la condición humana, para condensar en forma original y solidaria una verdadera alegoría existencial del hombre contemporáneo, no sólo rioplatense o hispanoamericano, sino universal.

[Fragmento del libro inédito *Identidad cultural de Iberoamérica en su narrativa.*]

JUAN CARLOS ONETTI
Y LA ESCRITURA DEL SILENCIO

En *El grado cero de la escritura,* Roland Barthes define así «la escritura del silencio»: «Puede decirse que es una escritura impasible; es más bien, casi una escritura inocente. Se trata de sobrepasar la literatura confiándose en una especie de fuerza básica, igualmente lejos de las lenguas vivas y del lenguaje literario propiamente dicho. Esta palabra transparente, creada con *El extranjero,* de Camus, realiza un estilo de la ausencia que es casi una ausencia de estilo; la escritura se reduce entonces a una especie de modalidad negativa en la cual se derogan los caracteres sociales o míticos de un lenguaje, en provecho de un estado neutro e inerte de la forma; el pensamiento conserva de esta manera toda su responsabilidad, sin cubrirse de un compromiso accesorio en la forma, en una historia que no le pertenece.» [1]

Desde 1939, en una serie de artículos publicados en el semanario *Marcha* [2], Juan Carlos Onetti anunciaba su voluntad bien determinada de romper con la literatura que por ese entonces existía en Uruguay [3]. Siguiendo las huellas de Roberto Arlt y de

---

[1] ROLAND BARTHES. *Le degré zero de l'écriture,* Editions Gonthiers, Bibliotheque Médiation, p. 67.

[2] Juan Carlos Onetti, que era el responsable de la sección cultural del periódico, mantendrá en *Marcha,* entre 1939 y 1941, una crónica titulada «La piedra en el charco», que firmaba «Periquito el Aguador». Cf. HUGO J. VERANI, «Contribución a la bibliografía de Juan Carlos Onetti», *Revista Iberoamericana,* núm. 80, julio- septiembre, 1972, p. 529.

[3] En el núm. 6 de *Marcha,* del 28 de julio de 1939, escribe a propósito de la obra de Carlos Reyles: «Realizó como nadie el tipo del "estanciero, el señor semifeudal, culto, totalmente europeo por raza y formación, pero acriollado, buscando ser uno con la tierra donde le tocó nacer, con una necesidad de afirmación, prejuicio telúrico e intelectual — sospechamos— en este caso". Y

Felisberto Hernández, Onetti propone una interiorización de la literatura, en detrimento del color local. «Lo malo es que cuando un escritor desea hacer una obra nacional —escribe en *Marcha*— del tipo de lo que llamamos literatura nuestra, se impone la obligación de buscar o construir ranchos de totora, velorios de angelito y épicos rodeos. Todo esto, aunque él tenga su domicilio en Montevideo. Pero habrá pasado alguna quincena de licencia en la chacra de un amigo, allá por el Miguelete. Esta experiencia le basta. Para el resto leerá el *Martín Fierro,* Javier de Viana y alguna décima más o menos clásica.» [4] Después de haber roto con el costumbrismo nacional, el escritor debe, pues, utilizar sus propios recursos, examinarse a sí mismo, escuchar sus voces interiores, reencontrar esa «escritura inocente» de la que habla Barthes: «Que cada uno busque dentro de sí mismo, que es el único lugar donde puede encontrarse la verdad y todo ese montón de cosas cuya persecución, fracasada siempre, produce la obra de arte. Fuera de nosotros, no hay nada, nadie. La literatura es un oficio; es necesario aprenderlo, pero es aún más necesario crearlo... Sólo se trata de buscar adentro y no hacia afuera, humildemente, con inocencia y cinismo, seguros de que la verdad tiene que estar en una literatura sin literatura y, sobre todo, que no puede gustar a los que tienen hoy la misión de repartir elogios, consagraciones y premios» [5].

Esta voluntad de interiorización marca el fin de la literatura de los grandes espacios, tanto más cuanto que aparece un nuevo contexto literario, salido de la evolución socioeconómica del Uruguay y de los países del Río de la Plata: la ciudad. Nada de extraño que las primeras novelas de Onetti, *Tierra de nadie* (1941) y *Para esta noche* (1943), tengan un cuadro urbano (la primera está situada explícitamente en Buenos Aires) y en su primer relato, *El pozo* (1939), el narrador se describe de la manera siguiente: «Yo soy un hombre solitario que fuma en un

---

añade, hablando de *El terruño,* del mismo Reyles: "Una montonera épica tratada por un esteta absurdamente distante de lo que el caudillo y las patriadas fueron en este país", y a propósito de *El gaucho florido:* "sus afinadas manos de hombre de la minoría quitaban rusticidad a todos los temas. Luego del gran preludio de los troperos en la noche y en el río, la novela se fracciona en un montón de anécdotas vanas, donde la persecución del color local molesta por evidente."» Citado en la *Antología de Marcha 1939,* Selección y prólogo de Hugo Alfaro, Montevideo, Biblioteca de *Marcha,* 1970, pp. 216-217.

[4] Artículo publicado en el número 10 de *Marcha* (25 de agosto de 1939) y reproducido en la *Antología de Marcha, op. cit.,* p. 212.

[5] *Marcha,* núm. 28, 30 de diciembre de 1938, *Ibid.,* p. 225.

sitio cualquiera de la ciudad; la noche me rodea, se cumple como un rito, gradualmente, y yo nada tengo que ver con ella.» [6] A partir de *La vida breve* (1950), Juan Carlos Onetti se construirá su propio universo urbano e inventará Santa María, «una pequeña ciudad colocada entre un río y una colonia de labradores» [7]. Precisemos de inmediato que, en verdad, no se puede hablar aquí de «paisaje urbano»: la ciudad es ante todo una presencia, un lugar anónimo e indiferente donde los personajes de Onetti se aíslan para examinar su desesperación o para dejar que su imaginación los transporte en un contexto que ellos desearían más clemente. Este concepto de la soledad fundamental del hombre en medio de las multitudes ciudadanas aproxima la obra de Onetti a la de los existencialistas europeos, pero igualmente la sitúa en una tradición novelesca rioplatense, donde codean los nombres de Marechal, de Sábato, de Cortázar, de Haroldo Conti, de Carlos Martínez Moreno y de Mario Benedetti.

Evidentemente, se puede encontrar esta visión de una condición humana destinada a hundirse y a renunciar a las razones objetivas; curiosamente, es en el primer relato de Onetti, *El pozo* (1939), y en su última novela, *Juntacadáveres* (1961), donde han sido evocadas las fuentes sociopolíticas de ese desencanto: el vacío cultural en que según Onetti se baña el Uruguay [8], la hipocresía y la corrupción de los políticos, el conservatismo fuera de sí de la burguesía. En ese universo novelesco, donde los héroes novelescos son a menudo trasplantados (sus nombres lo indican: Brausen, Larsen, Barthé, Petrus, Bergner...) las pequeñas ciudades de provincia ven aparecer —es el caso de Santa María, en *Juntacadáveres*— curiosos comités de «moralidad pública» en los cuales el uso del revólver es cosa corriente. Sin embargo, esas anotaciones son subsidiarias en la obra de Onetti; el único de sus libros que verdaderamente está anclado en la actualidad es *Para esta noche* (1943) [9].

---

[6] ONETTI, *Obras completas,* México, Aguilar, 1970, p. 75.

[7] *Ibid.,* p. 442.

[8] Eladio Linacero el narrador de *El pozo,* precisa al respecto: «Si uno fuera una bestia rubia, acaso comprendiera a Hitler, hay posibilidades para una fe en Alemania; existe un antiguo pasado y un futuro, cualquiera que sea. Si uno fuera un voluntarioso imbécil se dejaría ganar sin esfuerzos por la nueva mística germana. ¿Pero aquí? Detrás de nosotros no hay nada. Un gaucho, dos gauchos, treinta y tres gauchos», *op. cit.,* p. 71.

[9] En el prólogo de la primera edición, Onetti escribe: «Este libro se escribió

Esta toma de conciencia de un fracaso consustancial a la condición humana [10], evidentemente no se reduce sólo al Río de la Plata, como Onetti parecía afirmarlo en el prólogo de *Tierra de nadie:* «El caso es que en el país más importante de Sudamérica, de la joven América, crece el tipo del indiferente moral, del hombre sin fe ni interés por su destino. Que no se reproche al novelista haber encarado la pintura de ese tipo humano con igual espíritu de indiferencia» [11]. La trayectoria de la obra de Onetti muestra, en efecto, que el novelista uruguayo ha pasado por etapas de un período de observación —en la frontera del realismo— de la realidad urbana a una fase donde la invención onírica toma un lugar cada vez más importante *(La vida breve),* para desembocar en un universo novelesco cuya doble ascendencia faulkneriana y celiniana [12] es quizás menos visible que en las primeras obras, pero donde la soledad y el fracaso se han convertido en los dos grandes ejes significativos *(El astillero, Juntacadáveres).*

Más allá de esta evolución, las novelas y los cuentos de Onetti conservan entre sí una unidad y una coherencia profundas y se establecen correspondencias de un libro a otro por intermedio de ciertos personajes (Larsen, Brausen, Díaz Grey, Jorge Malabia) y de un escenario imaginado (Santa María).

Por otra parte, hay también en Onetti un rechazo constante de toda descripción objetiva: lo real es siempre tomado a través de una conciencia, está siempre subjetivado y presentado con reservas extremas en cuanto a su «universalidad» y su credibilidad. La realidad asida lo es de manera parcial y relativa, aun cuando el autor-narrador (en el caso de *El astillero,* por ejemplo)

---

por la necesidad —satisfecha en forma mezquina y no comprometedora— de participar en dolores, angustias y heroísmos ajenos. Es, pues, un único intento de liberación.» Reproducido en la segunda edición de Arca, Montevideo, 1966, p. 6.

[10] En *El pozo,* Eladio Linacero meditará largamente a propósito del epíteto de «fracasado» que uno de sus amigos le adjudicó, *op. cit.,* p. 70.

[11] Citado por Angel Rama, «Origen de un novelista y de una generación literaria», solapa de *El pozo,* Montevideo, Bolsilibros Arca, 5.ª ed., 1969, p. 76.

[12] En una entrevista con María Ester Gilio, Onetti reconoce: «La influencia de Faulkner se dio fundamentalmente en *Para esta noche.*» Recopilaciones de textos sobre J. C. O., La Habana, Centro de Investigaciones Literarias, Casa de las Américas, 1969, p. 14. En cuanto a la ascendencia celiniana, resumámosla en una frase tomada al azar de *Voyage au bout de la nuit* (1932): «Hacía frío y todo estaba silencioso en mi casa. Como una pequeña noche en un rincón de la grande, a propósito para mí solo.»

intenta reunir «objetivamente» las piezas de un *puzzle* donde se reproducirían las diferentes diligencias de un personaje (Larsen, entre su regreso a Santa María y su muerte). Onetti ha jugado a menudo —y particularmente en sus cuentos— con esta visión parcial que le permite hacer planear cierto misterio en la historia que cuenta: en «Jacob y el otro», se «nos» muestra en un comienzo a un luchador en agonía, tal como si el combate se hubiera desarrollado ya y el relato tiende a hacernos creer que el antiguo campeón mundial Jacob van Oppen, fue derrotado, pero al final nos demostrará lo contrario. En *Para una tumba sin nombre,* se ha utilizado otro procedimiento: la presentación de versiones sucesivas y a veces contradictorias de un mismo suceso (en este caso, un entierro).

El hecho es que desde su primera obra, *El pozo,* Onetti subrayó la poca importancia que debía tener en un relato la presencia de los personajes y de los acontecimientos y cuan ilusorio (y hasta «repugnante») era querer «decir toda verdad» [13]. Lo esencial no está ahí, está en el conjunto de diversos posibles que encontrarán su justificación en el corazón mismo del relato y no por referencia a una verdad exterior pretendidamente objetiva. Vivida por el narrador, esta conjunción de varias eventualidades es también una manera de tranquilizarse temporariamente sobre la nada de su propia existencia; así, al final de *Para una tumba sin nombre,* Díaz Grey, el narrador, se interroga para saber si el entierro de Rita se ha efectuado realmente y concluye: «...escribí, en pocas noches, esta historia. La hice con algunas deliberadas mentiras... Lo único que cuenta es que al terminar de escribirla me sentí en paz, seguro de haber logrado lo más importante que puede esperarse de esta clase de tarea: había aceptado un desafío, había convertido en victoria por lo menos una de las derrotas cotidianas» [14]. En *El pozo,* se encuentra el mismo concepto de una escritura liberadora para el narrador (y para el autor), una escritura fundada ante todo en la sinceridad y que

---

[13] «Ya no se trataba de nosotros. Viejos, cansados, sabiendo menos de la vida a cada día, estábamos fuera de la cuestión. Es siempre la misma absurda costumbre de dar más importancia a las personas que a los sentimientos. No encuentro otra palabra. Quiero decir: más importancia al instrumento que a la música... Se dice que hay varias maneras de mentir; pero la más repugnante de todas es decir la verdad, toda la verdad, ocultando el alma de los hechos. Porque los hechos son vacíos, son recipientes que tomarán la forma del sentimiento que los llene.» *El pozo, op. cit.,* pp. 63 y 64.

[14] *Op. cit.,* p. 1046.

no toma en cuenta en absoluto su legibilidad literaria: «Releo lo que acabo de escribir —confesaba Eladio Linacero, el narrador— sin prestar mucha atención, porque tengo miedo de romperlo todo. Hace horas que escribo y estoy contento, porque no me canso ni me aburro. No sé si esto es interesante, tampoco me importa» [15].

Los narradores de Onetti no profesan, pues, ninguna mística del texto escrito. Dejan correr su pluma o su imaginación «para contentarse» y sucumben alternativamente a una doble tentación, en apariencia contradictoria: escribir «la historia de un alma», «de ella sola, sin los sucesos en que tuvo que mezclarse, queriendo o no. O los sueños»; pero también componer una de esas «novelas de aventuras» de las cuales Borges, en 1940, daba la siguiente definición, por oposición a la tradición de la novela psicológica: «La novela de aventuras, en cambio, no se propone como una tanscripción de la realidad: es un objeto artificial que no sufre ninguna parte injustificada» [16]. Hay en Onetti (aun en *El astillero,* donde se ve a Larsen pasar sin descanso de un lugar a otro, en el interior de un cuadro bien limitado; está constantemente «de visita») una tendencia a arrastrar a los personajes (cf. *Para esta noche)* o sus «criaturas» imaginarias (cf. *La vida breve)* a situaciones que a veces rozan la extravagancia. Cada una de las novelas junta y mezcla tres planos (autor-narrador-personaje), y de ese modo se convierte en una verdadera reflexión sobre la creación «no comprometida» con la exactitud o con la literatura, sobre una creación en la cual no siempre se pueden controlar todos los resortes y que termina llevando una vida independiente de su creador. De este modo, en un pasaje importante de *Juntacadáveres,* el narrador explica que él siempre puede añadir detalles a la existencia cotidiana de Santa María, pero reconoce que en lo sucesivo la vida de esta ciudad *inventada,* en la cual él mismo puede imaginarse actuando, se le escapa: «Puedo hacer cualquier cosa, sentir cualquier cosa; pero es imposible que intervenga y altere» [17].

Las relaciones entre el autor, el narrador y los personajes son extremadamente complejas. Forman un verdadero entrelazamiento donde el autor se entrega a un juego que se volverá a

---

[15] *Ibid.,* p. 57.
[16] J. L. Borges, prólogo a *La invención de Morel,* de Adolfo Bioy Casares. Buenos Aires, Emecé, 1940, p. 10.
[17] *Juntacadáveres, op. cit.,* p. 910.

encontrar a nivel de discurso de los personajes. Ese juego tiene a veces implicaciones cómicas, como cuando un personaje (Brausen) cohabita con su autor en el interior de una misma novela *(La vida breve).* «Se llamaba Onetti —dice Brausen—, no sonreía, usaba anteojos, dejaba adivinar que sólo podía ser simpático a mujeres fantasiosas o amigos íntimos»[18]. Retomando la famosa clasificación de Jean Pouillon, encontraremos tres tipos de relaciones esenciales entre narrador y personaje [19]. Cuando un personaje es presentado desde fuera, la mirada que el narrador le da está por lo general desprovista de toda amenidad y, por el contrario, dotada de cierta crueldad. En *El astillero,* por ejemplo, cada vez que Larsen es «visto» por los testigos de Santa María a quienes el narrador acude, es un hombre envejecido, grotesco, sucio; así cuando somos presentados, a comienzos del libro, a la pareja irrisoria formada por Larsen y Angélica Inés: «Todos los vimos... él, artero, viejo y empolvado... Vimos a la hija de Jeremías Petrus —única, idiota, soltera» (p. 7) [20]; así también cuando Kunz da cuenta de la crisis histérica de Angélica Inés en la oficina de Larsen: «Y detrás de ella, manoteando un poco en la puerta de su oficina, pero sin coraje para mostrarse, mudo por el miedo de que el gallego y yo lo oyéramos, un truhán, un hombre sucio, viejo, gordo y enloquecido» (p. 103). Pensamos en los pobres personajes (mendigos, ladrones, neuróticos, invertidos, etc.) del teatro de Beckett, de Ionesco o de Genet, que se han confrontado con las grandes inquietudes propias de la condición humana: la muerte, el tiempo, el destino, el más allá, la vida, la comunicación con los demás, etc. El arte de Onetti ha consistido en hacer de esas tristes marionetas intérpretes de la angustia existencial del hombre. Los adjetivos acumulados aquí pierden toda resonancia descriptiva para llegar a ser, como dice Barthes, «esas puertas del lenguaje por donde lo ideológico y lo imaginario entran a grandes raudales» [21].

---

[18] *La vida breve, op. cit.,* p. 607.

[19] JEAN POUILLON, *Temps et roman,* Gallimard, París, 1946.

[20] JEAN POUILLON, *op. cit.,* p. 102, define de esta manera la visión de lo exterior: «Lo exterior es la conducta en cuanto es materialmente observable. Es también el aspecto físico del personaje; es, asimismo, el ambiente en el que vive.» Se trata de un procedimiento frecuente en la novela realista, pero que Onetti evidentemente lo desvía de su objetivo habitual. La edición de *El astillero* a la cual se remite la paginación es la de las Ediciones Hispano Americanas, París, 1973.

[21] ROLAND BARTHES, *Le plaisir du texte,* Le Seuil, 1973, p. 25.

Cuando practica aquello que Pouillon llama la visión «por detrás» [22], el narrador constata ante todo la resignación a la que se abandonan los personajes; soportan los acontecimientos a medida que se presentan con una indiferencia que recuerda la de Meursault, en *El extranjero;* es el caso de Larsen, en *El astillero,* después de su viaje a Santa María donde ha encontrado a Díaz Grey. «Estaba ahora en la Gerencia General... descansando, no de la mala noche ni de lo que había hecho en ella, sino de las cosas, de los actos aún desconocidos que empezaría a cometer, uno tras otro, sin pasión, como sólo prestando el cuerpo» (p. 97). Entregado al tiempo presente, el personaje se torna a menudo incomprensible para el narrador; tanto más cuando hace frente a los obstáculos que el autor (¿el Destino?) acumula a su paso, el personaje trata de escapar a los embates del tiempo: «Estaba vacío, separado de su memoria», le dicen a Larsen (p. 45) y por ese lado mismo se le escapa al narrador; en *La vida breve,* Díaz Grey poco a poco lleva una vida autónoma y Brausen no puede ya controlar sus actos, se contenta con observarlo: de «creador» se ha vuelto «observador».

En esas condiciones se comprende que el narrador trate a menudo de asociarse a su personaje para practicar la visión «con él» [23]; el relato se interioriza a tal grado que los elementos del mundo exterior se impregnan de la desolación en la cual se sumerge el mundo interior del personaje. Iluminados por el humor amargo del autor, los recuerdos del adolescente hacen irrupción: «...pensando en años muertos y en pernod legítimo» (p. 10); aparecen las contradicciones propias del mundo de lo imaginario: «Imaginó el ímpetu, el hastío» (p. 12). De ahí que en las novelas tan «objetivas» como *El astillero,* donde la historia es contada en tercera persona, el narrador-testigo mueva los diferentes hilos del relato, pero dejando subsistir lo que Sartre llama «hoyos» [24]; tanto más cuanto que en las primeras páginas

---

[22] Jean Pouillon. *op. cit.,* p. 85: «En lugar de situarse en el interior de un personaje, el autor puede tratar de desprenderse de él, no para mirarlo desde fuera, ver sus gestos y simplemente escuchar sus palabras, sino para considerar de manera objetiva y directa su vida psíquica.»

[23] *Ibid.,* p. 23: «Se escoge un único personaje que será el centro del relato, por quien se interesará sobre todo o, en todo caso, de diferente manera que en los demás. Se le describe desde dentro; de inmediato desentrañamos su conducta como si fuera la nuestra.»

[24] Jean Paul Sartre, «La temporalité chez Faulkner», *Situations* 1, Gallimard, 1947, p. 74.

el relato es a la vez proyectado hacia el pasado y sumido en el misterio: hace alusión a una anécdota de cinco años atrás, a raíz de la cual Larsen tuvo que alejarse de Santa María, «página discutida y apasionante —aunque ya casi olvidada— de nuestra historia ciudadana» (p. 5). Al igual que Brausen en *La vida breve,* Larsen se presenta en la novela después de una «crisis» y antes del relato actual, ya dueño de su propia decadencia y de su propia perdición. En el origen de la creación onettiana hay, pues, una voluntad deliberada de ocultación. En varias ocasiones el narrador-testigo reconocerá que sólo puede proporcionar datos parciales, lo cual sumerge al relato en una atmósfera ambigua que es la característica de los libros de Onetti: «No sabe cómo llegaron a encontrarse Jeremías Petrus y Larsen» (p. 18); «hubo, es indudable, aunque nadie puede saber hoy con certeza en qué momento de la historia debe ser colocada, la semana en que Gálvez se negó a ir al astillero» (p. 57).

Pero el narrador-autor va más allá de ese simple relativismo en la apreciación de los hechos; desdramatiza por completo el relato quitándole toda credibilidad y lo transforma en un «juego inofensivo»; «Ahora, en la incompleta reconstrucción de aquella noche, en el capricho de darle una importancia o sentido histórico en el juego inofensivo de acortar una velada de invierno manejando, mezclando, haciendo trampas con todas estas cosas que a nadie interesan y que no son imprescindibles, llega el testimonio del barman del Plaza» (p. 76). Ese tono desilusionado, esa crítica del texto en el texto, ese comentario a propósito de la eventual gratuidad de la novela permiten comprender el alcance mítico que el personaje de Larsen adquiere poco a poco [25] y permiten también una lectura a la vez distanciada y activa, reportándonos constantemente, primero al lector, que es el escritor mismo, aunque éste trata de borrar al máximo toda huella de su presencia.

Desde Faulkner, la novela contemporánea ha utilizado a menudo esta técnica de la omisión. Sin embargo, notemos que en Onetti finalmente nada permanece en la sombra; la anécdota

---

[25] En su prólogo a las *Obras completas* de Juan Carlos Onetti, EMIR RODRÍGUEZ MONEGAL ha analizado a fondo la trayectoria del personaje de Larsen: «Haber levantado al macró de *Tierra de nadie* hasta la altura trágica (expiación, sacrificio, don ciego de sí) no es hazaña menor. Como Vautrin en la *Comédie Humaine,* Junta va creciendo a través de sus distintos avatares hasta alcanzar al fin una estatura singular», p. 38.

apenas sugerida a comienzos de *El astillero* será la trama de *Juntacadáveres,* publicado tres años después. Las novelas aparentemente fragmentadas en casilleros autónomos, se comunican entre sí; de esa manera los personajes adquieren una verdadera estatura mítica, hasta en ciertos casos en que el humor no está excluido: en *La vida breve,* Brausen inventa Santa María para escapar al aburrimiento del presente; en *El astillero* (que se desarrolla por completo en una ciudad inventada), es estatuido y se vuelve «Brausen Fundador» (p. 132) [26]. Otro factor de unidad y coherencia propio de la obra de Onetti concierne a la concepción de la novela que procede normalmente de su perspectiva ontológica: esta caída sorda, patética y «pública» a la que Onetti arrastra a sus personajes borra toda la lógica tradicional del relato; trastorna la cronología instaurando una especie de presente absoluto; para emplear un término de Barthes, «despersonaliza» a los personajes [27]. Esta «sensación de que uno está solo, que siempre resulta asombrosa cuando nos ponemos a pensar» [28] lanza a los personajes en busca de su propia verdad y al narrador-autor a la búsqueda de la autonomía de su propio relato.

Los personajes, los objetos, los lugares (no se podría hablar aquí de paisajes) en las novelas y en los cuentos de Onetti «son todos primos», para volver a tomar una expresión que se le ha aplicado a *La comedia humana.* Pero el universo de Onetti es la antítesis del de Balzac: si en el novelista francés «todos los registros de lo humano y de lo inhumano se juntan en el sentimiento de una gran unidad energética» [29], en Onetti, por el contrario, se desarrolla el lado patético del abandono y del renunciamiento, templado por frecuentes apelaciones a lo imaginario. En *La vida breve,* Brausen se define como «este hombre pequeño y tímido,

---

[26] A veces las remisiones son mucho más significativas. Así en el penúltimo capítulo de *Juntacadáveres,* el joven Jorge Malabia exclama, antes de bascular en el mundo «normal y astuto de los adultos»: «Pensé en Julita y en mis padres, en mi afán rabioso de despojarme, en mi creencia en *las vidas breves y los adioses* (subrayado, nuestro), en el vigor hediondo de las apostasías» (*op. cit.,* p. 974). Menos que a títulos de novelas precedentes (el relato titulado *Los adioses* data de 1954), la alusión nos remite aquí toda una filosofía de la existencia.

[27] ROLAND BARTHES, «Introducción al análisis estructurado de los relatos», *Comunications* 8, p. 16, núm. 3: «Si uno parte de la literatura contemporánea, ha atacado al "personaje", no para destruirlo (cosa imposible), sino para despersonalizarlo, lo que es muy diferente.»

[28] «Esbjerg, en la costa», *op. cit.,* p. 1236.

[29] JEAN PIERRE RICHARD, «Balzac, de la force a la forme», *Poétique* 1, 1970, p. 10.

incambiable... hombrecito confundido en la legión de hombrecitos a los que fue prometido el reino de los cielos», prisionero de «la seguridad inolvidable de que no hay en ninguna parte una mujer, un amigo, una casa, un libro, ni siquiera un vicio, que pueda hacerme feliz» [30]. De ahí el constante recurrir de los personajes a la imaginación. Consciente de haber caído en la trampa (la palabra «trampa» es repetida dos veces, p. 22), Larsen, a pesar de todo, se complace en imaginar el astillero en plena actividad (p. 21) y más adelante se verá en su casa en compañía de Angélica Inés y de un «número variable de niños» (p. 52). Sin embargo, por un vaivén propio del relato de Onetti y que a menudo parece destruir, a medida que la crea, la realidad que lo rodea («el miedo, la duda, la ignorancia, la pobreza, la decadencia y la muerte», p. 52), vuelve rápidamente a destrozar la felicidad efímera que procura la imaginación. Esas escapadas breves y brutalmente interrumpidas hacia el mundo del sueño aparecen aquí como un último recurso y al fin de cuentas ilusorio. Enfrentado a la soledad y a la incomprensión, Eladio Linacero exclama, en *El pozo:* «Tengo asco por todo, ¿me entiende? Por la gente, la vida, los versos con cuello almidonado. Me tiro en un rincón y me imagino todo eso. Cosas así, y suciedades, todas las noches.» [31] De ahí la multiplicidad de los lugares cerrados y la importancia dada a ciertos motivos topológicos (las habitaciones, los bares, las casas de tolerancia, pero también la lluvia, el frío y la niebla); de ahí también el lugar privilegiado acordado al esquema del espionaje, que los personajes utilizan para proyectarse en lo nuevo, pero que los vuelve otra vez a sus fantasmas iniciales. De esa manera se desemboca en una arquitectónica de la degradación, donde el resultado (muerte violenta, suicidio o entrada en el estado vegetativo, que es el signo, según Onetti, de la edad adulta) cuenta menos que las modalidades de esta degradación.

La única connivencia es aquella que relaciona parcialmente al narrador con sus «criaturas» (Brausen, Díaz Grey, Arce —en *La vida breve*—) o un grupo de personajes voluntariamente alienados por la misma ilusión (Larsen-Petrus-Gálvez, en *El astillero*). En ese mundo que ellos crearon (Santa María) o recrearon *(El astillero)* ellos determinan valores que deberían asegurarles una existencia neutra y desapegada, regida por un «tole-

---

[30] *Op. cit.,* pp. 375-376.
[31] *Ibid.,* p. 74.

rante hastío..., una participación dividida entre el respeto y la sensualidad»... (p. 80). Toda la lucha de Larsen en *El astillero,* como en *Juntacadáveres,* consiste en proteger su universo personal contra los ataques del exterior. De ahí la noción de juego que constantemente regresa en todos los libros de Onetti; de allí la alegría de Larsen cuando ve que Kunz y Gálvez respetan las «reglas» (tratarlo como director de una empresa que promete un futuro brillante); de ahí su pánico cuando uno de los «jugadores» (Gálvez) amenaza con retirarse; de ahí su visita al doctor Díaz Grey, que sabe que lo comprenderá: «Usted y ellos — dice Díaz Grey a Larsen—. Todos sabiendo que nuestra manera de vivir es una farsa, capaces de admitirlo, pero no haciéndolo porque cada uno necesita, además, proteger una farsa personal. Es un juego y usted y él saben que el otro está jugando. Pero se callan y disimulan» (p. 74). En el interior del libro se instaura un orden, una «lógica», fundados en una creencia conscientemente abusiva en el porvenir del astillero. El engaño se extiende al lenguaje de la novela; el relato estalla, duda entre varias posibilidades (introducidas muy a menudo por una serie de «tal vez»). La irrisión se apodera hasta de los monólogos interiores que el narrador presta a los personajes (cuando Larsen *imagina* las reflexiones de Angélica Inés matiza con cierta crueldad esta eventualidad; «en el caso de que fuese capaz de construir una frase»); los tiempos chocan: el tiempo del relato se vuelve más aleatorio; el narrador hace, por ejemplo, alusión a un «escándalo» al mismo tiempo que propone aplazar el informe *(La casilla),* lo que Kunz hará sólo mucho tiempo después *(El astillero);* en cuanto al tiempo de la historia, se detiene: Larsen se sumerge en la lectura sin fin de los expedientes prescritos; un desajuste patético se establece entre las actitudes y los discursos; colocados en un gris deprimente, los objetos mismos parecen jugar al juego engañoso de Larsen y sus compañeros: «Reconoció ese tono exacto de gris que sólo los miserables pueden distinguir en un cielo de lluvia... Pasó revista a los casilleros, a los hilos de lluvia, a las maquinarias rojinegras que continuaban simulando dignidad» (p. 51).

El orden inherente al mundo del astillero, igual al creado por Larsen, en *Juntacadáveres,* o por Brausen en *La vida breve,* está amenazado permanentemente (Petrus, por lo demás, reconocerá que esas amenazas también forman parte del juego, p. 82) por la lucidez de los personajes, por un lado, y por el otro, por el «mundo de los demás»: «...el hecho de que el astillero hubiera llegado a convertirse en un mundo completo, infinitamente aislado e independiente, no excluía la existencia del otro mundo», constata Larsen (pp. 83-84). Y luego, tal como Díaz Grey y Arce terminan escapando de Brausen, Larsen ya no podrá controlar el juego. Por mucho que admita el suicidio de Gálvez (p. 147), es de nuevo prisionero de esa angustia que lo oprimía a su llegada a Santa María y que, en realidad, jamás lo había abandonado: «Era el miedo de la farsa *ahora emancipada,* el miedo ante el primer aviso cierto de que el juego se había hecho independiente de él, de Petrus, de todos los que habían estado jugando seguros de que lo hacían por gusto y de que bastaba decir que no para que el juego cesara» (p. 119).

Los personajes de Onetti están, pues, igualmente aniquilados por los recursos imaginarios a los que intentaron asirse. «Yo podría salvarme escribiendo», dice Brausen en *La vida breve.* ¿Pero es ésta una solución posible en la medida en que, en la confabulación, la incomunicabilidad se revela tan grande como en la existencia?[32] La novela nace así de la confrontación crítica y de la ruptura entre el creador y lo que lo rodea. Para el autor lo esencial no es describir una realidad «objetiva» ni comprometerse retomando los términos iniciales de Barthes, en una «historia que no le pertenece»; el relato se organiza alrededor de diferentes «posibles», dictados por el estado de espíritu o por la sensación dominante del momento. La literatura ciertamente no puede cambiar la realidad, por muy funesta que sea; pero por su rigor puede hacer compartir lo que Onetti ha deseado siempre expresar: «la aventura del hombre» aunque ésta no sea al fin y al cabo más que un «viaje al fin de la noche».

[Publicado en francés en *Caravelle,* núm. 21 (1973), pp. 43-55. En español, en *Estudios de literatura hispanoamericana contemporánea.* México, SepSetentas, 1976, pp. 101-107.]

---

[32] Larsen, que aquí parece ser el intérprete del autor, reconocerá que es imposible trasladar la verdad de ciertos sentimientos a una historia, escrita o hablada: «Siempre es difícil hablar del amor y es imposible explicarlo; y más si se trata de un amor que nunca conoció el que escucha o lee y mucho más si sólo queda en el narrador, la memoria de los simples hechos que lo formaron».

JUAN CARLOS ONETTI Y SU ESCENOGRAFÍA DE OBSESIONES

«Aquella tristeza repentinamente perfecta.» La Editorial Sudamericana publicó en 1968 la segunda edición de un libro en cuya página treinta y seis apareció esa frase, como un iceberg: flotando la parte visible, inmersa la parte profunda. He escuchado el rumor oceánico de esas palabras hace unas horas, tumbado en uno de esos utensilios que a casi todo el mundo le sirve para dormir una larga vez cada día, con una puntualidad que ya hace muchos años no puedo comprender. Después he consumido el libro entero al mismo tiempo con avaricia y placidez, como a un prohibido cigarrillo. Y luego un reloj de pared remotamente humano ha dejado rodar por mi oído cuatro sonidos bárbaros entre pausas de una grandilocuente suavidad. Quienes dicen que uno acaba por amar todo aquello que lo acompaña hasta serle inherente, mienten o ignoran el insomnio. Me he levantado con el deseo de leer unas páginas sobre ti y sobre tu trabajo: en algún libro tengo algo de esto. He pasado por delante del reloj de pared: estaba oscuro, como si conociese el miedo. Para qué lo voy a destrozar. No es mi verdugo. Ni siquiera mi espía: no es más que un mecanismo convencional que me sirve para medir, día, las horas que debo trabajar, olvidar; de noche, la resurrección de la memoria y esta locura mansa como un gong extenuándose, que me arropa mientras el sueño me es negado. Es nada más que un aparatito que suele acompañar con su ruido modesto la ronda, siempre nocturna, que danzan junto a mí «los cadáveres pavorosos de las antiguas ambiciones». En ese libro en el que Luis Harss informa sobre ti he comprobado algo que no sabía pero que ni siquiera necesitaba constatar: conoces el insomnio. «Durante sus períodos de insomnio no come ni duerme por una semana. Fuma, bebe, se tortura, y después queda tendido días enteros.» He interrogado al libro un poco más. Me informa: eres «alto, enjuto, con mechones blancos en el pelo gris, ojos desvelados, alta frente profesional, las huellas de la renuncia y del desgano en su andar de oficinista envejecido. En la lenta llovizna, metido en un voluminoso abrigo [los insomnes siempre tenemos frío: es como una manera delicada, casi una excusa, de pedir cuentas a la realidad], doblado bajo el peso de la ciudad, avanza, opaco, un sonámbulo en la noche insomne. Como la ciudad, lleva con fatiga la carga de los años». Al recordar su infancia, su juventud, la escuela secundaria, «habla de todo eso con una voz sorda, malhumorado, como si estuviese tratando de recordar una versión perdida en un cuento desagradable». ¿Desagradable? Para mencionar esa voz sorda quizá sea éste un adjetivo demasiado austero, nada meticuloso. Mejor informan tus propias palabras: «Lo malo no está en que la vida promete cosas que nunca nos dará; lo malo es que siempre las da y deja de darlas.» «No se trata de decadencia. Es otra cosa, es que la gente cree que está condenada a una vida, hasta la muerte. Y sólo está condenada a una manera de ser. Se puede vivir muchas vidas, muchas vidas más o menos largas. Tú debes estarlo sabiendo. Tomaría un trago de ese algo. Pero si te molesto, me voy.» Ya no sé a quién se dicen esas palabras ni quién las dice, si Juan Carlos Onetti, Brausen, Díaz Grey, Stein acaso («el hombre era de muchas maneras y éstas coincidían, inquietas y variables, con el propósito de mantenerlo vivo»): entre todos ellos no hay diferencias satisfactorias. Se puede ser muchos, o varios, pero demasiado parecidos. En una sola «manera de ser», en un solo individuo, míster Hyde y doctor Jekill juntos no son concebibles: uno u otro, hacía muchos años que mentía; Hyde era fundamentalmente Hyde o era fundamentalmente Jekill, o a la inversa: ¿y sus transfiguraciones no eran más que ensueños hacia un alivio sórdido e imposible? En nosotros, los que alimentamos a oscuras «la siempre fallida esperanza de una catástrofe definitiva» (¿eso es verdad, Juan Carlos, o es sólo una manera de señalar que nuestra abominable lucidez aguarda algo terrible que resuma la coherencia dispersa de un mundo irrefutablemente prendido del fracaso?), en nosotros existen constantes, y ellas nos dejan dividirnos pero no nos consienten un cambio: algo nuevo sin la memoria del gusano, ni siquiera sin la memoria de la larva. Dostoievski sabía más que Stevenson sobre el desdoblamiento: su oficinista se desdobla, *pero conserva el mismo rostro.* ¿No hay escape? ¿Ni la locura es un refugio?

Pensé que podíamos charlar sobre esto. Sé que la escenografía no iba a desagradarte: madrugada y silencio, alcohol, tabaco, yo con una manta sobre los hombros; una ventana que se asoma a la calle oscura desde muy alto y que cada vez que la miro me reafirma en una convicción: por ahí no voy a tirarme jamás. No voy a matarme. A un personaje que creí inventar hace ocho años, cuando ya tenía veinticuatro, alguien le ofrece barbitúricos, hojas de afeitar y agua caliente, una pistola: en fin, le da facilidades. Pero aquel crío siguió bebiendo ginebra, cínico como un resucitado —y, como un resucitado, persuadido de que tampoco vale la pena—, y respondió: «no, gracias: me voy andando». Vámonos andando. De acuerdo: a veces es deslumbradoramente implacable la evidencia de que todo el alcance de nuestra libertad consiste en la facultad de usar o no el acelerador de la propia aniquilación. A veces se piensa que no es demasiado impropio empujar un poco con el pie, lamer unos cuantos vahídos del vértigo, ver más de cerca el rostro horrible que no tiene ojos ni boca ni nariz y sin embargo es un rostro —que mira desde la eternidad—. Incluso, a veces se piensa empujar hasta el fondo, silbar con las manos en los bolsillos, puesto que no hay volante, y empujar hasta el fondo. Pero son veleidades: en seguida uno imagina enlutados, los aullidos de los que te aman, las tarjetas de defunción, quizá hasta la desesperación de alguien que se negará por siempre a dejar de amar a la prehistoria del cadáver: y todo eso convierte el acto en una patraña: no se puede destruir la vida cuando ya hemos estado vivos. Si uno pisa el mundo, ya no lo puede aniquilar. Además, el suicidio es siempre tardío: es como echar pomada a una cicatriz, lo que queda de una herida que se cerró hace tiempo, posiblemente sin convicción, con una parsimonia vegetal. Para qué. Tal vez a los quince años tenga cierta congruencia. La síntesis perfecta es otra: morir por propia voluntad antes de haber nacido. Y no es posible. ¿Por qué no irse andando, entonces? Así pensaba yo hace un rato. Luego pensé que quizá me estaba acorazando con coartadas. Muy bien: entonces mi vida tiene un sentido; algo que pulula bajo las coartadas, aunque yo pueda no saber qué es. Y si no se sabe qué es, cuál es ese sentido, parece ligeramente estúpido echar las campanas al vuelo únicamente porque aún se está vivo, porque aún somos la prehistoria de un cadáver: se parece más a la presunción que a la alegría. Oyeme, Juan Carlos: ponerse a dar saltos de alegría y tomar la vida como una celebración, cuando no se sabe qué es lo que se celebra, si es que se celebra algo, no resulta muy convincente: creo que vamos a entendernos, a pesar de esta frase tuya: «con una amistad por la vida más vieja que él». ¿Qué se celebra? ¿El amor? Por lo general, se amortigua hasta no ser más que una estafa de sí mismo. ¿La fraternidad? ¿Cuál? ¿La que la Historia tiene clavada en la frente como una tortura que jamás se transforma en reposo, esa grandilocuente ilusión? Hay tanta gente que no sabe leer la Prensa. ¿Qué está haciendo la bestia humana con su destino? Va a haber una guerra atómica algún día. Nadie hay en el mundo que pueda ya convencer a nadie de que no va a haber una guerra atómica algún día. Te contaré una anécdota. Es notablemente íntima y tal vez eso la disculpe: una noche, una de esas noches particularmente lúcidas en que el génesis y el apocalipsis no son otra cosa que dos palabras bastante modestas, mi mujer y yo charlábamos plácidamente, despacio, destrozados. Indiqué que tal vez algún día esa cosa indestructible que nos une, esa cosa débil e irreemplazable como un cordón umbilical a la que burda y económicamente denominamos convivencia, podía deshacerse: ¿por qué no? Mi mujer se consintió unas lágrimas sin convulsión, unas lágrimas —¿cómo te diría?— morenas. Siguió fumando y mientras expulsaba humo de su cigarrillo dijo que tal vez antes de eso hubiese guerra atómica, y todo quedaría resuelto. Jamás nadie me había mostrado el amor de una manera tan voraz: aquella noche no podría haber escrito estas cuartillas. Aquella noche no podría haber comprendido estas palabras tuyas: «recibió, junto con la visión y la dádiva del cuerpo desnudo de Gertrudis, el mandato absurdo de hacerse cargo de su dicha». Es que aquella noche mi mujer no era Gertrudis. Tampoco esta noche lo es. Sólo que no se puede vivir eternamente de un inconcebible minuto, aunque uno sienta el deber de hacerlo. No se puede. Entonces, como único ilusorio reposo, optamos por sentirnos culpables de la desdicha que de alguna manera misteriosa pero intachable acabamos por provocar. Y aunque estemos persuadidos de que «cuando la desgracia se entera de que es inútil, empieza a secarse, se desprende y cae» continuamos extraviados en la topografía de la culpabilidad, misteriosa y absurda.

Me dije: tres buenos temas: la imposibilidad de ser otro, la gratuidad del suicidio, el laberinto de la culpa. Charlar sobre esto con Onetti. No creo que importe demasiado que casi me doble la edad («no sé si usted tiene treinta o cuarenta años, no importa. Pero usted es un hombre hecho, es decir, deshecho, como todos los hombres a su edad cuando no son extraordinarios»). Total, ninguno de los dos puede dormir, esta madrugada es hermosa, hay tabaco y vino, y puedo prestarle una manta. Vi otra frase: «la seguridad inolvidable de que no hay en ninguna parte una mujer, un amigo, una casa, un libro, ni siquiera un vicio, que puedan hacerme feliz». Me gustaría que comentásemos esto. Dos o tres horas para encontrar el verdadero sentido, dentro del contexto, de ese adjetivo —«inolvidable»—, o para renunciar a encontrarlo, lo cual sería más lento aún, más costoso, pues al menos es obvio que el lenguaje nos interesa. Y dos o tres días para descifrar qué esperanza oculta o qué descuido del oficio ha motivado la invasión de una palabra que me deja perplejo: «feliz». ¿Por qué «feliz»? Debe de ser un error del linotipista, o una debilidad o una incongruencia de Onetti: no veo otra alternativa. No existe en el mundo un acorde que pueda reunir esa palabra feroz y esta frase: «es como un día de lluvia en que me traen un abrigo empapado, para ponérmelo». Pero también podríamos hablar de la incongruencia, de hasta qué punto ella puede ser en ocasiones más congruente que un perfecto hexágono: «pero si yo luchaba contra aquella tristeza repentinamente perfecta; si lograba abandonarme a ella y mantener sin fatiga la conciencia de estar triste; si podía, cada mañana, reconocerla, y hacer que saltara hacia mí desde un rincón del cuarto, desde una ropa caída en el suelo, desde la voz quejosa de Gertrudis; si amaba y merecía diariamente mi tristeza, con deseo, con hambre, rellenándome con ella los ojos y cada vocal que pronunciara, entonces, estaba seguro, quedaría a salvo de la rebeldía y la desesperanza». ¿El combate desde el renunciamiento como medicina contra la desesperanza? ¿No es incongruente? Al menos es una interrogación, una bestia que avanza para aplastarnos la armonía del total desconsuelo. Pero Onetti parece poder detener a esa bestia; y más adelante dice pacientemente que es «como una locura mansa, como una furia melancólica, como si lo estuvieran llamando para nada y, sin embargo, él tuviera que ir». No creo que te importe gran cosa que hablemos de tu dominio de la metáfora, de tu sagacidad para encontrar correspondencias entre tu tetraedro y un esquimal («furia melancólica»), pero diré que poetas como tú no abundan y luego olvídalo y continuemos hablando de otras cosas. Sin embargo, todavía deseo insistir sobre algún detalle de tu manera de narrar; se han llegado a hacer interpretaciones que desvirtúan tu trabajo y que, en consecuencia, emborronan tu rostro. Se ha dicho, por ejemplo, que tus personajes no son reales, no son otra cosa que proyecciones laboriosas de tus obsesiones. Vaya novedad. En primer lugar, la obsesión no es un rechazo de la realidad, no es una actividad solitaria; no es, desde luego, una claudicación ni una renuncia. Es una fricción de larga duración («el rayo que no cesa».) entre un individuo y el mundo, la aceptación de un desafío y su consiguiente combate; y por ello, es a la vez un reconocimiento de la realidad y de la necesidad de su modificación. Entonces, una obsesión no sería otra cosa que la turbulenta imagen de un comportamiento en y hacia los otros. Por esto, ese método de investigación sobre este dinosaurio rabioso que llamamos la realidad me parece profundamente lícito. Pero aún no estoy de acuerdo con dejar las cosas así, no me satisfacen esas parábolas provisionales. Acabamos de hablar de Gertrudis, otra vez. Gertrudis es casi obsesiva. Concretamente viene, vuelve, nos mira. ¿Es porque la operación quirúrgica que sufre en las primeras páginas la ha dejado «monstruosa»: con un solo pecho? «Y ella y yo hemos descubierto, desanimados, con un horror ya disminuido por la repetición, que todos los temas pueden conducirnos al costado izquierdo de su pecho. Tenemos miedo de hablar; el mundo entero es una alusión a su desgracia.» Y entonces queda a tu merced, Brausen, a merced de tu cochina piedad hastiada, de tu ternura que oculta un buhón de extrañeza y fastidio. Puede ser que tú, Onetti, nunca hayas vivido con una mujer a la que falta un pecho y (aunque el cáncer de mama *existe)* ese cáncer extirpado no sea sino un ademán para situar la conversación de una pareja a lo largo de los años en una situación desde la cual ya sea inevitable confesarlo todo, donde nada se pueda ya ocultar. ¿Es esto una obsesión de Onetti? ¿Y esa obsesión no sería una buena metáfora sobre la acumulación de los años en una pareja, que además contiene un deseo al que habría que llamar ético, el deseo de atestiguar el aborrecimiento por las mentiras? Así, los personajes de Onetti *viven* más. ¿No es eso lo que echabais en falta? Pero aguardad: Gertrudis abandona a Brausen. Qué sorpresa, ¿verdad? Y con ello se venga de la podredumbre de aquella piedad displicente, de aquella castrada ternura. Pero, además, no lo abandona para retirarse al infortunio, sino para buscar —y encontrar— nuevos hombres, nuevos amantes que le renueven la ferocidad de vivir, que le faciliten el regreso de su propio cuerpo, mutilado pero aún abarrotado de respuestas. ¿No es esa una mujer *viva?* ¿Cómo llamar a todo eso «una obsesión de Onetti»? En todo caso, las obsesiones de Onetti parecen ajustarse al comportamiento de la realidad, y sus personajes resultan bastante reales. Pienso a veces, Juan Carlos, que gran parte de la crítica debe su frialdad y su superficialidad intemperante a la prevención más o menos inconsciente del crítico ante la realidad, la que está ahí, en el libro que lee de reojo, la que está ahí, aguardándolo entre las calles y los años, y la que está ahí, agazapada en su corazón. O dicho con menos retórica: que tienen miedo. Tal vez por eso te he contado una anécdota que de alguna manera no me honra: porque no quiero parecerte esa clase de cobarde que disimula su temblor. Supongo que lo que sucede es que tras leer tu libro y una frase de Benedetti sobre tus personajes (seres que mencionan «el fracaso esencial de todo vínculo, el malentendido global de la existencia, el desencuentro del ser con su destino»), he comprendido que somos amigos.

Los amigos se ofrecen su casa. Los amigos se hacen visitas. Yo estaba solo en mi despacho, fumando. Tabaco no me falta nunca; a los vicios hay que cuidarlos, tú lo sabes. Si no, desaparecen y nos dejan algo curioso y, en apariencia, incongruente: un hueco que duele. Incongruente en apariencia, pues a los mutilados les duele en ocasiones el cartílago de una pierna que ya no existe. He encendido otro cigarrillo cuando he creído escuchar el sonido del timbre. Al cruzar de nuevo el pasillo hacia la puerta vuelvo a ver el reloj: dice que son las cuatro y media: ¿de qué mes, viejo, de qué año, de qué era? ¿Para quién, viejo, para qué? Reprimo un vago deseo de escupirle. Llego hasta la puerta, dejando tras de mí la tiniebla del pasillo y las habitaciones apagadas. El hombre encanecido me mira. Recuerdo: «tengo muchos períodos de depresión absoluta, de sentido de muerte, del no sentido de la vida. Tal vez un buen régimen, un buen médico...» En ese rostro creo advertir que esa lamparilla de esperanza encendida a la ciencia, con un temblor entre supersticioso y exigente, también se está apagando ya. No sé qué decirle a Juan Carlos Onetti. A otro podría decirle cualquier estupidez cortés. Ante él y de madrugada, las palabras reclaman su verdadero precio o se vuelven contra nosotros. Al fin me aparto para que pase y le pregunto a qué distancia queda Montevideo. Sonreímos: le estamos gastando una buena broma al espacio. Le digo que me siga. Por favor, trata de no hacer ruido en el pasillo mientras llegamos al despacho, y perdona que no encienda la luz: podría despertar a mi mujer, o a mi hija. Qué curioso: jamás he sentido rencor por su implacable capacidad para dormir. Al contrario: me emociona verlas dormidas, andar de puntillas para que no despierten. No, no es eso. Lo que me emociona es saber que ellas siguen allá arriba, en ese mundo que tal vez tenga algunas compensaciones sólidas, ahí donde se duerme con puntualidad y la conducta es hermosa como la simetría; es eso lo que me emociona mientras me deslizo para no despertarlas: saber que no bajan hasta aquí, a este barranco, que aquí me dejan solo, y es lo mejor, porque aquí no podría darles ni aceptarles nada, y todos nos sentiríamos extranjeros unos de otros, viudos unos de otros, viudos vivos. Mejor que sigan allí. Mira: tiene cuatro años. Es bonita, ¿no? Qué sórdido que vaya a haber guerra atómica, quizá antes de que sea adulta. Lo pienso a menudo, la imagino muriendo abrasada entre millones de abrasados. Es linda, ¿verdad? No sé lo que le espera: la amo. Mira al lado: es su madre. Es mi mujer y yo la amo. De acuerdo, de acuerdo, eso hay que demostrarlo. Como puedes comprender, aún no he aprendido a demostrar esas desmesuras, y creo que ya es tarde para aprender. Incluso para demostrárselo a ella. Incluso para creerlo yo mismo: en ocasiones yo también «me alejaba —loco, despavorido, guiado, del refugio y de la conservación, de la maníatica tarea de construir eternidades con elementos hechos de fugacidad, tránsito y olvido». Y nunca he sabido si regresaba por cobardía o por convicción; y aunque fuese por convicción, se trataría de una convicción agrietada, algo demoníaca y vieja: como el cristal de un coche después de un balazo. Aparte de que, en efecto, a veces «me alejaba, loco, despavorido», y eso, queramos o no, es irreversible. Por supuesto: si un día, en contra de todos los pronósticos, me abandonase, yo mostraría quizá todos, absolutamente todos los gestos del desconcierto, y tal vez de la desolación, pero creo que allá al fondo una parte de mí encontraría que es lógico. Que la venganza es lógica. Bueno, vámonos, no vayamos a despertarlas. Ven, voy a mostrarte algo. Te he dicho que la venganza es lógica. Bien lo sabes tú: «El infierno tan temido» no es otra cosa que la demostración de la increíble lógica de la venganza; bueno, también es otra cosa: una moraleja: o nos comprendemos o nos destruimos pero totalmente; o bien: vamos a tratar de entendernos a fondo, o la venganza que sobreviene al hecho de no conseguirlo nos destruirá, del todo. Bueno, mira: éste es mi despacho. Con la luz encendida, como ahora, se ve todo esto, la hermosa impertinencia de unos miles de libros, algunas fotografías, discos, objetos. Pero espera que apague la luz. Antes, siéntate. Me alegra que hayas venido. De verdad. Voy a mostrarte algunas de mis obsesiones. Mira fijamente hacia ese rincón y no dejes de mirar cuando apague. Ahora ya no hay luz. ¿Ves algo? Te ayudo. Un hombre con una frente inmensa y unos ojos casi inhumanos obliga a beber alcohol puro a otro hombre, éste vestido de delegado de una Convención. ¿Recuerdas bien los hechos? A Edgar Poe (me niego a usar el Allan de aquel bienintencionado cretino) lo emborrachó un miembro de un partido político para arrancarle el voto cuando Poe llegara a la semiinconsciencia; ese voto era necesario: ya entonces los Estados Unidos eran una democracia. Recuerdas bien que Poe murió a consecuencia de aquella borrachera, motivada por aquel voto. Sin duda, hubiera muerto sin esa ayuda, y pronto; ya estaba condenado. Lo había condenado todo Baltimore. En realidad, ese funcionario al que Poe ahora obliga a ingerir alcohol durante toda la eternidad, o al menos mientras yo conserve mi ética, no es más que un símbolo. Pero la imagen no carece de hermosura. ¿Carece de hermosura, Onetti? Fíjate con qué pericia Poe vierte alcohol en esa boca sin derramarlo, apenas unas gotas en la pechera de la camisa. Y qué fuerza la de ese pobre dipsómano para sujetar al funcionario y resistir su cara de terror. Mira a ese otro lado, Juan Carlos: ese que está colgado es Smerdiakov; a sus pies, Iván Karamazov, pero ya no abofetea a su hermano por haber sido capaz de *hacer* algo que él sólo pudo *imaginar* que podría hacer; ahora ha reflexionado y se dedica a otra cosa; para esa dedicación era necesario Nietzsche: ahí lo tienes, frente a Iván. Iván lo mira, no le dice nada, ya le pidió que explicara coherentemente su convicción de que el hombre debe ser superhombre, y Nietzsche no pudo responder. Ahora está frente a Iván, sufriendo los horrores de la locura y sufriendo también la desgracia de los Karamazov, una desgracia que araña desde la mirada de Iván, el cual no le permitirá jamás volver el rostro. Sí, Juan Carlos: ¿por qué no vengarse en un loco? ¿Qué privilegio tiene un loco que no deba tener cualquier ser humano? Ahí lo tienes. Mientras tanto, Smerdiakov sigue balanceándose para siempre. Mira un poco más hacia tu izquierda. Lo que ves no te será extraño: son la Maga, Horacio Oliveira y todo el grupo. Están hablando de metafísica. Rocamadour acaba de morir, y sólo Oliveira lo sabe. No quiere decirlo, desea

ahorrar unas horas de sufrimiento a la Maga, y habla de Metafí-
xikah, como si aún no supiese que el niño ha muerto. Es una de
las situaciones más grandes de toda la literatura universal. Pero
no la tengo ahí por eso. Si haces oído —en seguida voy a callar-
me— oirás la voz de Rocamadour diciendo: «De todos modos
estoy muerto, Horacio»; y sólo Horacio puede oír esa voz, una
vez y otra, hasta el fin del tiempo, mientras procura no enloquecer mediante el desprestigiado procedimiento de tratar de averiguar qué le sucede al mundo. Ahora me callo: escúchalo tú a
Rocamadour. Al lado puedes ver a dos personajes muy familiares para ti: son Gracia César y su marido, Risso; pero aquí Risso
no se ha concedido el beneficio de un suicidio: ella continúa
enviándole las feroces fotografías en donde Risso la ve desnuda
con los otros, y él ha tomado la resolución de no ver en esas
fotos más que amor, de manera que Gracia puede estar injurián-
dolo eternamente y no conseguirá de él otra cosa que un amor
que ya es meticulosamente inhabitable. Sé, Juan Carlos, que va
a llegar un día en que Risso comience a besar las fotografías
conforme las vaya recibiendo. Pero aún falta mucho para eso:
unos cuantos años, cuando ella haya envejecido y su cuerpo sea
nauseabundo y sólo quede juventud en la furia de la venganza y
en la bestialidad de ese amor asombroso y abominable. Déjalos,
aún les aguardan unos años malos. Inclina un poco la mirada
hacia abajo. Ese de ahí es Mateo. La rubia que hay frente a él es
Ivich. A primera vista, Mateo está fastidiado por la falta de
coraje de Ivich para aceptar la angustia, y, como una bofetada
contra esa impotencia de Ivich, ha resuelto clavarse un cuchillo
en la mano. Se diría que Mateo quiere demostrar a Ivich (este
Sartre, siempre demostrando) que la desesperación sin destino
carece de sentido. Mentira: lo que hace Mateo es tratar de enamo-
rar a Ivich, sabe muy bien que si logra acostarse con esa muchacha será a costa de alguna trampa de ese género; lo que desea de
verdad es algo más que acostarse con ella: alienarla en Mateo.
Por ello, esa situación estaba también empapada con venganza:
si observas durante un tiempo advertirás que cada tres minutos
Mateo arranca el cuchillo de su mano y vuelve a clavarlo. Así.
Así, hasta que se lo lleven a la guerra. Y le duele. Le duele cada
vez más: mucho. Pero no sabe aullar. Mateo no sabe aullar.
Sartre no sabe aullar. Mira bien: Ivich ya se ha aburrido, y de
vez en cuando se fija en el modelito de alguna francesa elegante
que acaba de pasar o que se dispone a salir. Ivich se aburre y
Mateo no logra aullar, ni puede detener su mano, su cuchillo, su

cochina demostración. Ivich y el cuchillo, de vez en cuando, bostezan.

La venganza, Juan Carlos. Todo el mundo se venga de algo, y muchos son tan desafortunados que ni siquiera saben de qué. Pero es la venganza, esa esposa legítima del miedo, la que mueve la tierra. El universo tiene un movimiento de traslación alrededor del miedo y un movimiento de rotación alrededor de la venganza. Cuando advertí que yo formaba parte del mundo, y que esto era ya irreversible, comencé a pensar que faltaba algo en mi despacho de trabajo. Poco a poco, durante años, fui dándome cuenta de qué era lo que faltaba: mi granito personal de agresión. Es lo que estás viendo, con la luz apagada. César Vallejo constantemente resucitando, eternamente resucitando en París, bajo la lluvia, con una soga en la mano, resucitando sin remisión y gritando, pero ahora con violencia: «¡amadas sean las orejas sánchez!». Don Quijote degollando displicentemente todas las ovejas de los propietarios de Wall Street. Y allí el Bosco, dialogando con Lovecraft: están reuniendo sus imaginaciones para confeccionar una criatura definitivamente abominable. Y Charlie Parker incendiando no un cuartucho barato de un hotel de tercera, como lo imagina Cortázar, sino un fardo de acciones de una compañía petrolífera, masticando coca y seguro de que inmediatamente va a lograr inventar una melodía muy dulce y muy nerviosa e interpretarla con un saxofón viejo como jamás logró hacer música: por eso sonríe. Y Verlaine, con una desesperación altanera, cerrando la puerta: Rimbaud, fuera, suplica, gimotea; esa puerta es magnífica, Juan Carlos: los golpes no se oyen desde dentro: Verlaine no escucha los golpes de Arthur, sólo el sonido de su propia venganza. Y aquella pareja que sonríe, no te alarmes, no es un descuido: ellos son Byron y su hermana; son meticulosamente felices por entre el escándalo meticuloso de toda Inglaterra. Dejémoslo aquí. Encendiendo la luz. A la luz pálida de esas tres pequeñas bombillas, los libros tienen algo de inconcreto, de humano. Si quieres alguno, quédatelo. Voy a traerte vino. Ahí tienes tabaco. Sí, en esta foto Kafka tiene unos treinta años; yo, un poco más: «A esta edad es cuando la vida empieza a ser una sonrisa torcida.» Eso está en la página cincuenta y tres de *La vida breve*, un libro que tú has escrito y que, como todos los tuyos, jamás dejará de vengarse de ti. No hay salida. Estoy contento de que hayas venido. Voy por algo de beber, vuelvo en seguida y charlamos, si quieres. Y si lo deseas, te traigo una manta; hace frío, comienza a amanecer.

[Publicado en *Cuadernos Hispanoamericanos,* núm. 234 (junio 1969), pp. 710-720. Recogido en *Mi música es para esta gente* (Madrid, Seminarios y Ediciones, S. A., 1975), pp. 26-40.]

II
ESTUDIOS PARTICULARES

CONCIENCIA Y SUBJETIVIDAD EN *EL POZO*

El pozo es la primera expresión creadora de Juan Carlos Onetti. Pocos autores como éste dan la impresión, en América Hispana, de nacer tan desde sí mismos, con tanto brío propio, con dolor natural, lejos al parecer de motivaciones culturales. La experiencia subjetiva es en él la suprema conformadora, exhibiendo un carácter de aplastante verdad:

Hay sólo un camino. El que hubo siempre. Que el creador de verdad tenga la fuerza de vivir solitario y mire dentro suyo [1].

Quizá sea esa verdad la que haga de *El pozo* una obra engañadora a los ojos del lector impaciente. Su breve extensión —apenas 50 páginas en la reedición de 1965 [2]— pareciera no estar de acuerdo con los contenidos de experiencia que nos entrega. Cierta indiferencia ante el lenguaje, una soberana despreocupación por el estilo se deja sentir adicionalmente como opuestos a más de algún intolerante hábito estético.

El fragmentarismo de su composición contribuye también a esa falaz impresión negativa. Los dieciocho fragmentos en que se presenta —sin numeración de ningún tipo y sólo separados por espacios en blanco— no evidencian a simple vista su ley y se muestran como productos de una yuxtaposición dispersiva. Publicado en 1939, a los treinta años de vida de Onetti, *El*

---

[1] *Marcha*, I. Citado por ANGEL RAMA, «Origen de un novelista y de una generación literaria». Se trata de un estudio que sigue a la 2.ª edición de *El pozo* sobre la que informamos en la nota contigua.

[2] JUAN CARLOS ONETTI, *El pozo*, Montevideo, Edit. Arca, 2.ª ed., 1965. Citamos por esta edición.

pozo ha sufrido el destino de toda obra inicial. La crítica la ha considerado sobre todo con perspectiva general, en relación con la producción posterior del novelista. Así, penetrantes observaciones y acertados puntos de vista han perdido eficacia analítica al descuidar la notable singularidad del relato[3]. En principio, creemos que no se ha concedido a *El pozo* toda la detenida atención que merece. Es, a nuestro juicio, una obra de arte incomparable, de severa esencialidad tras su aparente fragmentarismo, poderosamente expresiva, gracias a su misma expresión elemental y primitiva[4]. Es, en suma —afirmación que orientará lo que expondremos—, un original documento acerca de la subjetividad y de sus formas de autoconciencia en un momento histórico que todavía nos pertenece.

I

Hace un rato me estaba paseando por el cuarto y se me ocurrió de golpe que lo veía por primera vez. Hay dos catres, sillas despatarradas y sin asiento, diarios tostados al sol, viejos de meses, clavados en la ventana en el lugar de los vidrios.
Me paseaba con medio cuerpo desnudo, aburrido de estar tirado desde mediodía, soplando el maldito calor que junta el techo y que ahora, siempre, en las tardes, derrama dentro de la pieza. Caminaba con las manos atrás, oyendo golpear las zapatillas en las baldosas, oliéndome alternativamente cada una de las axilas. Movía la cabeza de un lado a otro, aspirando, y esto me hacía crecer, yo lo sentí, una mueca de asco en la cara. La barbilla, sin afeitar, me rozaba los hombros.[5]

En estas primeras líneas, el personaje que narra toma bruscamente conciencia de su contorno. Lo decisivo de la experiencia queda acentuado por su carácter instantáneo e inaugural: *de golpe, por primera vez.* Se trata, por lo tanto, del surgimiento de

---

[3] Además del ensayo de Angel Rama, son contribuciones valiosas: Emir Rodríguez Monegal. «Juan Carlos Onetti y la novela rioplatense» (1951). Recopilada en *Narradores de esta América,* Edit. Alfa, s.f. Mario Benedetti. «Juan Carlos Onetti y la aventura del hombre», pp. 76-95. En *Literatura uruguaya siglo XX,* Edit. Alfa, 1966. Alberto Zum Felde, *Indice crítico de la literatura hispanoamericana. La narrativa,* t. II, pp. 463-468. México, Edit. Guaranía, 1959.

Como se ve, el estudio de Onetti ha quedado prácticamente reducido a su patria. No hemos podido ver el libro, tan citado, de James E. Irby sobre la influencia de William Faulkner.

[4] *Primitivismo elaborado* en una fórmula de Aldo Prior («J. C. Onetti, *Los adioses».* Sur, 230, septiembre-octubre, 1954.)

[5] *Op. cit.,* p. 7.

una evidencia, en que el cuarto y los objetos que lo integran son percibidos súbitamente por su habitante cotidiano.

De este modo, la conciencia perceptiva, despertada de un sopor mecánico, *funda* su entorno material, en una forma semejante a la de cierto teatro actual que introduce los elementos escénicos en el momento mismo de la representación.

La fundación subjetiva del hábitat permite que la deficiencia de los objetos se haga fuertemente significativa. Prefijos y preposiciones indicadores de privación *des*patarradas, *sin*...), significaciones negativas y estados de sustitución expresan estilísticamente la índole de las objetividades que, de esta manera, nos dan una dimensión tangencial del individuo que entre ellas habita.

Esta conciencia constituyente se ensancha aún más en el segundo párrafo. La zona de percepción no son ahora los objetos cercanos, sino la exterioridad inmediata del cuerpo. Las vías sensoriales llevan todas a ese fin único: *oyendo, oliéndome, yo lo sentía, me rozaba.* En virtud de esta concentrada atención en sí mismo, el sujeto se va construyendo en su múltiple corporeidad. En la medida en que existe una línea de dirección espacial que oriente la descripción, podemos decir que el sujeto nace y se yergue en ese mismo momento entre nosotros. Se constituye para sí mismo, desde las zapatillas que oye hasta el propio rostro que adivina. Esta conciencia progresiva del cuerpo culmina en la forma más directa e inmediata de aprehensión: en el sentido del tacto *(me rozaba),* que suministra al personaje la natural experiencia del cuerpo como carne. Pues mientras los demás sentidos instauran una evidente distancia ante el cuerpo individual, del cual perciben algo así como ecos o presunciones lejanas, el tacto identifica al sujeto en su más primaria materialidad.

Entretanto se ha podido dibujar con más claridad la situación del personaje sin nombre, que después reconocerá llamarse Eladio Linacero. Es un individuo acosado, que halla en su cuarto el incompleto refugio contra una exterioridad que lo hostiliza. El ímpetu acumulativo e invasor de esta fuerza se condena en *el maldito calor,* que lo aplasta y lo oprime, convirtiendo la pieza en un inhóspito infierno. El sol, entonces, antes que principio de fecundidad y de vida, es un factor maléfico, pues representa una naturaleza que amenaza al hombre y deteriora las cosas [6].

---

[6] Este sol denigrante de *El pozo* anticipa la visión poética de la *luz mala* de *Tierra de nadie* (1941). En esta novela la luz diurna entra en tenaz discordia con las fuentes de luz artificial (lámparas, faroles, etc.).

Ocurre, en seguida, el paso a la conciencia evocativa:

Recuerdo que, antes que nada, evoqué una cosa sencilla. Una prostituta me mostraba el hombro izquierdo, enrojecido, con la piel a punto de rajarse... (p. 7).

La conciencia evocativa, aquí y en la totalidad de la obra de Onetti, poseerá como rasgos persistentes el ser fragmentaria y obsesiva. Lo evocado es siempre un detalle, un aspecto parcial de una determinada realidad. En ese punto único se fija la atención tensamente, como hipnotizada. En el caso presente, el dato evocado es una herida de la piel, especie de huella sádica que anticipa un episodio central del libro.

Estos dos modelos de conciencia, el perceptivo y el evocativo, se interpenetrarán a menudo en las decisiones de Onetti. Hay que tener en cuenta que la conciencia perceptiva se caracteriza por una tendencia totalizadora, que la lleva a abarcar estímulos que no pertenecen a su foco actual. Un solo ejemplo:

Estábamos solos, ni siquiera vecinos para escuchar, como la otra tarde, con aquella voz de mujer que decía:
—Y bueno, porque soy una arrastrada es que no me gusta ver rodar a otras...
No podíamos verle la cara. Aquello era un lío entre prostitutas y macrós (p. 25).

Esta capacidad de ensanchamiento, de absorción de contenidos laterales forma fuerte contraste con la actitud evocativa. Sin embargo, y por eso mismo, sucederá a veces que cuando la percepción exhiba un carácter fragmentario, habremos de subentender una oculta disposición evocativa. Un personaje que contempla hosca y concentradamente sus uñas; otro que visualiza con obstinación un mínimo ángulo del techo, nos advierten que, en verdad, están vueltos hacia sí mismos, hacia los depósitos de la memoria o, en general, de su intimidad [7]. En Onetti, la percepción fragmentaria es conciencia que, al percibir, evoca. Es un recurso común al mejor cine de nuestros días: el de Antonioni o de Truffaut, por ejemplo, en que el moroso detenimiento ante lo insignificante se hace vehículo para ahondar en la interioridad de los personajes.

A la inversa, también la conciencia perceptiva impregna a

---

[7] Cf. *Tierra de nadie*, pp. 11, 47 *passim*, Montevideo, 2.ª ed., 1955.

ciertas evocaciones con estructuras propias, confiriendo independencia a las imágenes evocadas. Así, la nitidez de los recuerdos desprende a éstos de su contexto y les otorga un delineamiento de contornos que compensa el aura de ausencia que los rodea. En el naufragio de la memoria, lo evocado resulta entonces un sobreviviente, un miembro rescatado que se nos impone con relieve y de modo acuciante.

Es sorprendente que en el comienzo de *El pozo* aparezcan ya las tres formas básicas de conciencia que utilizará Onetti a lo largo de toda su obra. A las formas mencionadas, sigue inmediatamente la conciencia imaginativa:

Después me puse a mirar por la ventana, buscando descubrir cómo era la cara de la prostituta (p. 8).

No hay aquí verdadera evocación, pues antes el personaje se ha convencido de que no podrá reconocer el rostro de la mujer. Lo que hay es una actitud imaginativa que opera en forma básica con el fin de completar lo que se evoca parcialmente. Trata de restituir su integridad a la figura, creando nuevas imágenes que se instalen en los vacíos más evidentes.

Sobre estas formas diversas de conciencia funda Juan Carlos Onetti un método claro, gracias al cual podrá aplicar originales técnicas descriptivas. Pues el efecto alucinante que producen sus figuras, sus situaciones novelescas y paisajes, resulta de la sabia superposición de elementos percibidos, datos evocados e imágenes proyectadas. El aspecto fantasmagórico de su mundo deriva, por lo tanto, de una composición que arquitectura pacientemente el caos, aglutinando en un punto de encuentro materiales traídos desde campos heterogéneos, coagulando en una misma existencia tiempos incongruentes. He aquí un maravilloso retrato, escindido de una novela tan tardía como es *El astillero* (1961):

Porque el pelo largo, opaco, con las puntas retorcidas y más oscuras, colgaba *sin edad* contra la camisa de la mujer; y de la forma de lirio, de cerradura, de pelo metálico, salía la cara pálida, *con arrugas recientes,* con desgaste y pintura, *con pasado,* con su risa estridente que no se reía de nada, que sonaba, inevitable, como hipo, como tos, como estornudo [8].

---

[8] Subrayamos nosotros. Buenos Aires, Fabril Editora, 1961, p. 19.

La cabeza de la mujer parece estar constituida por retazos unidos al azar, que le prestan una apariencia extravagante e increíble. En cada una de sus partes se deposita una temporalidad diferente: la duración presente de la risa, el rostro envejecido, el pelo mineral y definitivamente sin tiempo. Estamos ante un arte constructivo de visible eficacia que se apoya, en última instancia, en los múltiples modos de referencia con que alguien es aprehendido por otro. Gracias a él, conquista Onetti cimas de creación, al dominar una irrealidad que brota como extraña conciencia, por parte de la realidad, de sus propias y asombrosas posibilidades.

Mediante hábiles referencias indirectas se ha ido conformando ante nosotros una personalidad escindida, que oscila entre la indiferencia y la irritabilidad, la distancia y la indignación. Inestable, hipertenso, el protagonista nos confiesa ahora su repugnancia para después hacernos creer que es neutral frente al espectáculo del mundo. Todo el primer fragmento expresa adecuadamente esta íntima oposición. Como en un bajorrelieve temporal, podemos observarla en el párrafo en que se recuerda a la prostituta:

Date cuenta si serán hijos de perra. Vienen veinte por día y ninguno se afeita. [...] Y lo decía sin indignarse, sin levantar la voz, en el mismo tono mimoso con que saludaba al abrir la puerta (p. 8).

El desacuerdo entre la frase y la actitud traslada, entonces, a la esfera de otro personaje, la ambivalencia del protagonista —*triste y rabioso* a la vez, según se nos dice en otra parte.

Este mismo fenómeno puede observarse en relación con Linacero y su propósito principal:

No tengo tabaco, no tengo tabaco. Esto que escribo son mis memorias (p. 8).

La preocupación dominante se disfraza mediante una mueca elusiva, al conferírsele mayor importancia a otra necesidad. Engaño y verdad coinciden aquí absolutamente en la lógica obsesiva del personaje. Y este carácter accidental con que aparece revestida la redacción de las memorias, se refuerza cuando aquél nos señala los medios de que se valdrá para escribirlas:

Encontré un lápiz y un montón de proclamas debajo de la cama de Lázaro (p. 9).

El origen azaroso de la comunicación literaria quiere subrayar la falta de significación que se le atribuye, la repulsa de trascendencia con que se la encara. Este hecho se suma a la negativa de aceptar el sentimiento de autocompasión que, por el camino de una complacencia ante lo patético, pueda desviarlo hacia un embellecimiento romántico de la existencia:

Pero esto no me dejó melancólico. Nada más que una sensación de curiosidad por la vida y un poco de admiración por su habilidad para desconcertar siempre (p. 8).

El ademán de presentarnos la palabra creadora como esencialmente insignificante es un rasgo marcadísimo de la novela contemporánea. Como siempre, vemos que ésta se fragua en sus formas decisivas a través de la obra de Dostoiewski:

Sí, pensé acertadamente. Además, le legaré mi manuscrito al enfermero, aunque sólo sea para que con mis Memorias tape las ventanas cuando les ponga los marcos de invierno [9].

El destino irrelevante que en esta novela se asigna al mensaje del escritor es correlativo con la génesis humillada, materialmente espuria, de que Linacero nos informa. Por supuesto, tal recusación de trascendencia esconde una tenaz voluntad de comunicación, que se avergüenza de su necesidad de prójimo sólo porque experimenta un pánico ciego a fracasar.

Por otra parte, la cita última nos pone en una justa perspectiva para valorar la situación de *El pozo* en la historia de la subjetividad contemporánea. En efecto, cualquiera sea la relación de hecho existente entre el relato de Onetti y las *Memorias del subsuelo* dostoiewskianas (1864), es ostensible su honda y recíproca afinidad. En consecuencia, las observaciones que siguen no pretenden estudiar fuentes, pues la única fuente verdadera es siempre, en Onetti, la experiencia subjetiva de donde todo dimana; sólo aluden al moldeamiento que la obra del escritor ruso ejerce sobre los contenidos concretos que nos comunica el uruguayo.

Las *Memorias del subsuelo* cumplen un importante papel en la evolución literaria de Dostoiewski, pues es precisamente el *hombre del subsuelo* el que dará origen a los grandiosos persona-

---

[9] *Humillados y ofendidos,* trad. de Cansinos Assens. Edit. Aguilar, t. I, p. 936.

jes de sus novelas mayores [10]. Por primera vez Dostoiewski expresa, o se atreve a expresar, aquel *cambio radical de la existencia* que será el centro secreto o la manifiesta tentativa de sus héroes. El subsuelo es, de este modo, no sólo la madriguera del hombre del relato, sino sobre todo los parajes subterráneos donde se opera la transformación de las criaturas dostoiewskianas. En este sentido, la novela representa la prehistoria espiritual de las figuras en el propio seno del creador, el desprendimiento doloroso de su mundo definitivo. El novelista que comenzó traduciendo a Balzac, que escribió cuentos y narraciones a la manera de Gogol, que ha pasado ya por su experiencia del penal siberiano, que ha escrito hace algunos años su gran novela *Humillados y ofendidos* (1861), sólo en estas *Memorias del subsuelo* cobra autoconciencia decisiva de su creación.

El pozo representa, para Onetti, algo equivalente: el estrato primario, todavía oscuro y pululante, de donde surgirán lo seres que habrán de habitar las tierras de su invención. En él leemos:

Porque un hombre debe escribir la historia de su vida al llegar a los cuarenta años, sobre todo si le sucedieron cosas interesantes. Lo leí no sé donde (p. 6).

Es curioso que en las *Memorias del subsuelo* se subraye la misma edad como referencia temporal desde la que escribe el personaje:

hace mucho tiempo, unos veinte años, que voy tirando así, y ya tengo cuarenta [11].

Pero la edad por sí sola no es tan decidora como la relación establecida entre el momento de la escritura y el acontecimiento, aquel que se supone ha provocado la transformación del personaje o la ha hecho irrevocable. En *El pozo* el episodio central se sitúa en la adolescencia, a los 15 o 16 años de edad de Linacero; en las *Memorias,* unos 20 años atrás (a los 24, se precisa en la

---

[10] Toda la crítica dostoiewskiana acentúa esta idea. Dos novelistas actuales que se refieren a la significación de las *Memorias* son: COLIN WILSON, en *El desplazado* (Madrid, Taurus, 1957, pp. 175 ss.) y NATHALIE SARRAUTE, en *L'ere du soupçon* (Gallimard, 1966, pp. 44 ss.).

[11] Trad. cit., p. 1455. Tb., pp. 1456 *passim.* Cf.: «Tal es el resultado de una experiencia de cuarenta años. Tengo ya cuarenta años y cuarenta años son toda la vida; son la edad que casi todo el mundo confiesa. ¡Vivir más sería indecoroso, despreciable, inmoral! ¿Quién podría vivir más de cuarenta años?».

segunda parte del relato). En todo caso, la clave determinante en que ambas obras concuerdan es la división fulminante de la existencia que el suceso produce.

A esta nota externa corresponde la índole íntima de la experiencia, que no es un aerolito fatal que sobrevenga al individuo, haciendo de él una víctima romántica, sino una experimentación voluntaria en sí mismo, libremente buscada y consumada. Es, por sobre todas las diferencias concretas en ambos autores, un acto de culpa, un acto definitorio de la propia personalidad, su hijo único y su obra solidaria. En este acto el individuo se reconoce porque sólo en él se individualiza, siendo su fuente exclusiva y permanente de autoconciencia.

En este parangón no nos interesan los hechos de superficie, que no son escasos. Por ejemplo, la atmósfera de nieve que rodea la evocación del suceso principal en *El pozo* puede compararse a la que origina el recuerdo en la segunda parte de las *Memorias del subsuelo:* «A propósito de la nieve derretida.» De más alcance, en cambio, son estos elementos comunes:

a) la relación entre el protagonista y el criado Apollón, que es, en muchos rasgos, idéntica a la de Linacero con el obrero Lázaro. La convivencia en el mismo domicilio, la deuda de dinero que está por medio, el ceceo de Apollón y el acento extranjero de Lázaro, la lectura nocturna de salmos que realiza el criado y los libros de economía que en la mañana estudia el obrero, son sólo factores materiales para novelar el tenso antagonismo de opresión y dependencia que instaura la compañía;

b) resulta sorprendente que Dostoiewski y Onetti echen mano a la misma ley para expresar la relación humana de uno con los demás y que atribuyan a esa ley una rotunda significación universal. Esta ley puede ser resumida en una fórmula simple, que no dice en su diminuta concisión todo lo que ha valido para el desarrollo de la subjetividad: *yo - frente a - todos.* Esta noción organiza las *Memorias del subsuelo* en forma perfectamente simétrica:

Y, después de todo, para un hombre que se estime, ¿qué tema de conversación más agradable?
Respuesta: él mismo.
Bueno; pues de mí mismo voy a hablar (p. 1456).

En este fragmento I de la novela, la perspectiva autobiográfica centra su objetivo en el reino excluyente del yo. Pero, por supuesto, tal punto de vista no resulta sólo de las restricciones memorialistas, sino de una entrañada valoración: el yo es el gran tema, el tema en sentido absurdo. Y esta actitud, postulada a los cuarenta años, más bien es el producto de una frustración comunicativa. El desamparo y el ostracismo de la individualidad se señala con nitidez en el fragmento I de la segunda parte, «A propósito de la nieve derretida»:

Había, además, otra circunstancia que me acongojaba: ninguno se parecía a mí, ni yo me parecía a ninguno; "yo soy sólo uno de ellos y ellos son todos", recapacitaba y me quedaba pensativo (p. 1447).

De este modo, la sospecha y la reflexión acerca del apartamiento en que se está frente a los demás y acerca del carácter absoluto que exhibe, se presenta en el exacto centro de la obra dostoiewskiana. La vía para una incorporación a la esfera de los otros, ansiosamente buscada por el protagonista, fracasará. La experiencia de la afrenta o, mejor, de la humillación, le dará una débil pero segura intuición de una síntesis que funda verdadero sentido. Ella se encuentra, como era de esperar, en el último fragmento del relato:

Sé de sobra que puede suceder que os encolericéis, pongáis el grito en el cielo y pateéis de rabia. "Habla —me diréis— sólo en tu nombre, y a causa de todas esas miserias de tu sótano"; pero no te atrevas a decir: *Nosotros todos*. Pero yo me disculpo por haber empleado esa forma de *nosotros todos* (pp. 1522-23. Lo destacado pertenece al mismo texto).

De acuerdo con el itinerario concreto del protagonista, la sucesión es ésta: *yo solo - ellos todos; nosotros todos* (no asumido); *yo mismo*. Sin embargo, en la temporalidad determinada del relato, la fase final es la de *nosotros todos,* suma posible de dispersar individualidades, muy lejos todavía de fundar un sujeto colectivo.

En *El pozo* las articulaciones de esta dialéctica están menos marcadas, pues no hay en él la estricta disposición simétrica; pero ellas existen y poseen un desenlace semejante. La reclusión en el subsuelo de las *Memorias* equivale en *El pozo* a la sumersión y la entrega a los poderes ciegos de la noche. Antes de dilucidar esto, fijemos los hitos de este desarrollo:

a) No tenía más que una camisa remangada y, mirándole el trasero, me dio por pensar en cómo había gente, toda en realidad, capaz de sentir ternura por eso (p. 8).

El primer choque entre el personaje y la *gente, toda en realidad,* surge a propósito de la actitud común ante el cuerpo desnudo de un niño. Con esto se ha ido constituyendo, ya en las primeras páginas de la novela, una secuencia significativa que halla su unidad en la esfera de la carne: la mueca en el rostro, el hombro lastimado de la prostituta, las nalgas al aire del niño. El tema, así insinuado, tendrá su eclosión en el suceso capital del libro, el episodio de Ana María:

b) Después de la comida los muchachos bajaron al jardín. (Me da gracia ver que escribí bajaron y no bajamos.) Ya entonces nada tenía que ver con ninguno (p. 12).

Es cronológicamente el primer momento de escisión del personaje de grupo. Es un adolescente de 16 años y está a punto de realizar una experiencia decisiva. Sin embargo, esta actitud de apartamiento se encuentra en veraz contradición con el anhelo oblicuamente expresado a través de la atmósfera, henchida de un presentimiento esperanzado de comunión humana:

Era una noche caliente, sin luna, con un cielo negro lleno de estrellas. Pero no era el calor de esta noche en este cuarto, sino un calor que se movía entre los árboles y pasaba junto a uno como el aliento de otro que nos estuviera hablando o fuera a hacerlo (pp. 12-13).

Y está, a la vez, en desacuerdo con la tentativa que efectúa en seguida el protagonista, cual es la de entablar un vínculo, aunque forzado y negativo, con otra persona, que actúa como individualización encarnada de todos los demás.

c) La poca gente que conozco es indigna de que el sol le toque la cara. Allá ellos, todo el mundo y doña Cecilia Huerta de Linacero (p. 35).

El enfrentamiento se produce ahora durante el matrimonio de Linacero, en un tiempo en que el amor ha dejado paso al vulgar deslustramiento de las cosas, al deterioro de la vida emocional y a la pérdida de lo sorpresivo y maravilloso que contienen los sentimientos.

d) Estoy cansado; pasé toda la noche escribiendo y ya debe ser muy tarde. Cordes, Ester y todo el mundo, menefrego (p. 54).

En el enérgico dialectalismo vemos definitivamente clausurado el intento de apertura hacia los demás. El ademán despreciativo brota una vez frustrada la comunicación de los sueños, primero ante la prostituta Ester y luego ante el poeta Cordes.

La actitud adolescente (b), la actitud adulta (c), dejan lugar a la frustración total (d), que se hace entonces permanente en él (a). Así, cerrado el camino hacia los otros, puede decir Linacero con dolorosa coherencia lo que el protagonista de *Las Memorias:*

Es cierto que no sé escribir, pero escribo de mí mismo (p. 9).

Es claro, por lo expuesto, que existe una identidad substancia en la regulación de ambas experiencias. Esta identidad se extrema si atendemos a la vía por la cual los protagonistas de las dos memorias pretenden superar su frustración comunicativa. Ella no es otra que el carácter público que han de tener los escritos, el ser confesiones ante los demás. De este modo, la experiencia que no pudo ser anticipada en las situaciones concretas de existencia, podrá ser compartida por los hechos. En ellos, por lo menos, se ofrece la posibilidad de encontrar verdadera adhesión afectiva. En este intento de hacer público lo privado entran nuevamente en juego ambivalentes actitudes ante el presunto carácter literario de las Memorias. Pero sobre esto volveremos después. Por ahora, baste destacar que ese intento genera, en ambos relatos, una conducta agresiva contra el lector. Los matices de la relación, por supuesto, son muchísimos, y van desde la ironía y el desprecio hasta la desconfianza y la franca hostilidad. En el fondo de la relación está siempre, sin embargo, el verso final de la «Introduction», de Baudelaire, a *Les Fleurs du Mal:* «*Hypocrite lecteur, mon semblable, mon frère.*» Por esta misma razón, el antagonismo frente al destinatario se revela como otro aspecto convergente de esa recusación de trascendencia, a la que ya aludimos.

No, caballero; si no me cuido es por pura maldad; eso es. ¿Acaso no puede usted comprenderlo? Pues bien, caballero: lo entiendo yo, y basta (p. 1455).
Por lo que a mí respecta, no he hecho sino llevar hasta el último límite en mi vida, lo que vosotros, de puro cobardes, no osaríais llevar ni a la mitad; y todavía consideráis vuestra cobardía como prudencia, y queréis consolaros a vosotros mismos. Así que puede que yo esté más cerca de la vida que vosotros (p. 1523).

Desde la burla inicial al grueso y desesperado insulto con que terminan las *Memorias del subsuelo,* todo ello opera como medio de unión, de incorporación de un lector no impasible, un lector alerta que no se duerma bajo el efecto irrealizador de la lectura, sino que sienta ésta como un acto vivo de vida.

En *El pozo,* aunque en forma no tan acusada, tienen cabida a veces actitudes semejantes. El personaje oscila en él entre una despreocupada ironía y una reticencia marcada, por las cuales el lector se hace sospechoso de mala fe:

También podría ser un plan el ir contando un suceso y su sueño. Todos quedaríamos contentos (p. 11).

No hay nadie que tenga el alma limpia, nadie ante quien sea posible desnudarse sin vergüenza. Y ahora que todo está aquí escrito, la aventura de la cabaña de troncos, y que tantas personas como se quiera podrán leerlo... (p. 24).

III

Siempre inseguro y vacilante, el protagonista no se decide por la manera en que ha de escribir sus memorias. Se propone un proyecto, pero desde luego él mismo lo desecha. Ya en estas dudas y rectificaciones, podemos ver funcionando una voluntad literaria que aspira a organizar conscientemente el material de su experiencia.

El primer plan consiste en relatar simplemente las cosas que han ocurrido desde la adolescencia:

Podría hablar de Gregorio, del ruso que apareció muerto en el arroyo, María Rita y el verano en Colonia. Hay miles de cosas y podría llenar libros (p. 9).

Pero esta crónica, en que los hechos exteriores son lo único importante, es inmediatamente rechazada. El segundo plan resulta bastante opuesto:

Pero ahora quiero hacer algo distinto. Algo mejor que la historia de las cosas que me sucedieron. Me gustaría escribir la historia de un alma, de ella sola, sin los sucesos en que tuvo que mezclarse, queriendo o no. O los sueños. Desde alguna pesadilla, la más lejana que recuerde, hasta las aventuras en la cabaña de troncos (p. 10).

El centro de interés han pasado ahora a constituirlo los sueños, es decir, no los hechos reales, sino las situaciones vividas imaginariamente. Con toda claridad se precisan, de pasada, las dos distintas clases de sueños: las *pesadillas,* o sea, las vivencias concretamente oníricas, y las *aventuras,* que en *El pozo* poseen un significado muy constante: son las ensoñaciones anteriores al dormir, en que se combinan imágenes absolutamente conscientes con ciertas producciones hipnagónicas. De ahí que la palabra que mejor corresponda con su naturaleza sea la de ensueño:

Lo de Ester, lo que me sucedió con ella, interesa, porque, en cuanto yo hablé del ensueño, de la aventura... (p. 28).

Ensueño procede de *in-somnium.* Y es precisamente esta actividad insomne la fuente más fecunda de los sueños descritos en las memorias de Eladio Linacero. Mario Benedetti ha puntualizado con acierto este aspecto en la obra de su compatriota:

Hay, evidentemente, como ya lo han señalado otros lectores críticos, una formulación onírica de la existencia, pero quizás fuera más adecuado decir *insomne* en lugar de *onírico* [12].

El plan definitivo adoptado por el personaje será una síntesis de los dos anteriores. Ni sucesos solamente ni puramente sueños: «También podría ser un plan el ir contando un suceso y un sueño» —nos dice finalmente Linacero—. Y a este plan se atendrá rigurosamente, en un entramado tal que corregirá las relaciones normales entre realidad e imaginación, haciendo del sueño una forma absorbente y totalitaria de vida.

El episodio central de *El pozo* está constituido por la afrenta que Linacero infiere a Ana María. El hecho se narra en el fragmento III y es uno de los momentos más intensos de la novela.

Espontáneamente, con una plenitud que es producto fidedigno de una sabiduría esencial, se fabulan en ese episodio estructuras fundamentales de la experiencia sádica. Creemos que es esta perspectiva la que nos entrega adecuadamente el sentido del pasaje. Con este fin, recurriremos a la descripción fenomenológico-existencial que lleva a efecto Sartre en *El ser y la nada* [13]. Las

---

[12] *Op. cit.,* p. 86.

[13] Hay aquí un serio problema metodológico. No se trata de hacer de Onetti un sartreano *avant la lettre.* Sin embargo, los análisis de Sartre, por su carácter conceptual y sistemático, ayudan a desprender los contenidos esenciales que vivifican la experiencia. Pero siempre el peso del comentario tendrá que recaer sobre el texto y no sobre el sistema filosófico.

fechas advierten por sí mismas lo instrumental del acercamiento: *El pozo,* 1939; *El ser y la nada,* 1943. Debe, pues, quedar en claro que nuestro fin no es hacer de *El pozo* un documento de sadismo, cuyo valor resida en anticipar la dilucidación sartreana. Esto sería absurdo, si no fuera cómico. O mejor, irrelevante, por cuanto el mismo Sartre se sirve en sus análisis de ejemplos novelescos, y es fácil suponer que ellos podrían ampliarse al infinito. Lo que nos importa es poner la iluminación de Sartre al servicio del episodio concreto, con lo cual se obtendrá un doble resultado: por una parte, concebir la acción del sujeto no como una anormalidad extravagante y repulsiva, sino en un sentido humano esencial, en que el acto sádico es modo de vínculo intersubjetivo; y, por otro lado, entender esta experiencia como condensadora de los temas que se desarrollan en *El pozo.*

El adolescente que es Linacero aguarda a Ana María:

Estuve mucho tiempo así, sin moverme, hasta que oí ruido de pasos y vi a la muchacha que venía caminando por el sendero de arena (p. 13).

Desde este encuentro, el episodio se desplegará en tres partes bien marcadas. Primeramente, la celada que tiende el muchacho a Ana María, haciéndole creer que alguien la espera en una aislada y rústica cabaña; luego la tentativa misma, el acto sádico propiamente tal y, finalmente, el desenlace. Son ellas, por lo tanto, tres fases de un episodio dramáticamente configurado, en que el personaje intenta una experiencia decisiva del prójimo y de sí mismo.

Puede parecer mentira: pero recuerdo perfectamente que desde el momento en que reconocí a Ana María —por la manera de llevar un brazo separado del cuerpo y la inclinación de la cabeza— supe todo lo que iba a pasar esa noche (p. 13).

Para nuestro intento actual es útil fijarnos en la notación del andar adolescente de la muchacha. En la separación del brazo y en la cabeza inclinada visualizamos un movimiento grácil, captado por el narrador con singular economía descriptiva. Intuimos esencialmente la gracia de la muchacha, que convierte a su cuerpo en carne embellecida, en forma seductora. Pues la gracia, como envoltura espiritual de la carne, es siempre un factor que desencadena el proyecto sádico, según lo destaca Sartre:

Se ve, entonces, el sentido de la exigencia sádica: la gracia revela la libertad como propiedad del Otro-objeto [...]. Al mismo tiempo ella devela y vela la carne, o, si se prefiere, la devela para velarla al instante: la carne es, en la gracia, lo Otro inaccesible (p. 472).

Que es este contenido de gracia lo que está presente en la experiencia intersubjetiva del personaje, se comprueba por la pregnancia obsesiva con que sobre él actúan esas partes del cuerpo femenino:

Podía mirar los brazos desnudos y la nuca [...]. Ella entró la cabeza; y el cuerpo sólo tomó, por un momento, algo de la bondad y la inocencia de un animal (p. 14).

La acción sádica tendrá por objeto, entonces, la destrucción de esa aureola graciosa que enmascara la carne, trascender las expresiones conscientes y libres de ésta para aprehenderla en su propia inercia, en su más escueta materia. El medio común para operar esta reducción es la tortura, por cuanto la carne atormentada no puede estar ya en la disposición estética que supone la gracia, sino que se limita a ser conciencia de sí misma como carne:

Así el esfuerzo del sádico es sumir *(engluer)* al prójimo en su carne por la violencia y por el dolor, apropiándose del cuerpo del Otro por el hecho de tratarlo como carne que hace nacer carne; pero esta apropiación sobrepasa el cuerpo de que ella se apropia, pues no quiere poseerlo sino en cuanto ha sumido *(englué)* en él la libertad del Otro (p. 473).

El impulso sádico es, por lo tanto, voluntad de aprehender a la conciencia ajena como carne. Cualquiera sea la forma concreta que adopte el sadismo —posesión sexual, suplicio de prisioneros, etcétera— es ése su objeto último.

La agarré del cuello y la tumbé. Encima suyo, fui haciendo girar las piernas, cubriéndola, hasta que no pudo moverse. Solamente el pecho, los grandes senos, se le movían desesperados de rabia y de cansancio. Los tomé uno en cada mano, retorciéndolos. Pudo zafar un brazo y me clavó las uñas en la cara. Busqué entonces la caricia más humillante, la más odiosa (p. 15).

La conversión de la caricia en tortura muestra un rasgo típico del erotismo sádico: la caricia, que despierta y estimula la conciencia y la libertad en el cuerpo del Otro, pasa a ser aquí un instrumento cruel de servilización, de apropiación violenta. Por eso, el intento sádico de Linacero termina en la rendición, cuando ya la tortura humillante no despierta la rebeldía.

El desenlace del episodio abarca dos párrafos magistrales, en los que Onetti ha puesto su más concentrada vibración. Dada su importancia, los transcribimos íntegramente:

Salió despacio. Ya no lloraba y tenía la cabeza levantada, con un gesto que no le había notado antes. Caminó unos pasos, mirando el suelo como si buscara algo. Después vino hasta casi rozarme. Movía los ojos de arriba hacia abajo, llenándome la cara de miradas, desde la frente hasta la boca. Yo esperaba el golpe, el insulto, lo que fuera, apoyado siempre en la pared, con las manos en los bolsillos. No silbaba, pero iba siguiendo mentalmente la música. Se acercó más y me escupió, volvió a mirarme y se fue corriendo.
Me quedé inmóvil y la saliva empezó a correrme, enfriándose, por la nariz y la mejilla. Luego se bifurcó, cayendo a los lados de la boca. Caminé hasta el portón de hierro y salí a la carretera. Caminé horas hasta la madrugada, cuando el cielo empezaba a clarear. Tenía la cara seca (pp. 15-16).

La insistencia recae sobre la mirada de la muchacha, que con rencor, con frialdad, enfrenta el rostro del adolescente. Su mirada precede y sigue al escupo, es más terrible que éste, doblemente terrible. Ahora bien, el alcance acusador de la mirada en la experiencia sádica ha sido acentuado también por Sartre:

El sádico descubre su error cuando su víctima lo *mira,* es decir, cuando experimenta la alienación absoluta de su ser en la libertad del Otro... (p. 476).
Así, esta explosión de la mirada en el mundo del sádico hace desaparecer el sentido y el objetivo del sadismo (p. 477).

Por otra parte —y fundamentalmente— es visible en esos párrafos transcritos de Onetti cómo la saliva y la mirada modelan el rostro del muchacho. Lo plasman, le dan realidad por vez primera. El rostro propio, supremo individualizador, dota de identidad personal al sujeto. Pero su propio yo es —y él ahora lo sabe— ajeno: él se ha reconocido en la mirada de ella, su cara es producto de la afrenta con que Ana María se venga. La conciencia de sí mismo le adviene desde fuera. De ahora en adelante, será un individuo dependiente de ella, precisamente del mismo instrumento al que pretendía esclavizar. Su *yo* conquistado en este acto definitivo que lo marca para siempre, *es el yo dado por ella.*

Esta situación se hace irrevocable al morir la joven ofendida seis meses después. No es lo fundamental que esto exacerbe la conciencia de culpa del protagonista. Se trata, ante todo, de que la muchacha se lleva a la tumba el secreto de la identidad de Linacero. El yo de éste pasa a ser un yo enterrado, que él debe tratar de recuperar desesperadamente gracias al poder de sus sueños. Es sorprendente que también Sartre aluda a esta posibilidad, que conduce a su extremo la paradoja inherente al sadismo:

Lo que era yo para el otro está fijado por la muerte del otro y yo lo estaré irremediablemente en el pasado... (p. 483).

IV

Al acontecimiento real sigue, en el curso de la novela y conforme al plan previamente trazado, la aventura que el memorialista pasa a describirnos. Esta es, en esencia, una libre construcción imaginaria sobre la base de lo vivido. En este sentido, es posible hablar, de acuerdo con lo dicho al comienzo del trabajo, de una *conciencia que sueña.* Es ella, justamente, la que reúne con eficacia las otras tres formas de conciencia ya apuntadas en la obra de Onetti —la perceptiva, la imaginativa y la evocadora.

Sin embargo, las relaciones entre el *suceso y la aventura* son en *El pozo* muy sutiles. Así, ya el episodio de Ana María es, en verdad, un suceso determinado según una aventura anteriormente soñada:

Me levanté y fui caminando para alcanzarla, con el plan totalmente preparado, sabiéndolo, como si se tratara de alguna cosa que ya nos había sucedido y que era inevitable repetir (p. 13).

A la realización concreta del atentado sádico, ha precedido su escenificación, su minuciosa preparación, un proyecto imaginario al cual las circunstancias deben doblegarse fielmente. Así, la crueldad física ejercida contra la persona se transforma en placer mental, al coincidir con el orden de lo previsto. Por eso, la única mentira —en que consiste la trampa justamente— es algo que no está fundado en un sueño ni dará origen a ninguno:

Le dije la mentira sin mirarla, seguro de que iba a creerla. Le dije que Arsenio estaba en la casita del jardinero, en la pieza del frente, fumando en la ventana, solo. ¿Por qué no hubo nunca ningún sueño de ningún muchacho fumando solo de noche, así, en la ventana, entre árboles? (p. 14).

La mentira —fácilmente credible— es lo que no se calca sobre un sueño; lo verdadero —siempre objeto de desconfianza— es lo que corresponde a las ensoñaciones más intensas del personaje.

Con esto ya se difuminan los contornos que separan ambos órdenes de objetividades. Pero la primacía recaerá en definitiva sobre el mundo del sueño que ha de hacerse verazmente aniquilador del otro. Así, mientras la realidad está subordinada a la aventura, ésta creará libremente, modificando las leyes de lo empíricamente comprobado. Un conjunto de metamorfosis tiene lugar. La noche de calor en que ocurre el episodio se convierte, en la aventura, en una noche de nieve; el calor exterior se traslada, luego, al ambiente interno de la casa. Las hojas del camino que conducía a la cabaña del jardinero pasan a ser, en la libre reminiscencia imaginaria, la superficie del lecho a que llega a tenderse el fantasma de Ana María; la carrera de huida se transforma en carrera de llegada, etc.

Aparte de este régimen inherente a la aventura, es necesario comentar algunos puntos que merecen atención y que se refieren al sueño particular de la *cabaña de troncos.*

Forma contraste con la precisión que caracteriza el hecho real, esa vaguedad, esa ubicuidad que se atribuyen al lugar de la aventura. Mientras la narración del suceso comienza: «Aquello pasó cuando vivía en Capurro, un 31 de diciembre», el lugar de la aventura se cita en Alaska, en Klondike o en Suiza — en cualquiera de ellos indiferentemente—. «Pero, en todo caso, en un lugar con nieve» (p. 18).

Esta indeterminación geográfica está de acuerdo con su carácter de situación imaginaria. Y, sobre todo, alude a ciertos lugares últimos, a ciertas alturas y confines extremos, donde la sensibilidad del soñador prefiere habitar. *Casi en el fin del mundo,* nos dice en otra parte el personaje. Con esta breve fórmula se condensa la peculiar dialéctica de la evasión que es propia de Onetti y que nos enseña un ánimo que quiere vivir en los límites, pero que no rompe con la inmanencia. Estos lugares inaccesibles, nunca traspasados, preparan ya la reiterada nostalgia por ese lejano *fin del mundo* que más tarde observaremos en *Tierra de nadie* y en *La vida breve* (1950).

Un segundo punto. En el viaje que precede a la aventura, desde la taberna hasta la cabaña, hay sólo una cosa que para el personaje merece retenerse:

Pero por lo general este viaje no tiene interés y hasta he llegado a suprimirlo, conservando apenas un breve momento en que levanto la cara hacia el cielo, la boca apretada y los ojos entrecerrados [...] (p. 17).

Es obvio que este momento tiene su origen en la caminata nocturna de Linacero, después del insulto de Ana María. El protagonista recuerda allí esa fuga desesperada, en que el cielo y su frescura secaron su cara. El hecho ha creado una situación misteriosa e increíblemente sugestiva. La culpa se ha derramado, el protagonista la ha extendido por la atmósfera. Ahora tiene ella una omnipresencia irremediable. Pero, al impregnar al aire con su culpa, al grabar su rostro en la alta superficie, el personaje lo ha hecho su cómplice. El cielo, en *El pozo,* no es inocente. Creemos que hay un momento, bastante inaprehensible para el análisis, en que se gestan las misteriosas correlaciones entre la subjetividad y la atmósfera que permitirán en la novela un ordenamiento diversificador de los episodios y que, luego, en las obras posteriores del escritor, asentarán un original y maravilloso campo expresivo.

Al levantamiento plásticamente impresionante del rostro ante el cielo, sigue la inclinación frente al fuego de la chimenea, como segundo y complementador momento de la autoconciencia en la aventura. Ya esto no deja dudas:

Por un momento quedo inmóvil, casi hipnotizado, sin ver, mientras el fuego ondea delante de mis ojos, sube, desaparece, vuelve a alzarse bailando, iluminando mi cara inclinada, moldeándola con su luz roja hasta que puedo sentir la forma de mis pómulos, la frente, casi tan claramente como si me viera en un espejo, pero de una manera más profunda (p. 20).

El sentido verdadero del rostro aparece expresado con plenitud en este pasaje. No importa él en cuanto suma de facciones, como carne que se contempla ante el espejo. *Pero de una manera más profunda:* es decir, el rostro como factor de autoconciencia, como imagen que el individuo tiene de sí mismo. Esta es la única profundidad que es posible presumir en el rostro: su vinculación con la subjetividad que lo vivifica.

Esa meditación del cuerpo y de la carne, unida a la perspectiva de la autoconciencia, promueven en el mundo de la novela un tenso y recíproco auscultamiento de los rostros. El rostro, en que han venido a depositarse todas las huellas de la interioridad, oculta y revela, disfraza y delata al mismo tiempo. De ahí el acechamiento, el vigilante control que sobre él ejercen los personajes. Este campo determina uno de los más amplios y formidables repertorios expresivos de Onetti, que se complace en desenterrar viejos rostros tras las facciones de un individuo, acelerar sonrisas, inmovilizar miradas. Mediante bruscos cambios en la descripción, mediante el aislamiento inorgánico de los detalles, mediante rupturas en la velocidad interior que anima la cara, crea el novelista un registro técnico que maneja con destreza y obstinación. En la inspección casi acusadora a que se somete el rostro, éste pierde su impasibilidad, cobra conciencia de insospechadas posibilidades de culpa y deviene un aquelarre donde ojos, labios, mejillas, la frente y los actos fisonómicos se deforman hasta el límite. Nos parece éste uno de los terrenos que con más originalidad ha explorado Onetti, un aporte suyo de primera importancia que, al par que lo vincula con la mejor tradición literaria (desde Dostoiewski a Sartre), le hace dar pasos inéditos, muy próximos, por ejemplo, a los de un autor tan actual como Heinrich Böll. La neurotizada sensibilidad contemporánea ha ido agudizando su experiencia del rostro, como el síntoma más seguro de la conciencia culpable que acosa al individualismo. Desde este punto de vista, y gracias a una *jerarquía de mediaciones* [14], es posible enlazar un proceso histórico-antropológico con su notable expresión literaria: la *descosmización* del rostro humano, la pérdida de ese carácter venerable que lo hacía monada visible de la personalidad.

Aquella noche nos habíamos acostado sin hablarnos. Yo estuve leyendo, no sé qué, y a veces, de reojo, veía dormirse a Cecilia. Ella tenía una expresión lenta, dulce, casi risueña, una expresión de antes, de cuando se llama Ceci, para la que yo había construido una imagen exacta que ya no podía acariciarla con un género de caricia monótona que apresura el sueño. Siempre tuve miedo de dormir antes que ella, sin saber la causa. Aun adorándola, era algo así como dar la espalda al enemigo. No podía soportar la idea de dormirme y dejarla a ella en la sombra, lúcida, absolutamente libre, viva aún. Esperé a que durmiera completamente,

---

[14] La expresión pertenece a SARTRE (*Crítica de la razón dialéctica*. Edit. Losada, t. I, p. 57).

acariciándola siempre, observando cómo el sueño se iba manifestando por estremecimientos repentinos de las rodillas y el nuevo olor, extraño, apenas tenebroso, de su aliento. Después apagué la luz y me di vuelta, esperando, abierto al torrente de imágenes (p. 37).

El personaje no puede entregar su rostro inerte a la mirada de su esposa. El mirar se concibe como una especie de espionaje, punible en cuanto es el acto por el cual ella se apodera de su yo, de su propio secreto individual.

Precisamente por esto, y en tenaz antagonismo con el esfuerzo de autoconocimiento del individuo, habrá en *El pozo* un movimiento de desindividuación —comienzo de un desarrollo largo y progresivo en la novelística de Juan Carlos Onetti.

En la gama de formas de desindividuación noveladas por Onetti, hay dos vías extremas a las que ya recurre en su primer relato. La primera consiste en aglutinar en un solo personaje dos o más figuras individuales. Al servicio de ese fin se pone el procedimiento, ya descrito, de superposición de conciencias heterogéneas:

Era tan estúpida como las otras, avara, mezquina, acaso un poco menos sucia. Pero parecía más joven y los brazos, gruesos y blancos, se dilataban lechosos en la luz del cafetín, sanos y graciosos, como si al hundirse en la vida hubiera alzado las manos en un gesto desesperado de auxilio, manoteando como los ahogados, y los brazos de muchacha despegados del cuerpo largo, nervioso, que ya no existía (p. 30).

Para quien nos haya seguido, será claro que el narrador comprime aquí su recuerdo obsesivo de los brazos de Ana María en los de la prostituta, brazos que son como náufragos de otra edad, un resto de juventud y de pureza que la muchacha presta a la mujer desde la fantasía coaguladora del memorialista.

Este procedimiento se hará mucho más patente en el cuento «Bienvenido, Bob» (1944), donde el sujeto que cuenta la historia busca, tras el rostro de Roberto, un habitante enterrado de otro tiempo: el rostro de la hermana, Inés. Y los casos de confusión de caras serán siempre constantes en las novelas de Onetti. Sólo dos ejemplos:

Ella levantó la cabeza, mirándolo de frente. Tenía los ojos muy separados, casi independientes uno del otro, como en caras distintas. [15]
La cara de Lagos se mueve firme y alegre; la del Inglés muestra discre-

---

[15] *Tierra de nadie, op. cit.,* p. 101.

tamente la resignación y el fracaso. Me doy cuenta de que ambas expresiones son partes del mismo rostro, que han acordado repartirse la confianza y el desánimo. [16]

La multiplicación de un mismo individuo en varios personajes es algo que en *El pozo* está todavía muy en cierne. En todo caso, ya se divisa en él uno de los mecanismos utilizados por Onetti: la división de una persona en las figuras que sus distintas edades engendran. El novelista refuerza con nitidez la escisión entre doña Cecilia Huerta y la *Ceci de entonces,* provista de un entusiasmo adolescente de que aquélla carece. El mismo recurso funciona en el cuento recién mencionado, en que se distingue al Roberto envejecido y casado del Bob de antaño, rebelde, intransigente. En otras obras se echará mano al pluralismo onomástico, como en el caso del personaje que se denomina Larsen, Junta, Juntacadáveres indistintamente. En el fondo, el individuo, a través de la historia de su existencia, se convierte en una pluralidad de personajes. El viejo o el hombre maduro son *otros* que el joven; el amante *otro* que él mismo en cuanto marido, etcétera. Con ello Onetti crea y prefigura, por su propia cuenta y desde raíces suyas, formas análogas a las que utiliza, quizás con demasiada frecuencia, el actual teatro de vanguardia (Ionesco, Beckett, Pinter...). Sin embargo, lo peculiar de Onetti es que esa multitud disgregadora que todo personaje lleva en sí no se produce automáticamente, por los cambios de edad o variaciones en la situación vital, según lo descrito. El otro individuo que surge del yo *es casi siempre un otro ensoñado,* sostenidamente imaginado por un ser próximo: tiene su vida prestada de la actividad de una conciencia que sueña.

De este modo, ya en forma positiva, como conquista real aunque transitoria de la autoconciencia, o en forma negativa: como situación predominante de desindividuación, es el conocimiento de sí mismo el tema más amplio y definitivo de *El pozo.*

Pero no terminan aquí las singularidades de la aventura. En cierta ocasión, el narrador califica de *prólogo* al hecho real respecto de la aventura. Si recordamos que el mismo acontecimiento está calcado sobre un sueño previo, aparecerá toda la ambigüedad de la expresión. Y ya dentro de la esfera propia de la aventura, se llama también *prólogo* al viaje en el trineo que realiza el personaje desde la taberna hasta la cabaña. Esto permi-

---

[16] *La vida breve,* Edit. Sudamericana, 1950, p. 382.

te suponer que, en sentido estricto, la aventura será el lento enfrentamiento entre Linacero y la muchacha tendida sobre la cama. Se dice:

Es entonces, exactamente, que comienza la aventura. Esta es la aventura de la cabaña de troncos (p. 21).

Pero algo más adelante el memorialista se rectifica:

Allí acaba la aventura de la cabaña de troncos. Quiero decir que es eso, nada más que eso. Lo que yo siento cuando miro a la mujer desnuda en el camastro no puede decirse, yo no puedo, no conozco las palabras. *Esto, lo siento, es la verdadera aventura* (pp. 22-23. Destacamos nosotros).

Vemos, en consecuencia, que hay algo así como un interminable aplazamiento de la aventura. Todo tiende a convertirse en prólogo. Lo esquematizamos para mayor claridad:

hecho real				aventura	
/	/	/	viaje	visión de la muchacha	sentimiento /
(prólogo)		(prólogo)		(prólogo)	/aventura/

Hay, por lo tanto, un camino hacia la interioridad, que siembra la aventura como una experiencia sumergida en las íntimas lejanías de la subjetividad. Esas nieves de Alaska, esas alturas de Suiza, se nos revelan como islotes en que la subjetividad habita infinitamente alejada de sí misma. *Casi en el fin del mundo* es, entonces, el lugar solitario en que radica una interioridad que debe traer su verdad desde el otro lado de la existencia, donde una muerta la guarda celosamente.

La palabra *prólogo* es también decidora en otro sentido. Le confiere a la aventura un carácter de obra impresa, de escrito ya editado. Por eso, no se extraña uno de que, en otra ocasión, se mencionen algunos sueños como si fueran títulos de libros o cuentos publicados:

Ni en "El regreso de Nápoleón", ni en la "Bahía de Arrak", ni en las "Acciones de John Morhouse". Podría llenar un libro con títulos (p. 25).

Esto nos advierte que ya en la vivencia imaginaria está presente la destinación editorial de la aventura. O *a fortiori:* las aventuras son soñadas como si fueran libros, obras literarias. De modo que es necesario recorrer el camino inverso: desde el centro secreto de la subjetividad, en él mismo, se crean y se inventan ensoñaciones destinadas a ser públicas, a ser expresadas, leídas y ojalá comprendidas. Con lo cual se desplaza nuevamene el sentido de la aventura. Será, a esta luz, la *comunicación* (expresión + comprensión) de ese sentido, ya en sí mismo, asaz inaprehensible. Es el reflujo del movimiento anterior, su envés centrífugo. Así, completamente desubstancializada, desgarrada entre un adentro inaccesible y una extraversión imperativa, la aventura se disuelve en pura pulsión, en la relatividad ilusoria de los sueños.

Nunca con menos carga cultural y menos pedantería narcisista, se han novelado como en Onetti los mecanismos ocultos del escritor. Es rasgo también constante de la novela contemporánea el fabular la situación del novelista, como antes la novela moderna tomaba conciencia, en ciertos personajes, del destino del lector. El sueño, como actividad incesante y obsesiva del personaje en *El pozo,* contiene el abono psíquico que hace de él un escritor, un artista si se quiere. Pero a través de la visión del dinamismo del sueño, se nos entrega, como en escorzo, una concepción en que el arte se equipara a la energía que obtiene belleza desde lo innoble y desde la muerte. Entre la suciedad del hecho real y la pureza del sueño, hay un camino que prefigura el poder del arte. Una distinción se impone, sin embargo: no se aboga aquí por una belleza que sea sublimación de estratos inferiores. La palabra creadora, en cuanto unión concreta de la existencia y del sueño, debe exponer las materias mortales de donde surgió, debe mostrar abiertamente la transformación del veneno en licor de salud y fortaleza. Esta contigüidad actúa, casi taumatúrgica, en toda la novelística de Onetti. Sorprendámosla en un resquicio:

A veces, siempre inmóvil, sin un gesto, creo ver la pequeña ranura del sexo, la débil y confusa sonrisa (p. 21).

El sexo, sádicamente afrentado, se transfigura en una naciente sonrisa. Así, vemos el vasto alcance de la experiencia descrita. Pues la relación sádica en cuanto forma de sufrimiento no sólo une a partir de lo negativo, al que sufre y al que hace sufrir; no sólo posee tanta intensidad que produce la máxima cercanía (reconocimiento y autoconciencia) y la máxima lejanía (muerte). Origina, sobre todo, la posibilidad de una belleza que se funda en la carne mancillada por la violencia y la muerte:

Pero hay belleza, estoy seguro, en una muchacha que vuelve inesperadamente, desnuda, en noche de tormenta, a guarecerse en la casa de leños que uno mismo se ha construido, tantos años después, casi en el fin del mundo (p. 23).

Por esta prolongación de la aventura en el hecho artístico es posible emparentarla con la noción de aventura desarrollada por Sartre en *La náusea* (1938). No hay que olvidar que, en el conmovedor desenlace de la novela, la única forma de salvación que avizora la conciencia desamparada de Roquentin es asirse al madero de la creación, dar un poco de pobre y humana eternidad a la experiencia mediante la palabra. La aventura, en Sartre, supone dos cosas: la ceguera del presente, su irrelevancia y su ninguna proyección en el campo temporal del futuro; y la mediación de la palabra, como vehículo que transforma lo intrascendente en situación significativa. En *La náusea*, la aventura coincide absolutamente con el acto de comunicación y presupone una metafísica del tiempo, que se desenvolverá más tarde en *Lo imaginario* (1940) y en *El ser y la nada* (1943).

Ni el aspecto temporal está en Onetti ni tampoco el centro específico de la aventura reside en el lenguaje, aunque hacia él se oriente, según hemos visto. Su contenido es prelingüístico, pertenece a una conciencia que sueña a solas y que recrea seres e imágenes a semejanza de su experiencia diurna, poblando con ellos un espacio hipnagógico donde la vida se reproduce y se multiplica perpetuamente. Como de un rincón mínimo, el universo de Onetti crece y se desenvuelve entre los ojos: telón en el que se proyectan las imágenes de horas insomnes, cortina que deja el teatro de todas las noches a espaldas de la realidad.

V

Pese a su apariencia de disposición caprichosa, los acontecimientos narrados en *El pozo* obedecen a un orden determinado, más libre y menos rígido que una secuencia tradicionalmente planificada. Su ley radica en que la serie se constituye sobre un desajuste entre lo anunciado y lo realizado; pero esta infidelidad al proyecto esbozado, en sí misma expresiva de una voluntad inestable, está metódicamente regulada. Veamos esto de cerca.

Las frustradas tentativas de comunicación por parte de Linacero son dos:

Cordes, primero, y después aquella mujer del Internacional (p. 34).

Aquí, la sucesión proyectada corresponde a la cronología
objetiva de las situaciones. Sin embargo, la regla general en la
obra no es la inversión que el que narra impone a los hechos de
la experiencia: es la prevaricación contra lo que antes fue esta-
blecido, la instalación de un orden nuevo que anula el anterior.
La voluntad que ejecuta entra en contradicción con la voluntad
que planifica. La acción se hace destrucción, y se opone al pensamiento. La escisión interna del personaje se manifiesta de nuevo como patrón superior en la temporalidad de las Memorias.
Por eso, la secuencia narrativa concreta nos sitúa primero ante la
prostituta Ester, la mujer del Internacional, y luego, sólo al final
del relato, ante la conversación de Linacero con el poeta Cordes.

Esta actitud se suma al procedimiento dilatorio de introducir
situaciones enteras e igualmente importantes antes de cumplir
con lo anunciado. Así, en vez de contarnos sus experiencias con
Cordes y Ester, nos informa el narrador de la relación que lo une
con su amante, Hanka; cuando se ha decidido a hablarnos de
Ester, nos relata el fracaso de su matrimonio con Cecilia; y
cuando, finalmente, va a referirse a su diálogo con Cordes, mucho antes prometido, introduce un largo fragmento acerca de
Lázaro. Las interrupciones, pues, están simétricamente distribui-
das y responden a un orden rebelde, tan lúcido como es débil el
que se proyecta.

Mediante este mecanismo, se produce ya una primera articulación en las páginas fragmentarias de las Memorias. A ello debe
sumarse otra vía por la cual el narrador confiere un delineamiento particular a sus escenas, al par que las unifica, yuxtapo-
niéndolas como miembros solidarios de una experiencia única.
Se trata de las variaciones atmosféricas, que operan como envolturas ambientales de las escenas. Ya hemos visto la temperatura
que rodeaba el acto principal de transgresión: era una noche de
calor. En la noche de la aventura, en cambio, habrá siempre
tormenta de nieve. Otro es el enmarcamiento de la tarde pasada
con Hanka:

Entraba mucho frío en el reservado con cerco de cañas y enredaderas.
Me acuerdo de que las voces que llegaban tenían una sensación de
soledad, de pampa despoblada (p. 26).

Calor, nieve, frío; y a ellos sucede la lluvia en el episodio de Ester, como impregnación permanente de la noche:

> [...] comentando la noche y otras noches viejas [...] en el aserrín fangoso [...] en cuanto el tiempo es de lluvia y los muros se ahuecan y encierran como el vientre de una bodega (p. 30).
> Una noche —era también una noche de lluvia y las mesas del fondo estaban llenas y silenciosas, hoscas... (p. 30).
> Seguía lloviznando, no tomamos coche y así fuimos en silencio. Cuando llegamos ella tenía la cabeza empapada (p. 40).

Esta presencia opresiva de lo atmosférico no es nunca un decorado externo. Ya hemos adelantado que tal vez se funde en una secreta correlación, en un contacto animal y palpable entre un cuerpo que dilata su volumen, derramándolo más allá de él, y un espacio que calza con él y se hace su expresión abierta, tangible. Cada vez con mayor intensidad, Onetti pintará la integración orgánica de los cuerpos con su espacio inmediato. La atmósfera, el tiempo, el clima, el ciclo del día no serán nunca para él cosas adventicias, sino algo así como una piel corpórea, como una vestimenta irreal. Pocos autores han hecho acercamientos tan alucinantes como éste. Por eso, los diferentes grados de densidad humana de los personajes se expresan en estas envolturas, en estas encarnaciones atmosféricas. Frente al aire resistente de una pieza que habita un individuo, la entrada de otro será imposible. No es que el aire impenetrable represente o simbolice el hermetismo subjetivo del personaje; él mismo lo es, en cuanto caparazón, en cuanto cuerpo del sujeto. Y esta continuidad existente entre el organismo y la atmósfera, esta fusión casi indescriptible, somete al personaje a un conjunto de deformaciones y metamorfosis de tipo celular, protozoario, biológicamente primitivo [17].

Una tercera forma eficaz para unificar la narración consiste en las relaciones esenciales que se establecen entre las situaciones noveladas. Ana María, la adolescente muerta; Hanka, la

---

[17] En *Tierra de nadie* hay un importante pasaje en que Mauricio cuenta a Nené: «Conocí donde no había más que dos o tres hermanas, o solamente una. Pero es increíble y más misteriosa la manera cómo se multiplican al cambiarse el peinado o los vestidos, o simplemente porque era día de lluvia» (p. 133). Vemos, así, confluir nuevos recursos para la desindividuación y multiplicación de los personajes. A partir de *Tierra de nadie* será el manejo sensitivo de los adornos femeninos un rico campo técnico que Onetti cultivará con admirable fantasía.

amante; Cecilia, la esposa, y la prostituta Ester constituyen, para Linacero, una gama de experiencia intersubjetiva. Sería absurdo hablar aquí de un registro de experiencia erótica. Es tal vez esta ausencia de lo erótico uno de los aspectos más desconcertantes en la pequeña obra maestra que es *El pozo*. Pues la relación heterosexual está siempre puesta en Onetti, como las más de las veces en la literatura contemporánea, al servicio del autoconocimiento. Las situaciones guardan, por tanto, ostensibles relaciones de complementariedad. Así, la conexión entre el episodio de Ana María y el de Hanka es transparente; de la última se dice:

Lo absurdo no es estar aburriéndome con ella, sino haberla desvirginizado, hace treinta días apenas. Todo es cuestión de espíritu, como el pecado. Una mujer quedará cerrada eternamente para uno, a pesar de todo, si uno no la poseyó con espíritu de forzador (p. 26).

Hay, pues, una clara polarización entre la figura de Ana María y Hanka, que aun se hace más sensible si nos fijamos en la modulación imaginaria del acto sexual a que se entrega el personaje en la aventura.

La correlación es también clara en el caso de Cecilia, la esposa. Para recuperar el sentimiento original del amor, desgastado por los años de convivencia e incomprensión, recurre Linacero a «actos propios de un anormal» —según reza el parte policial—. Situaciones contrarias (Ana María-Hanka) y situaciones parcialmente análogas (Ana María-Cecilia) articulan y ensamblan la aparente fragmentación episódica de *El pozo*.

Más cercanía a lo típico existe en el caso de los personajes masculinos —Lázaro y Cordes—. La condición de obrero del uno y de intelectual pequeñoburgués del segundo lo conectan fuertemente con coordenadas de representatividad social. Sin embargo, el sentimiento vehemente con que el protagonista describe su relación con cada uno de ellos determina que las aristas esquematizadoras desaparezcan, pues todo viene a gravitar en la proyección del conocimiento intersubjetivo que la relación posibilita.

Esta diagramación esencial de la experiencia permite una limpia e imponderable vertebración de la obra. Lejos de disolverse en fragmentos insignificantes, intuimos en *El pozo* una viva integración, procedente del trazado interno recién descrito, del despliegue en abanico de las alternativas atmosféricas y de las variaciones que experimenta el orden narrativo. Tal vez si entendemos modestamente por *musicalización de la novela* (p. 26) un orden que no lesione el movimiento, podremos decir que en *El pozo* la forma de composición es menos arquitectónica que musical, es más ritmo que plasmación.

VI

Merece consideración separada la relación entre Linacero y Lázaro por la indudable trascendencia que reviste. Lázaro es el compañero de habitación del personaje. Durante la noche en que éste escribe sus recuerdos, el otro no llega a dormir. Linacero, pese a sus pretensiones de soledad absoluta y de asco por los demás, lo espera, aguarda su llegada. En el último fragmento todavía lo menciona:

Lázaro no ha venido y es posible que no lo vea hasta mañana (p. 54).

Hay, respecto de Lázaro, una relación más entrañada, algo que Angel Rama ha precisado bien como «una vaga solidaridad animal» [18]. ¿De dónde surge esta excepción en la vida del protagonista, tan despoblada de incitaciones positivas?

Está lleno de sentido el que Linacero piense en él detenidamente, por primera vez, mientras abandona su cuarto, cuando camina por la calle. En el restaurante donde come y escucha las noticias de la guerra, recuerda:

Recién ahora me acuerdo de la existencia de Lázaro y me parece raro que no haya vuelto todavía. Estará preso por borracho o alguna máquina le habrá llevado la cabeza en la fábrica. También es posible que tenga alguna de sus famosas reuniones de célula. Pobre hombre (p. 22).

Se nos suministran ya, a esta altura del relato, dos datos fundamentales acerca de Lázaro: su condición de obrero y de militante político. Por eso, debe retenerse como hecho sintomático que se lo relacione con el principio de la exterioridad, en contraste con el encerramiento subjetivo del cuarto, y, por otro lado, con las circunstancias históricas, reflejadas en el conflicto mundial.

Este enmarcamiento inicial prepara la vívida descripción que

---

[18] *Op. cit.*, p. 65.

se nos entrega en el fragmento XV. Al desplegar los sentimientos de Linacero por Lázaro, aplica Onetti más patentemente que en ningún otro pasaje, un principio que nos formula en el interior de la novela:

Es siempre la absurda costumbre de dar más importancia a las personas que a los sentimientos. No encuentro otra palabra. Quiero decir: más importancia al instrumento que a la música (p. 33).

Ahora, en el pasaje mencionado, intentará aprehender la relación efectiva entre ambos sujetos como una unidad concreta, como corriente emocional de ida y vuelta, en que cada uno de los personajes es punto de partida y de encuentro a la vez. Para ello recurre a un medio de que ya se había valido parcialmente en el episodio de Ana María, pero que elaborará más tarde, en sus primeros cuentos, de manera más intensa y sutil. Se trata de ir modulando en forma musical los sentimientos, de ir produciendo variaciones en el cromatismo emocional, mediante insensibles transiciones:

Pobre hombre, lo desprecio hasta con las raíces del alma, es sucio y grosero, sin imaginación (p. 42).

Y apenas unas líneas más abajo:

Lo odio y le tengo lástima: casi es viejo y vive cansado, no come todos los días... (ibid.).

Cada transición en la corriente de continuidad sentimental queda sensibilizada en un hecho. Así, el momento del *desprecio* se expresa en los catorce pesos que Linacero adeuda a Lázaro; el momento del *odio* y de la *lástima,* en la lectura de libros de Economía Política que el obrero realiza de madrugada, etc. Nuevamente Onetti cumple un postulado que será básico en su novelar:

Porque los hechos son siempre vacíos, son recipientes que tomarán la forma del sentimiento que los llene (p. 36).

Es decir, aquí el hecho es hijo del sentimiento, una emanación suya que sólo en ese su parentesco adquiere real significado. De este modo, toda la primera parte del fragmento XV desarrollará los sentimientos negativos de Linacero para con Lázaro.

Esta actitud puede condensarse en la bestialización a que lo somete comparativamente:

Tiene algo de mono, doblado en el banco, los puños en la cabeza rapada, muequeando con la cara llena de arrugas y pelos, haciendo bizquear los ojos entre las cejas escasas y las grandes bolsas de las ojeras (p. 43).

Pero la curva de repulsión —odio, asco, desprecio, lástima— llega bruscamente y se detiene en el insulto que Lázaro, exasperado por las burlas de Linacero, le lanza. Para éste, el insulto de Lázaro tiene una dura semejanza con otro:

Sabe llenarse la boca con una palabra y la hace sonar *como si escupiera:* —¡Fraa...casado! (p. 44; destacamos nosotros).

El insulto tiene para el personaje una referencia bien concreta: significa su fracaso por incorporarse a la acción y a las luchas políticas, luego que Lázaro lo condujera a una reunión de célula. Por mucho que la palabra *fracasado* aluda, entonces, a la totalidad del destino personal suyo, Linacero sabe que Lázaro la prefiere en el sentido particular de su incapacidad como militante. Y es ahora que el signo de la relación entre los dos hombres se transforma polarmente:

Juro que fui solamente por lástima, que nada más que una profunda lástima, un excesivo temor a herirlo, como si en su actitud y en su cabezota de mono hubiera algo indeciblemente delicado, me hizo acompañarlo a la famosa reunión de los camaradas (p. 54).

Comienza, entonces, el movimiento contrario de recuperación sentimental de Lázaro, una corriente de adhesión hacia él. Porque, en definitiva, los dos únicos dotadores de autoconciencia para el individuo son Ana María (de su ser subjetivo) y Lázaro que, con una ofensa semejante a la de ella, lo dota de su ser social. Sólo frente a ese obrero que es Lázaro adquiere conciencia Linacero de su pertenencia a la clase media, al grupo de intelectuales y escritores pequeñoburgueses (la virulenta invectiva que sigue no vale sólo para Cordes, sino contra él mismo) y a una nación sin ninguna tradición, de la cual dice:

¿Pero aquí? Detrás de nosotros no hay nada. Un gaucho, dos gauchos, treinta y tres gauchos (p. 48).

Lo que Lázaro otorga a Linacero es la dolorosa conciencia de su esterilidad social, de vivir en un país en donde la guerra que a otros conmueve es sólo una noticia radial... Sólo gracias a él se ubica Linacero en sus verdaderos círculos sociales e históricos (la clase, la nación, el grupo), círculos que para él son asfixiantes y odiosos como prisiones.

VII

El desenlace de *El pozo* aúna y condensa el complejo de motivaciones que habían venido desarrollándose en los fragmentos anteriores. Onetti conduce aquí a un intenso levantamiento estético el mundo febril de su personaje, su irremediable desamparo. Al llegar la luz de la mañana se deshace el sortilegio de la escritura; queda sólo el ciego enfrentamiento del alma con su inanidad. La ilusión que ha sostenido la voluntad del individuo se va debilitando hasta desaparecer en la pura fatiga animal, en el opaco cansancio donde todo se sumerge.

La irrupción de fórmulas de autodefinición está en estrecha relación con el tema mayor que hemos delineado:

Yo soy un pobre hombre que se vuelve por las noches hacia la sombra de la pared para pensar cosas disparatadas y fantásticas (p. 54).
Yo soy un hombre solitario que fuma en un sitio cualquiera de la ciudad (p. 56).

Así se define el personaje, con insistente autoconciencia. Pero no puede escapar a nadie la nulidad interna de estas fórmulas que sólo se refieren a la mecánica exterior del sueño a que se entrega Linacero. Lo ambivalente de estas definiciones es que no traen ninguna verdad esencial, ninguna vislumbre acerca de la intimidad del sujeto. Esto se hace aun más claro si tenemos en cuenta que, en el penúltimo fragmento de *El pozo*, Linacero ha fracasado estrepitosamente al pretender comunicar a Cordes el sentimiento entusiasta que le provocan sus propias aventuras [19].

---

[19] En el poema que Cordes lee a Linacero y que éste nos describe —«El pescadito rojo»—, Onetti refleja el caso de un *arte puro* en que se subliman las más turbias fermentaciones sicoanalíticas (p. 51). La misma configuración allí ofrecida será motivación consciente en el primer ciclo de su obra. En *Tierra de nadie,* por ejemplo, reaparece como esquema onírico-sexual.

Como resultado, el protagonista toma conciencia de la paradoja imposible que entraña su intento:

Yo estaba temblando de rabia por haberme lanzado a hablar, furioso contra mí mismo por haber mostrado mi secreto (p. 53).

Un secreto que quiere ser comunicado: he aquí un plan que se destruye a sí mismo al realizarse. Pues el secreto sólo puede vivir y alimentarse en esas presuntas regiones subjetivas que el personaje ensueña; si sale al exterior, si trasciende, el secreto se evapora y, con ello, el sujeto pierde la clave de su propia interioridad. Esta se va vaciando y se despuebla de los contenidos que se consideraban esenciales. La esterilidad acecha en el esfuerzo de autoconocimiento: a la soledad individual, a la conquista del propio rostro gracias a la experiencia del otro como carne, sigue, en el experimento de la comunicación, la sospecha de una subjetividad fundamentalmente deshabitada.

Volvamos al fragmento final. Allí, frente al sujeto que busca todavía definirse, se establece la presencia soberana de la noche. A ella se abre el personaje, dejándose invadir, entregándose a su influjo incontenible. El espacio experimenta una creciente temporalización:

Yo estoy tirado, y el tiempo se arrastra, indiferente, a mi derecha y a mi izquierda (p. 55).

En la palpitación de este tiempo irrevocable y devorador que es la noche, apenas si el individuo puede sentirse participando de su curso:

Hay momentos, apenas, en que los golpes de mi sangre en las sienes se acompasan con el latido de la noche (p. 56).

El proceso de temporalización contenido en la noche se expresa eficazmente en su espesor líquido, en la sustancia densa de sus aguas. Angel Rama ha hablado de la «cualidad acuosa de la noche» [20]. La visión se venía preparando desde muy atrás en la novela, mediante el gradual imperio de metáforas marítimas (pasaje de Ester, aventura con Cecilia, cuento infantil que Linacero narra a Cordes: pp. 30, 38 y 53, respectivamente). La significación principal a que todas ellas convergían destacaba el irre-

[20] *Op. cit.*, p. 68.

primible *hundimiento* de la vida en el pasado, como carga acumulada y ciega que quitaba a la existencia toda virtualidad prospectiva. Esta imagen de sumersión era, por lo demás, análoga a esa otra que ya figura en el comienzo del relato, que hacía de la vida humana una mezcla denigrante (p. 10). Ambas intuiciones —la de sumersión y la de mezcla— consideran la vida como un proceso de desgaste, en que el sujeto sólo se contamina, en que la experiencia no enriquece espiritualmente sino que ensucia y en que el ser humano sólo puede incorporarse a un magma que todo lo aglutina. Por eso la imagen dominante última, aunque nunca se la nombra, representa la eclosión del pozo, como noche y agua que materializan el tiempo pasado en que la vida de Linacero ha venido a hundirse, a mezclarse. He aquí el asombroso cierre de esta novela impar:

Las extraordinarias confesiones de Eladio Linacero. Sonrío en paz, abro la boca, hago chocar los dientes y muerdo suavemente la noche. Todo es inútil y hay que tener por lo menos el valor de no usar pretextos. Me hubiera gustado clavar la noche en el papel como a una gran mariposa nocturna. Pero, en cambio, fue ella la que me alzó entre sus aguas como el cuerpo lívido de un muerto y me arrastra, inexorable, entre fríos y vagas espumas, noche abajo (p. 56).

La complejidad de sentido de ese hundimiento *noche abajo* que se nos describe hace insuficiente cualquier análisis. Ya indicábamos que equivalía, en primer término, a una sumersión en el pasado. Pero este descenso de la vida en un tiempo muerto y sin edad se extrema en esta fase final de la obra. No hay sólo bajada al pasado, sino descenso al pasado irrevocable y definitivo de la muerte: *como el cuerpo lívido de un muerto* —se experimenta el personaje—. Hundido en un pasado absoluto, Linacero entrega su carne inerme a los poderes más anchos de la noche.

Eladio Linacero, por lo tanto, se sumergirá en esas aguas nocturnas, se dormirá y se imaginará muerto, ya incapaz de ningún sueño, de ninguna aventura. La presencia de Ana María no vendrá a visitarlo. Pero ese sueño perdido ha sido sustituido por otro, quizás menos efímero: las mismas Memorias por él escritas y que hemos terminado de leer. Así, siempre idéntico es el movimiento transfigurador de la novela: lo mismo que el cuerpo muerto de la muchacha se aparecía en el sueño en su esplendente desnudez, el protagonista ha debido borrarse, aniquilarse, experimentarse en su cuerpo lívido, para que sus Memorias suban como un tenaz testimonio de belleza, como un sueño nacido de la muerte. Porque la vocación del sueño por la materia amarga y derrotada del hombre deriva de que allí se funda su valor más alto: levantar de la inevitable descomposición un resto fulgurante de... lo que sea.

[Publicado en *Estudios Filológicos de la Universidad Austral en Chile* (Valdivia), núm. 5 (1969), pp. 197-228.]

DAVID LAGMANOVICH

ACOTACIONES A «UN SUEÑO REALIZADO»

In Memoriam A. R.

Cuando Juan Carlos Onetti publicó «Un sueño realizado» (en *La Nación,* de Buenos Aires, 6 de julio de 1941), tenía ya dos novelas. Acababa de aparerecer la segunda, *Tierra de nadie* (el 27 de junio) [1], dos años después de *El pozo* (que por primera vez, y en magra edición de 500 ejemplares, había aparecido en Montevideo en diciembre de 1939). Hasta ese momento —y esto podría afirmarse de muchos momentos posteriores— no había sido muy abundante su producción cuentística. (Nada prueba eso: cada carrera es distinta.) «Un sueño realizado» parece ser la quinta narración breve que publica, según los datos aportados por Hugo J. Verani: viene después de «Avenida de Mayo-Diagonal-Avenida de Mayo» (1933), «El obstáculo» (1935), «El posible Baldi» (1936) y «Convalecencia» (1940) [2]. Poco después de cumplir 30 años (había nacido en 1909), tal era su obra édita: cinco cuentos y dos novelas que, como indica Emir Rodríguez Monegal [3], no le habían dado fama internacional, ni aun rioplatense. En cambio, le habían procurado la admiración casi incondicional de un grupo de jóvenes escritores y futuros escritores —y algunos críticos— de su Uruguay natal.

En esos cuentos iniciales —en ese género que Onetti dominó, desde el principio, tanto como la novela— se establece la mitología de la ciudad sudamericana que percibió Rodríguez

---

[1] Jorge Ruffinelli, «Cronología», en su compilación: *Onetti,* Montevideo, Biblioteca de Marcha, 1973, pp. 9-20.

[2] Hugo J. Verani, *Onetti: el ritual de la impostura,* Caracas, Monte Avila Editores, 1981. Véase su «Bibliografía», p. 281 ss.

[3] «Onetti y el descubrimiento de la ciudad», en su *Narradores de esta América II,* Buenos Aires, Editorial Alfa Argentina, 1974, pp. 99-129.

Monegal. Dice este crítico: «Llámese Montevideo (como en *El pozo)* o Buenos Aires (como en *Tierra de nadie)* o Santa María (como en casi todas las otras novelas), la ciudad que describe Onetti, la ciudad en la que viven y mueren sus personajes, la ciudad con la que él ha estado soñando hasta hacer soñar también a sus lectores, es una ciudad situada a orillas del vasto, barroso, equívoco Río de la Plata. Y es, también, una ciudad de hoy» [4]. En unos casos —como en el primero de la serie, y también en «El posible Baldi»— la acción está ubicada en el centro mismo de la ciudad; en otros hay distintas maneras de presencia de esa misma entidad, pero se trata de una presencia oblicua, deseada o ambicionada por los personajes. Estos, o están en la ciudad o tienden a ella, se aferran a su imagen, se obstinan en ir hacia ella o regresar al ámbito que un día entrevieron con rasgos de brillo, despreocupación, placer, pecado y, quizá, el atractivo de lo desusado y ambicionado como escape. Así la rememora el muchacho recluso de «El obstáculo»: «A veces, Buenos Aires era la gente rodeando el toldo rojo que ponían los sábados de tarde en San José de Flores; otras, una calle flanqueada de carteles a todo color y luces movedizas por donde pasaba la gente riendo y charlando en voz alta. Y siempre había, junto a la puerta cordial de la casa de tiro al blanco, un marinero rubio y borracho, con una rosa prisionera entre los dientes» [5]. Y en «Un sueño realizado» [6], el alejamiento de la gran ciudad es la cifra del fracaso: «no quedábamos allí más que él y yo: el resto de la compañía pudo escapar a Buenos Aires» (p. 61).

EL FRACASO

La cifra del fracaso, dijimos. Porque, por importante que sea este motivo de la ciudad, dista mucho de ser el único, o aun el principal, de los valores que transmite el cuento de Onetti. Aproximarnos a su verdadero sentido será intentar distintas exploraciones: una de las más obvias —aunque no por ello inú-

---

[4] *Op. cit.,* p. 99.
[5] JUAN CARLOS ONETTI. *Cuentos completos;* prólogo de Jorge Ruffinelli. Buenos Aires, Ediciones Corregidor, 1976, pp. 27-41; la cita, en p. 32.
[6] *Cuentos completos,* pp. 59-77; a esta edición se refiere la paginación de las citas, consignada entre paréntesis. Otra fuente para el mismo texto: JUAN CARLOS ONETTI, *Obras completas* [que obviamente no lo son], prólogo de Emir Rodríguez Monegal. México, Aguilar, 1970, pp. 1205-1219.

til— será la que nos permita fijarnos en el perfil de los personajes, ya que éstos repiten o anticipan rasgos de los seres novelísticos del mismo autor.

Notemos en primer lugar que el comienzo *in medias res* («La broma la había inventado Blanes»...) oculta en parte (salvo por el indicio del tiempo verbal) un aspecto principal del personaje portador de la voz narrativa: su condición de hombre acabado, fracasado. Sólo una media docena de párrafos más adelante alcanzamos a percibir con nitidez esa condición: entonces descubrimos no sólo que se trata de una rememoración — un monólogo rememorativo, el de un anciano que evoca momentos no del todo comprendidos de su vida— sino también que quien habla es un ex hombre de teatro que reside en una suerte de asilo, «este asilo para gente de teatro arruinada al que dan un nombre más presentable» (p. 60).

Este hombre se llama Langman; lo que recogemos de él, releyendo el cuento, es que se trata —se trataba ya, en el momento en que se ubica el relato que él mismo proporciona— de un empresario teatral fracasado, que arrastra sus ocasionales compañías por indiferentes pueblos del interior del país (la Argentina, en este caso). Cuando lo encontramos, en uno de esos innominados pueblos de provincia, sólo quedan allí él mismo y el primer actor, Blanes. Langman no sólo es poco hábil para el negocio teatral: además, es pavorosamente ignorante. La «broma» a que se refieren las primeras líneas del monólogo, que va a reaparecer luego varias veces más como irónico repiqueteo, consiste en vincularlo con *Hamlet* («Porque usted, naturalmente, se arruinó dando el *Hamlet*», «Se ha sacrificado siempre por el arte y si no fuera por su enloquecido amor por *Hamlet*...», p. 59; «Las locuras a que lo ha llevado sus desmedido amor por *Hamlet*...», p. 60; «No sé por qué le vengo a hablar a usted, oh padre adoptivo del triste *Hamlet*», p. 72); y es una broma no sólo porque lo referido no es verdad, sino también porque Langman ignora todo lo que se refiere a *Hamlet,* no ha leído nunca la obra de Shakespeare, no sabe de qué se trata y no se arriesga a preguntar para no confesar su ignorancia. «Y así fue que pude vivir los veinte años sin saber qué era el *Hamlet,* sin haberlo leído, pero sabiendo, por la intención que veía en la cara y el balanceo de la cabeza de Blanes, que el *Hamlet* era el arte, el arte puro, el gran arte» (p. 60): es decir, todo lo que falta en su triste vida de traficante del negocio teatral.

Langman, pues, es un fracasado. Blanes, por su parte, vive

otro tipo de marginación: es el vividor. Tan vulgar como el primero, parece estar un escalón más abajo que el empresario en su actitud ante la vida. Cuando la mujer que constituye la tercera presencia humana del relato aparece en escena con un extraño, incomprensible pedido, Blanes aprovecha su aparente trastorno mental para entablar con ella una relación banal que incurre en la desaprobación de Langman: la relación típica del aprovechador («no me meto a espiar en vidas ajenas. Ni a dármelas de conquistador con mujeres un poco raras [...] y tampoco me emborracho vaya a saber con qué dinero» (p. 72), recrimina el empresario). Y sin embargo es este mediocre vividor, Blanes, quien por primera vez se esfuerza verdaderamente por encontrar un significado en lo que propone la mujer.

Lo que nos lleva al tercer vértice de este curioso triángulo: la mujer. Perfectamente reconocible dentro de la galería onettiana de seres ficticios, es el personaje soñador. El sueño la ha congelado en otra edad: el texto subraya que, a pesar de frisar con los cincuenta años, tiene actitudes de adolescente y se viste en forma pasada de moda, pero que tampoco corresponde a su edad individual en el presente narrativo. Es ella quien trae la propuesta plasmada en el título, la que da la sustancia de la narración; «realizar un sueño», llevarlo a su concreción, verlo objetivado, ya que no en la vida, al menos en la precariedad — diurna, por añadidura— del escenario teatral. En ese momento que se trata de volver a capturar «no pasa nada» (p. 65), explica la mujer, «no es cuestión de argumentos». El sueño es así:

hay algunas personas en una calle y las casas y dos automóviles que pasan. Allí estoy yo y un hombre y una mujer cualquiera que sale de un negocio de enfrente y le da un vaso de cerveza. No hay más personas, nosotros tres. El hombre cruza la calle hasta donde sale la mujer de su puerta y con la jarra de cerveza y después vuelve a cruzar y se sienta junto a la misma mesa, cerca mío, donde estaba al principio (p. 65).

Tal la primera versión; hay otras, idénticas en lo sustancial, que se van presentando más adelante. Lo que interesa, de momento, es mostrar la caracterología y si se quiere la patología, de este triángulo. Los tres personajes son seres fracasados, marginales. Langman vive, subsiste, en la lucha por salir adelante con sus míseras empresas teatrales —con despacho, «en los tiempos en que yo tenía despacho», y si no reuniones en el café «cuando las cosas iban mal y había dejado de tenerlos» (p. 59)— sin estar, por su ignorancia, equipado para ello. Blanes es el «galán» de la compañía, pero un galán en decadencia: «pude ver que estaba envejeciendo y el cabello rubio lo tenía descolorido y escaso» (p. 72); él también ha fracasado en la vida, y de ahí esos «ojos oscuros que no podían sostener la atención más de un minuto y se aflojaban en seguida» (p. 59). El uno persigue el imposible triunfo comercial; el otro —seguramente— el igualmente elusivo éxito artístico. Y la mujer, por su parte, acaricia un sueño, o quizá el sueño de un sueño: quiere modificar la realidad, quiere que en ella, en esa realidad gris, se inserte el sueño inexplicable que una vez soñó y la hizo feliz. Ninguno de los tres ha obtenido los frutos jugosos de la vida; cada uno de ellos proyecta hacia un incierto futuro el peso de su fracaso.

LA REALIZACIÓN

Si la vida de los personajes presentados está signada por el fracaso, no lo está menos la acción misma que constituye la sustancia de lo narrado. Se comienza por presentar un fracaso ficticio, el del empresario que —hipotética y falsamente— se habría arruinado debido a su insistencia en la representación de *Hamlet*. Ese fracaso ficticio (es decir, ficticio o falso dentro de la falsedad de la ficción) encuentra su correspondencia en el real fracaso (de nuevo: real, dentro de lo ficticio) de quienes se encuentran anclados, inmovilizados, en un pueblo de provincia, sin compañía teatral ni posibilidades de volver a constituirla para proseguir con un trabajo que favorezca la subsistencia. Y todo ello —para que la perspectiva no deje lugar a dudas— es rememorado desde el fracaso definitivo de quien ve terminar sus días en un «hogar» para gente de teatro derrotada por la vida. Es en verdad impresionante la persistencia del tema del fracaso en la composición.

Pero ¿fracasa también la representación teatral montada por Langman a pedido de la extraña mujer que contrata sus servicios en el pueblo? Depende de cómo consideremos la cuestión, que no es fácil de resolver en pocas palabras. Ante todo, tenemos que fijarnos más detenidamente en el proyecto que constituye el «sueño realizado». La segunda vez que se describe el sueño —lo hace la mujer, especialmente para Blanes— aparecen algunos detalles adicionales:

En la escena hay casas y aceras, pero todo confuso, como si se tratara de una ciudad y hubieran amontonado todo eso para dar impresión de una gran ciudad. Yo salgo, la mujer que voy a representar yo sale de una casa y se sienta en el cordón de la acera, junto a una mesa verde. Junto a la mesa está sentado un hombre en un banco de cocina. Ese es el personaje suyo. Tiene puesta una tricota y una gorra. En la acera de enfrente hay una verdulería con cajones de tomates en la puerta. Entonces aparece un automóvil que cruza la escena y el hombre, usted, se levanta para atravesar la calle y yo me asusto pensando que el coche lo atropella. Pero usted pasa antes que el vehículo y llega a la acera de enfrente en el momento que sale una mujer vestida con traje de paseo y un vaso de cerveza en la mano. Usted lo toma de un trago y vuelve en seguida que pasa un automóvil, ahora de abajo para arriba, a toda velocidad; y usted vuelve a pasar con el tiempo justo y se sienta en el banco de cocina. Entretanto yo estoy acostada en la acera, como si fuera una chica. Y usted se inclina un poco para acariciarme la cabeza. (pp. 60-70).

Hemos transcrito el pasaje con cierta extensión para mostrar sobre todo un aspecto que nos parece fundamental: el que hace al concepto de *realización*. La mujer del relato no desea simplemente volver a *presenciar* la escena sugerida por el sueño que al parecer ha tenido en una época anterior, ya alejada de la acción cuentística: lo que quiere es *realizar* esa experiencia, objetivarla, volver a vivirla. Hasta tal punto, que ella misma ha de participar en la actuación; es decir, no se trata de *ver,* sino de *sentir,* en la realidad que de alguna manera está poniendo en práctica, lo que antes vivió en el sueño. Ante la imposibilidad de revivir, ella sola, acciones ajenas a las propias, concibe la idea de la representación. Su proyecto implica pasar de la irrealidad del sueño a la irrealidad del teatro, obviando la intervención de la vida real: para esto necesita del empresario Langman, quien en virtud de su profesión tiene la posibilidad de combinar lo necesario para satisfacer sus deseos. (Que esos deseos no son un capricho tonto, sino un episodio de la lucha del ser humano contra la nada y el olvido amenazantes, es lo que conviene no olvidar.)

Nótese también que las experiencias que valorizan este sueño a ser representado son de naturaleza particularmente grata: el ambiente, los colores, las actitudes, la compañía de otros seres humanos, se asemejan a un *tableau* en el que se representa algo básicamente satisfactorio, con algo de película francesa o norteamericana de la década de 1930; una suerte de realismo optimista cuyo carácter fundamental parece ser el goce basado en las cosas simples y elementales de la vida. La escena termina, sugestivamente, con la mujer tendida en la acera, «como si fuera una chica», y un gesto de cariño, o al menos de solidaridad, por parte de otro innominado personaje. Todo esto (aunque sea «todo confuso») ha producido, en la mujer que intenta revivirlo, un sentimiento de alegría o conformidad. Inclusive podría hablarse de una vía de evasión; el sueño proporciona la forma de escapar a una realidad cotidiana opresiva o, cuando menos, insatisfactoria o frustrante.

Ahora bien: el sueño, la irrealidad del sueño, aparentemente se ha realizado; pero la irrealidad del sueño instaura la realidad de la muerte. El final de la buscada representación coincide —para sorpresa de los personajes, y quizá también del lector— con la pacífica muerte de la mujer.

El crítico uruguayo José Pedro Díaz, en un interesante trabajo reciente [7], toma precisamente este camino interpretativo; para él,

a pesar del título, es evidente que el sueño no podía *realizarse* —en eso consiste, precisamente, el tema—. O, si se realiza, ello ocurre al mismo tiempo que la muerte de la protagonista, y el lector no podrá saber si el hecho de que se realizara pudo tener que ver con su muerte, pero de todos modos esa muerte hace enmudecer el suceso. Por otra parte, este cuento también expresa el esfuerzo de hacer penetrar el sueño en la realidad, según la intención que proclama desde el título.

Juntando las diversas hebras que hemos tratado de presentar hasta aquí, parecería que una primera aproximación al cuento podría ser la de comprenderlo como una suerte de mecanismo de desrealización (todo lo contrario de lo que —¿irónicamente?— apunta el título). Empezamos sumergidos en una realidad no sólo inmediata, sino chata y hasta vil: la de los míseros comediantes, los ambientes del hotel y la pensión, la milanesa con vino blanco de Langman y el vaso de leche que atenúa los efectos de la borrachera de Blanes; el mundo miserable del pueblo, el calor, las grietas del techo, la búsqueda de la ganancia fácil y de la aventura más fácil aún. En esta realidad desagradable aparece una mujer que, ya a partir de su aspecto sugestivamente anacrónico, implica un distanciamiento de esa realidad, un cambio hacia la dirección contraria. Ella trae un proyecto que no se origina en la realidad inmediata (como el de Langman, que se cifra en «escapar a Buenos Aires», p. 61, y de Blanes,

---

[7] «Sobre Juan Carlos Onetti», *Studi di letteratura ispano-americana* (Milán, 13-14 (1983), 79-102; la cita en p. 96.

que ya ni siquiera piensa en ello), sino en el ingreso, a través del teatro, en el mundo prohibido de los sueños; más bien, la superimposición del sueño a la realidad, a fin de que aquél modifique a ésta, la transmute en una suprarrealidad más deseable y grata. Es verdad que la idea de la mujer, inmediatamente caracterizada como «loca», produce, aun antes que la representación pedida, un efecto quizá inesperado, el comienzo de una relación con Blanes. Pero también pone en marcha la representación misma, ceremonia mágica a través de la cual se busca exorcizar la (supuesta) realidad, realizar el (verdadero) sueño, hacer que éste se convierta en *res*, en cosa. Y esta superación de la realidad se logra, quizá hasta por partida doble: primero en el escenario (en donde, a pesar de la precariedad del ambiente de cómicos de la lengua y de la improvisada representación, se logra por un instante el clima de lo mágico); y luego porque esa ceremonia de convocación se convierte también en una ceremonia de pasaje, el tránsito de la vida a la muerte. Dicho de otra forma, que para ser explícita ignora toda sutileza: ante todo, realidad crasa; luego, realidad modificada (primer grado) por la fantasía y el supuesto «amor»; en seguida, realidad superada (segundo grado) por la magia del hecho teatral; finalmente, realidad trascendida (último grado) por el gesto inapelable de la muerte.

La *broma* inicial, que insiste en un *Hamlet* imposible; el *sueño* de la mujer, que ella intenta transferir a otro plano; y la *locura* de ésta (pero ¿es verdadera tal condición?: no olvidemos que el juicio es formulado por Langman, personaje fracasado y obtuso, típico «testigo imperfecto» de los hechos): estos tres elementos son formas de la irrealidad, ataques a una realidad demasiado inmediata, hirientemente real. Pero no olvidemos que los seres humanos —en esto como en todo— pueden por lo menos aspirar a la instauración de lo que consideran su realidad deseable, su auténtica realidad.

LA VERDAD

Verdad y mentira son los materiales con los cuales se teje la literatura; [8] cuando se manejan estos conceptos dentro del mundo

---

[8] Sobre un tema relacionado, véase HUGO J. VERANI, «Los hijos de Shahrazad o la perfección de la mentira», *Letras de Buenos Aires,* III, 10 (septiembre 1983), pp. 41-51.

de las letras, ninguno de los dos sigue siendo lo que designamos con ese vocablo fuera de un contexto específicamente literario. La «verdad» es algo que se dicen los personajes o que se dice de ellos; la «mentira» surge en contraposición con esa verdad de la página, que no es la coherencia cognoscitiva del mundo exterior. Si el personaje de un cuento miente, o si el autor o la voz narrativa mienten a través de él, no es algo que pueda ser resuelto con criterios extraliterarios. Esto está absorbido desde muy temprano por Onetti; por eso podemos intentar desentrañarlo en este cuento de 1941.

En tal sentido, puede decirse que Onetti extrema lo signos para que, desde el momento inicial de la lectura del cuento, advirtamos su juego peligroso con la «verdad» literaria, su caminar al borde, entre la verdad y la mentira.

Por una parte, el punto de partida de la construcción es la *broma* —es decir, la mentira— insistentemente formulada por Blanes a Langman. Pero no se trata sólo de eso. Desde luego, no sería broma si, en efecto, Langman hubiera dedicado su vida a la representación de *Hamlet*. Lo singular es que Langman *no entienda* una broma tan simple: «aquella broma no comprendida del todo»; «si la primera vez le hubiera preguntado por el sentido de aquello»... La alternativa verdad/mentira está, desde el comienzo, enturbiada o complicada por el problema de la búsqueda del conocimiento, por la difícil comprensión de la situación. En el otro extremo, y como punto de llegada, aflora un cierto estrato de comprensión, una vez cumplidos todos los pasos de esa suerte de ritual que propone —o exige— el texto: pero se trata de una comprensión muy imperfecta, confusa, incomunicable; es —para decirlo con las insustituibles palabras del propio Onetti— «como si fuera una de esas cosas que se aprenden para siempre desde niño y no sirven después las palabras para explicar» (p. 77). Entre estas dos incomprensiones, entre estos dos extremos de desconcierto ante la indudable complejidad de la vida humana, quizá ante su imposible dilucidación, se extiende el cuento.

Lo que quiero decir, frente a posibles interpretaciones del cuento que —guiadas por el título— pueden insistir casi exclusivamente en la disyuntiva entre «sueño» y «realidad», es que a mi ver estos no son los dos únicos términos de la ecuación que plantea Onetti: ella se extiende —se complica— con el problema del conocimiento y sus límites. Veamos algunos ejemplos más: 1) Cuando la mujer presenta a Langman su idea escénica:

«No, no tiene nombre —contestó—. Es tan difícil de explicar...» (p. 63); «Comprendí, ya sin dudas, que estaba loca y me sentí más cómodo» (p. 63). 2) Cuando Blanes ya ha entablado cierto tipo de contacto personal con la mujer: «Yo le pregunté qué era esto que íbamos a representar y entonces supe que estaba loca. [...] pero la mayor locura está en que ella dice que ese sueño no tiene ningún significado para ella» (p. 73). 3) Inmediatamente después: «a cada momento se entreparaba en la calle —había un cielo azul y mucho calor— para agarrarme de los hombros y las solapas y preguntarme si yo entendía, no sé qué cosa, algo que él no debía entender tampoco muy bien, porque nunca acababa de explicarlo» (p. 73). 4) Cuando está a punto de comenzar la representación: «Pero fue entonces que, sin que yo me diera cuenta de lo que pasaba por completo, empecé a saber cosas y qué era aquello en que estábamos metidos, aunque nunca pude decirlo, tal vez como se sabe el alma de una persona y no sirven las palabras para explicarlo» (p. 75). 5) Y, finalmente, el párrafo final, que citado con mayor extensión permite advertir cómo esta noción de la comprensión, o sea del conocimiento —y sus límites, claro— se une con las de la búsqueda como actitud existencial y de la insuficiencia del lenguaje, ya insinuadas anteriormente, en algo así como una poderosa *coda* musical (los subrayados y los comentarios entre corchetes son míos):

Me quedé solo [como todo ser humano], encogido por el golpe, y mientras Blanes *iba y venía* por el escenario [motivo de la búsqueda], borracho, como enloquecido, y la muchacha del jarro de cerveza y el hombre del automóvil se doblaban sobre la mujer muerta, *comprendí qué era aquello* [motivo del conocimiento], qué era lo que *buscaba* la mujer muerta [íd.], lo que *había estado buscando* Blanes borracho la noche anterior en el escenario y *parecía buscar todavía* [aun más], yendo y viniendo con sus prisas de loco; lo *comprendí* todo claramente [conocimiento] como si fuera una de esas cosas que se aprenden para siempre desde niño *y no sirven después las palabras para explicar* [insuficiencia del lenguaje] (p. 77).

Entre la realidad y el sueño se tiende el puente del conocimiento, que aspira inútilmente a descifrar la una y el otro, así como a expresar el resultado de su búsqueda mediante el instrumento del lenguaje. Pero para Onetti ni el lenguaje, ni el conocimiento mismo, pueden escapar a la condición de lo arbitrario, lo precario, inclusive lo inalcanzable. De ahí que, como apunta Verani a propósito de *La vida breve,* «sólo encuentra una salida, una respuesta al sinsentido de la vida: la aventura creadora»; «la proyección ilusiva a través de la literatua es un modo de supervivencia»⁹. Esa «proyección ilusiva» se da en «Un sueño realizado» a través del teatro, lo cual no es sorprendente: el hecho teatral —con su misterio intangible: hombres jugando a ser hombres, vida que hace un esfuerzo para presentarse como vida— ha servido desde antiguo para este propósito. Es decir: desde siempre, nos ha revelado lo tenue del vínculo, o de la separación, entre las entidades abstractas arbitrariamente definidas por la mente humana. Una irónica —diríase obvia— alusión al respecto está dada, desde luego, por la constante referencia a *Hamlet* en la broma de Blanes (broma dirigida, por encima del personaje, «al tal vez lector», como escépticamente hubiera acotado Borges). Langman no se arruinó dando esta obra (o se habría arruinado, tal vez, dando *cualquier* obra); pero igualmente podría decirse que aparece como predestinado a verificar, una vez más, la inserción del teatro dentro de ese otro teatro más amplio que es la vida del hombre.

Como homenaje al gran crítico uruguayo Angel Rama (1926-1983), quisiera terminar transcribiendo estas líneas suyas ¹⁰, que sintetizan algunas de las resonancias —¡nunca todas!— de «Un sueño realizado»:

«Il descend en éveil l'autre côté du rêve», dice Hugo en un famoso verso. Onetti, dando prueba de su realismo, cree que no es posible. Trató de mostrarlo en «Un sueño realizado»: allí la mujer, que es una adolescente envejecida como insistentemente acota el autor, quiere hacer realidad un sueño muy simple, pero que le provocó una intensísima felicidad. Al hacerse realidad, el sueño se transforma, fatalmente, en la muerte, porque el sueño aspira a una cristalización perfecta donde no cabe el devenir, la mudanza, el decaecimiento, en una palabra, la vida.

Establecida la imposibilidad de ingresar en el territorio de la verdad; ante el acoso de la realidad cotidiana y la imposibilidad de hacer coincidir sus fronteras con las del sueño, redimidor de la vida; enfrentado cada ser humano con el drama de su soledad, y hasta con la negación de la potencia expresiva del lenguaje

---

⁹ *Onetti: el ritual de la impostura,* p. 114.
¹⁰ Angel Rama, «Origen de un novelista y de una generación literaria», en Helmy F. Giacoman (comp.), *Homenaje a Juan Carlos Onetti; variaciones interpretativas en torno a su obra,* Long Island City, Anaya-Las Américas, 1974, pp. 12-51; la cita, en p. 42.

para hacerlo visible, ¿qué queda? En el limitado contexto de este cuento de Onetti, quizá sólo la posibilidad de la ilusión, es decir, en términos generales, del arte: el teatro, la literatura, el imperio de la ficción. «The play's the thing», como se dice, precisamente, en *Hamlet* (II, 2).

[Publicado en *Estructuras del cuento hispano-americano*. Jalapa, Universidad Veracruzana, 1987.]

HUGO J. VERANI

TEORÍA Y CREACIÓN DE LA NOVELA:
LA VIDA BREVE

> «Una eterna y confusa tragicomedia en la que cambian los papeles y máscaras, pero no los actores.»
>
> Borges, *Otras inquisiciones.*

En 1950 publica Juan Carlos Onetti su novela más ambiciosa, *La vida breve,* de una ambigüedad estructural y expresiva poco común en Hispanoamérica en ese entonces, una de las manifestaciones novelísticas más complejas y ricas de la narrativa hispanoamericana de todos los tiempos. Como toda gran obra de arte, *La vida breve* admite múltiples enfoques críticos y quizás sea la novela de Onetti que ha ocasionado la mayor diversidad de juicios, aun contradictorios [1].

Si uno de los primeros comentaristas de *La vida breve* pudo escribir que «no es probable que trascienda más allá de sus amistades» [2], en la actualidad, sin embargo, la sensibilidad crítica ha evolucionado —se ha puesto más en consonancia con la profunda transformación del arte narrativo— y la mayoría de los nuevos lectores subrayan la importancia de *La vida breve* en el proceso evolutivo de la novela hispanoamericana; se la considera una de las novelas más significativas de América. En el prólogo a la edición francesa, Laure Guille-Bataillon califica a

---

[1] El primer estudio importante sobre *La vida breve* le pertenece a Emir Rodríguez Monegal. «J. C. O. y la novela rioplatense», *Número,* Año 3, núm. 13-14 (marzo-junio de 1951), pp. 175-188. Varios artículos útiles se mencionan a lo largo de este estudio. El más detallado es el de Josefina Ludmer, «Homenaje a *La vida breve,* 25 años», en *Onetti: Los procesos de construcción del relato* Buenos Aires, Sudamericana, 1977, pp. 9-142.

Todas las citas de *La vida breve* se hacen de la primera edición, Buenos Aires, Sudamericana, 1950.

[2] Homero Alsina Thevenet, «Una novela uruguaya. *La vida breve*», *Marcha,* núm. 590, 24 de agosto de 1951, p. 14.

La vida breve como «el libro clave de los años cincuenta para Argentina y Uruguay. Libro catalizador, revelador, tal como *Rayuela* de Julio Cortázar lo será en los años sesenta. Libro que ha de permanecer como piedra fundamental de la literatura sudamericana» [3]. También en España se la considera la obra maestra no superada de Onetti [4], y para la crítica venezolana, *La vida breve* «es una lección del arte de escribir» [5]. Cedomil Goić afirma que *La vida breve* es «la obra que viene a determinar un paso maestro de la novelística hispanoamericana» [6]. En México —sólo a manera de ejemplo y sin intención de catalogar opiniones— se reconoce la transformación radical que trajo esta novela: «es en el año de 1950 cuando [Onetti] hace culminar formalmente a la novela tradicional y echa los cimientos de la nueva con una obra magistral, *La vida breve*» [7]. Cuando en una entrevista se le pide a Mario Vargas Llosa que seleccione el escritor y la obra que más admira, destaca a Borges y *Los pasos perdidos* de Carpentier, para concluir: «Si tuviera que nombrar al creador de un conjunto novelístico citaría a Juan Carlos Onetti, de quien se ha hablado muy poco o se ha comenzado a hablar muy tarde. Es un escritor que en cierta forma funda la nueva novela latinoamericana. *La vida breve* es un libro admirable en todo sentido» [8].

Admirable en todo sentido, *La vida breve* es la novela que inicia el período de plena madurez creadora de Onetti, una nueva apertura en las letras hispanoamericanas, culminación y síntesis de las contribuciones verdaderamente significativas de su arte narrativo. Es en esta novela donde se manifiesta más claramente el principio que confiere continuidad artística a toda su obra narrativa: la concepción de la literatura como un acto de fundación de un universo verbal propio. Si la novela tradicional intentaba describir una realidad extraliteraria y preexistente, la

---

[3] LAURE GUILLE-BATAILLON, *«La vie brève:* piedra angular de la literatura», *Marcha,* 7 de abril de 1972, p. 31.

[4] ANDRÉS AMORÓS, *Introducción a la novela hispanoamericana actual,* Madrid, Anaya, 1971, p. 79.

[5] MARIANO BEJARANO, «Onetti: la identidad perdida», Suplemento de *Imagen,* núm. 65 (15/31 de enero de 1970), s. p. [p. 4].

[6] CEDOMIL GOIC, *Historia de la novela hispanoamericana,* Valparaíso, Ediciones Universitarias, 1972, p. 230.

[7] HÉCTOR MANJARREZ, «Onetti: el infierno son los demás que soy yo mismo», *Siempre!,* núm. 538, 31 de mayo de 1971, p. VI.

[8] HORACIO ARMANI, «Vargas Llosa: los estímulos de la realidad», *La Nación,* 1.º de agosto de 1971, p. 2.

ficción hispanoamericana adquiere desde el primer cuento de Onetti, «Avenida de Mayo-Diagonal-Avenida de Mayo» de 1933, una nueva actitud ante la realidad, alcanza una función creadora que desde entonces la distinguirá.

«La palabra todo le puede» (p. 311), dice Brausen, el narrador de *La vida breve;* y más adelante: «Sentía nuevamente la necesidad de imponer con palabras un destino común y absurdo» (p. 327). La configuración de un universo en esencia ficticio es una de las innovaciones que distingue a la novela contemporánea.' En una breve nota publicada en *Les Lettres Nouvelles,* Octavio Paz señala que la literatura hispanoamericana de mayor vigencia en la actualidad es siempre una empresa imaginativa en la cual el escritor se propone la fundación de un mundo [9]. Borges, para quien la reedificación de la realidad es el principio que guía su obra entera, es la figura que abre caminos; varias novelas de capital importancia en las letras hispanoamericanas comparten los mismos principios creadores. En *Cien años de soledad,* al igual que en *Rayuela,* o en novelas aún más radicales en la exploración verbal de la realidad *(Cambio de piel, El obsceno pájaro de la noche),* el escritor busca devolverle a la palabra el poder creador, convertir la novela en una experiencia literaria. Esta poética puede ser considerada como una de las claves para la comprensión de la ficción contemporánea; Marina Mizzau —siguiendo a Eduardo Sanguineti— alude a este recurso narrativo, «que consiste en hacer objeto de narración el mismo acto de hacer novela», y lo destaca como la convención que puede dar unidad y sentido a la novela contemporánea en general. El lector del siglo veinte se encuentra frente a una narrativa en la que se superponen varios niveles de exposición de «una realidad que es desmentida continuamente como tal y fijada como ficción» [10].

Esta modalidad literaria constituye uno de los rasgos distintivos de *La vida breve.* Texto productor llama Jean Ricardou a este tipo de novelas, por generar su propia realidad en el acto de escritura, en contraste con el sistema narrativo básico, los textos expresivos, que afirman la existencia de un mundo exte-

---

[9] OCTAVIO PAZ, «Littérature de fondation», *Les Lettres Nouvelles,* núm. 16 (julio 1961), pp. 5-12. Número dedicado a la literatura hispanoamericana que incluye la traducción al francés de «Bienvenido, Bob».

[10] MARINA MIZZAU, en Grupo 63, *La novela experimental,* Caracas, Monte Avila Editores, 1969, pp. 74-76.

rior y un mundo subjetivo [11]. Brausen, el narrador básico, introduce ficciones de segundo y tercer grado que modifican la situación inicial. La superposición de las tres historias paralelas —la vida de Brausen, su desdoblamiento en Arce y en Díaz Grey— el desarrollo convergente y la fusión final de la triple prolongación espaciomental del narrador ponen de manifiesto el principio de configuración que rige la creación literaria de Onetti. Brausen funda un mundo (Santa María), se imagina otros dos modos de vivir y esas dos experiencias simultáneas que inserta en la novela van adquiriendo autonomía, se independizan de su creador y terminan por desplazar totalmente la ficción que las prefigurara; acaban por imponerse como una realidad literaria dentro de otra.

De allí proviene, en parte, el hermetismo y la ambigüedad de una novela que está en proceso de escribirse, donde la ficción se expande ante el lector. Como en un juego de espejos que repiten la imagen interminablemente, la realidad se refleja y se bifurca en variaciones de la situación original; la novela se renueva sin cesar, en una reiteración exploradora sin fin. Cada nuevo episodio de *La vida breve* ejemplifica una variación del mismo conflicto básico, duplica la ficción precedente en una simetría perpetua que intensifica el desamparo de Brausen y anula todos sus esfuerzos por forjarse un destino: «Nada se interrumpe, nada termina; aunque los miopes se despisten con los cambios de circunstancias y personajes» (p. 385).

La novela se convierte en escenario teatral y cada personaje, una y otra vez, representa una comedia, participa de un juego eterno y absurdo —la vida: «Beso sus pies, aplaudo el coraje de aquél que aceptó todas y cada una de las leyes de un juego que no fue inventado por él, que no le preguntaron si quería jugar» (p. 263). La concepción lúdica de la vida, la poética de la novela dentro de la novela y la progresiva disolución de la personalidad de Brausen, son las coordenadas que unifican todas las secuencias narrativas de *La vida breve*. Brausen tiene conciencia de su incapacidad de actuar, de incorporarse al mundo; mediante los desdoblamientos y las máscaras que asume (no es mera casualidad que el fin de la novela coincida con el último día del carnaval), Brausen se impone una finalidad que altera su vida rutinaria y pasiva. El acto creador se convierte en su única razón de

---

[11] JEAN RICARDOU, *Pour une théorie du nouveau roman*, París, Editions du Seuil, 1971, p. 65.

ser, en el mecanismo que justifica toda su existencia: «la liberación puede llegarnos por la creación», dice Emir Rodríguez Monegal, «por las fuerzas que libera el creador al rehacer el mundo, al descubrir con asombro su poder y la riqueza de la vida» [12].

Veamos primeramente con cierto detalle, el mundo de Brausen y las unidades de sentido de la novela, antes de estudiar los desdoblamientos del narrador y la invención de una realidad, aspecto este último clave en la comprensión de la novela y de la poética del autor.

Brausen: al margen de la historia

Gertrudis y el trabajo inmundo y el miedo de perderlo — iba pensando, del brazo de Stein—; las cuentas por pagar y la seguridad inolvidable de que no hay en ninguna parte una mujer, un amigo, una casa, un libro, ni siquiera un vicio, que puedan hacerme feliz (p. 66).

Así, con absoluta sencillez, Brausen resume los rasgos salientes de su modo de vivir: la marginalidad espiritual. Hay otra página inmejorable en la que Brausen se describe a sí mismo, donde quedan admirablemente ilustradas un sinnúmero de limitaciones de su ser, así como su tendencia a la autonegación:

"A esta edad es cuando la vida empieza a ser una sonrisa torcida", admitiendo, sin protestas, la desaparición de Getrudis, de Raquel, de Stein, de todas las personas que me correspondía amar; admitiendo mi soledad como lo había hecho antes con mi tristeza. "Una sonrisa torcida. Y se descubre que la vida está hecha, desde muchos años atrás, de malentendidos. Gertrudis, mi trabajo, mi amistad con Stein, la sensación que tengo de mí mismo, malentendidos. Fuera de esto, nada; de vez en cuando, algunas oportunidades de olvido, algunos placeres, que llegan y pasan envenenados. Tal vez todo tipo de existencia que pueda imaginarme debe llegar a transformarse en un malentendido. Tal vez, poco importa. Entretanto, soy este hombre pequeño y tímido, incambiable, casado con la única mujer que seduje o me sedujo a mí, incapaz, no ya de ser otro, sino de la misma voluntad de ser otro. El hombrecito que disgusta en la medida en que impone la lástima, hombrecito confundido en la legión de hombrecitos a los que fue prometido el reino de los cielos. Asceta, como se burla Stein, por la imposibilidad de apasionarme y no por el aceptado absurdo de una convicción eventualmente

[12] EMIR RODRÍGUEZ MONEGAL, «J. C. O. y la novela rioplatense», *Número*, Año 3, núm. 13-14 (marzo-junio de 1951), p. 186.

mutilada. Este, yo en el taxímetro, inexistente, mera encarnación de la idea Juan María Brausen, símbolo bípedo de un puritanismo barato hecho de negativas —no al alcohol, no al tabaco, un no equivalente para las mujeres—, nadie, en realidad..." (p. 67).

Por su amplitud y también por su recurrencia, el profundo sentimiento de desamparo y abandono se deslinda como una de las fuerzas motivadoras de la obra entera de Onetti. En *La vida breve* la narración gira en torno de varios motivos que reaparecen en forma obsesiva y configuran la peculiar visión del mundo del narrador: el fracaso de toda relación afectiva, el hastío de la rutina, la conciencia de su mediocridad y la fijación de recuerdos como única salvación posible.

Tendido en la cama de su habitación sombría, Brausen se hunde en la desesperanza total. Convertido en hábito su amor por Gertrudis («Gertrudis, sabida de memoria», p. 12) y perdida la espontaneidad en las relaciones humanas («fracasadas sonrisas planeadas largamente», p. 40), Brausen recurre a una imagen corporal, la amputación del seno de Gertrudis —representación metafórica de la relatividad humana— para sugerir el deterioro inevitable de todo lo existente. Transforma entonces el sufrimiento físico y la fealdad, en símbolo de una experiencia subjetiva, inexpresable directamente: la muerte del amor, y más que nada, la muerte de la fe en sí mismo.

El aislamiento de Brausen, la monótona repetición cotidiana de actos sin sentido y la opresiva sensación de impotencia en que se debate, alternan con el deseo de lograr un cambio definitivo en su vida, pero este deseo choca siempre con la imposibilidad de actuar: «Es, también, la vieja imposibilidad de actuar, la automática postergación de los hechos. Y no me sirviría la voluntad porque es mentira que baste la persistencia en el rezo para que descienda la gracia» (p. 185). La incomunicación es resultado de la incapacidad de Brausen de incorporarse al mundo, cuya motivación o causa queda siempre inexplicada y es susceptible de infinitas interpretaciones.

El protagonista, modelo de absoluta insignificancia e inanidad, como todo héroe problemático de nuestra época, parece predestinado a la desgracia, a la repetición infinita de actos sin sentido: «Comprendí que había estado sabiendo durante semanas que yo, Juan María Brausen y mi vida no eran otra cosa que moldes vacíos, meras representaciones de un viejo significado mantenido con indolencia, de un ser arrastrado sin fe entre per-

sonas, calles y horas de la ciudad, actos de rutina» (pp. 169-170).
Dentro de los límites impuestos por su personalidad, Brausen no
logrará jamás terminar esa larga serie de «malentendidos», esa
«sonrisa torcida» que es la vida para él. De ahí que fallan todos
sus intentos de alcanzar algún vínculo espiritual duradero: se
separa de su mujer, Gertrudis; fracasa en su relación afectiva con
Raquel, la hermana menor de Gertrudis; pierde su empleo y
termina por rechazar a Stein, su único amigo y colega en la
agencia de publicidad donde trabaja. Todos sus encuentros con
Stein son un largo malentendido, pues Brausen se mantiene
ajeno a la conversación. Mientras Stein relata sus aventuras
amorosas o describe las reuniones que organiza su amante («los
sábados de Mami»), Brausen divaga mentalmente, deja que su
imaginación salte fuera del tiempo, y rememora, en un monólogo interior que alterna con la conversación de Stein, las obsesiones que particularizan su existencia. Si Arce y Díaz Grey son
desdoblamientos nacidos de la imaginación de Brausen, otros
dos modos de vida posibles, Stein representa otro doble, una
figura opuesta a Brausen, pero esta vez en el plano de la realidad.

Desde la primera página de la novela nos sumergimos en la
opresiva atmósfera que reinará a lo largo de todo el libro; Brausen aparece encerrado en su apartamento, condenado a la soledad y poseído de sentimientos contradictorios que anulan su
personalidad. La soledad queda implícita en los monólogos interiores de Brausen, quien percibe las más mínimas modificacio-
nes en la atmósfera que lo rodea: «...alguna vibración inidentifi-
cable entraba a veces en el olor a remedios» (p. 19). Convencido
de la inutilidad de la acción, todo intento de reintegrarse vitalmente al mundo permanece ajeno a la voluntad de Brausen;
sólo responde a fuerzas superiores a él, suprahumanas: «recordé
mi esperanza de un milagro impreciso que haría para mí la
primavera» (p. 14).

Este paralelismo sicocósmico se evidencia en toda la obra. La
naturaleza nunca aparece como un motivo estático, a la manera
tradicional en las descripciones ambientales o como una mera
proyección del ser; en *La vida breve* la naturaleza es algo vivien-
te, dinámico, que se asimila e interrelaciona con el fondo emoti-
vo del hombre. Hay en *La vida breve,* al igual que en otras
novelas de Onetti y en particular en *La cara de la desgracia,* una
correlación entre el estado afectivo del protagonista y el mundo
exterior. La lluvia hostil —que distingue a *El astillero,* novela

desarrollada en un continuo invierno lluvioso— agrega elementos opresivos a la existencia de los personajes, y se asocia, junto a la oscuridad y al invierno, con los momentos de mayor depresión y tristeza: «Acaso también ella [Queca] se dejara abrumar por los fracasos que significaba el día lluvioso» (p. 266). Pero cuando Gertrudis siente esperanzas de recuperar el amor de Brausen dice: «Vi que los días ventosos de la primavera, los primeros anocheceres tibios que siguieron a las semanas de lluvia, obtuvieron permiso para cruzar el balcón e instalarse en el cuarto» (p. 79).

El aire irrespirable, húmedo y maloliente de su apartamento también suma su «poder» al de la lluvia y representa otro elemento hostil que ahoga a los personajes con sus sugerencias ominosas; agrega otro obstáculo que limita las posibilidades de Brausen de liberarse de su condena —la condena de ser creación onettiana—. Veamos otro ejemplo revelador:

Cubierto y excitado por las móviles capas del aire húmedo, traté de coincidir con el rumor lejano del viento, solitario y lúcido encima del gran cuerpo que se prestaba sin entrega, inmóvil. Volví a pensar en su muerte cuando tuve que reconocer el fracaso, cuando estuve de espaldas, junto a ella, sabiéndome olvidado. Escuché, sentí en los ojos y en las mejillas el renovado furor de la tormenta, el rencoroso ruido del agua, el viento ululante que llenaba el cielo y golpeaba contra la tierra; la fuerza del mal tiempo, capaz de atravesar el alba, de invadir la mañana, barriéndome e ignorándome como si mi muerta exaltación no pesara más que la diminuta hoja que yo había acariciado y mantenido pegada a mi mejilla; tan indiferente y ajena como la mujer que descansaba, en quietud y silencio, arqueada sobre el almohadón (p. 229).

Por el contrario, cuando Brausen se transfigura en Arce en el apartamento de la Queca, se siente nacer en una nueva personalidad, presiente una esperanza de salvación, y describe con visión distinta el nuevo lugar: «El aire del departamento vacío me dio una sensación de calma» (p. 70). «Yo renacía al respirar los olores cambiantes del cuarto» (p. 170). «Recordé que había descubierto, casi palpado, el aire de milagro de la habitación» (pp. 234-35).

Hay una misteriosa fusión suprarreal entre el ente humano y la atmósfera. En un universo privado de relaciones humanas armoniosas, donde la conciencia de la personalidad se disuelve en la nada y el hombre se pierde en la anonimia de la gran ciudad, la integración de las experiencias humanas con los elementos naturales del mundo exterior es el único —si bien precario— vínculo que perdura.

Planos narrativos

—Mundo loco —dijo una vez más la mujer, como remedando, como si lo tradujese.
   Yo la oía a través de la pared. Imaginé su boca en movimiento... (p. 11).

Con frecuencia en la obra de Onetti las primeras palabras resumen el significado esencial del mundo recreado, las actitudes del narrador y el punto de vista narrativo. «Mundo loco» es el comentario de la Queca, prostituta que vive en el apartamento contiguo al de Brausen, con el cual se inicia la novela y que, por lo reiterado, llega a convertirse en *leitmotiv* de la narración, síntesis de la concepción onettiana de la vida, de la futilidad y el sinsentido del existir. Al usar el verbo «remedar», Onetti destaca desde la primera frase la importancia de representar un papel, de imitar (o asumir) *otra* personalidad, aspecto clave de la novela. El comentario inmediato de Brausen encierra otros dos elementos fundamentales: su aislamiento en la oscuridad de su cuarto («Yo la oía a través de la pared») y el predominio de la imaginación, de la fantasía, que le abre la posibilidad de modificar mentalmente la realidad, de ir creando gradualmente otro modo de vivir, otro mundo en el cual se sumergirá más tarde él mismo convertido en Arce.
   En estos dos primeros párrafos de la novela Onetti introduce al lector a dos de los tres caminos que seguirá la narración, planos que alcanzarán distintos niveles espaciales, que —aunque paralelos— nunca se entrecruzarán; cada uno entregará una diferente perspectiva de la realidad vital de Brausen-Arce. «Los dos mundos que separa la débil, facilitadora pared del departamento, nunca llegarán a confundirse. Para saltar de uno a otro será necesario que Juan María Brausen asuma un nuevo nombre; que deje de ser Brausen y empiece a ser Juan María Arce. En algún momento ambos mundos llegan a ser tangenciales pero nunca se solapan; están en distintos planos; distintas leyes los rigen y el juego de vivir no puede ser el mismo en ambos» [13].

_____
[13] *Ibid.*, p. 176.

Tres páginas más adelante, Brausen, oscuro escritor en una agencia de publicidad, recuerda que debe escribir un argumento cinematográfico por encargo de su amigo Stein y evoca otro posible mundo imaginario, sin poder olvidar su aversión por el cuerpo mutilado de Gertrudis: «No me sería posible escribir el argumento para cine de que me había hablado Stein mientras no lograra olvidar aquel pecho cortado, sin forma ahora...» (p. 14). Estos tres planos de la narración —la vida de Brausen y sus obsesiones, y los dos mundos en gestación— alternarán en forma paralela en la novela.

Pero el paralelismo en el desarrollo temporal de las historias no es un simple artificio literario sino que alcanza dimensiones más profundas. Los personajes de todas las historias son proyecciones de la tríada original —Brausen, Gertrudis y Stein—; estas proyecciones, directas en el comienzo, gradualmente irán logrando autonomía e independencia de su creador. Aquella constelación de tres personajes permanece inalterada y toda nueva escena repite situaciones básicas, inevitables, reflejos del pasado de cada uno de ellos: «aquel viaje que hizo usted con Elena persiguiendo a Oscar, ¿no es exactamente el mismo viaje que pueden hacer esta madrugada, en una lancha, desde el Tigre, una bailarina, un torero, un guardia de corps, un rey?» (p. 386). He aquí precisamente, el carácter patético de la búsqueda de Brausen. Al querer trascender la realidad inmediata, Brausen descubrirá un mundo multiforme que repite su imagen perpetuamente, acumulará una serie de vidas breves que el final abierto de la novela sugiere infinitas.

Esta estructura cíclica, y por ende ambigua, da la tónica a la novela: la imposibilidad de determinar con exactitud los límites y la individualidad del yo. Cualquier intento de Brausen de liberarse de sus inhibiciones y encontrar una nueva razón de ser, un fin que le dé autenticidad a su vida, está condenado a la derrota. Sin embargo, Brausen no sucumbe al nihilismo, y para liberarse de la nada apela a la imaginación: se desdobla en Díaz Grey, personaje del argumento cinematográfico que escribe, y en Arce, nombre ficticio que asume al convertirse en amante de la prostituta Queca. Desaparece su amor por Gertrudis y nace en Brausen la «necesidad creciente de imaginar» (p. 21), «de salvar el sentido de la vida» (p. 151); subsistirá Brausen sólo si mantiene la ilusión de hacerse pasar por Arce en el apartamento de la Queca y si continúa siendo Díaz Grey en Santa María: «Entretanto, yo casi no trabajaba y existía apenas: era Arce en las regulares borracheras con la Queca, en el creciente placer de golpearla, en el asombro de que me fuera fácil y necesario hacerlo; era Díaz Grey, escribiéndolo o pensándolo, asombrado aquí de mi poder y de la riqueza de la vida» (pp. 187-188).

Todos los actos de Brausen aparecen signados por su incapacidad intrínseca a adaptarse a la vida. Si Brausen es un ser insignificante y fracasado, en su guión cinematográfico y en el apartamento de la Queca adquiere nuevo poder sobre sus acciones; las máscaras que asume le sirven para trascender su existencia y plasmar una nueva esencia vital, es decir, una nueva esperanza de continuidad. Tal esfuerzo creador no debe ser objeto de análisis que relegue a un plano secundario el carácter artístico de la obra, ni considerarse como un simple intento de evadirse de la realidad, como testimonio y ejemplo de una voluntad escapista. Aunque su significado más obvio e inmediato sea una huida de la realidad, como ya observara Emir Rodríguez Monegal, «es también realidad e impone sus reglas» [14]. Si se valora la obra literaria solamente en comparación con el mundo real se la reduce a un solo nivel de significación y se ignora la función esencial de toda crítica: iluminar los elementos que contribuyen a la creación de un mundo singular. Lo que al comienzo parece ser un simple esfuerzo de Brausen por liberarse de la opresiva realidad circundante se convertirá en una realidad autónoma, al extremo de que un crítico llegue a dudar quién es el narrador básico de la novela y creador de los otros dos personajes [15]. Pero ese es uno de los motivos fundamentales de la novela: el mundo imaginado por Brausen se impone con consistencia real dentro de la ficción. Es, pues, imposible distinguir con precisión los límites de lo real y lo imaginario; se invierte la relación de dependencia entre las dos esferas de la realidad y se configura otro plano de lo real que termina por desplazar a la conciencia que le diera vida.

La vida breve es otro ejemplo de lo que se ha dado en llamar la «novela de la novela»; en forma paralela a Borges en el cuento, Onetti incorpora a su obra novelística este recurso narrativo. La ficción original sirve de punto de partida para la creación de otro mundo, absolutamente relativo, que sólo existe en la mente del protagonista-narrador. La ambigüedad de *La vida breve* re-

---

[14] *Ibid.,* p. 178.
[15] JAMES EAST IRBY. *La influencia de William Faulkner en cuatro narradores hispanoamericanos,* México, edición mimeográfica, 1956, p. 101.

sulta del enfrentamiento de la realidad creada por el autor y la realidad creada por la imaginación del personaje; el escenario ficticio (Santa María) y los personajes comienzan a ganar autonomía propia y a liberarse de la influencia de Brausen, el narrador creador, y terminan por desplazarlo totalmente.

Como estudiara Leon Livingstone en contextos más amplios —la novela europea contemporánea— la técnica de la novela-dentro- de-la-novela y el desdoblamiento interior de los personajes, llevan implícitos un significado más profundo; al ponerse en duda la validez de toda distinción entre lo real y lo ficticio en un «universo cuyas partes componentes son permutables», se crea una perplejidad inquietante en la mente del lector [16]. El uso de esta técnica literaria no implica un mero escapismo o evasión de la realidad, sino, más bien, se busca aprehender la totalidad de un universo multiforme, captar la equivalencia entre elementos aparentemente contradictorios. El aspecto más importante es percibir «un nuevo concepto de lo real, una reinterpretación de la realidad que permite la unión de opuestos al parecer mutuamente contradictorios, transformándolos en facetas recíprocas de una sola totalidad» [17].

El tiempo como unidad de sentido

La persistencia del pasado en el presente es una de las dimensiones que debe considerarse para comprender el sentido de la novela. La implacable conciencia temporal de Brausen da unidad al sin fin de evocaciones y reflexiones que se van acumulando en *La vida breve*. Consciente de la imposibilidad de alterar su camino, de abolir el tiempo histórico, Brausen apelará, como vías compensatorias, a la memoria y a la imaginación. Lo hará de dos maneras salientes: mediante la evocación de un pasado idealizado que preserva en su mente y revive en forma casi obsesiva; y a través de su intento de crear una atmósfera de eterno presente: «Yo avanzaba buscando la armonía perdida, evocaba al antiguo ordenamiento, la atmósfera de eterno presen-

---

[16] Leon Livingstone, «Interior Duplication and the Problem of Form in the Modern Spanish Novel», *PMLA*, núm. 4 (1958), pp. 393-406. Se cita por la traducción española incorporada como introducción a *Tema y forma en las novelas de Azorín*, Madrid, Gredos, 1970, pp. 39-40.

[17] *Ibid.*, p. 35.

te donde era posible abandonarse, olvidar las viejas leyes, no envejecer» (p. 234).

La fundación de Santa María es testimonio de esa ilusoria búsqueda de intemporalidad. Dice Guido Castillo: «En Santa María los personajes de Onetti tienen la oportunidad de existir absortos en un tiempo que sólo es presente, de algún modo invulnerables a lo pretérito y a lo porvenir. Un presente que no es el tránsito entre lo ya vivido y lo porvenir, sino el espacio en donde el pasado y el futuro confluyen, se aquietan y se amortiguan.» [18] De la misma manera, en el tercer ambiente en que se desarrolla la novela (el apartamento de la Queca), donde Brausen-Arce se sumerge en otra vida ilusoria y fuera del tiempo, se busca convertir lo temporal en eterno, «comprobar la permanencia de los muebles y los objetos, del aire en eterno tiempo presente» (p. 170). Continúa Guido Castillo: «La primera vez que Brausen ingresó en la fugaz eternidad de la vida breve fue cuando tuvo la suerte de poder habitar, por un momento, el departamento vacío de su vecina. El capítulo se titula "Naturaleza muerta" y, en verdad, Brausen se mueve en el cuarto de la Queca como si se adentrara, en todo su cuerpo, por el espacio irreal de un cuadro.» [19] Brausen se deleita en la observación de una escena que creía sustraída del tiempo histórico; sin embargo, al contemplar la escena más detenidamente, descubre la finitud cierta de toda realidad que se deshace en la nada:

La luz caía verticalmente del techo y luego de tocar los objetos colocados sobre la mesa los iba penetrando sin violencia. El borde de la frutera estaba aplastado en dos sitios y la manija que la atravesaba se torcía sin gracia; tres manzanas, diminutas, visiblemente agrias, se agrupaban contra el borde, y el fondo de la frutera mostraba pequeñas, casi deliberadas abolladuras y viejas manchas que habían sido restregadas sin resultado. Había un pequeño reloj de oro, con sólo una aguja, a la izquierda de la base maciza de la frutera que parecía pesar insoportablemente sobre el encaje de hilo, con algunas vagas e interrumpidas manchas, con algunas roturas que alteraban bruscamente la intención del dibujo... otras dos pequeñas manzanas amenazaban rodar y caer al suelo; una oscura y rojiza; ya podrida; la otra, verde y empezando a pudrirse... Sin moverme, descubrí debajo de la mesa una pequeña botella tumbada, formas de manzanas que acababan de rodar. En el centro

[18] GUIDO CASTILLO, «Muerte y salvación en Santa María», *El País,* Montevideo, 28 de enero de 1962, p. 6.
[19] *Ibid.,* p. 6.

de la mesa, dos limones secos chupaban la luz, arrugados, con manchas blancas y circulares que se iban extendiendo suavemente bajo mis ojos... A mi derecha, al pie del marco de plata vacío, con el vidrio atravesado por roturas, vi un billete de un peso y el brillo de monedas doradas y plateadas. Y además de todo lo que me era posible ver y olvidar, además de la decrepitud de la carpeta y su color azul contagiado a los vidrios, además de los desgarrones del cubremantel de encaje que registraban antiguos descuidos e impaciencias, estaban junto al borde de la mesa, a la derecha, los paquetes de cigarrillos, llenos e intactos, o abiertos, vacíos, estrujados; estaban además los cigarrillos sueltos, algunos manchados con vino, retorcidos, con el papel desgarrado por la hinchazón del tabaco... (pp. 71-73).

De la lectura de este capítulo surge, en síntesis, la imagen onettiana del existir, visión profundamente arraigada en toda su obra: un modo de ver la vida como un incesante acto de muerte. La «Naturaleza muerta» que contempla Brausen en el cuarto de la Queca revela la condición transitoria de todo lo existente, participa del desgaste común a seres y objetos.

Toda señal de desmoronamiento de su mundo obsesiona a Brausen, quien vive mentalmente en el ayer, ensimismado en su tiempo interior. Como en Faulkner, la persistencia de las impresiones pasadas absorbe el presente: «No se trata aquí de evocación en el sentido común de la palabra» —dice Jean Pouillon sobre Faulkner— «sino de una especie de peso constante de lo que fue sobre lo que es» [20]. Jaime Concha dirá algo similar sobre Onetti: «la intemporalidad del pasado... puede convertirse en carga opresiva para la persona» [21]. El pasado es lo real en la vida de Brausen y con frecuencia obsesiva acentúa implacables descripciones de una deformada imagen del ente humano (el seno extirpado de Gertrudis, el embarazo de Raquel), objetivación de su incapacidad para adaptarse al presente, que su mente transforma en imágenes grotescas. Hay en Onetti una sistemática destrucción de toda experiencia espiritual; en su obra el hombre queda reducido a mera supervivencia degradada, se convierte en testigo importante de su propio deterioro: «El pelo se va, los dientes se pudren», dirá lacónicamente el narrador de *Tan triste como ella* (Montevideo, Alfa, 1963, p. 39).

En el plano más inmediato el hecho de que Gertrudis perdie-

---

[20] JEAN POUILLON, *Tiempo y novela*, Buenos Aires, Paidós, 1970, p. 189.
[21] JAIME CONCHA, «Sobre *Tierra de Nadie* de Juan C. Onetti», *Atenea*, núm. 417 (julio-septiembre de 1967), p. 193.

ra un seno hace tambalear el mundo de Brausen y su relación con ella cambia definitivamente. Esta aversión por las deformaciones es el primer motivo que obsesiona al narrador y ayuda al lector a interpretar su peculiar visión del mundo y de la vida. Ya en las primeras páginas el narrador sufre ante la mutilación de su esposa: «Pensé en la tarea de mirar sin disgusto la nueva cicatriz que iba a tener Gertrudis en el pecho...» (p. 12). La intensificación obsesiva de rasgos grotescos [22] ejemplifica su repulsa por el resquebrajamiento de su mundo normal, señal evidente de los estragos del tiempo; la situación inmediata, la extirpación, es otro símbolo de la imposibilidad de Brausen de adaptarse al presente.

Aunque la espacialización de las tres historias y el diseño repetido de las escenas destruyen el fluir convencional del tiempo, existe, sin embargo, la conciencia personal de quienes sufren con la certeza de la finitud, con el paso del tiempo que da el ritmo irregular a la vida breve. Este fluir del tiempo modifica, por ejemplo, el temple de ánimo de Getrudis, quien intenta, mental y físicamente, una vuelta al origen, con la esperanza de alterar «el fin inevitable de todas las cosas»; Gertrudis tenía «la superstición y la esperanza de que volvería a ser feliz con sólo dar un paso o dos hacia atrás. Pareció sentirse segura de que todo volvería a ser como antes si lograba acomodar las circunstancias y forzar su sensación para retroceder en los años y vivir, remedando el recuerdo, los días de Gertrudis con dos senos» (p. 77). Si ella logra vivir en el recuerdo de su juventud podrá ser feliz nuevamente y asocia el presente con su desgracia; todos los elementos que la rodean la hostigan «desde el cielo nublado, la luz sucia, el gorgoteo de la lluvia en el techo y en el balcón» (p. 77). El regreso mental al pasado es la única salida que intenta Gertrudis. Evita la realidad que la rodea envolviéndose en la nada de la fantasía, evocando épocas pretéritas donde «buscaba salvarse... con la evocación de una Getrudis joven y entera» (p. 79). Brausen comenta las acciones de Gertrudis: «Empecé a verla retroceder, tratar de refugiarse en el pasado con movimientos prudentes, caminar de espaldas con pasos cautelosos, tantear con el pie cada fecha que iba pisando» (p. 79). Gertrudis revive los días juveniles y se compenetra con la idea de verse nuevamente junto a su madre, libre de las responsabilidades del pre-

_____

[22] Véanse las páginas 12, 13, 14, 15, 17, 19, 20, etc. La novela comienza en la página 11.

sente, y su regreso físico se une al mental; es un nuevo principio.

De la misma manera Brausen vuelve a Montevideo, después de cinco años de ausencia, con la esperanza de reencontrar su propia juventud y reestablecer vínculos, pero sólo logra desilusionarse aún más; el esquema es irreversible. Descubre que todos sus amigos y parientes «se pudrieron un poquito más, cinco años más. Y que yo me pudrí desconectado, con distinto estilo» (p. 223). Brausen esperaba reencontrar a la Gertrudis joven en su hermana Raquel, cinco años menor (Brausen y Gertrudis llevaban cinco años de casados), pero sólo consigue poner de relieve la motivación egoísta de su viaje: «Quiero usarla como un pañuelo, como una toalla; rabiosamente, necesito usarla como algodón, como venda, como cepillo, como hisopo» (p. 332). Cuando Raquel le visita en Buenos Aires, su presencia le causa disgusto, «una indefinible cosa repugnante» le apartaba de ella; descubre que la «cosa inmunda» que le desvinculaba de ella era su incipiente embarazo, irrefutable signo del paso del tiempo, de la disolución de la identidad personal. Así describe Brausen a Raquel: «La sensación repugnante y enemiga había estado brotado de la panza que le habían hecho, del feto que crecía anulándola, que tendía victoriosamente a convertirla en una indistinta mujer preñada, que la condenaba a disolverse en un destino ajeno» (p. 281). Y más adelante: «Está tan vieja como Gertrudis; la barriga que le crece equivale al seno que le cortaron a la hermana» (p. 282).

La obsesión de revivir su mundo personal hermana a los demás personajes. Mami había regresado con Stein a París, de donde emigró treinta años antes, «en una corta, agridulce excursión al pasado, tan parecida a ésta que realizaba ahora de pie junto al piano» (p. 191); al cantar la *chanson* que da nombre a la novela (y otras, siempre «viejas, las que cantaba mi abuela»), y a través de los recuerdos de su adolescencia parisiense que despierta un mapa de la ciudad, sumerge su corazón en el pasado. Stein vive del recuerdo de sus conquistas amorosas, «de las mentiras en que se había forzado a creer para justificarse ante sí mismo» (p. 37). En la Queca prevalece el recuerdo de un mundo de alusiones ambiguas —la presencia de los míticos «ellos», fantasmas de un pasado abolido que la atormentan—. Díaz Grey aparece como el instrumento del que se sirve Elena en la persecución de su desaparecido amante, Oscar Owen, con el secreto deseo de reproducir momentos felices del ayer. Pero la represión más extrema al pasado queda implícita en la caracterización que de las figuras femeninas hacen Brausen, Arce, Díaz Grey y hasta Stein; amenazados de aniquilación definitiva, los cuatro subrayan la necesidad de un refugio, simbolizado por el mito originario («maternal» es el adjetivo que comparten las mujeres que acompañan a los cuatro personajes mencionados) [23], expresión que recurre y acentúa aún más la inadaptación y el anhelo de transfigurar la realidad personal de cada uno de los héroes onettianos. En la obsesiva regresión síquica —la fijación en la madre— se busca otro renacimiento, un nuevo principio [24].

En esta y en otras novelas de Onetti la concepción de la temporalidad permanece incambiada; como ya dijera Jaime Concha, todos los personajes son «seres detenidos en su existencia como en una muerte... Cada ser es una momia de sí mismo, una momia de su propio pasado» [25]. El pasado opresivo y avasallante es la fuerza motivadora de la narración, y, merced a la pervivencia del recuerdo, se altera la secuencia normal del fluir del tiempo. Al entrecruzarse los planos temporales en la mente de Brausen, en torno a la recurrencia obsesiva de la operación de Gertrudis, se niega el tiempo, se establece una simultaneidad entre distintos momentos históricos y se tiñen de subjetividad las abyectas experiencias de Brausen.

La vida breve

La novela fundamenta una concepción filosófica de la existencia como suma de brevedades, lo cual puede reafirmarse con palabras del propio autor: «Yo quería hablar de varias vidas breves, decir que varias personas podían llevar varias vidas breves. Al terminar una, empezaba la otra, sin principio ni fin.» [26]

---

[23] Elena: «paciente y maternal» (p. 55). Ella se dirige a Díaz Grey: «Usted debió tocarme para evitar que ahora yo sea una madre para usted» (p. 120). Queca: «Y no sólo ignorando cómo tratarla, sino realmente intimidado como un niño» (p. 102). «Estaba inclinada hacia mi cabeza, atenta y maternal» (p. 105). Gertrudis: «Mi mujer, corpulenta, maternal, con las anchas caderas que dan ganas de hundirse entre ellas, de cerrar los puños y los ojos, de juntar las rodillas con el mentón y dormirse sonriendo» (p. 26). Miriam/Mami: «Y no es mentira que yo la quiera como a una madre» (p. 34).

[24] C. G. Jung, *Símbolos de transformación*, Buenos Aires, Paidós, 1962, p. 236.

[25] Jaime Concha, *op. cit.*, p. 183.

[26] Luis Harss, *Los nuestros*, Buenos Aires, Sudamericana, 1966, p. 228.

Es indudable que para Onetti la discontinuidad del ser y la sensación siempre presente de que la vida es muerte incesante, es la causa del drama ontológico del hombre.

En un primer nivel de significación, el sentido de la novela alude a la canción que Mami canta en una de sus funambulescas reuniones, y que le ayuda a revivir su feliz adolescencia parisiense: «durante los cinco largos minutos de la canción... ella, despojada de grasas, años y estragos, cantaba con la agresiva seguridad que presta la piel joven...» (p. 191).

> La vie est brève
> un peu d'amour
> un peu de rêve
> et puis bonjour
> La vie est brève
> un peu d'espoir
> un peu de rêve
> et puis bonsoir (p. 194).

Por otra parte, unas palabras de Brausen aluden a otra vía de acceso —de mayor importancia— para la comprensión del sentido del título y por ende de la novela: «...es que la gente cree que está condenada a una vida, hasta la muerte. Y sólo está condenada a un alma, a una manera de ser. Se puede vivir muchas veces, muchas vidas más o menos largas» (p. 226). Todo el libro es una serie infinita de muertes y resurrecciones de vidas breves. Para salir de la rutina cotidiana y revitalizar su existencia, Brausen se convierte en Arce; cuando entra por primera vez en el apartamento de la Queca comprende, «con una pequeña alegría», las posibilidades de evasión de compromisos a través de la farsa que inicia: «Calmándome y excitándome cada vez que mis pies tocaban el suelo, creyendo avanzar en el clima de una vida breve en la que el tiempo no podía bastar para comprometerme, arrepentirme o envejecer» (p. 71). En el «aire irresponsable, [en] la atmósfera de la vida breve» (p. 244) del cuarto de la Queca, Arce vive ajeno a toda responsabilidad, libre del pasado de Brausen, libre para forjar su propia imagen. De la misma manera, Díaz Grey, por ser una invención de Brausen y carecer de pasado propio, se mueve en el presente intemporal de la vida breve, fuera del tiempo, sin compromisos con el mundo. Ambos, Arce y Díaz Grey, establecen un contraste directo con Brausen, siempre obsesionado con el inexorable transcurso del tiempo [27].

Los demás personajes también buscan un nuevo principio. El amor entre Gertrudis y Brausen llega inevitablemente a su fin, al fin de una nueva vida breve: «Ahora mi mano volcaba y volvía a volcar la ampolla de morfina, junto al cuerpo y la respiración de Gertrudis dormida, sabiendo que una cosa había terminado y otra comenzaba, inevitable» (pp. 20-21). El amor entre Brausen y Gertrudis se convierte en un hecho físico, dominado por la costumbre; Brausen procura autoconvencerse de que puede seguir amando a Gertrudis, pero su obsesión por la perfección imposible le lleva a comparar el aspecto actual de Gertrudis —corpulenta, deformada, con anchas caderas— con la Gertrudis joven y esbelta que aparece en un retrato colgado en su apartamento. La imagen del regreso se completa cuando Gertrudis cree haber recobrado la felicidad, iniciar otra vida breve, mediante una nueva relación sexual que le confirma «la cualidad irresistible de su cuerpo» y Brausen describe esa cara «que amagaba trepar en la fotografía de la pared» (p. 159). La separación inicia una nueva vida para ella. Brausen vuelve a ver a Gertrudis y quisiera modificar el principio de su relación con ella («ella me había elegido, ella me había tomado»), y de seducido convertirse en el seductor, pero esa vida breve ya ha terminado, no puede ser iniciada nuevamente.

Cuando Brausen yace en su cama junto al mutilado cuerpo de Gertrudis, recuerda, por asociación con otro momento similar, a Mami, la envejecida amante de su amigo Stein; rememora el espectáculo desolador en una playa, cuando Mami se paseaba con la esperanza de atraer a algún hombre en su «última tentativa» (p. 74). La vida breve de la juventud ha desaparecido, y Mami, como Gertrudis, busca en las relaciones sexuales una rememoración de su pasado, de su juventud perdida.

La vida para Brausen es una serie de «pequeños suicidios», de «muertes y resurrecciones», un mundo donde la transitoriedad del vivir frustra toda tentativa de comunicación humana, toda esperanza de permanencia. Al fracasar su amor con Gertrudis, Brausen, convertido en Arce, recurre a la Queca como una posibilidad de amor, buscará trascender su soledad a través de una nueva experiencia amorosa: «Hacerla mía, sin pasión, como

[27] *Vid.*, GOTTFRIED WABER, «J. C. O., *La vida breve*», *Iberoamericana*, Vol. 2, núm. 2 (agosto 1970), p. 147.

un alimento» (p. 233). De la misma manera, la ilusión de la posesión de Elena Sala, obsesiona a Díaz Grey, quien vive «dispuesto a cualquier cosa por [su] cuerpo». El amor para Arce y Díaz Grey no alcanza plenitud más allá de la unión física, es siempre un sentimiento transitorio, con supremacía de lo sensual, destinado a la insatisfacción, al fracaso; en otras palabras, a la vida breve. Brausen parte de su propio *yo,* pero al representar diversos papeles dispersa y fragmenta su identidad, y descubre que la máscara le devuelve su propia imagen, duplica su soledad. Una vez más se le niega a un héroe onettiano toda posibilidad de establecer un vínculo humano; su tentativa de salvación sólo consigue intensificar su sentimiento de desamparo.

Una posibilidad de salvación

La soledad de Brausen es radical y definitiva. Se siente inerme frente a su existencia problemática y se resiste a desvanecerse en la nada. Sólo encuentra una salida, una respuesta al sinsentido de la vida: la aventura creadora.

Pero yo tenía entera, para salvarme, esta noche de sábado; estaría salvado si empezaba a escribir el argumento para Stein, si terminaba dos páginas, o una, siquiera, si lograba que la mujer entrara en el consultorio de Díaz Grey y se escondiera detrás del biombo; si escribía una sola frase, tal vez. Acababa de empezar la noche y el viento caliente hacía remolinos sobre los techos; alguien iba a reírse furiosamente en una ventana próxima; la mujer de al lado, Queca, entraría de golpe, cantando, escoltada por un hombre con voz de bajo. Cualquier cosa repentina y simple iba a suceder y yo podría salvarme escribiendo. O tal vez la salvación bajaría del retrato que se había hecho Gertrudis en Montevideo, tantos años antes... (p. 40).

La proyección alusiva a través de la literatura es un modo de supervivencia. Para Brausen la invención es el único camino para la realización de su ser, la única posibilidad de conferir sentido a su vida, de justificar su existencia. La necesidad de inventar su propio mundo, de imponer su propia concepción de la realidad, se convierte en el tema esencial de *La vida breve.* Es, asimismo, una de las tendencias más significativas de la novela contemporánea; en palabras de Robbe-Grillet: «La fuerza del novelista estriba precisamente en inventar, en inventar con toda libertad, sin modelo. Lo notable del relato moderno consiste en eso: afirma deliberadamente ese carácter, hasta el punto de que hasta la misma invención, la imaginación, se convierten en último término en el tema del libro.» [28]

Brausen transfigura su mundo para obtener una expansión vital, para olvidarse de Gertrudis y todo lo que ella representa: «Estaba un poco enloquecido, jugando con la ampolla, sintiendo mi necesidad creciente de imaginar y acercarme a un borroso médico de cuarenta años, habitante lacónico y desesperanzado de una pequeña ciudad colocada entre un río y una colonia de labradores suizos, Santa María, porque yo había sido feliz allí, años antes, durante veinticuatro horas y sin motivo» (p. 21). Es la misma motivación de Lagos, el marido de Elena Sala, la necesidad de imponerse una razón de ser, que le impele a dar «distintas versiones» de todo suceso. Cuando Lagos miente, lo hace «porque cada Lagos que inventa es una posibilidad. En último caso, una posibilidad de olvido» (p. 120). La continua e incesante invención de posibilidades de vida es la respuesta de Onetti al sinsentido del mundo, un modo de desligarse de la responsabilidad del presente y sumirse en juegos imaginativos, en una patética parodia de la existencia.

El mundo aparece como un continuo juego, una continua invención de diversas existencias posibles, las cuales, una vez aceptadas, deben continuarse hasta agotarse en sí mismas, hasta que llegue el fin de esa vida imaginada, para entonces, recomenzar una nueva variación, una nueva vida breve. Los personajes tienen conciencia de vivir desempeñando un papel, una comedia y cuando aceptan una convención deben seguir las reglas adoptadas: «Beso sus pies, aplaudo el coraje de aquel que aceptó todas y cada una de las leyes de un juego que no fue inventado por él, que no le preguntaron si quería jugar» (p. 263). Este monólogo sintetiza uno de los conceptos esenciales de la novelística de Onetti: el juego, la farsa, la mentira, la comedia sin fin, noción que se bosqueja en sus lejanos primeros cuentos y, treinta años después, se convierte en el motivo estructurador de *El astillero*. La última cita proviene de una memorable escena: el fantástico «sermón» del Obispo de La Sierra, a quien visitan Díaz Grey y Elena Sala. Hay un aire de teatralidad en toda la escena (el propio narrador la llama una «admirable bufonada») y culmina con un corte teatral e irónico de la narración; un

---

[28] ALAIN ROBBE-GRILLET, *Por una novela nueva*, Barcelona, Seix Barral, 1955), pp. 41-42.

gesto de Elena, como si señalara la caída del telón, da fin a la escena: «Elena Sala dejaba caer la cortina, abría su cartera y empezaba a empolvarse» (p. 263). Jaime Concha ha destacado el aire de teatralidad de ciertas escenas de *Tierra de nadie* y del capítulo «La tertulia» de *La vida breve,* uno de los célebres sábados de Mami. Con respecto a la primera novela, dice el crítico chileno: «El gesto de la regenta es como el de un director que llama a los actores a escena; la actitud de las mujeres al tomar posesión del salón es decorativa, ornamental, con algo de lenta ceremonia; los trajes, todos los colores distintos y todos completamente monocromos, tienen aspecto irreal, son vestuarios que ofrecen una inmóvil coreografía; la pintura del rostro no es sólo cosmético, sino también maquillaje, máscara que oculta y disfraza la identidad perdida.»[29]

La importancia del disfraz y de la máscara como medio de disolución de la personalidad, como ocultamiento y simulación, es de suma importancia en *La vida breve* y nos ocuparemos nuevamente de ella al analizar el último capítulo de la novela. Conviene, primero, establecer detenidamente la evolución del protagonista, sus metamorfosis y el proceso narrativo que lleva a la fusión final de las tres esferas de realidad que se entrecruzan en la novela.

Las transformaciones del yo

La ficción de *La vida breve* surge del desdoblamiento de la personalidad del narrador que crea otros dos planos narrativos y dos nuevas personalidades. El mundo creado por Brausen representa, al comienzo, un trasplante directo de su propia vida, pero gradualmente, los nuevos niveles de realidad lograrán independizarse de la influencia de su creador. Es necesario analizar detenidamente el proceso de evolución de cada plano narrativo para comprobar que si al comienzo la identificación entre el narrador básico y las figuras creadas por él es total, al final existe completa autonomía de los personajes creados por Brausen, al punto que le sustituyen como conciencia central de la narración.

Brausen comienza a divagar con la idea del argumento cinematográfico que piensa escribir y —por medio de un montaje

---

[29] JAIME CONCHA, «Un tema de J. C. O.», *Revista Iberoamericana,* núm. 68 (mayo-agosto de 1969), p. 353.

espacial o superposición de imágenes— asocia la morfina que usa para aliviar el sufrimiento de Gertrudis, con uno de los personajes de su argumento, el doctor Díaz Grey; las correspondencias entre los dos planos de la narración quedan prefijadas desde el comienzo: «Hay un viejo, un médico, que vende morfina. Todo tiene que partir de ahí, de él. Tal vez no sea viejo, pero está cansado, seco... El médico vive en Santa María, junto al río» (p. 20). Santa María, la ciudad imaginaria que será escenario principal de la mayoría de las ficciones posteriores de Onetti se funda en esta novela, y su importancia dentro de la creación mitopoyética onettiana ya ha sido ampliamente señalada.

En sus orígenes el guión cinematográfico nace de una necesidad económica y Brausen eleva a un plano imaginario experiencias modeladas en su vida. El lector no vislumbra ni sospecha el inesperado y complejo universo que el libre juego de la imaginación irá demarcando. El mundo de Díaz Grey refleja la vida de Brausen, nace de sus propias obsesiones e inhibiciones: la sexualidad frustrada, la ineptitud para compartir sus sentimientos, rasgos distintivos de Brausen, se trasplantan al protagonista de su guión cinematográfico. Desde el comienzo hay una relación de dependencia entre Díaz Grey y Elena Sala; la misma dependencia de Brausen frente a Gertrudis, se repite en su vida imaginaria. Hacia el final de la primera parte de la novela se encuentran en un hotel y la antigua imposibilidad de comunicación e impotencia de Brausen ante una mujer, se refleja en el doctor, su doble imaginario: «Al pie de la cama, en el sillón, Díaz Grey estuvo meditando en la imposibilidad de entrar, conscientemente y por propia voluntad, en la atmósfera, en el mundo de la mujer» (p. 181).

Así como la figura de Díaz Grey repite los rasgos de su creador («Debía... tener un cuerpo pequeño como el mío», p. 21), la mujer que entra en el consultorio de Díaz Grey es Gertrudis: «El médico vive allí, y de golpe entra una mujer en el consultorio. Como entraste tú, y fuiste detrás de un biombo para quitarte la blusa y mostrar la cruz de oro que oscilaba colgando de la cadena, la mancha azul, el bulto en el pecho» (p. 20). Todavía no hay distinción entre los dos niveles de la narración; el plano creado por la imaginación de Brausen se mantiene como realidad mental, ensoñada. La imagen de Elena Sala nace de la fotografía de Gertrudis en su juventud y la fusión original entre los dos planos narrativos se hace aún más explícita:

En algún momento de la noche Gertrudis tendría que saltar del marco plateado del retrato para aguardar su turno en la antesala de Díaz Grey, entrar en el consultorio, hacer temblar el medallón entre los dos pechos, demasiado grandes para su reconquistado cuerpo de muchacha. Ningún ruido en el departamento vecino. Ella, la remota Gertrudis de Montevideo, terminaría por entrar en el consultorio de Díaz Grey; y yo mantendría el cuerpo débil del médico, administraría su pelo escaso, la línea fina y abatida de la boca, para poder esconderme en él, abrir la puerta del consultorio a la Gertrudis de la fotografía... Entraría sonriente en ese consultorio de Díaz Grey-Brausen esta Gertrudis-Elena Sala (pp. 41-42).

Brausen concibe la figura de Díaz Grey como una posibilidad de enriquecimiento vital. Al comienzo no existe ambigüedad alguna en cuanto a la relación que mantienen el narrador y la figura inventada. Con el desplazamiento del punto de vista de primera a tercera persona, durante el proceso de gestación del doctor (la primera persona identifica a Brausen), se mantiene una distancia espacio-temporal y se indica la subordinación de Díaz Grey frente al titular de la narración. Hay una progresiva inmediatez del relato, un proceso gradual de afirmación del sueño como realidad verbal absoluta; Díaz Grey va adquiriendo autonomía en la mente de Brausen, comienza a establecer vínculos, a valerse de fantasías suyas y a crear su propio mundo sin depender completamente de su soñador [30]. Se vislumbra la posibilidad de establecer una nueva jerarquía entre creador y creado: «Entretanto, y sin que yo necesitara dirigir lo que estaba sucediendo, o prestarle atención... Díaz Grey había seguido recibiendo las visitas de Elena Sala, había repetido cientos de veces el primer encuentro, esforzándose por no mirarle los ojos» (p. 76). El discurso gramatical es uniforme; no hay mutación de los tiempos y las personas verbales, convención que se mantendrá hasta el último capítulo, donde se invierte la relación. Díaz Grey se convierte en un narrador independiente que cuenta en primera persona, en el presente, y Brausen se desvanecerá. Hay, sin embargo, un hito significativo en la evolución de Díaz Grey, un instante donde las imágenes se superponen; un juego de

---

[30] Como por ejemplo, el viaje a la sierra en busca de Owen, la visita a Gleason y al Obispo, y en especial el capítulo VI de la segunda parte, donde Díaz Grey actúa con el seudónimo Degé (nombre compuesto con sus iniciales) y se imagina la conquista de la violinista.

personas verbales que señalan el primer intento de Brausen por transformarse en el médico de provincias:

Abrí la puerta para dejarla entrar y *me volví* a tiempo para descubrir su sonrisa, la burla anticipada...
Puede sentarse —*dije* sin mirarla. *Me incliné* sobre el escritorio para anotar en la libreta un nombre y una suma de dinero; después *el médico, Díaz Grey, se acercó* con frialdad a la mujer que no había querido sentarse (p. 47).

El ejemplo anterior es un artificio verbal; gradualmente, no obstante, se irá estableciendo una nueva convención en el relato —la disolución de la conciencia del narrador—: «Yo había desaparecido el día impreciso en que se concluyó mi amor por Gertrudis; subsistía en la doble vida secreta de Arce y del médico de provincias» (p. 170). Díaz Grey comienza a intuir la existencia de su creador, de un ser superior que dirige sus movimientos: «...llegaba a intuir mi existencia, a murmurar "Brausen mío" con fastidio» (p. 181); y se insunúa la inquietante posibilidad de alterar la relación existente entre ambos, de invertir la imagen; Díaz Grey se siente como una «incomprensible y no significante manifestación de la vida, capricho engendrado y no significante cho, tímido inventor de un Brausen...» (p. 186). Descubre que él también está representando un papel y, como todo ente que se tiene por real, el médico pretenderá descifrar el misterio de su creación, en este caso, enfrentándose con Brausen, un demiurgo indiferente ante su obra («Invocaba mi nombre en vano», p. 182). El orden cíclico de la existencia se repite una vez más: se borran los límites entre el soñador y lo soñado y se percibe la sensación creciente de un nuevo desdoblamiento. Pero hay algo más importante: se establece una continuidad de conciencias entre los dos entes de ficción. «La historia universal es la de un solo hombre» ha dicho Borges en célebre frase [31]; «The only real number is one, the rest are mere repetition», se lee en una novela de Nabokov [32]. Sin lugar a dudas, la idea de la continuidad de conciencias o de la disolución del individuo, aspecto clave de las ficciones de Borges o de Nabokov (y también

[31] JORGE LUIS BORGES, «El tiempo circular», *Historia de la eternidad,* Buenos Aires, Emecé, 1953, p. 96.
[32] VLADIMIR NABOKOV, *The Real Life of Sebastian Knight,* Norfolk, Conn., New Directions, 1959, p. 105.

de Cortázar), es uno de los motivos centrales de *La vida breve*.

En forma paralela a los episodios donde Díaz Grey comienza a intuir que es una figura creada por otro y busca independizarse, asistimos al nacimiento de otro personaje: Arce. Mientras yacía acostado o inerte, chupando pastillas de menta, Brausen venía imaginándose, de «este lado» de la pared, los movimientos y actividades en el apartamento de la Queca. Un impulso ilógico le lleva a entrar («No supe lo que hacía hasta que estuvo hecho», p. 69), y la nueva atmósfera en la cual se aventura le impulsa a «sacudirse de los hombros el pasado, la memoria de todo lo que sirviera para identificarme» (p. 98); se vislumbra el comienzo de una nueva vida breve. Brausen finge ser otra persona para incorporarse a otro mundo e iniciar otra metamorfosis de su ser; nuevo nombre, nueva perspectiva, nuevo carácter que debe forjarse gradualmente. Si la pasividad y la frustración son cualidades inherentes de Brausen, Arce representará la cara opuesta: afectará una vida guiada por la pasión, y aun por la brutalidad sádica. Cumple su «tímida iniciación» en este mundo de rufianes y prostitutas cuando Ernesto, uno de los amantes de la Queca, lo arroja violentamente del apartamento de la mujer.

Su evolución en su nuevo papel es metódica; se va imponiendo nuevas reglas de vida y gradualmente adopta una nueva personalidad. Desde los más insignificantes detalles se prepara para la irrupción de su nuevo ser: su manera de caminar arrogante y desenfadada, el abuso del alcohol y la compra de un revólver que le hace «sentir dueño del mundo con [su] peso... contra la pierna; voy a entrar a la fuerza, esperar al tipo [Ernesto] y matarlo... Ahora no se trata de mí» (p. 144). Aquel tímido e irresoluto Brausen adquiere una desconocida seguridad y poderío; se asimila al ambiente de corrupción y violencia que rige el mundo de la Queca, golpea reiteradamente a la mujer y decide matarla; necesita justificar su ingreso en este mundo con el asesinato [33]. El acto de violencia afirmará definitivamente su nueva identidad, demostrará que ha asumido su nueva personalidad, que ha adquirido una voluntad de actuar propia de su nuevo rol, pero Ernesto se le adelanta y cumple el rito por él. El sentido es claro: aun bajo la piel de Arce, en una nueva fragmentación de su ser, Brausen está condenado a la derrota, a desgastarse en rituales. No hay salida posible.

Emir Rodríguez Monegal opina que «ante la realidad brutal

---

[33] RODRÍGUEZ MONEGAL, *op. cit.*, p. 180.

(no imaginaria) del crimen, Arce se desvanece —el nuevo juego *(su* juego) exigía que matara a Ernesto— y es un renovado Brausen el que protege al asesino, el que intenta salvarlo creándole una vida nueva» [34]. Sin embargo, si mata a Ernesto, Brausen pone fin a su proyección imaginativa, pierde toda oportunidad de crearse otro compromiso intemporal dentro de las reglas de juego de ese mundo. El asesinato le depara la oportunidad de crearse otro compromiso, de iniciar una nueva variación, un nuevo cambio de piel: la protección de Ernesto en la fuga hacia Santa María, que él mismo organiza. De allí que Brausen proteja a Ernesto y lo trate con cariño, como a un niño: «Hice un esfuerzo para no acariciarle la cabeza» (pp. 294-295); «Le abrigué las piernas, no quise negarle la mano que necesitaba para refrescarle la mejilla» (p. 299); «Puedo palmearlo, susurrarle una canción de cuna» (p. 300); «No es más que una parte mía; él y todos los demás han perdido su individualidad, son partes mías» (p. 300). Todos los hombres son una parte suya, su *otro*. Como Stein en un nivel intelectual, Ernesto es un nuevo doble, otra figura opuesta a Brausen, encarna otra posibilidad de vida, ahora con el bajo fondo de rufianes; es la manifestación de lo vital y lo espontáneo. Irrumpe con agresiva seguridad y realiza una acción que le pertenece a Arce, a un Arce que había planeado largamente el crimen sin nunca resolverse a llevarlo a cabo. Con la fuga se inicia un nuevo y definitivo desdoblamiento de Brausen, pues se entrega a la ilusión de «abandonarse como a una corriente, como a un sueño» (p. 302).

Estas dos proyecciones imaginarias de Brausen se superponen simultáneamente, tanto en el tiempo como en el espacio, y terminarán, en los dos últimos capítulos, por desdibujar al narrador básico y plasmar otro nivel de la realidad. En el capítulo V de la segunda parte, «Primera parte de la espera», encontramos un momento clave, puente entre la metamorfosis final de Brausen:

Era el tiempo de la espera, la infecundidad y el desconcierto; todo estaba confundido, todo tenía el mismo valor, idénticas proporciones, un significado equivalente, porque todo estaba desprovisto de importancia y sucedía fuera del tiempo y de la vida, ya sin un Brausen que aquilatara, todavía sin un Arce que impusiera el orden y el sentido (p. 242).

<hr>

[34] *Ibid.*, p. 181.

Se inicia la anulación de la personalidad de Brausen, quien espera el advenimiento de una nueva encarnación vital; el narrador ya no es Brausen; la primera persona del relato es una figura no definida todavía; un nuevo ser comienza a adquirir conciencia de realidad: «Yo, el puente entre Brausen y Arce, necesitaba estar solo, comprendía que el aislamiento me era imprescindible para volver a nacer, que únicamente a solas, sin voluntad ni impaciencia, podría llegar a ser y a reconocerme» (pp. 242-43). El narrador evoca el pasado de Brausen como si fuera el de otra persona:

Libre de la ansiedad, renunciando a toda búsqueda, abandonado a mí mismo y al azar, iba preservando de un indefinido envilecimiento al Brausen de toda la vida, lo dejaba concluir para salvarlo, me disolvía para permitir el nacimiento de Arce. Sudando en ambas camas, me despedía del hombre prudente, responsable, empeñado en construirse un rostro por medio de las limitaciones que le arrimaban los demás, los que lo habían precedido, los que aún no estaban, él mismo (pp. 244-245).

El juego creador persiste inagotable en la novela y culmina en la autocreación: Brausen proyecta la imagen del creador, inventa a un personaje llamado Onetti. Para reemplazar la pérdida de su empleo, Brausen se finge un nuevo compromiso, inicia un nuevo desdoblamiento:

Entonces —y ya había algo de Arce en mí— inventé la «Brausen Publicidad», alquilé la mitad de una oficina en la calle Victoria, encargué tarjetas y papel de cartas, le robé a la Queca una fotografía donde trataban de sonreír con gracia tres sobrinos cordobeses. Puse la foto en un marco y la coloqué encima del escritorio que me cedieron y ni un solo día olvidé mirarla con orgullo y con la seguridad de la muerte vencida por mi triple prolongación en el tiempo... Sobre el escritorio, la fotografía estaba entre el tintero y el calendario; las cabezas de los tres repugnantes sobrinos de la Queca esforzaban sus sonrisas a la espera del momento en que el hombre que me había alquilado la mitad de la oficina —se llamaba Onetti, no sonreía, usaba anteojos, dejaba adivinar que sólo podía ser simpático a mujeres fantasiosas o amigos íntimos— se abandonara alguna vez, en el hambre del mediodía o de la tarde, a la estupidez que yo le imaginaba y aceptara el deber de interesarse por ellos. Pero el hombre de cara aburrida no llegó a preguntar por el origen ni por el futuro de los niños fotografiados... No hubo preguntas, ningún síntoma del deseo de intimar; Onetti me saludaba con monosílabos a los que infundía una imprecisa vibración de cariño, una burla impersonal (pp. 246-247).

Con la presencia de Onetti como personaje de su propia novela se ve que la raíz de toda existencia es un acto espiritual de creación, un acto de amor. Brausen ha dado vida a otros personajes y satisface su afán creador si incorpora a su propio creador a la ficción. Es un modo de declarar su libertad y afirmar la existencia real de su mundo imaginario, de postular el destino independiente de su propio esfuerzo creador.

Brausen ha alcanzado su objetivo (cree haberlo alcanzado) de abolir el ayer y de desligarse definitivamente de todo lo que lo obligaba a ser responsable: «Me descubrí libre del pasado y de la responsabilidad del futuro» (p. 354). Su personalidad comienza a disolverse («agonizaba de vejez sobre las sábanas», p. 270) y el proceso culmina en la desintegración total, en el nacimiento de un nuevo ser: «Aquí estamos, aquí está este hombre recién nacido de quien sólo conozco por ahora el ritmo de las pulsaciones y el olor del pecho sudado» (p. 271). Cada vez más enajenado, Brausen se ha ido transformando en otro ser; ya no es más una «triple prolongación en el tiempo», una conciencia que se desdobla; el ciclo se ha cerrado y Brausen ofrece una renovada imagen que se impone.

«El hombre se pasa la vida queriendo *ser otro»*, ha dicho Ortega y Gasset [35]. La transformación definitiva de Brausen se confirma en toda plenitud, cuando se despide de Stein —ahora *sí* dialogan. La voluntad de creación de Brausen impone una imagen irreal, una máscara o disfraz, sobrepuesta sobre su propia imagen enterrada. Brausen tiene ahora un aire de seguridad y desafío, un «estilo» que no es el suyo, «algo definitivamente antibrausen», comenta Stein, quien pondrá de relieve, en notable escena irónica, la disolución del *yo* y la emergencia de un nuevo ser: «este no es Brausen. ¿Con quién tengo el honor de hablar?» (p. 311).

En el mundo de los espejos enfrentados

En *La vida breve* no hay un contenido novelesco, sino, más bien, repeticiones y ramificaciones cíclicas de la misma imagen central. No se puede hablar de narración en el sentido tradicional del término, sino de *creación* de una novela; no se relata un

---

[35] José Ortega y Gasset, *Idea del teatro,* Anejo I, Madrid, Revista de Occidente, 1958, p. 92. Subrayado de Ortega y Gasset.

acontecimiento ni se describen acciones lógicas, susceptibles de comparación con otra realidad familiar al lector. No se refleja una realidad, sino que se la crea.

Los dos últimos capítulos contraponen escenas paralelas que invierten la relación entre la realidad y la ficción; y ambos quedan inconclusos. Con *La vida breve* la noción de novela como entidad cerrada comienza a perder vigencia en Hispanoamérica, y esta novela anticipa, por cierto, a *Rayuela* y a *Tres tristes tigres,* los ejemplos más representativos de novelas abiertas [36]. Sin lugar a dudas, *La vida breve* participa de la tendencia a la apertura que prolifera en las letras contemporáneas; las tensiones temáticas quedan sin resolver, sin desenlace anecdótico definitivo, y el relato contiene experiencias todavía en expansión, abiertas a estímulos nuevos [37].

En los episodios finales de la novela se establece una sutil red de correspondencias. La fuga de Brausen con Ernesto se desarrolla en forma paralela a la fuga de Díaz Grey con Lagos, Oscar Owen y la violinista. La Queca y Elena Sala han muerto y se repite la descripción de su muerte en forma casi exacta, con pequeñas variantes lingüísticas [38]. También Díaz Grey y su grupo son fugitivos de la justicia, por haber asesinado Owen a un policía; Ernesto es un reflejo del aventurero Owen [39]. Brausen huye a Buenos Aires y se dirige a Santa María (de la «realidad» a la «ficción») y Díaz Grey inicia una retirada en dirección opuesta, de Santa María a Buenos Aires. Ambos han borrado su pasado y pueden, por fin, «vivir sin memoria ni previsión»; Brausen-Arce en el presente intemporal de Santa María, su propia

---

[36] El propio Onetti afirma que «*La vida breve* es un libro abierto», en LUIS HARSS. *op. cit.,* p. 228.

[37] A nivel epistemológico la noción de apertura, preconizada por Umberto Eco, implica que toda la obra de arte es posible de múltiples lecturas. *Vid. Obra abierta,* Barcelona, Seix Barral, 1965.

[38] Véase la descripción de la muerte de las mujeres en las páginas 273 y 298.

[39] Se cierra el penúltimo capítulo con la detención de Ernesto por parte de un policía, y la acción final se describe del modo siguiente: «Ernesto golpeó la cara del hombre y lo hizo chocar contra el árbol; volvió a golpearlo cuando caía y el cuerpo quedó inmóvil sobre el barro, de cara a la llovizna y boquiabierto...» (p. 366).

Owen había asesinado a un policía («El inglés apoyó su pistola en el cuerpo del hombre que se acercó al automóvil y quiso detenernos», p. 380). Sin embargo, cuando recuerda el suceso hay un sutil eco de la acción de Ernesto: «Y fue ayer de tarde cuando volteé al tipo y lo dejé duro boca arriba en la llovizna» (p. 384).

creación, donde busca refugio y se imagina un fin en sí mismo: Díaz Grey, exaltado por la ilusoria liberación, continúa sus fantasías de conquistas amorosas, ahora con la violinista, el último personaje femenino de la novela. Ambos terminan de la misma manera, sin forma posible de escapar, pero libres de consecuencias, sin la responsabilidad de atribuirle un sentido a la vida: «Sin huir de nadie, sin buscar ningún encuentro, arrastrando un poco los pies, más por felicidad que por cansancio» (p. 390).

En el penúltimo capítulo, Brausen-Arce entra en Santa María, en un mundo sin memoria ni antecedentes y simbólicamente quema la ropa vieja de Ernesto, para así despertar «tan nuevo como un recién nacido, tan ajeno a su pasado como el montón de cenizas que deja tras de sí» (p. 231). Más que una fuga, la búsqueda de Brausen-Arce ha sido un deseo de entretenerse en juegos imaginativos, de sacudirse de los hombros el pasado:

Esto era lo que yo buscaba desde el principio, desde la muerte del hombre que vivió cinco años con Gertrudis; ser libre, ser irresponsable ante los demás, conquistarme sin esfuerzo en una verdadera soledad (p. 366).

El despliegue de niveles de significación alcanza implicaciones insospechadas; la búsqueda de Brausen, su conquista en la soledad como fin en sí mismo, libre e irresponsable, termina cuando el policía que lo arresta dice: «Usted es el otro —dijo el hombre—. Entonces, usted es Brausen» (p. 366) [40]. Tres planos narrativos se entrecruzan y se funden en uno. La fantasía de la mente de Brausen (el sentirse exento de compromisos), el plano real, en el cual Brausen es arrestado (como Brausen y no como

---

[40] La detención de Brausen está cargada de ambigüedades. La identidad de uno de los tres hombres que lo arrestan se deduce del párrafo que sigue: «Reconocí la voz del que me hablaba y me vigilaba los ojos: había sonado en la noche anterior junto a la cortina del reservado, dirigida a la mujer pintada que comía uvas [María Bonita], al muchachito rubio que inauguraba la vida [Jorge Malabia], al perfil aguileño del hombre gordo, vencido, en retirada [Larsen]» (p. 366). Tal vez el Dr. Díaz Grey, como afirma Aínsa (*Op. cit.,* p. 45); o más probablemente el agente Medina, «el hombre invisible... de pie junto a la cortina de separación» (p. 360), quien se dirige a los demás participantes desde su posición vigilante, mientras el «doctor» guarda silencio a lo largo de la escena : «¿Qué está pensando, doctor? Toda la noche miró al pibe sin abrir la boca» (p. 363). Sea quien fuere, la inferencia es la misma: la superposición de realidad y ficción es ya total, o, como dice Aínsa, «creador y creado llegan a fundirse nuevamente en un solo ser» (p. 45).

Arce), lo cual revela el carácter cíclico de la existencia y la futilidad de todo intento de alterar el destino personal. El tercer plano queda explícito en este capítulo y se afirma en el siguiente, el último: la afirmación de los poderes de la ficción.

La creación artística adquiere lentamente el mismo nivel de realidad que la fase inicial, va imponiendo sus reglas; Brausen entra en el mundo que él inventó, donde «todos eran míos, nacidos de mí, y les tuve lástima y amor... El hotel estaba en la esquina de la plaza y la edificación de la manzana coincidía con mis recuerdos y con los cambios que yo había impuesto al imaginar la historia del médico» (p. 354). Pero la novela cobra su verdadero significado como acto de afirmación de la creación literaria, en una escena de extraordinaria riqueza de implicaciones, donde se superponen el fin del viaje de Brausen a Santa María y el final de una novela publicada catorce años después: la expulsión de Larsen (Junta) en *Juntacadáveres*. Al entrar en un restaurante de Santa María, Brausen se encuentra con un grupo de personas a quienes no reconoce y se convierte en indiferente espectador de un episodio, que, como ya observara James E. Irby, «con pequeñas variantes, se trata de la misma escena en que Larsen y sus prostitutas son expulsados de Santa María. Es decir, el final de otra crónica, cargado de sobreentendidos que presuponen otra serie de acontecimientos, otro tiempo. Brausen no da muestras de reconocer a ninguno de los reunidos, entre los cuales hay uno llamado "doctor" por sus compañeros, que, según revela *Juntacadáveres,* es el propio Díaz Grey» [41].

Al desconocer a los habitantes de Santa María reunidos en el hotel Berna (Díaz Grey, Larsen, María Bonita, Jorge Malabia y Lanza), el poder que Brausen creía tener sobre su creación desaparece; el universo literario que Brausen ha poblado de seres se libera de su influencia y obtiene autonomía propia; es en este plano, el literario, donde Brausen-Onetti encuentra plenitud espiritual.

En el último capítulo la desaparición de Brausen es definitiva; Díaz Grey ha venido gradualmente adquiriendo individualidad y suplanta a Brausen como narrador; cuenta en primera persona y en el presente del indicativo. A lo largo de toda la

---

[41] James C. Irby, «Aspectos formales de *La vida breve* de J. C. O.», en Carlos H. Magis, ed., *Actas del Tercer Congreso Internacional de Hispanistas,* México, El Colegio de México, 1970, p. 458. Las escenas semejantes ocurren en las pp. 360-363 de *La vida breve* y en las pp. 247-250 de *Juntacadáveres*.

novela el tiempo de la narración había sido el pasado; con el presente se produce una inmediatez espacio-temporal del relato, cuya finalidad es sugerir la sensación de eterno presente, la ilusoria apariencia de intemporalidad.

Un ciclo se cierra y otro se inicia en este capítulo; Lagos inventa al Sr. Albano, una nueva proyección imaginaria, como clave telefónica para enterarse del progreso de la persecución policial, pero aumenta el «interés por la imposible presencia del señor Albano» (p. 373), y Díaz Grey comienza a imaginarse encuentos futuros. Aislados del mundo, en un presente eterno y vacío, los sobrevivientes del sueño de Brausen aguardan la irrupción de una nueva ilusión, para encubrir su desamparo con juegos e impedir que su mundo se desintegre en la nada. Como en un juego de espejos enfrentados la realidad se refleja y se bifurca sin límites.

El fin de la novela coincide con el último día de carnaval, y la relación entre la simulación carnavalesca y la existencia adquiere caracteres inquietantes. El carnaval es un refugio intemporal, un instante de libertad en el cual se procura el olvido, ser otro [42]. Dice Huizinga: «Ese ser otra cosa y ese misterio del juego encuentra su expresión más patente en el disfraz... El disfrazado juega a ser otro, representa, "es" otro ser» [43]. Para no ser descubiertos por la policía, Díaz Grey y sus acompañantes alquilan disfraces para pasar inadvertidos en el último día de carnaval. La salvación depende de saber elegir el disfraz correspondiente: «De pronto imagino que todo —la fuga, la salvación, el futuro que

---

[42] El destino de los personajes de Onetti parece unirse de algún modo con las jornadas de carnaval o con fiestas imposibles y ajenas. Es usual que se hable de las fiestas de fin de año («Justo el treintaiuno») de la algarabía ajena de días de fiesta («Las calles cubiertas de banderas», *El pozo,* p. 20; el bullicio del restorán playero en *La cara de la desgraciada,* la algarabía de un parque de diversiones en «Mascarada»), o específicamente del carnaval, refugio que promete una suspensión de la vida ordinaria. Sin el desarrollo que alcanza en *La vida breve,* el carnaval recurre en otros relatos. En *Juntacadáveres* se cierra la campaña contra el prostíbulo de Larsen con el desfile «carnavalesco» de las muchachas de la Acción Cooperadora y no sorprende que la novela termine en «vísperas de carnaval» (p. 247); en «Jacob y el otro»: «tomamos autos viejos, para recorrer las pocas cuadras del pueblito que nos separaban del cine, para acentuar el carnaval, el ridículo» (p. 300); en *Los adioses:* «Acababa de terminar el carnaval cuando la mujer bajó del ómnibus» (p. 49); véanse también *Tierra de nadie* (p. 104) y «Regreso al sur» (pp. 119-121).

[43] J. Huizinga, *Homo Ludens,* México, Fondo de Cultura Económica, 1943, p. 31.

nos une y que sólo yo puedo recordar— depende de que no nos equivoquemos al elegir el disfraz» (p. 369). Todo desemboca en un nuevo rito de renacimiento, en una suspensión temporal de una vida anodina y rutinaria, en otro ritual compensatorio.

La vida aparece convertida en una fabulosa mascarada y detrás de la máscara o disfraz no hay nada: sólo la multiplicidad y los desdoblamientos del ser, la representación de un papel tras otro. A propósito de *El obsceno pájaro de la noche,* Juan Carlos Curutchet resume la idea principal del libro *Filosofía y Carnaval* de Eugenio Trías, válida también para *La vida breve:* «Trías propone la disolución del yo en una pluralidad de máscaras. No el disfraz del yo, sino su disolución. Cada máscara desarrolla una posibilidad, una dominante inédita en el yo abolido. La máscara no encubre el yo; *es* el yo, sirve para realizar la nostalgia de una carencia» [44].

Cada transformación de Brausen debe entenderse como una posibilidad de vida; distintas circunstancias, distintos nombres, pero siempre la repetición cíclica del mismo ser: «Soy el único hombre sobre la tierra, soy la medida» (p. 300), exclama Brausen, en un eco directo de la ya citada sentencia borgeana, «la historia universal es la de un solo hombre». Refiriéndose a la violinista, ya cerca del fin, Lagos confirma la multiplicidad del ser, los diversos papeles que el hombre debe representar en la vida, y, a la vez, sintetiza el sentido de la novela:

Ella es Elena. Nada se interrumpe, nada termina; aunque los miopes se despisten con los cambios de circunstancias y personajes. Pero no usted, doctor. Escuche: aquel viaje que hizo usted con Elena persiguiendo a Oscar, ¿no es exactamente el mismo viaje que pueden hacer esta madrugada, en una lancha, desde el Tigre, una bailarina, un torero, un guardia de corps, un rey? (pp. 385-86).

El fin de la novela simboliza otra vuelta al principio, otro retorno cíclico; Díaz Grey se aleja con la violinista, sin destino preciso. Pero la virginal violinista *es* Elena, quien a su vez era Gertrudis y ésta Raquel, o sea, la muchacha de quince años, anterior a la caída. En la ficción se perpetúa a la violinista en un presente intemporal, pura e inmaculada, sin pasado que abolir;

---

[44] Juan Carlos Curutchet, «José Donoso, *El obsceno pájaro de la noche*», *Libre,* núm. 2 (diciembre-febrero de 1971-1972), p. 144. El libro mencionado es: Eugenio Trías, *Filosofía y Carnaval,* Barcelona, Anagrama, 1970.

en la concepción onettiana, la muchacha es el arquetipo de la mujer ideal, presencia imperiosa para todo personaje masculino de Onetti.

La novelística de Onetti responde a la necesidad de justificar su existencia y de superar las limitaciones de la condición humana. Muy lejos de ser un juego esteticista gratuito que existe *in vacuo*, su obra acoge el mundo circunstancial y, sobre todo, experiencias subjetivas, como su única materia narrativa. Pero el universo narrativo de Onetti se impone como entidad ficticia, se distingue por la proyección de su propio caos subjetivo a la esfera de lo imaginario, de la pura invención. «Para mí, la novela debe ser integral» [45], dice Onetti y el aspecto dominante de su obra es, precisamente, la integración de estratos narrativos —la íntima dependencia de procedimientos formales y de la situación recreada— una síntesis que consideramos esencial para toda obra de arte: la indagación sobre el destino del hombre («Yo quiero expresar nada más que la aventura del hombre, el no-sentido de la vida» [46]), y la voluntad de creación que preside toda su obra («Creemos que la literatura es un arte. Cosa sagrada, en consecuencia: jamás un medio sino un fin» [47]).

[Publicado en *Cuadernos Hispanoamericanos*, núm. 292-294 (1974), pp. 433-464. Recogido en *Onetti: el ritual de la impostura*, Caracas, Monte Avila, 1981, pp. 93-135.]

---

[45] J. G., «Siempre Onetti» [entrevista], *Confirmado* (Buenos Aires), 9 de noviembre de 1967, p. 49.

[46] CARLOS MARÍA GUTIÉRREZ, «Onetti el escritor» [entrevista], *Repórter* (Montevideo), núm. 25, 2 de octubre de 1961, p. 27.

[47] ONETTI, «Divagaciones para un secretario», *Acción* (Montevideo), 24 de octubre de 1963, p. 19.

ZUNILDA GERTEL

EL YO Y EL MUNDO DE LO OTRO
EN EL ESPACIO NARRATIVO
DE *LA VIDA BREVE*

La vida breve, la novela más significativa de la década del cincuenta en el Río de la Plata, caracteriza el momento de evolución técnica y expresiva de la nueva novela de personaje existencial. Esta no desarrolla un análisis psíquico sino un modo de ser, generador de un temple de ánimo y de una actitud de vida. En la novela de Onetti, la proyección existencial del yo se muestra como revelación de la experiencia literaria en el proceso del discurso narrativo. Su particular escritura marca en el momento de aparición de la novela un cambio radical en el modo de narrar; es una nueva escritura de desintegración del lenguaje como productor del texto. En oposición al orden racional cartesiano del discurso, Onetti descubre la discontinuidad del fragmento como unidad expresiva de lo irracional. Su escritura manifiesta esta discontinuidad del signo lingüístico como un *yo* que se reencarna y dispersa en su búsqueda de proyectarse *al otro* o a *lo otro*. La alternancia del fragmento, encarnado en el texto por montaje narrativo, se impone en el espacio textual; espacio donde la imaginación y la fantasía han de obrar como integradoras de los elementos dispares. La escritura de Onetti tiende a ese vacío del yo, similar al espacio infinito del que habla Maurice Blanchot en *L'espace littéraire* [1]. Como en la trascendencia del ego sartriano o en el «Je est un autre» de Rimbaud, en la obra de Onetti, el otro como objeto es la dispersión y la impersonalidad del yo.

El primer capítulo de la novela, como micro-relato, nos da el ritmo y la semántica del relato total. La novela comienza con el

---

[1] Maurice Blanchot, *L'espace littéraire,* París, Gallimard, 1955.

quiebre del orden racional, en una fisura que abre el espacio literario. Brausen, el narrador personaje, en la soledad de su departamento experimenta el comienzo de la ruptura del orden de su rutina diaria. Varios motivos se interfieren en su pensamiento: la imagen del pecho mutilado de Gertrudis, su mujer —quien ha sido recientemente operada—, imagen aún no vista, pero presentida, se reitera obsesivamente como prefiguración del fin del amor y el comienzo de la costumbre y el hastío. Otro motivo, la probable pérdida del empleo de Brausen, acentuada ante la imposibilidad de completar el argumento cinematográfico que le ha encargado la empresa de publicidad, surge alternativamente con el anterior y ambos están, a su vez, interceptados por un tercero: la voz de la mujer desconocida que acaba de mudarse al departamento de al lado. «—Mundo loco —dijo otra vez la mujer». «Cuando volvió la voz de la mujer pensé en la tarea de mirar sin disgusto la cicatriz que iba a tener Gertrudis en el pecho, redonda y complicada, con nervaduras de un rojo y rosa...» (p. 12)[2].

La interferencia de los motivos conductores se da en la escritura por medio del montaje narrativo. Esta disyunción del texto, como totalidad desintegrada, se cumple tanto en las unidades mínimas del relato como en el sintagma total de la novela. El fragmento se impone como escritura y como semántica. La narrativa de Onetti opera por figuras fragmentadas, especialmente la sinécdoque —preferentemente la parte, para significar el todo— que implica una fijación definida, elíptica, pero que apunta a una connotación más amplia. La presencia de «la mujer del departamento de al lado», por ejemplo, se fija por sinécdoques, como *close up* narrativos. No es la mujer la que va y viene, sino la voz; también la risa: «tres chorros de la risa al revés de la voz ansiosa, que se detenía inesperadamente para señalar el final de cada frase...» (p. 16). Más tarde Brausen verá cómo «su sombra [la de la mujer] casi inmóvil se alargaba en las baldosas del balcón» (p. 24). Finalmente, cuando Brausen está físicamente frente a la mujer por primera vez, reconocerá que «ella es más joven que su voz» (p. 103).

La sinécdoque es una figura retórica de contigüidad, pero en la escritura de Onetti, la combinación de sinécdoques descentra

<hr />

[2] *La vida breve,* Buenos Aires, Sudamericana, 1950. Todas las citas del texto de la novela corresponden a esta edición. En adelante sólo se consignará la página correspondiente a las citas, sin otra referencia.

el texto y a su vez lo reordena. De este modo, el espacio que se crea entre el significado sinecdóquico, es decir, la parte, y la connotación total, indica en la superficie del texto un salto semántico que rompe de un trazo la linearidad del discurso. Al final del primer capítulo, por ejemplo, la voz de la mujer [la Queca] se une a la del hombre también desconocido (después será Ernesto), y ambos personajes-clave en el desarrollo de la novela, quedan fijados en una imagen fragmentada, también una sinécdoque, cuando Brausen los ve como en un *medium shot* desde la mirilla de la puerta: «La voz, interrumpiéndose, como aplastada en algodón contra la blandura de los ahogos, resurgía una y otra vez para repetir que ya nada podía ser modificado, sin dejar de sonreír al hombre que mostraba ahora su hombro gris, el ala oscura del sombrero puesto» (p. 18).

Estas características cinemáticas se imponen como espacio escriptural y marcan la capacidad disyuntiva del discurso. El texto asimismo sustenta y encauza la actitud «vital» del protagonista Brausen, quien, ante la inseguridad del mundo diario, apela a la libertad en su separación del orden de *lo mismo,* como una única posible apertura hacia lo otro. En busca de una superación de sus inhibiciones, su imaginación se proyecta hacia la evasión en una actitud irracional que asume doble perspectiva. Según los surrealistas, la voluntad de soñar, por una parte, transporta la imaginación a una fantasía que interfiere la realidad —el sueño que Baudelaire llamó *hieroglyphique* y que representa la vida sobrenatural que puede ser constantemente transformada—. Por otra parte, el sueño de la vigilia puede nacer como una degradación de la vida cotidiana al distorsionar y dar énfasis a los elementos negativos de esa realidad —que adquieren de pronto un sentido caótico y aun satánico, como una infrarrealidad que revela su significado crítico—, lo que los surrealistas llamaron «el descenso al infierno».

Brausen vive entre las paredes de su departamento, en la inercia física de largos días, echado en su cama, pero con una vertiginosa actividad mental experimenta ambas perspectivas del sueño, como única evasión. La certeza de que su fracaso es inmodificable —la separación de Gertrudis, el argumento de cine nunca completado, la pérdida del empleo en publicidad McLeod, su alejamiento del amigo Stein— origina su total desarraigo de los valores establecidos en esa realidad: «...un poco enloquecido, sintiendo mi necesidad creciente de imaginar y acercarme al borroso médico de cuarenta años, Díaz Grey, habitante lacónico de una pequeña ciudad colocada entre un río y una colonia de labradores suizos. Santa María, porque yo había sido feliz allí, años antes, durante veinticuatro horas y sin motivo» (p. 21). La historia de Díaz Grey sale de la fantasía y la ficción de Brausen, y se transforma en su propia historia soñada: «Ahora la ciudad es mía, junto al río y la balsa que atraca en la siesta. Ahí está el médico con la frente apoyada en una ventana, flaco, el pelo rubio escaso, las curvas de la boca trabajadas por el tiempo y el hastío: mira un mediodía que nunca podrá tener fecha» (p. 27).

La actitud surrealista del sueño estando despierto encauza la libre asociación mental del personaje que apela a las fuerzas ocultas del espíritu para iluminar con pureza intuitiva un rasgo de la experiencia real transmutándola en fantasía. El utópico médico Díaz Grey es una despersonalización de Brausen, en tanto Elena Sala lo es de Gertrudis. El marido de Elena —Horacio Lagos— y el gigoló Andrés Owen, contemplan el salto a la evasión de un espacio sin límites como rescate de la negada realidad: vivir el absurdo para destruir el absurdo infinito.

La proyección al otro, sin embargo, no implica unidad de la identidad sino sólo encuentro fragmentario. La disyunción textual muestra el abrupto retorno de Brausen a la realidad cerrada de su departamento y, posteriormente, a su transformación en Arce, al entrar en el mundo degradado de su vecina Queca, «la mujer indeseable» que es su amante. Brausen se convence de que él había desaparecido en el día impreciso en que acabó su amor por Gertrudis; «subsistía en la doble vida secreta de Arce y el médico de provincia» (p. 170).

Los dobles de Brausen —Díaz Grey y Arce— son respectivamente los protagonistas de las dos opuestas perspectivas del sueño que alternan el fragmentario juego de los contextos espaciales: 1) El sueño absurdo y fantástico que descubre lo irreal y mágico que late en la realidad; 2) el sueño que desintegra el vivir cotidiano transformándolo en una infrarrealidad. Ambas perspectivas del sueño, como diferentes proyecciones de la realidad, significan la conciencia obsesiva del protagonista en búsqueda de liberar su yo.

El sentido y los límites de estos dos mundos opuestos —fantasía y libertad; degradación y encierro— se expresan simbólicamente en la doble imagen de la ventana que funciona como un signo-sinécdoque en su fragmentación del espacio. En el mundo de Santa María, dos claras y amplias ventanas se abren, abarcadoras, en el consultorio de Díaz Grey: «Yo veía definitivamente las dos ventanas sobre la plaza: coches, iglesia, club, cooperativa, farmacia, confitería, estatua, árboles...» (p. 21). La imagen vista a través de la ventana siempre es panorámica, imagen de evasión al mundo soñado de Santa María, si bien se expresa textualmente por fragmentación integrada en una sintaxis paratáctica, como acumulación y expansión de reflejos en un espacio infinito. En el mundo opuesto, en la realidad de Brausen-Arce, las pequeñas ventanas del departamento están siempre cubiertas por la celosía, como separación y clausura del mundo exterior. Desde la celosía, en el interior del departamento, comienza el mundo del encierro y el mundo degradado de Brausen-Arce: «la cortina de varillas tostadas debía estar rígida entre la tarde y el dormitorio» (p. 11). «Miré la celosía cerrada y descubrí que allí se iniciaba el desorden» (p. 70). Más allá de la celosía, la noche, el cielo y el ritmo de las estaciones se presienten como una atracción y un vértigo de lo inalcanzable. Brausen sabe que existen, pero está separado de ellos. «Me convencía de que sólo disponía para salvarme de aquella noche que estaba empezando más allá del balcón, excitante con sus ráfagas de viento cálido» (p. 39).

En tanto las ventanas de Santa María representan el anhelo de evasión y libertad, las ventanas del departamento de Brausen-Arce funcionan como un espacio cerrado, un muro oscuro, a través del cual Brausen presiente la atracción de lo que ocurre afuera como única posible salvación. Onetti confronta el problema existencial del protagonista y el absurdo de su paradoja, con la convicción de lo inmodificable; la seguridad de estar junto al muro y de no poder saltarlo: «cuando estamos decididos, desesperados junto a la altura del muro que nos encierra, tan fácil de saltar si fuera posible saltarlo... vislumbramos que sólo la propia salvación puede ser un imperativo moral, que sólo ella es moral cuando logramos respirar por un impensado resquicio el aire natal que vibra al otro lado del muro» (p. 68).

En su radical angustia, Brausen rechaza la frustración de su existencia mediante la búsqueda de lo otro como *única ética* para salvar el *yo*. El amor y el sexo le ofrecen la esperanza de transferir su yo en un instante de *vida breve*. Sin embargo, el amor es sólo un encuentro efímero para Brausen. En vano tratará de rescatar en el retrato o en la memoria, la imagen adolescente de una lejana Gertrudis. La mujer, en la obra de Onetti, es quien más visiblemente experimenta esta degradación del desgaste temporal. La mujer es específicamente cuerpo y en ella la pérdida de la espontaneidad y frescura de la adolescencia se deteriora en las formas gastadas y fijas de la madurez. Onetti lo destaca preferentemente con sinécdoques grotescas: «Gertrudis mutilada», «yacía bajo las representaciones de su derrota» (p. 79). Mami, la amante de su amigo Stein, tiene «los grandes ojos azules, miopes», «el pelo amarillo y teñido... las delgadas venas debajo de la capa de polvo y esmalte, en la mejilla que comenzaba a caer» (p. 32). El cuerpo de Raquel, la lejana cuñada adolescente, se degrada en las formas de la maternidad: «el vientre que avanza en punta sobre los flacos muslos separados» (p. 281). Por otra parte, en sus mundos soñados, Brausen percibe una imagen transformada de la mujer. En el mundo utópico de Santa María las mujeres conservan sus figuras intactas, como si actuaran en la movilidad de un espacio vacío. Si Elena es la imagen recobrada de una distante Gertrudis, ella es también el desintegrado reflejo de muchas mujeres; como mujer rito, impenetrable en su misterio.

En oposición, Queca, en el inframundo de Brausen, es la imagen degradada de Gertrudis; por ello, la vaga idea de Brausen de matar a Gertrudis busca concretarse definitivamente en la Queca, como si «en ella quisiera vengar todos los agravios que era posible recordar», para probar así *su libertad como desesperación* y realizar su salvación por el crimen perfecto. Paradójicamente, es en esta degradada realidad, en su primera visita al departamento de la Queca, cuando el protagonista —estando solo— vive una experiencia clímax. El departamento de la Queca significa el mundo caótico, «mundo loco», que genera el otro lado del sueño surrealista, con la proyección de Brausen en Arce. El sentido del abismo existencial y asimismo la entrada a una experiencia total. Es la certeza de alcanzar un momento auténtico, de tocar fondo; *nada* o *todo*. «Calmándome y excitándome cada vez que mis pies tocaban el suelo, creyendo avanzar en el clímax de una vida breve en la que el tiempo no podía bastar para comprometerme, arrepentirme o envejecer» (p. 71).

Onetti recrea en su narrativa esta caótica realidad y su sentido, tanto de abismo y vacío, como de instante infinito, por medio del repetido uso de una fragmentada enumeración, que se da en acumulación paratáctica y muestra el desgaste temporal de los objetos. «A mi derecha, al pie del marco de plata vacío, con el vidrio atravesado de roturas, vi un billete de un peso y el brillo de monedas doradas y plateadas y además de la decrepitud de la carpeta ... estaban junto al borde de la mesa, a la derecha, los paquetes de cigarrillos llenos e intactos, o abiertos, vacíos, estrujados; estaban además los cigarrillos sueltos, algunos manchados con vino, retorcidos, con el papel desgarrado por la hinchazón del tabaco» (p. 73). El personaje experimenta el descubrimiento de la oculta realidad de las cosas, como si «luego de tocar los objetos, los fuera penetrando sin violencia» (p. 71). Siente así, trasvasar en ellos su propio yo, en un tiempo detenido, sin principio ni fin. Comprende que él también es un iniciado que está «dentro del escándalo», inmerso en la fascinación de la presencia de «ellos», los seres invisibles, diminutos e inubicables monstruos que pueblan la realidad de la Queca alucinándola y destruyéndola.

Cuando Brausen-Arce está a punto de concretar su crimen perfecto y descubre que Ernesto acaba de realizarlo, sentirá que despierta «no de este sueño, sino de otro incomparablemente más largo, otro que incluía a éste y en el que yo había soñado que soñaba este sueño» (p. 292). Es decir, Brausen ve a Brausen en la doble transferencia de su yo. «Era a la vez otro y parte mía» (p. 292). Si, según el concepto sartriano, el yo es el objeto, y los estados y acciones son también objetos, Brausen-Arce y Ernesto son un mismo acto, un mismo objeto: *la muerte de la Queca*. De allí que Brausen-Arce se identifique con Ernesto y juntos emprendan la fuga de la persecución de la policía. Esta fuga de los personajes «reales» de la novela, se superpondrá a otra, paralela, la de los ficticios seres de Santa María: Díaz Grey, Lagos y Owen, comprometidos en un oscuro tráfico de drogas.

Las alternancias fragmentarias de los dos mundos se interfieren en la ciudad de Santa María, una Santa María laberíntica, en el espacio fantástico y disperso de las veinticuatro horas de un día de carnaval. En este momento de la novela, Brausen desaparece como narrador-personaje en su entrada al mundo ficticio de Santa María, cuando la policía viene a detenerlo. Es el momento de confrontar su actitud existencial: «ser libre, ser irresponsable ante los demás, conquistarme sin esfuerzo una verdadera soledad» (p. 366). Claramente, el texto sustenta la transformación de Brausen, quien deja de ser el mismo, para encarnar en el otro y lo otro.

El mundo de Santa María, que surgiera esporádicamente como un utópico sueño del protagonista al principio del relato, se apodera de la línea total de la estructura y constituye la fantasía como única forma de realidad, que conduce al escape último en el espacio textual de la novela: la partida de Díaz Grey y la joven violinista adolescente en una madrugada de carnaval. *Díaz Grey es ahora la primera persona del relato: es el protagonista.* Sin embargo es también un yo impersonalizado, disperso; es Brausen proyectándose y suprimiéndose en el otro, sintiéndose la suma de todos los Brausen. La violinista es también la mujer impersonalizada —Gertrudis, Elena— la mujer rito. Esto explica que el narrador dijera paradójicamente al principio de la novela, al nombrar a Santa María: «Porque yo había sido feliz allí, años antes durante veinticuatro horas y sin motivo» (p. 21).

La significación del yo y su fragmentaria proyección en el otro, tiene logrado apoyo en el punto de vista narrativo. La primera persona permite una apertura en el discurso mediante lo que Gérard Genette llama planos de focalización [3]. En *La vida breve* el narrador es también protagonista, pero ambos no están siempre en un mismo plano narrativo. Hay una doble focalización de la primera persona. Por una parte, la focalización externa del narrador testigo, que habla de lo que sucede alrededor, pero que no capta los propios pensamientos y monólogos íntimos. Por otra parte, el personaje que habla para sí mismo —no ya como narrador— es una focalización interna acentuada por los signos visuales de la escritura, como paréntesis y comillas.

Onetti maneja hábilmente los planos de focalización de la primera persona, yo-narrador, yo-personaje, que es tamién una fragmentación y desdoblamiento del yo; y un tercer plano yo-él, es decir las proyecciones de los dobles de Brausen en las que se interfieren la primera y tercera persona —por su impersonalidad, la no persona según Benveniste—. Se amplía así el campo de focalización (yo-él) que da la mayor apertura de la narración. Por ejemplo, en una de las primeras alternancias fragmentarias en que aparece Díaz Grey, el narrador dice: «Por alguna razón que yo ignoraba [Díaz Grey] tenía un traje gris y nuevo y se estiraba los calcetines. Tenía también la mujer [Elena] y pensé que para siempre. La vi avanzar en el consultorio, seria, haciendo oscilar apenas un medallón con una fotografía» (p. 22). Como es notorio, el narrador en primera persona se refiere a Díaz Grey, en tercera, aunque con una forma verbal —*tenía*— válida para ambas personas gramaticales. De este modo, en el discurso narrativo se produce la ambigua intromisión del narra-

---

[3] Véase GERARD GENETTE, *Figures* III, París, du Seuil, 1972, p. 210.

dor como partícipe y como personaje doble de Díaz Grey. La fragmentaria oscilación de primera a tercera persona es una constancia del juego narrativo que muestra textualmente en la escritura y en el discurso, y no por lógica intelectual, el yo transferido al objeto.

Esta penetración del yo en el objeto alcanza un sentido singular en la exploración que Brausen hace en el departamento de la Queca. Los objetos que él sólo había presentido desde el otro lado de la pared del apartamento —voces, murmullos y olores sugeridos— toman de pronto ante el descubrimiento de su caótica acumulación un sentido mágico y oculto. Brausen dirá que «los iba penetrando sin violencia». El, a solas, en el centro del silencio, experimenta, en un instante de vida breve, el vértigo de *ser* las cosas. La proyección del yo en el otro o en *lo otro,* señala a su vez la paradójica fragmentación y dispersión del yo, y la imposibilidad para Brausen, de identificarlo como permanente unidad. Cuando Brausen vuelve maltrecho del ataque de Ernesto, su reacción es decirse a sí mismo: «Sentía que lo más importante estaba a salvo si yo me seguía llamando Arce.» Es decir, si seguía siendo «el otro». Similar es la reacción cuando él, Brausen, «hombre de una sola mujer», al abrazar a la Queca reflexiona: «la apreté seguro de que nada estaba sucediendo... seguro de que no era yo, sino Díaz Grey el que apretaba el cuerpo de una mujer en el consultorio en un mediodía sin fin» (p. 107).

Si bien la actitud de Brausen tiene su punto de partida en el sentido existencial sartriano —desarraigo y soledad; existencia y no esencia; libertad como desesperación; concepto vacío del yo y su proyección al otro— la gradación en el significado de la novela confluye en una valoración diferente, que es ejemplificadora de la característica singular de la narrativa existencialista en Sudamérica y, especialmente, en el Río de la Plata. En su conflicto existencial, el personaje percibe con captación surrealista un oculto sentido de las cosas. Desde el caos de su frustración, vislumbra, más allá de los muros de su encierro, un mundo que no le pertenece pero que lo atrae como un rito o misterio que le ofrece la posibilidad de una breve, fragmentaria evasión.

El sentido de la novela se cumple así en el corpus de su escritura: *el fragmento,* unidad de desintegración que asimismo implica la imposibilidad de integrarse como permanencia en la totalidad del cosmos. La novela termina en una afirmación de la fantasía como realidad; la partida de Díaz Grey y la violinista en el espacio infinito de una vida breve: «Puedo alejarme tranquilo;

cruzo la plazoleta y usted camina a mi lado... sin huir de nadie, sin buscar ningún encuentro, arrastrando los pies, más por felicidad que por cansancio» (p. 390).

En *La vida breve,* el *yo* y su proyección a *lo otro,* implica el salto a lo que se alcanza y se pierde al alcanzarlo, instante que se desintegra, pero cuyas partículas quedan vibrando en el aire, repetidas en el rito de las estaciones y en el imperturbable ritmo del tiempo.

[Publicado en *Aspetti e problemi delle letterature iberiche,* ed. de Giuseppe Bellini, Roma, Bulzoni Editore, 1981, pp. 183-190.]

SYLVIA MOLLOY

EL RELATO COMO MERCANCÍA:
LOS ADIOSES

La solapa de la primera edición de *Los adioses* anuncia el relato de Onetti como «ante todo y sobre todo, una historia de amor»[1]. La declaración, que ha llamado la atención de otros críticos[2], merece ser retenida: se funda en una verdad, a medias intuida, y de hecho trastrocada. No es *Los adioses* la historia de un amor, sí la historia de un proceso que, por su intensidad obsesiva, remeda muchos aspectos —sin duda los más irritantes y patéticos— del amor: el deseo de posesión que desemboca en burla[3]; la humillación y la rabia ante el desencuentro; la busca del olvido. Con la diferencia de que este proceso encarnizado, para el que sin duda habrá que encontrar un nombre más adecuado que la palabra amor, se manifiesta en *Los adioses* no en la anécdota misma —no en el puro enunciado del relato— sino en la *manera* narrativa. Pocos textos ilustran como esta novela las etapas de ese cuerpo a cuerpo apasionado y algo monstruoso en el que se enfrentan el sujeto enunciante y su propio enunciado; en el que aparece un narrador cómplice de la materia que fabrica y a la vez en pugna con ella.

Desde un comienzo quedan nítidamente deslindados en el texto diferentes espacios —espacios graduados— donde *se juega*

---

[1] JUAN CARLOS ONETTI, *Los adioses*, Buenos Aires, Sur, 1954. Todas las citas corresponden a esta edición.

[2] Ver HUGO VERANI, «En torno a *Los adioses*», en *Onetti*, comp. Jorge Ruffinelli, Montevideo, Marcha, 1973, p. 181.

[3] «*Los adioses* no trabaja más que la despropiación por parte del hombre y la apropiación por parte del narrador de la historia del hombre», JOSEFINA LUDMER, *Onetti: los procesos de construcción del relato*, Buenos Aires, Sudamericana, 1977, p. 86. Subrayado de la autora.

a la ficción. Se postula un afuera distante: espacio que se alza *«al otro lado de la selva,* en Buenos Aires, o en Rosario, en cualquier nombre y distancia» (p. 31, subrayado mío). Hay otro afuera más próximo cuyo nombre ya es borroso: «las siete letras de este otro nombre, el de la capital de provincia, el de una ciudad que puede visitarse por negocios» (p. 14). Más cerca del narrador, y en contraposición con esos afueras deliberadamente distanciados, hay un espacio claramente delimitado: el área marcada por un almacén, un viejo hotel y una casa, área donde transcurre la anécdota —la básica fábula— del relato. Hay por fin, dentro de esta topología ya reducida, un lugar privilegiado que no sólo alberga parte de la anécdota sino que es espacio de elaboración. Recinto clausurado donde la fábula pasa a ser trama, lugar por excelencia del acto narrativo, es significativamente un comercio —el almacén— donde todo gesto implica pacto, transacción: allí se vende y se guarda, allí se entra para *comprar y traer historias* (p. 48). En el almacén se trafica el relato, «moneda de intercambio, objeto de contrato, apuesta económica, en una palabra *mercadería»* [4]. Y como para insistir en el carácter privilegiado de este recinto donde se fabrica y se merca, casi ritualmente, ese relato, el texto recalca el límite mismo donde ocurre la transacción: un mostrador que separa al narrador de lo observado, distancia materializada que permite detallar, organizar y *vender* el relato.

El mostrador en *Los adioses* es a la vez punto de mira privilegiado y lugar de contagio. Emblema de autoridad narrativa, es también en la novela aquel lugar donde desaparece el afuera: donde el enfermo depone armas y se deja incluir en la enfermedad o la narración, acaso la enfermedad *de* la narración. De manera significativa, es un lugar agrietado, donde el narrador lee la futura historia: «me hubieran bastado aquellos movimientos sobre la madera llena de tajos rellenados con grasa y mugre para saber que no iba a curarse, que no conocía nada de donde sacar voluntad para curarse» (p. 9). Pero la madera llena de tajos, de fisuras, funciona de manera plural. Como lugar de trueque, delimita dentro de la fábrica de ficción que es el almacén, el narrador por un lado, a lo narrado por el otro. Como lugar de contacto y de contagio, afecta a todos los partícipes del pacto; no sólo toca al que compra la mercadería (cerveza, cintas o perfumes, enfermedad, relato) sino —de modo igualmente radical— al que

---

[4] ROLAND BARTHES, *S/Z*, París, Seuil, 1970, p. 95. Traducción mía.

la venda. A la pérdida de energías del enfermo observado corresponde una pérdida de energía narrativa —acaso mayor— por parte del narrador.

«En general me basta verlos y no recuerdo haberme equivocado» (p. 9), observa el almacenero. De hecho, la anécdota o la fábula de *Los adioses* se cumplirá según sus previsiones: el hombre cuyos gestos en el mostrador señalan al principio que no iba a curarse, muere al final, de acuerdo con «lo que yo había descubierto meses atrás, la primera vez que el hombre entró en el almacén» (p. 88). Media sin embargo entre la primera declaración del narrador y la muerte que confirma su previsión un espacio dilatado: el espacio donde se urde la trama y en el que se perfila un narrador para quien —como para el rabino en «El Golem» de Borges— la inacción coincide con la cordura. Espacio enfermo; la enfermedad —o mejor: la enfermedad suspendida— opera en el texto en la fabricación del texto, como metáfora insidiosa. Del narrador sabemos que desde hace doce años «me arreglo con tres cuartos de pulmón» (p. 10). Pero sabemos también que desde el estado de salud reducida —o acaso por ese estado de salud reducida que se manifiesta en casi inmovilidad— dictamina destinos ajenos: «adivino qué importancia tiene lo que dejaron, qué importancia tiene lo que vinieron a buscar, y comparo una con otra» (p. 10). Y sabemos más: que el narrador, si bien curado, se empeña —*se emperra* (p. 27)— en luchar «por la dudosa victoria de convencer [...] de que todo esto era cierto, enfermedad, separación, acabamiento» (p. 27). Coinciden para el narrador la enfermedad y la ficción: son ambos recursos alienadores que aíslan y desgajan al sujeto narrado de referentes pretextuales —previos al texto que se arma en el mostrador— para elaborarlo con mayor libertad.

Entre la previsión de la muerte de «el hombre» —cabe recordar, a propósito de este sustantivo borroso, el uso sistemático de *shifters* pronominales a lo largo del texto— y su muerte efectiva, se plantea una trama cuya fábula definitiva nunca quedará del todo explícita. El móvil principal que organiza esa trama dilatada es poderoso y a la vez falaz: el deseo de adivinar, de *leer* en un otro que se presenta vacío. Se aúnan en este deseo el narrador y el lector, contagiado por la «enfermedad» narrativa; así como el narrador curiosea, desde su mostrador, un vivir ajeno (del que sabe principio y fin pero cuyas etapas intermedias quiere descifrar), el lector contaminado intentará una inquisición semejante, procurando dominar no sólo el itinerario del personaje narrado sino el del mismo narrador. *Los adioses* puede verse como un complejo ejercicio de naturalización, donde el narrador intenta incorporar (verosimilizar) al enfermo recién llegado, al «nuevo»; donde el lector intenta leer y naturalizar a su vez, no sólo al enfermo sino también al narrador.

¿Qué ocurre en el espacio entre la aparición y la muerte del hombre, donde poco ocurre en el nivel de la anécdota y todo en el nivel de la organización? Concretamente, un ejercicio de *remplissage* modulado por un narrador, en lo que constituye una dudosa actividad narrativa. Actividad dudosa como lo es sin duda toda narración; es consciente el narrador de *Los adioses* del «artificio [que] agregaba yo a lo que veía» (p. 26). Actividad acaso doblemente dudosa, puesto que «lo que veía» es complementado —y más de una vez reemplazado— por lo que dicen que ven los otros; por esa materia narrativa tan frecuentemente dejada de lado como ficción prostituida y con igual frecuencia verdadero núcleo de ficción: el chisme [5].

Se recordará la defensa de este ejercicio aparentemente espurio —se recordará además su práctica— en James y en Proust [6]. Proust señala de manera notable la *potencia* del chisme: potencia de un relato que pone en tela de juicio sus propios elementos —emisor, mensaje, destinatario— y que básicamente *trastrueca,* presentando «de golpe un fragmento insospechado del revés de la trama» [7]. Cabría añadir que la elaboración del chisme, el trastrocamiento que practica, cuenta —acaso más que en otros ejer-

---

[5] Curiosamente, el origen del término corriente en español remite a lo despreciable y la palabra resulta, desde un comienzo, sinónimo de injuria. La etimología de los términos equivalentes, en francés y en inglés, permiten posibilidades más ricas. *Gossip* es, al principio, un padrino, una madrina, un *sponsor;* eventualmente, por metonimia, la cháchara —vuelta vacua— de esas figuras protectoras. *Potin,* en francés, indica no tanto el enunciante cuanto la textura misma del enunciado: originalmente designa una aleación, mezcla de elementos.

[6] Ver Edgardo Cozarinsky. *El laberinto de la apariencia,* Buenos Aires, Losada, 1964, pp. 20-21.

[7] «Hasta esa cosa universalmente menospreciada que en lugar alguno encontraría defensor, *el chisme* —ya sea porque somos víctimas suyas y nos resulta particularmente desagradable, ya sea porque nos informa de algo que ignorábamos en otro— tiene también su valor psicológico. Impide que se adormezca la mente ante el espectáculo ficticio de lo que ella cree que son las cosas y que es sólo apariencia. El chisme trastorna esta apariencia con la mágica destreza de un filósofo idealista y nos presenta rápidamente un fragmento insospechado del revés de la trama.» Marcel Proust, *A la recherche du temps perdu,* París, Gallimard, Pléiade, 1954, p. 1048. Traducción mía.

cicios de ficción— con la complicidad autoritaria. Son partícipes de ella tanto el enunciante como el destinatario, en una suerte de epifanía de lo que Malinowski y luego Jakobson han llamado la función fáctica: [8] el afán de verificar una comunicación predomina sobre el mensaje mismo. Poco importa al fin de cuentas lo que se dice del otro o de lo otro; importa en cambio, en el diálogo que suscita el chisme —aleación narrativa— cómo se lo dice y cómo se lo recibe: en una palabra, la transacción misma.

Todo chisme, por el hecho de ser una transacción —cuyo objeto es fluctuante y hasta puede ser nimio— recalca el pacto entre emisor y destinatario. Se vende algo, una información cuya verdad importa poco, por así decirlo; que vale en cambio como palabra feliz. La transacción que implica el chisme, sin duda más que la transacción deliberadamente narrativa, escasamente admite fracasos; el chisme reclama no sólo un emisor y un destinatario sino un emisor y un destinatario que se vuelve a su vez un emisor ante otro destinatario y así hasta el infinito o hasta que se quiera que dure lo narrado. Ser chismoso implica un ejercicio del poder: es chismoso quien *detenta* el discurso, quien quiere imponer ese discurso al otro. Más aún: el chismoso reclama a su interlocutor una respuesta que colabore con ese discurso y le pide todavía más: otro chisme, un detalle que permita mantener viva la acertada palabra que se ha enunciado. Para el chismoso —para el *raconteur,* sin duda para todo narrador— la clausura del mensaje, el no relevo del enunciado, significan fracaso. El chismoso crece con la palabra, la manipula, la drena, y reclama sin cesar colaboradores.

Los adioses es, por fin, un ejercicio menos ambiguo que modestamente explícito, donde la transacción narrativa se da en los términos más básicos, casi los más didácticos que se puedan imaginar. El narrador necesita un relato elegante, un chisme bien organizado: debilita entonces la anécdota básica —un algo desdeñable— y dentro de ese marco debilitado se empeña en fabular. Y ese algo innominado, que la elaboración del chisme revela progresivamente, habrá de verse como la trama de la novela.

El algo que escamotea y al que a la vez se refiere el chisme de *Los adioses* es la vida de un hombre, uno de los enfermos que espía el narrador cuando entran en su almacén. Más precisa-

---

[8] Ver ROMAN JAKOBSON. *Essais de linguistique générale,* París, Ed. de Minuit, 1963, p. 214.

mente, el único a quien espía en el relato; jamás, pese a sus petulantes declaraciones, aparece en su campo de visión otro enfermo. Sí aparece este hombre —sujeto de enunciado, espacio de chisme—, en el que se detendrá morosamente. Su primera percepción de él se fija de modo obsesivo en las manos; fijación que el relato explicita al comienzo con una curiosa anáfora negativa: «Quisiera no haber visto del hombre, la primera vez que entró en el almacén, nada más que las manos [...] Quisiera no haberle visto más que las manos» (p. 9). Las manos, en esa primera aproximación del narrador a su sujeto, son ambiguas, como en todo espacio de chisme. Aparecen por un lado como indicio acusador; manos de hombre enfermo. Pero por otro lado aparecen como manos libres, capaces de vida propia, capaces de armar; basta ver la libertad que les adjudica el narrador, el modo en que las aísla y las personaliza. Son manos «lentas, intimidadas y torpes, moviéndose sin fe, largas y todavía sin tostar, disculpándose de su actuación desinteresada» (p. 9). Son dedos que «apretaron los billetes, trataron de acomodarlos y, en seguida, resolviéndose, hicieron una pelota achatada y la escondieron con pudor» (p. 9).

Manos que delatan, manos que fabrican por su cuenta;[9] manos que observa el narrador, cuando se mueven sobre la madera/ materia de su mostrador. Manos y movimientos de manos harto diferentes de los del narrador: sus manos no revelan sino tantean, para reconocer o confirmar. Porque el narrador es, en el sentido más lato, intocable; el enfermo que, en esta puja por la narración, opera como su contrafigura, sólo en un momento crucial lo enfrenta «casi animándose a golpearme la espalda» (p. 32); y no lo toca. Por su parte el narrador sólo toca lo controlable; el brazo del enfermo, cuando ha elegido utilizarlo como cómplice de un proyecto (p. 39), la casa de las portuguesas, una vez que ha muerto el sujeto de su chisme: «Recorrí con lentitud la casita, miré y *rocé con la punta de los dedos* estampas, carpetas, cortinas, almohadones, fundas, flores duras, lo que habían estado haciendo y dejaron allí las cuatro mujeres muertas, las fruslerías que crecieron de sus manos, entre maquinales y necios parloteos, presentimientos y rebeliones, consejos y recetas de cocina. Conté las agonías bajo el techo listado por vigas negras, nuevas, inútiles, *usando los dedos por capricho*» (p. 84, subrayado mío). Rozar, usar los dedos por capricho: no otra cosa

---

[9] Ver JOSEFINA LUDMER, *op. cit.*, pp. 85-87.

es un manipuleo. Pero la trama de *Los adioses* enfrenta al lector con un manipuleo múltiple, que no sólo depende del narrador. Si bien éste arma la vida del hombre observado, necesita —para sostener su ficción— el apoyo básico del mismo sujeto narrado; o, en su defecto, el apoyo de narradores secundarios (el enfermero, la mucama), con lo cual se amplía el ámbito del relato: aumenta la elusividad del chisme o narración. Hay manos, hay demasiadas manos que se empeñan en fabricar esta ficción.

Al considerar el chisme como posibilidad narrativa, recuerda Proust sus aspectos poco gratos. Uno de ellos, anota, es que «somos víctimas suyas y eso nos resulta particularmente desagradable». La potencialidad agresiva —totalmente agresiva— del chisme queda clara en *Los adioses:* así como puede decirse que el chisme, en principio, manipula (y acaso hiera) al otro, con el consenso de dos dialogantes, también puede decirse que el chisme toca —más que en otros mensajes— a su enunciante y a su destinatario, volviéndose de manera «particularmente desagradable» contra ellos. De *Los adioses* puede decirse que un narrador, físicamente disminuido, procura atraer a un forastero —como materia— dentro de su ámbito: chisme y enfermedad. Pero igualmente puede decirse que ese forastero — presentado tantas veces como inerte— incorpora a su vez a ese narrador, revelando el aspecto caricatural de su *hybris,* la necesidad del otro para contar. El chismoso no existe sino por la fibra misma, y *en* la fibra misma, de su chisme.

Los adioses fija un tipo de lectura, que coincide con el chisme y se traduce en el espiar. Se ha observado que esta novela se asemeja a la típica novela policial [10] y la semejanza es válida, si nos atenemos a la inquisición que practica el narrador a partir de una serie de indicios. Pero deja de ser válida en cuanto percibe el lector que esa inquisición puede ser llevada a la práctica más allá del caso preciso que se investiga. En otras palabras: el método que utiliza el narrador para descubrir al hombre puede ser utilizado para descubrir al propio narrador. El proceso narrativo contagia a todos los actuantes, y el mayor chismoso puede transformarse, para el lector, en asunto de un chisme.

«Hablaba el enfermero porque necesitaba adularme *y había comprendido que el hombre me interesaba*» (p. 16, subrayado mío). El narrador se traiciona; revela ser un mal chismoso porque su interés diverge de las reglas del chisme: se interesa no sólo

---

[10] *Ibid.,* p. 88.

en la *trama* que se organiza en torno del hombre sino —voraz-mente— en *el hombre mismo*. Esa voracidad, manifiesta más de una vez en el relato, descubre un narrador ambiguo, demasiado cerca del sujeto de su enunciado; teñido por el otro en quien basa sus especulaciones.

Importa señalar ese acercamiento excesivo en alguien que se presenta como personaje por excelencia privado; el empeño que pone el narrador en la elaboración del chisme sólo puede com-pararse con el que dedica a esconder sus propios rasgos. Si ha reducido casi del todo sus movimientos, no es tanto por su salud como por el deseo de no ser observado: al no convertirse en posible asunto del chisme, permanece invulnerable. Esta actitud defensiva, cifrada en el refugio tras el mostrador, se manifiesta con vigor particular en dos situaciones típicas: la que enfrenta al narrador con el hombre, sujeto de su chisme, y la que lo enfren-ta con el enfermero, artífice secundario que codicia la trama que va armando el narrador. Situaciones, ambas, de un «duelo nun-ca declarado» (p. 26) donde la represión del narrador se vuelve arma vencedora: *«Me hubiera gustado* sentarme a tomar vino con él y decirle algo de lo que había visto y adivinado [...] *Deseaba* conversar y el enfermero me estaba invitando, sonrien-do sobre el vaso y el plato. *Pero no salí de atrás del mostrador;* me puse a quitar polvo de unas latas y *apenas hablé»* (p. 11, subrayado mío). La represión de su persona y de su relato cons-tituye una fuerza, pero esa fuerza es ambigua; al desdeñar al contrincante sólo se llega a una victoria solipsista: «[...] el imagi-nado duelo continuaba y por las noches, cuando el almacén quedaba vacío o con sólo un grupo de hombres y mujeres que se había refugiado allí para tomar la última copa [...] yo me dedica-ba a pensar en él, le adjudicaba la absurda voluntad de aprove-char la invasión de los turistas para esconderse de mí, me sentía responsable del cumplimiento de su destino [...]» (p. 28). A so-las, con el almacén casi vacío, se perfecciona la urdidura de la trama. También a solas se descubren los errores de esa urdidura; «solo, después de colgar las persianas» (p. 82), lee el narrador las cartas que explican la historia de manera insospechada para él y comprende hasta qué punto se ha equivocado con su chisme.

La posibilidad de fracaso —pasajero o rotundo, como el re-cién citado— no entra sin embargo en la reflexión solitaria del narrador. Su soberbia lo lleva a considerar superior no sólo al hombre alrededor de quien trama sino a quienes colaboran con él en el chisme: «Si el enfermero fuera capaz de comprender»

(p. 11), observa al comienzo, con la clara implicación de que el enfermero es ineficaz. Y más adelante, atribuyéndose un conocimiento mayor que el del enfermero: «El sabía, porque yo se lo había dicho» (p. 30). Ante estos narradores en ciernes —el enfermero, la mucama del hotel— establecen una autoridad inequívoca: «Yo estaba ya mucho más lejos» (p. 31). Esta autoridad del narrador y la autoridad de los chismosos secundarios, enfrentadas, desembocan en una sutil puja por el poder. Hay retención con respecto al chisme; se dilata la narración de un dato, se dilata la reacción ante ese dato anunciado:

— ¿Sabe? —empezó, mientras yo secaba la botella y examinaba su vaso.
— Espere —le dije, seguro de la importancia de no escucharlo enseguida [...]

Lo supe en cuanto el enfermero preguntó «¿Sabe?» [...] Pero no tenía motivos para presumir frente al enfermero, de modo que cuando volví al mostrador jugando con la tapa de la botella, soporté que él repitiera la pregunta y se demorara balanceando la sonrisa prologal (p. 37).

Quien acepta esta puja por el poder narrativo debería mantenerse imperturbable si está seguro de su manipuleo. No es el caso del almacenero quien, a imagen de su mostrador, aparece cada vez más agrietado. Una inseguridad básica mina su enunciación aparentemente autoritaria, que parece controlar el enunciado. Dos razones pueden justificar esa inseguridad. Una, ya dicha: el hecho de que para completar la trama, armada como un rompecabezas, el narrador tenga que recurrir, necesariamente, a esbirros que observan más allá del almacén, donde él no puede observar. La trama así construida dista de ser autosuficiente; aparece en un estado de desvalimiento continuo, necesitada del apoyo de otros. La segunda razón de la inseguridad se da en la vinculación entre el narrador y el narrado, cargada de sentido, harto reveladora. La relación se arma a medida que se urde la trama, a veces opera casi contra la trama, descubre aspectos inesperados del narrador: «Nunca supe si llegué a tenerle cariño; a veces, jugando, me dejaba atraer por el pensamiento de que nunca me sería posible entenderlo» (p. 18). *Jugando*: el término revela aquí la posición dúplice del narrador que distorsiona el espacio del chisme al contemplar la posibilidad de que haya un entendimiento entre él y el hombre. De hecho hay un entendimiento entre los dos, pero es, más que un pacto afectivo, un trueque mercantil. El hombre que se entiende con el almacenero para que se le entreguen sus cartas hará más tarde arreglos para que le lleven víveres: «Tengo que hablar con usted y negociar» (p. 75). El afecto —si así cabe llamarlo— entre los dos es sólo imaginación del narrador.

El narrador no sabe si llegó a tenerle cariño al hombre; vale la pena añadir que el narrador sabe muy poco de lo que siente: imagina al otro, se proyecta en él, en una suerte de sentir vicario y oblicuo que expropia y a la vez es expropiado. Cabe para el narrador de *Los adioses* el esquema de cuento propuesto por Valéry:

Historia de un personaje a quien se presentaría (en intervalos meditados dentro del relato) en un sillón, fumando, con la mirada que se fijara con bastante rapidez, por sí sola, en un telón, en una puerta, en un muro —o en un objeto bastante pequeño—. Entonces las ideas de las cosas, los hechos que se han introducido recientemente en su vida (objetos de *relato),* las preocupaciones, las nebulosas, los temas íntimos, las incipientes invenciones, etc. [...] vendrían a establecerse *sobre y como sobre* ese telón —en el que estarían *en él y sobre él*— en observación recíproca y como en *monólogo* complejo [11].

El telón, el objeto bastante pequeño del que habla Valéry es, en *Los adioses,* el hombre narrado. Como ese telón, el hombre provoca al narrador. Le permite la finta: establecerse *sobre* y *como sobre* su espacio disponible; le permite además jugar con el telón de manera ambigua, combinando lo que está *en él* y lo que está —lo que el narrador proyecta— *sobre él.* En otras palabras, el telón que es «el hombre» está constituido por lo que en él se observa más lo que a él añade el narrador voraz. Voracidad del narrador en busca de un texto —de un chisme— en el cual fijarse; voracidad del narrador en busca de una persona —una presa— fija: ante este temible aparato deseante aparece «el hombre» anodino, que el narrador se encargará de *vestir.* Como en un complicado ritual en el que se le pasan serenamente las vestiduras a un oficiante, el narrador de *Los adioses* añade a su personaje y le permite actuar; a lo que observa agrega lo que adivina, lo que otros le suministran, lo que por fin imagina más allá de las fronteras de su almacén. Finalmente viste al personaje

---

[11] Paul Valéry, «Acem», *Oeuvres,* T. II, París, Gallimard, Pléiade, 1960. p. 457.

a su imagen y semejanza: en el telón que es «el hombre» se proyecta no tanto ese hombre como su complejo cronista. La voracidad coincide, en este relato, con el placer de contarse.

La vengativa proyección del narrador en su personaje se organiza básicamente según dos ejes, no novedosos para el lector de Onetti: la juventud y el amor o —mejor dicho— la pérdida de la juventud y del amor. No es casual que el narrador abandone su acostumbrada tranquilidad cuando llega la primera mujer. Entonces imagina, con significativo énfasis, «sin alegría, pero excitado» (p. 24). Los datos que le brinda la mujer le permiten conjeturar un pasado para el hombre signado por la pérdida, en el cual parecería reconocerse: «aquel amansado rencor que llevaba en los ojos y que había nacido, no sólo de la pérdida de la salud, de un tipo de vida, de una mujer sino, sobre todo, de la pérdida de una convicción, del derecho a un orgullo. Había vivido apoyado en su cuerpo, había sido, en cierta manera, su cuerpo» (p. 24). El hombre ya no es su cuerpo y tampoco es su cuerpo el narrador, ávido de encontrarse en lo ajeno. La entusiasta curiosidad que anima sus declaraciones tampoco es inusual: se cifra en el resentimiento, pasión que suele animar a los personajes de Onetti. Así el narrador de *Los adioses* resiente la antigua juventud del personaje narrado y se complace —como el narrador de «Bienvenido, Bob»— en evocar no sólo la decadencia, «aquel amansado rencor» que lo une a él, sino el apogeo de una juventud imaginada, únicamente compartida en la evocación del relato: «Acepté una nueva forma de la lástima, lo supuse más débil, más despojado, más joven. Comencé a verlo en alargadas fotos de «El Gráfico» [...] con [...] el hastío y la modestia que conviene a los divos y los héroes. Joven entre jóvenes, la cabeza brillante y recién peinada, mostrando [...] el brillo saludable de la piel, el resplandor suavemente grasoso de la energía, varonil, inagotable» (p. 24). Fundamentalmente no se acepta la juventud del otro o se la acepta como afrenta. En tal caso la agresión reclama una venganza, acaso la más cruel: la revancha del minucioso *testigo*. El chisme elaborado por el narrador sirve un doble propósito: protege (inhábilmente) al emisor y acusa al otro, sujeto de enunciado, en un testimonio incesante: «luchando él por hacerme desaparecer, por borrar el testimonio de fracaso y desgracia que yo me emperraba en dar» (p. 26).

La aparición de la primera mujer, a la vez que inaugura una perspectiva nueva para encauzar el chisme —la juventud perdida—, introduce otra dimensión en el relato: el encuentro con lo femenino. (No se puede hablar de amor; tampoco de sexo, menos de erotismo: es difícil nombrar esos encuentros tiernos y desencantados en la obra de Onetti.) El narrador integra con alguna dificultad la llegada de esa mujer; contra la irritante versión del enfermero —«Lo que le faltaba al tipo era la mujer, se ve que no soporta vivir separado. Ahora es otro hombre» (p. 25)— opone su reticencia: una «absurda, desagradable esperanza me impedía conmoverme, aceptar la felicidad que ellos construían diariamente ante mis ojos» (p. 26).

La aparición de la segunda mujer fija por fin la zozobra, ese algo desagradable *que no controla el narrador.* La secuencia de la fiesta de año nuevo reitera lo insólito, una reacción física del narrador: «empecé a sentirme cansado» (p. 32), «empecé a desear con todas mis fuerzas que terminara la noche» (p. 33), «sólo puedo recordar mi dolor de cabeza, su palpitación irregular y constante» (p. 34). En el centro este sentirse mal «y rodeándolo, la gente de pie alzando vasos y tazas» (p. 34). En esa periferia el personaje que constituirá para el narrador la mayor amenaza, aparece —dentro de una visión ya disgregadora— singularmente retaceado: «apoyada en el marco de la puerta: un pedazo de pollera, un zapato, un costado de la valija introducidos en la luz de las lámparas» (p. 34). El acercamiento metonímico no es nuevo en el narrador; señala, sí, como en la primera visión del hombre —o como en todo encuentro potencialmente peligroso— una deliberada lentitud que es defensa: se desmiembra un todo cuya carga no se soportaría entera. La carga es doblemente amenazadora para el narrador; a lo femenino, la muchacha añade la insolencia de su juventud: «me dejé despistar porque ella era demasiado joven» (p. 37).

La llegada de esta segunda mujer marca un cambio notable en el almacenero, quien por fin abandona la inacción. Por primera vez muestra —deja de controlar— sus sentimientos: sobre todo, muestra exasperación. Al sentir que a través de las correcciones aportadas por otro, más informado que él, ese chisme —mejor: *este* aspecto del chisme— se le escapa, reacciona el narrador «casi enfurecido» (p. 38). Sólo se calma cuando recupera la posibilidad de dirigir la ficción: «—Dígale que entre y que llame al hotel —le dije, *curioso, aplacándome*—. [...] O mejor llamamos *nosotros*» (p. 38, subrayado mío). También por primera vez se moviliza el narrador. Este personaje que sólo *es* plenamente cuando se escuda tras su mostrador abandona su plaza fuerte: él mismo lleva a la muchacha al hotel. El momento tiene un único paralelo, al final del texto: cuando el narrador abandona una vez más su sitial para proteger *su* versión con su presencia en la casa de las portuguesas. Curiosamente el primer desplazamiento ocurre bajo el signo del *no pensar*. Antes de salir para llevar a la muchacha: «tomé la resolución de no pensar, temeroso de hallar los adjetivos que correspondían a la muchacha y de hacerlos caer, junto con ella, encima del hombre que dormía en el hotel o en la casita» (p. 40). Y al volver: «No hará bien a nadie, ni a ellos ni a mí, pensar» (p. 42). Acompaña a este no pensar una decisión igualmente insólita en el narrador: la de *no mirar* (p. 40). Sólo protegido por esas dos resoluciones se desplazará, y sólo porque algo más fuerte que él —la proximidad de la mujer joven— lo estimula.

El no pensar y el no mirar permiten una *expansión* del narrador. El viaje en automóvil marca un desbordamiento: libre de la defensa del mostrador, reacciona como no lo ha hecho antes y narra de manera notablemente distinta. Así recrea a la mujer que tiene al lado de un modo nuevo, sin mirarla —«no intenté mirarla durante el viaje», «no necesité mirarla para ver su cara» (p. 40)—, y en un nivel que supera el del chisme. En efecto, este segmento exaltado de *Los adioses,* a diferencia de los otros que componen la trama, es esencialmente privado. Si es chisme es un chisme insólito que no será divulgado, y en el que se complace un solo hablante: un chisme que pasará directamente, sin manoseo, del narrador al lector.

Acaso esta secuencia revele como nunca los mecanismos de la narración. Como en otras instancias del relato se pueblan una cara, un cuerpo vacíos hasta tornarlos significantes de un modo nuevo; vigentes no tanto por lo que ha quedado «al otro lado de la selva» (p. 31) como por la manipulación de un narrador que observa, suple e interpreta, con el fin de reconocerse a sí mismo y vivir una historia ajena. Así lee al hombre, así lee a la primera mujer con quien —dirá más adelante— le es fácil *identificarse* (p. 53). Algo distinto ocurre con esta segunda mujer; sin pensar, sin mirar, el narrador intenta un nuevo ejercicio con ella. No llena un pasado, ni siquiera —porque no mira— interpreta, proyectándose en lo que ve. En cambio, de manera inusitada, urde un *futuro* patéticamente erótico, que resume su frustración. Como había imaginado el pasado del hombre (p. 24), imagina —a la vez que evoca lo entrevisto: la sinuosidad de la muchacha (p. 40)— un futuro sórdido y sensual. Tenacidad de la enfermedad, tenacidad del voyeurismo: la meta es manejar al adversario, expropiarlo. Y por cierto el narrador maneja el futuro de la muchacha, regodeándose con la cara que imagina, «excitada, alerta, hambrienta, asimilando, mientras ella apartaba las rodillas para cada amor definitivo y para parir» (p. 41).

En un relato gris, desprovisto hasta este momento de sensualidad, sorprende esta imaginación fervorosa. El narrador revela una avidez distinta: no codicia el simple chisme, codicia a la muchacha misma. La desea indirectamente, a través de otros; a través de «la segura, fatua, ilusiva aproximación de los hombres» (p. 40). A la vez se proyecta en ella, le atribuye, en el futuro que imagina, una actitud hacia los hombres no diferente de la suya ante la materia narrativa: «porque los hombres sólo podían servirle como símbolos, mojones, puntos de referencia *para un eventual ordenamiento de la vida, artificioso y servicial*» (p. 41, subrayado mío). Como tantas veces en Onetti —como en «La casa en la arena», para dar un ejemplo—, coincide un erotismo distanciado con la pasión, inmediata, de ordenar el relato.

La juventud —la de la muchacha, la del hombre antes de llegar a las sierras— y el amor son para el narrador perpetuos desafíos, grietas que revelan su debilidad, su voracidad que va más allá del chisme. Porque asume que *hay* una historia de amor entre el hombre y la muchacha, se empeña en proteger ese amor del enfermero: «Estaban callados, mirándose [...] Seguí hablando para que el enfermero no se volviera a mirarlos» (p. 47). Con el mismo criterio, erróneamente cargado de paciencia, interpreta de un modo harto personal lo que observa: «Y ellos estaban mudos y mirándose, a través del tiempo que no puede ser medido ni separado, del que sentimos correr junto con nuestra sangre» (p. 48).

Narración por un lado; juventud y amor por el otro. Dos polos que en *Los adioses* —en el discurrir del narrador— se llaman mutuamente: la narración aparece estimulada por la juventud y el amor, por la nostalgia de la juventud y el amor. Es significativo que el narrador chismoso deponga armas no ante los chismosos secundarios —el enfermero y la mucama, a quienes domina— sino ante la muchacha que es figura de sus carencias: «Estaría más cómodo si la odiara» (p. 55). Añade: «y de pronto, o como si yo acabara de enterarme, todo cambió. Yo era el más débil de los dos, el equivocado; yo estaba descubriendo la invariada desdicha de mis quince años en el pueblo, el arrepentimiento de haber pagado como precio la soledad, el almacén, esta manera de no ser nada. Yo era minúsculo, sin significado, muerto. Ella venía e iba, acababa de llegar para sufrir y fracasar, para irse hacia otra forma de sufrimiento y de fracaso que no le importaba presentir» (p. 55). El chisme —o mejor dicho, el haberse implicado demasiado en el chisme, sin saber guardar las distancias— se vuelve sobre sí y en lugar de revelar al otro, revela el desamparo del emisor, su *invariada desdicha,* su soledad. A la luz de esa revelación de impotencia —de *no ser nada*— cobra pleno sentido una de las frases de Proust: el chisme «nos presenta rápidamente un fragmento insospechado del revés de la trama». El revés de la trama de este chisme muestra a un narrador siempre ávido, víctima de la debilidad que lo lleva a reemplazar la vida por la ficción.

A partir del careo con la muchacha hay un cambio de actitud en el narrador: «Entonces, aquella misma tarde o semanas después, porque la precisión ya no importa, porque desde aquel momento yo no vi de ellos nada más que sus distintos estilos de fracaso, el enfermero y la mucama, la Reina, empezaron a contarme la historia del epílogo en el hotel y en la casita. "Un epílogo", pensaba yo, defendiéndome, "un final para la discutible historia, tal como estos dos son capaces de imaginarlo"» (p. 57). El narrador ya no observa. Sólo interpreta de lejos a través de la información que se le brinda; concretamente que le brindan el enfermero y la mucama, burda contrafigura de la pareja ilícita que constituyen el hombre y la muchacha. Más que nunca habrá de suplir el relato, añadiendo a los chismes que escucha sus propias conjeturas: al igual que sus rivales, él también prepara un epílogo. Coincide este cambio en la narración con el período más notable de la estadía del hombre: el momento en que convive con las dos mujeres. Cuanto ocurre —cuanto conjetura el narrador que ocurre— ha de verse a la luz de su relación con cada una de ellas. Por un lado la mujer sólida, no tan joven, con quien se siente seguro y con quien se identifica: «Desde el mostrador, enjuagando un vaso, la miré como si la espiara. Le hubiera ofrecido cualquier cosa, lo que ella quisiera tomar de mí. Le hubiera dicho que estábamos de acuerdo [...]» (p. 72). Por un lado, la muchacha, vuelta cifra de erotismo, desconfiable y tremendamente atractiva: «Me era fácil imaginar la noche que tenían a las espaldas, me tentaba, en la excitación matinal, ir componiendo los detalles de las horas de desvelo y de abrazos definitivos, rebuscados» (p. 80).

Hay un momento en la novela que parece prologar el verdadero epílogo; desde luego no el único ya que el narrador, el enfermero y la mucama, el hombre, la muchacha, viven ese epílogo de maneras diferentes. Es el momento en que el enfermo, taciturno a lo largo del relato y siempre en situación de «duelo nunca declarado» (p. 26) contra el narrador, claudica y propone una tregua: «[...] venía a buscarlo. Quiero decir, tengo que hablar con usted y negociar» (p. 75). El negociar remite al comienzo de *Los adioses;* recalca la posición del narrador como comerciante de relatos. Pero señala a la vez, de manera definitiva, la entrada del hombre en el ámbito de la enfermedad. Transar con el narrador significa algo más que asegurarse víveres; significa pactar con el artífice del propio destino. La entrada en la enfermedad queda asentada pocas páginas después, antes de la aparentemente confiada partida para el sanatorio. El hombre al comienzo se negaba a mirar dentro del almacén, lugar de elaboración del chisme y de la enfermedad; el narrador observaba su «calculada posición dirigida hacia el camino, para no ver nada, no queriendo otra cosa que no estar con nosotros» (p. 11). Ahora por primera vez, junto con la muchacha, mira *hacia adentro:* «[...] ¿Se da cuenta? Sólo tres meses; y aunque fueran seis.

«Me pareció que no había alzado la voz, pero ella dejó de mirar la nube acuosa de la ventana y puso los ojos, como el hombre, *en el centro del piso del almacén»* (p. 81, subrayado mío).

Pero el negociar indica más: para el narrador es, de alguna manera, la ratificación de su papel en la historia; es un aval de que su lectura ha sido adecuada. Así el anuncio de la internación desencadena imaginaciones nuevas, estimulantes secuelas del chisme donde se reúnen enfermedades y erotismo: «Los imaginaba inmóviles en camas blancas de hierro, allá arriba [...] Imaginaba la lujuria furtiva, los reclamos del hombre, las negativas, los compromisos y las furias despiadadas de la muchacha, sus posturas empeñosas, masculinas» (p. 81).

El voyeurismo del narrador, su excesiva confianza, coinciden finalmente con su pérdida. La lectura solitaria de las cartas retenidas (p. 82) le indica —para recordar nuevamente a Proust— un revés imprevisto de la trama que ha urdido: la lectura que ha sido vida para él significa ahora derrota. Pocas revelaciones provocan una pasión semejante a ésta: «Sentí vergüenza y rabia, mi piel fue vergüenza durante muchos minutos y dentro de ella crecían la rabia, la humillación, el viboreo de un pequeño orgullo atormentado» (p. 83). El chisme es un fracaso. O mejor dicho la trama del chisme, las etapas intermedias que le dan cuerpo, han fracasado: el narrador ha estado narrando *otra* historia. Sólo en el final —la muerte del hombre— coinciden las dos versiones.

Las últimas páginas de *Los adioses,* al revelar — al indicar de modo ambiguo— otra interpretación de la fábula, proponen urgentemente la relectura. Del chisme queda tan sólo el esqueleto, la fachada que se empeña en mantener el narrador para «rehabilitarme con creces del fracaso, sólo ante mí» (p. 84). Esqueleto y fachada ineficaces, son construcciones cuyo único fin habrá sido apuntalar la voz del narrador —enfermo de enfermedad narrativa— y alimentarlo. El chisme —todo *Los adioses*— se reduce a un ejercicio ensimismado. Propone la tentación de inscribirse en el relato —como los pintores que se incluyen en un cuadro— pero esa inclusión significa pérdida vital, esterilidad: «Me sentía lleno de poder, como si el hombre y la muchacha, y también la mujer grande y el niño, hubieran nacido de mi voluntad para vivir lo que yo había determinado. Estuve sonriendo mientras volvía a pensar esto [...]. El aire olía a frío, a seco, *a ninguna planta*» (p. 84, subrayado mío).

Proust no sugiere cómo lidiar con el chisme, cómo corregir ese revés de la trama, imprevisible. Acaso la respuesta fuera: otro chisme que deshaga al anterior. *Los adioses* se interrumpe en ese preciso instante: en el umbral de otro relato —«decorosa, eterna, invisible, disponiéndose ya, sin presentirlo, para cualquier noche futura y violenta» (p. 88)— que acaso otro contará. Porque el relato de *Los adioses* queda deshabitado.

[Publicado en *Hispanoamérica,* año 7, núm. 23-24 (1979), pp. 5-18.]

GABRIEL SAAD

TÉCNICA DE LA NARRACIÓN EN UN CUENTO DE ONETTI

In memoriam DANIEL WAKSMAN

En uno de los capítulos de *La vida breve* que más me interesan, el capítulo VII de la segunda parte, después de la visita al obispo en el palacio de la sierra, Díaz Grey decide «volver a la sala de música de Mr. Glaeson, mirar las ancas de la violinista y rectificar el mito de la enana» [1]. Es probable que nunca sepamos si el fruto de esa rectificación es el cuento que lleva por título «Historia del caballo de la rosa y de la virgen encinta que vino de Liliput», que Onetti publicó por primera vez en el número 8 de *Entregas de la Licorne,* en 1956, y que sirve de texto inicial a su segundo libro de cuentos, *El infierno tan temido,* publicado por la editorial Asir, en Montevideo, en 1962. Lo que sí me importa es que todo el relato parece plegarse a una de las más perentorias advertencias del serrano pontífice: «Pero no crean en lo que oyen o leen, desconfíen de la propia experiencia» [2].

Las referencias a lo que se oye, se lee o se ve, son múltiples en este relato, y la desconfianza como único lazo posible con la realidad parece ser la regla de oro de su lectura. Por esas razones he decidido dedicarle este pequeño estudio, con la intención de desentrañar algunas particularidades de su funcionamiento, de eso que global y, tal vez, falaciosamente, podemos llamar «las técnicas de la narración». Como es mi costumbre, no intentaré apresar el relato en un esquema exterior, preconcebido, sino que, por el contrario, me limitaré a *escucharlo* con la esperanza

---

[1] JUAN CARLOS ONETTI, *La vida breve,* Editorial Sudamericana, Buenos Aires, 1950, p. 264.
[2] *Ibid.,* p. 258.

—satisfecha hasta hoy— de que el texto termine por entregarnos las claves de su funcionamiento.

I

La «Historia del caballero de la rosa y de la virgen encinta que vino de Liliput» se abre con la afirmación de un saber perfecto, total, inalterable o, más exactamente, con la enunciación de la creencia en ese saber: «En el primer momento creímos los tres conocer al hombre para siempre, hacia atrás y hacia adelante» [3].

En la clausura, por el contrario, nos encontramos con la enunciación de una incertidumbre que nunca se ha podido colmar: «[...] la montaña insolente y despareja que expresaba para él y para la muerta lo que nosotros no pudimos saber nunca con certeza» [4].

Al «para siempre», plétora temporal del *incipit,* se opone el «nunca» de la clausura; a la afirmación «creímos saber» se opone la negación «no pudimos saber». Entre esos dos polos se tiende el relato. Que éste se desarrolle en una relación particular con la escritura, su propio título —o lo que, siguiendo a Jean Ricardou, podemos llamar su *epitexto* [5]— nos lo muestra claramente, con la referencia al caballero de la rosa y al país de Liliput. La escritura aparece así como un horizonte mítico del relato, mito que, por lo menos parcialmente, éste viene a rectificar, puesto que, si como lo quiere la sentencia escolar, *scripta manent,* el cuento nos dice lo contrario, con la frase final en la cual lo que permanece —incluso más allá del relato— es la incertidumbre, es decir, lo *no-escrito,* lo que, literalmente, nunca se pudo escribir. Y en esta rectificación, la violinista se asocia, por la música, con el caballero de la rosa y la enana, naturalmente, con la virgen encinta que vino de Liliput.

Pero si escuchamos, ahora, más atentamente el relato, veremos que hay en él otra manifestación de la escritura que ocupa

---

[3] JUAN CARLOS ONETTI, «Historia del caballero de la rosa y de la virgen encinta que vino de Liliput», en *El infierno tan temido,* Asir, Montevideo, 1962, p. 7.

[4] *Ibid.,* p. 33.

[5] Véase, en particular, JEAN RICARDOU. *Nouveaux problèmes du roman,* Editions du Seuil, París, 1979.

una posición nodal en relación con el misterio y con el desenlace. Esta escritura es la del testamento de doña Mina —doña Herminia o doña Herminita, como también se la llama— que crea la expectativa de la herencia y la decepción final. Notemos que, también, aquí se trata de la rectificación de una escritura, puesto que el interés del testamento proviene de la modificación que doña Mina decide introducir en él para que el caballero y la virgen sean también partícipes de su herencia. Y su propio nombre cobra así una riqueza semántica particular. Doña Mina será la «mina» en el sentido peyorativo, de connotación sexual que el término implica en el Río de la Plata, lo que nos acerca al «escándalo» de que habla reiteradas veces el principal narrador [6], a la cargada historia sentimental del propio personaje y, por fin, al «pecado» [7] como también se nos dice. Pero el nuevo apelativo de doña Herminia Fraga recuerda, además, que ella se ha convertido en una verdadera «mina de plata», como lo confirma la distribución de sus bienes cuando se abre el testamento [8] y como lo había subrayado, antes, el diálogo entre Guiñazú y Ferragut:

—[...] ¿Tiene mucho dinero? ¿Cuánto?
—Tiene mucho dinero —dijo Ferragut [9].

De tal suerte que las sucesivas rectificaciones del nombre de la mujer —«de Herminia a doña Herminita y a doña Mina» [10]— y la rectificación que ella, a su vez, impone al testamento, terminan por coincidir y complementarse como elementos reveladores del trabajo de escritura en la construcción del relato [11].

Y mal nos puede sorprender que así sea, puesto que el caballero y la virgen traen como elemento de introducción en Santa María, es decir, en el espacio del cuento, «[...] una carta para el gordo, amanerado bisnieto de Latorre [...]» [12], lo que los vincula,

---

[6] «Historia del caballero de la rosa y de la virgen encinta que vino de Liliput», p. 18.

[7] *Ibid.,* p. 23.

[8] *Ibid.,* pp. 30-31.

[9] *Ibid.,* p. 21.

[10] *Ibid.,* p. 19.

[11] Para un análisis detallado de ciertos aspectos de la escritura onettiana, véase el excelente estudio de Josefina Ludmer, *Onetti. Los procesos de construcción del relato,* Editorial Sudamericana, Buenos Aires, 1977.

[12] «Historia del caballero de la rosa y de la virgen encinta que vino de Liliput», p. 12.

también, desde el comienzo, con la escritura. Esta aparece, así, en los dos polos de la historia: carta al bisnieto de Latorre en la introducción y testamento de doña Mina en la conclusión.

II

Tal vez esta última observación no deba ser separada de otra particularidad del relato que el propio texto nos revela con insistencia desde sus primeras líneas: la importancia que en él cobra la mirada.

En el primer parlamento de Guiñazú —que es, también, el primer parlamento del cuento— las referencias a la mirada están fuertemente anaforizadas a través de los verbos «ver» y «mirar», a tal punto que éstos aparecen cinco veces en cuatro líneas:

—Vean —susurró Guiñazú, retrocediendo en la silla de hierro—. Miren, pero no miren demasiado. Por lo menos, no miren con avidez y, en todo caso, tengan la prudencia de desconfiar. Si miramos indiferentes, es posible que la cosa dure, que no se desvanezcan [...] [13].

De tal suerte que cuando el narrador asuma nuevamente la enunciación del relato, el verbo «mirar» volverá a aparecer para señalar la principal actividad del grupo: «Estábamos sudorosos y maravillados, mirando hacia la mesa frente a la puerta del café.» [14]

Por supuesto, la desconfianza aconsejada aquí por Guiñazú nos recuerda el precepto similar del obispo de *La vida breve* y la importancia de la mirada, de lo que se puede ver, no puede dejar de evocar la que anafóricamente y con cierta nostalgia, subraya el narrador de *Los adioses* desde la primera página de esa *nouvelle*:

Quisiera no haber visto del hombre, la primera vez que entró en el almacén, nada más que las manos [...].

Quisiera no haberle visto más que las manos, me hubiera bastado verlas [...].

En general, me basta verlos y no recuerdo haberme equivocado [...] [15].

---

[13] *Ibid.*, p. 7.

[14] *Ibid.*, p. 7.

[15] JUAN CARLOS ONETTI, *Los adioses*, Sur, Buenos Aires, 1954, p. 9. Ver también JOSEFINA LUDMER, *op. cit.*, pp. 84-96.

Resulta imposible, además, no destacar en este estudio la importancia que la mirada ha tenido siempre en la obra de Onetti, en la que, por lo general, el doble vector «ver y oír» permite la transgresión de los límites espaciales y el avance en la producción textual. Todo lo cual nos invita, claro está, a estudiar su importancia en la *Historia* que ahora nos ocupa.

En las primeras páginas, mirar a la pareja es una manera de hacerla existir, de mantenerla en el texto, de permitir, por lo tanto, su escritura. Es una manera, también, de encerrarla en un espacio —que bien podríamos llamar, desde ya, espacio textual—. Bueno es observar, además, que todo este primer tramo narrativo está constituido por el esfuerzo de convertir a la pareja en materia de relato, de evitar que el hombre y la mujer se desvanezcan, como dice Guiñazú, quien parece resaltar este peligro con la reflexión que le inspira la cercanía de la lluvia:

—Ya cayó una gota —dijo Guiñazú—. La lluvia estuvo amenazando desde la madrugada y va a empezar justo ahora. Va a borrar, a disolver esto que estábamos viendo y que casi empezábamos a aceptar. Nadie querrá creernos [16].

Para que existan, para que se establezca por fin la creencia en la posibilidad de conocerlos, será necesario vincularlos con una forma de la escritura.

En el portal donde nos habíamos refugiado, el viejo Lanza dejó de toser y dijo una broma sobre el caballero de la rosa. Nos pusimos a reír, separados de la pareja por el estruendo de la lluvia, creyendo que la frase servía para definir al muchacho y que ya empezábamos a conocerlo [17].

Es interesante que el hombre que pronuncia la frase que sirve para «definir» al personaje sea Lanza, es decir, el corrector de pruebas del *Liberal* y, como lo sabremos más tarde, también redactor de sueltos a sus horas. El es, de todos los miembros del trío que observa a la pareja, el más cercano a la realidad que el lector tiene ante sus ojos y que encierra al relato: la realidad del texto escrito e impreso. Del texto que hay que mirar y leer.

En los siguientes tramos narrativos, la *Historia* se irá cons-

---

[16] «Historia del caballero de la rosa y de la virgen encinta que vino de Liliput», p. 8.
[17] *Ibid.*, p. 9.

truyendo con lagunas, con imprecisiones, proponiendo a veces versiones múltiples de un mismo suceso, frente a las cuales la mirada permitirá escoger una posible verdad. Así, por ejemplo, cuando Specht decide expulsar a la pareja de la casita que ésta ocupa en Villa Petrus, el texto explica la decisión por una variedad de causas posibles:

Los echó porque se habían emborrachado; porque encontró al muchacho abrazado a la señora Specht; porque le robaron un juego de cucharas de plata que tenían grabados los escudos de los cantones suizos; porque el vestido de la pequeña era indecente en un pecho y en una rodilla; porque al fin de la fiesta bailaron juntos como marineros, como cómicos, como negros, como prostitutas [18].

Lo único que permitirá dar una cierta verosimilitud a alguna de las versiones expuestas es la mirada. Pues el narrador agrega, tras enunciarlas todas:

La última versión pudo hacerse verdadera para Lanza. Una madrugada, después del diario y del *Berna,* los vio en uno de los cafetines de la calle Caseros. [...] los vio, solos en la pista, rodeados por la fascinación híbrida de la escasa gente que quedaba en las mesas, bailando cualquier cosa, un fragor, un vértigo, un prólogo del ayuntamiento [19].

Lo que se ha visto cobra así una importancia primordial en la progresión del relato. A tal punto que si Lanza y Guiñazú han podido estar, como dice el narrador, «más próximos» que él «al corazón engañoso del asunto» esto se debe, simplemente, a que ambos —el corrector y el abogado— «habían visto mucho más» [20]. De la misma manera, cuando Guiñazú quiere demostrar su conocimiento de la historia, no tiene más remedio que recurrir a la mirada: «Los he visto bajar de compras cada semana [...].» [21]

Esta prioridad de lo que se ve impone, además, ciertas particularidades al discurso, en el cual el verbo «ver» es utilizado, por lo menos en una ocasión, de una manera mucho más frecuente en los juegos de cartas que en la narración. Así, por ejemplo, a propósito de la fiesta organizada en marzo por doña Mina, el

18 *Ibid.,* p. 15.
19 *Ibid.,* p. 15.
20 *Ibid.,* p. 25.
21 *Ibid.,* p. 27.

texto nos dice: «Lo que se vio en seguida fue la fiesta de cumpleaños de doña Mina. Por nosotros la vio Guiñazú.» [22]

Y aunque admitamos que el uso del verbo «ver» no tiene nada de peculiar en esta frase (que, para nosotros, lo tiene, en la medida en que subraya el carácter casi puntual del episodio), no puede soslayarse la otra particularidad que la frase revela, a saber, la necesidad de una mirada vicaria («Por nosotros la vio Guiñazú») para acceder a este tramo de la *Historia*.

Por otra parte, la mirada cobra otra función en el relato, pues termina por encerrar a la pareja en un espacio diferenciado, que se convierte en escena o en cuadro, con sus notas grotescas y caricaturales. Así, durante una de las tantas lagunas de la historia, los narradores no encuentran otra solución para colmarla sino imaginar que el caballero y la virgen han llegado a «cualquier otra ciudad costera», para representar *La vida será siempre hermosa* o la *Farsa del amor perfecto* [23]. Nacidos de la mirada, el muchacho y la enana sólo pueden subsistir representando una farsa, es decir, ocupando una escena. Así ocurre, por ejemplo, cuando Ferragut narra su visita a *Las Casuarinas:* «Dejé el coche en la parte alta del camino y los vi casi en seguida, como en un cuadro pequeño, de esos de marco ancho y dorado [...]» [24].

No es de extrañar, entonces, que este texto que, para conquistar su espacio, se apoya en la mirada, otorgue una importancia especial a los ojos, alternando la posibilidad de ver y su ausencia, la posibilidad de saber y la incapacidad de comprender lo que se oculta:

Los ojos de la vieja me miraban contándome algo, seguros de que yo no era capaz de descubrir de qué se trataba; burlándose de mi incomprensión y también, anticipadamente, de lo que pudiera comprender equivocándome. Los ojos, estableciendo por un instante conmigo una complicidad despectiva. Como si yo fuera un niño; como si se desnudara frente a un ciego. Los ojos todavía brillantes, sin renuncia, acorralados por el tiempo, chispeando un segundo su impersonal revancha entre las arrugas y los colgajos [25].

De manera que, apoyándose en lo visto, el texto deja en la sombra más de un aspecto de la historia, oculta, pues, fragmen-

---

[22] *Ibid.*, p. 23.
[23] *Ibid.*, p. 13.
[24] *Ibid.*, p. 20.
[25] *Ibid.*, p. 25.

tos narrativos y permite, así, la presencia/ausencia de lo no-dicho (el contenido del testamento, la verdadera naturaleza de la relación entre el Caballero y doña Mina) cuya importancia aparece claramente subrayada en el desenlace del relato.

III

Y el texto nos entrega, así, uno de los aspectos más importantes en la técnica de la narración. Porque para que el espacio textual se construya nada más que en base a los aportes de la mirada, es necesario que el narrador sea omnisciente y omnipresente (solución que, aquí, a todas luces, no se ha practicado), o bien que varios narradores sumen sus miradas para construir la narración. Esta es, claro está, la situación que podemos observar en este relato. Esto es lo que hace que el cuento tenga un doble contenido, se desarrolle, por así decir, en dos niveles diferentes. Por un lado, se nos narra la *Historia.* Por otro, se nos cuenta cómo esa historia fue construida. Aparece así toda la importancia de un concepto analítico propuesto hace ya unos cuantos años por el profesor Gerald Prince y que, a nuestro saber, ha tenido una escasísima — si no nula— aplicación en el campo de la narrativa hispanoamericana. Nos referimos al *narratario,* no al «lector virtual» de la obra, sino al destinatario de la narración, definido por el propio relato [26].

Así, en la «Historia del caballero de la rosa...» tenemos diferentes narradores. Uno, que llamaremos narrador principal, ocupa la mayor parte del espacio narrativo. Sabemos de él que es médico, sanmariano y que comparte con Lanza y Guiñazú una mesa en el *Berna* o en el *Universal.* Pero Lanza y Guiñazú también son narradores, puesto que asumen ellos mismos el relato, en forma directa y en varias ocasiones. Y a estos tres deben sumarse Ferragut —narrador del episodio fundamental en el que doña Mina cambia su testamento— y otro narrador innominado y al que se llama, sencillamente, el observador. Lo que no deja de confirmar la importancia de la mirada en la construcción del texto.

Ahora bien, los relatos de cada uno de estos múltiples narradores tienen un único destinatario colectivo: el trío médico-

[26] GERALD PRINCE, «Introducción à l'étude du narrataire», en *Poétique,* núm. 14, Editions du Seuil, París, 1973, pp. 178-196.

Lanza-Guiñazú. Ellos constituyen, pues, el narratario interno de la obra y su existencia es lo que permite el desarrollo del cuento en un doble nivel: relato e historia de la construcción de lo narrado. La consecuencia de este desdoblamiento es inmediata: la escritura adquiere una distancia particular respecto de sí misma y se convierte en parodia de la escritura. En otros términos, se representa a sí misma, juega con sus mutaciones y sus permutaciones y desemboca así en lo caricaturesco, lo absurdo, lo grotesco. La rosa hierática del saco del desconocido se multiplica así a lo largo del relato, se convierte en ramo de rosas comprado en el muelle de Salto (p. 12), en ramo de flores de paraíso sujeto al vestido por un broche de oro y, finalmente, en el «túmulo/cúmulo» que Ricardo construye afiebradamente sobre la tumba de doña Mina. Y esta multiplicación paródica del signo; esta proliferación semiótica de las flores, tiene por resultado una degradación semántica, una progresiva afirmación del secreto y del absurdo, que se manifiesta, también, en el feto de once meses que la enana termina llevando en su paródica barriga. De ahí que si al comienzo teníamos una creencia en el saber total, al final sólo tengamos una negación de la posibilidad de saber como corresponde a una forma que pasa, necesariamente, por la afirmación del secreto y la pérdida del valor mágico, omnisciente de la mirada.

El interés de la utilización de narradores múltiples y de un narratario colectivo nos parece, pues, un elemento de la mayor importancia en la conquista de un espacio literario original, cuestionador, en su funcionamiento, de una práctica textual incapaz de distanciarse de sí misma y de poner en escena los mecanismos que permiten su proliferación —incapaz de poner en duda, pues, la noción tradicional de propiedad única, individual, del texto y de su sentido.

En Onetti, como lo sabemos, los ejemplos de este tipo de escritura son múltiples. Tal vez el más logrado sea *Para una tumba sin nombre*. En el ámbito global de la narrativa uruguaya, sólo encuentro un texto cuya producción se basa en esta alternancia de narrador y narratario que hace que, al final el cuento se convierta en historia y tome sus distancias respecto de sí mismo. Me refiero a «La casa inundada», de Felisberto Hernández [27]. El narrador primero, el músico, es también narratario del

---

[27] FELISBERTO HERNÁNDEZ. «La casa inundada», en *Obras completas,* tomo 5, *Las Hortensias,* Arca, Montevideo, 1967, pp. 59-83.

relato de la señora Margarita. Pero al final, asistimos a la introducción de un narratario inesperado, que repentinamente propone la posdata; «Esta es la historia que Margarita le dedica a José. Esté vivo o esté muerto.» [28] El es, pues, el destinatario de la narración.

Por supuesto, no pienso que esta coincidencia funcional entre un relato de Hernández y otro de Onetti permita una comparación global de las obras de ambos. Si la he practicado aquí es porque ella me permite subrayar la importancia del concepto de narratario en el análisis de la narración y porque ese era, al fin de cuentas, el único interés posible de la ponencia que en este mismo momento acabo de leer.

[Publicado en *Texto Crítico*, año 8, número 26-27 (1983), pp. 228-235.]

---

[28] *Ibid.,* p. 83.

CONTAR EL CUENTO

a Fernando

I

Para una tumba sin nombre es el texto más multivalente de
Juan Carlos Onetti [1]; susceptible de tantas interpretaciones y
sentidos como la historia misma, susceptible «de ser contada de
manera distinta otras mil veces». Desconcierta toda actitud in-
terpretativa: la exégesis (¿qué quiere decir?, ¿qué significa?,
¿cómo puede ser interpretado?) se presenta como un modo, entre muchos otros, de operar la lectura. El texto no tiene un
desenlace definitivo, no cierra los sentidos, no concluye; no establece ninguna «verdad» o «falsedad» de lo contado; desecha los
hechos, lo que ocurrió «realmente»: se maneja sólo con la parte,
el deseo, la reversión, la mentira. Niega el discurso narrativo
como un todo cerrado y centrado; subvierte la economía del
relato clásico, basada en el enigma y el develamiento; se sustrae
a la antinomia «realidad»-«ficción»; está hecho de equívocos, de
respuestas parciales; bloquea constantemente toda reconstrucción: un gesto arbitrario cierra la serie indefinida de versiones y
réplicas.

Es un texto vacío que sólo cuenta y escribe que cuenta; emerge, en Onetti, como el relato mudo por excelencia: no habla, no
comunica nada claro ni traducible de un modo directo; como
toda escritura, desencadena (y es desencadenado por) una afasia

---

[1] Esta fórmula tiene validez hasta la aparición de *La muerte y la niña*
(Buenos Aires, Corregidor, 1973), donde se extreman los mecanismos de vaciamiento del texto.

generalizada: debe ser producido, usado, manipulado, roto, hablado y preguntado por la actividad de la lectura [2].

II

Para una tumba aparece, en el sistema narrativo de Onetti, como la «caja vacía, de madera sin barniz» que transportan Jorge y el médico hacia la tumba sin nombre: el casillero vacío que reorganiza toda lectura posible del corpus [3]. A primera vista es un relato anómalo, extranjero: un apéndice, una nota al pie; en realidad se constituye como un análisis (en sentido etimológico: una disolución) del contar. Todos los mecanismos de la escritura de Onetti se encuentran allí pero al desnudo, sin relleno, en otro registro; «sin nombre»: sin referente. Puede abstenerse de la nominación en la medida en que su ley se sitúa en el

---

[2] Tal vez habría que aprender a leer en Latinoamérica, y no sólo «literatura». Aprender, además, a escribir las lecturas; a poder (abierto el vértigo de la significación) pensar ese vértigo; constituirlo sin que nos enmudezca; ser capaces de contarlo; entregarnos pero sobreponernos; trascenderlo. Esta es la contradicción mayor: toda lectura fijada (escrita, cerrada, erigida en «crítica») es inevitablemente represiva: frena el flujo indefinido de «las lecturas», las *ordena*. Entonces habría, además, que aprender a escribir y a pensar la significación de otro modo; sumergidos en esa contradicción —la de la escritura de la lectura— producir un orden dialéctico que no sólo no inhiba sino que postule, a su vez, otro vértigo susceptible de ordenamiento. Como se ve, la crítica es inmediatamente política. Interminable.

[3] El hilo que liga este relato (1959) con *El pozo* (1939), la primera *nouvelle* publicada de Onetti, es quizá demasiado evidente. No sólo porque en *El pozo* está escrito: «Podría hablar de Gregorio, del ruso que apareció muerto en el arroyo, de *María Rita y el verano en Colonia*» (p. 50, en Juan Carlos Onetti, *Obras completas,* México, Aguilar, 1970. Nosotros subrayamos), sino porque allí se trata de instalarse en una crisis (la de Linacero, la de la literatura) y de vincularla con la muerte fecunda de Ana María, con la prostitución, la ruptura de la pareja, la poesía; se trataba como aquí, en *Para una tumba,* de reconstruir una escena (Cecilia caminando hacia la rambla, vestida de blanco). Pero *La vida breve* (1950) emerge como el «antecesor» más nítido de *Para una tumba: La vida breve* es una teoría sobre las posiciones, trabajo, condiciones de posibilidad y límites del narrar y de la escritura y, más específicamente, sobre el sujeto de la enunciación en la escritura; allí nace el médico y Santa María. *Para una tumba* contiene, además, los núcleos y escenas narrativas básicas de *El astillero* (1961); «Vea lo que llegó a hacer Petrus», dice Tito (p. 114), y de *Juntacadáveres* (1964): «En aquel tiempo estaba casi todas las noches en mi dormitorio, en el piso alto, escribiendo poemas, pensando en el prostíbulo, en Julita y la muerte de mi hermano», dice Jorge (p. 78).

plano de la operación textual (en la producción de la significación) y no en el de sus relaciones con el referente (en la reproducción «realista»).

III

Del mismo modo que hay biografías —sueños, gestos, discursos— cuya estrategia tiende a inscribir en el universo una frase, una escena de palabras («me castiga porque me quiere», «no soy lo que parezco sino todo lo contrario», «me robaron», «el tercero es el mejor») de la que el sujeto, en el mejor de los casos, sólo sabe fragmentos, restos, grupos fonéticos, imágenes, y toda la serie de analogías, metátesis, metáforas, inversiones, asociaciones metonímicas, hay textos que inscriben en la escritura, sin escribirlo nunca en lo literal, una frase, un núcleo primitivo de relato, una serie articulada de palabras, una escena. Sin saberlo... como los sujetos, pero reiterándolo una y otra vez, como el cuento de Rita; ese núcleo genera y sobredetermina el texto, pero al mismo tiempo es generado y sobredeterminado por él; de él emanan y convergen, por transformaciones diversas, todos los elementos que constituyen el texto.

IV

Ese núcleo-escena es, en *Para una tumba sin nombre*, el siguiente:

Una mujer de Santa María, en Buenos Aires, en la entrada de una estación, sobre una plaza, cuenta un cuento a los viajeros: viene de, va a alguna parte y necesita dinero para el pasaje. Para que le crean lleva consigo un chivo.

Parece el resumen de una situación del relato; es la condensación de *la escena central de «contar un cuento»:* Rita, la que «cuenta el cuento» a los viajeros en Constitución, se constituye, a todo lo largo del texto, en la narradora por excelencia: narra, a los que acepten escucharla, el mismo cuento (no inventado por ella; ella es, simplemente, *emisaria);* cambia, con los que acepten la transacción, ese relato por dinero. Pero esta escena es, además, *la escena inicial del relato desde el punto de vista crono-*

lógico; la primera vez que Jorge Malabia se entera de la presencia de Rita, con el chivo, en Constitución; de allí parte la historia. Y, por encima de todo, es *la escena que circula:* Godoy la cuenta ante un grupo (p. 73), un muchacho la repite ante Jorge y Tito (p. 79), Jorge la reitera ante el médico (p. 74) que, finalmente, la escribe.

Y lo que cuenta Godoy es lo que Rita le «contó». Esta «escena primitiva», reiterada de boca en boca, leída (el centro de la producción, de la repetición y la circulación), es la base del núcleo matriz; sin embargo, tal como la reconstruimos, no está escrita ni presente en ninguna parte del relato: no es exactamente el cuento de Godoy ni el de Jorge. Está hecha, aquí, *con otras palabras:* el discurso teórico «cuenta el cuento» en otro registro.

V

La reconstrucción de la escena de Rita en la estación, contando el cuento, es un núcleo productor o matriz del relato. Pero no *la* matriz: la posibilidad de establecer núcleos productores de un texto es, teóricamente, infinita. En un relato pueden aislarse matrices situadas en el código de la lengua con la cual está escrito (en una zona —subcódigo—, en un aspecto de la historia de la lengua, en un grupo de letras, en una organización lingüística específica, en unidades lexicales determinadas: es decir, matrices fonemáticas, gramaticales, históricas, monemáticas, sintácticas), en el código del relato (en uno o varios de los diversos tipos de relatos en el interior de la historia de la literatura), pero además matrices numéricas, simbólicas, histórico-sociales, míticas, ideológicas. Las matrices productoras pueden ser, pues, diversas e indefinidas; están entrelazadas y forman nudos; quizá los únicos rasgos que las distinguen sean su impersonalidad (parecen emitidas por nadie) y su carácter acrónico. Son, en síntesis, figuras abstractas, tejidas de relaciones simbólicas, que en cada caso se actualizan con tiempos, modos, pronombres, sintagmas, situaciones narrativas determinadas.

VI

Lo que se lee no manifiesta, de por sí, las relaciones estructurales significantes: las matrices productoras del texto no coinciden con lo dado ni se captan de un modo inmediato: hay que reconstruirlas y asignarles funciones. Pero el texto no esconde nada: todo es legible, todo está allí, en el espacio aparentemente lineal de la escritura. La matriz no ocupa una zona «profunda»; ni siquiera se sitúa en una región «mental» previa (idea, sentimiento, intención) que preexistiría como causa del texto; no es tampoco su origen, su centro ni la clave-llave para descifrarlo. Es un efecto de la pluridimensionalidad del texto; está redistribuida en toda su superficie; cada elemento (y la matriz en su conjunto) resuena, diseminado, en registros múltiples: insiste a todo lo largo del relato. Ese efecto (en realidad: ese sistema de efectos) es, simultáneamente, causa; una determinación (una sobredeterminación) que surge como sobredeterminante. El relato rompe y germina cada uno de los elementos que constituyen la matriz, los reitera y desdobla: se muestra como la expansión dilatada-relatada (todo relato es dilación) de las funciones significantes del núcleo. Pero ese núcleo matriz no es una referencia absoluta, un texto originario del cual el otro, el que se lee, sería la traducción: el relato visible produce el núcleo, y éste, leído en su reconstrucción, aparece como productor; genera sin cesar esa escena (la de contar un cuento), que es la escena de su propia producción y, atrapado por ella, la repite y la hace circular. Y esa escena del contar, la escena primitiva del relato, es, radicalmente, una pura escena de palabras: lo que interesa en el núcleo no es la cosa, el referente, el lugar «estación Constitución», sino la palabra «estación», el significante indeciso entre un «lugar» y un «tiempo» (entre la estación de trenes y esa otra estación, el verano). El relato desdobla y explota (explora) las palabras de la matriz, las palabras maternas; las transporta, en sentido musical: el texto es, entonces, un *emisario* de las palabras de la escena, del acto simbólico de contar un cuento.

LA MATRIZ

1. Una mujer de Santa María, en Buenos Aires,
2. en la entrada de una estación, sobre una plaza,
3. cuenta un cuento
4. a los viajeros; viene de, va a alguna parte
5. y necesita dinero para el pasaje.
6. Para que le crean, lleva consigo un chivo.

Cada una de las unidades en que se segmenta la matriz *(cada verso* [4]) indica una operación de la escritura [5] en cualquiera de sus niveles: desde la simple inversión de género y número (en la primera unidad: mujer/hombres), pasando por el juego con la homonimia (en las palabras «estación» y «pasaje»), por la dilatación de la polisemia (en el caso de «contar un cuento»), hasta la variación fonética (creer/crear). El texto trabaja sobre este núcleo primitivo de relato y lo escribe una y otra vez desplazándolo, variándolo, transformándolo.

1. Una mujer de Santa María en Buenos Aires

El trabajo de la inversión

La primera fórmula señala el trabajo de la inversión, de la vuelta en su contrario: en la matriz el «cuento» es contado por

---

[4] Es posible hacer poesía en la crítica, con el trabajo crítico. Estos versos, el punto de partida del funcionamiento productivo del texto son, simultáneamente, otro texto: el texto de otro. Como en un sistema interminable de palimpsestos, este «pequeño poema» aparece, a su vez, ya leído, sometido a la crítica: la numeración de sus unidades (de los versos) es una operación de lectura, común en el estudio de la poesía. En el proceso de descongelamiento de los géneros, en la abolición de las barreras separatistas (que establecían «reinos» enfrentados), debe incluirse el discurso crítico, que puede poner en escena un relato, un drama y un trabajo poético que son (y no al mismo tiempo) los de su texto objeto. Leer es un trabajo poético, un trabajo sobre y con la palabra; escribir una lectura puede llegar a ser, meramente, escribir. Por eso las «malas críticas», los discursos anodinos y sin resplandor, equivalen a la «mala» literatura: son ofensivos; olvidan (reprimen) que también ellos están escritos. En el proceso de anulación de los géneros el momento esencial es el de la desjerarquización: ninguno «por encima» de otro: ningún imperialismo. Se trata de un campo común de conexiones mutuas; el discurso crítico no es un apéndice (una colonia), sino otro texto que se sitúa en uno de los tantos cortes intertextuales que erige la escritura: narra un drama, poetiza. Y, sobre todo, reescribe: ese es su sello; exhibe sin culpas la marca fundamental de la literatura: toda escritura, todo trabajo y proceso de escritura, es a la vez lectura y reescritura (corrección, tachadura, armado, cambio de lugar, inserción). Es investigación crítica.

[5] La constitución y terminación de las «unidades» de un texto es uno de los momentos decisivos del trabajo crítico: entre las grandes secuencias (funciones) de Propp y las figuras, a veces infinitesimales, de ciertos trabajos basados en la estilística o el psicoanálisis, se abre un campo de elaboración teórica que no puede ignorarse: la orientación exclusiva (muchas veces ideológica) hacia la «palabra», el significante, el detalle, o, a la inversa, hacia la «escena», la «parte», la secuencia, determina lecturas que restituyen la anacrónica escisión de los géneros literarios: lecturas fundadas en la «poeticidad» o en la «narratividad», como si se tratara de campos contradictorios.

una mujer proveniente de Santa María que se encuentra en Buenos Aires; *Para una tumba* está armada sobre los «cuentos» (relatos, narraciones) de una serie de hombres (fundamentalmente dos: Jorge y Tito) provenientes de Buenos Aires, que se encuentran en Santa María. Es evidente, pues, que el relato en su conjunto invierte la fórmula de la matriz, no sólo en cuanto al lugar en que se narra y al lugar de procedencia de los narradores, sino en cuanto al género (al sexo: femenino en la matriz, masculino en el relato) y al número (singular/plural) de los que cuentan. Este es sólo un indicio del trabajo de inversión que preside todo el texto.

Para una tumba contiene dos «prólogos»: el capítulo primero, en el que el médico, después del relato de Caseros, *ve personalmente* el entierro insólito (pp. 62- 63), y el capítulo segundo, en el que Jorge cuenta al médico cómo *vio personalmente* [6], por primera vez, a la mujer con el chivo en Constitución. Ambas escenas son, respectivamente, desde el punto de vista cronológico, la final (la del entierro de la mujer) y la inicial de la historia (la «aparición» de la mujer con el chivo); entre ambas transcurren ocho o nueve meses (p. 87). Los capítulos IV y V tienden a cubrir ese lapso: narran qué ocurrió entre la primera vez que Jorge y Tito vieron a la mujer con el chivo en Buenos Aires y su muerte. El capítulo III cuenta cómo, en nueve meses de meditación, Ambrosio «inventó» el chivo (p. 93).

El relato se abre, entonces, con el final de la historia [7]: invierte el orden: lo último, el cierre de la aventura de Jorge con Rita

---

[6] «Está bien —le dije—. He visto al chivo y seguiré viéndolo [...] Tenemos al chivo y deduzco que es lo más importante» (p. 86). «En todo caso, es usted, quien acaba de ver, personalmente, a la mujer manejando al chivo» (p. 87). «La había visto, ¿entiende? Era mía» (p. 84). El ver personalmente no sólo es, en la totalidad del corpus, el primer momento de la producción: el momento de la apropiación de la «materia» de la escritura, sino que implica siempre el problema de la creencia, esencial en los relatos de Onetti; presupone un «ver para creer». Cuando Caseros cuenta al médico la visita de Jorge Malabia para contratar el entierro, el párrafo que se abre con «Empecé a saberlo» (p. 59) teje un trabajo de anafonías basado en las sílabas *ve/ver/vi:* acumula «Uni*ver*sal», «*ve*sícula», «*ven*tana», «*ve*rano», «*vi*drios», «in*vi*tar» («sa*ber*lo», «nu*be*s»), «ha*bi*litado», «*bi*gotes»), por un lado, y el conjunto «mirar» por otro: «Miramonte», «miré», «mirando». El ver es ya gran parte del «saber». Se sabe que todos estos sentidos del ver (apropiación, creencia, saber) constituyen al mismo tiempo el fundamento de la lectura.

[7] La distinción entre «relato» (el modo en que se cuentan los acontecimientos: la forma de contarlos) e «historia» (el modo en que «ocurrieron») reintroduce la escisión entre «forma» y «contenido» y presupone la existencia de un orden

y el chivo (la muerte de ambos) se narra primero, al principio; *el después es, en realidad, el antes;* el después (la palabra «después») precede al antes: «Es mejor, más armonioso, que la cosa empiece de noche, después y antes del sol» (p. 57). Lo que en el plano estilístico es una variante del *hísteron próteron* es armadura (una histerología: se coloca en último término lo que debería ir primero) en el plano del relato. Y a la inversa: el antes es después: la *última* pregunta del médico a Jorge, su interés por saber qué ocurrió en el velorio («Eso es lo único que me importa», p. 123), es un interés por el *antes:* el médico inquiere, *al final* del relato, en su cierre mismo, por el acontecimiento *anterior a lo primero* que vio y narró: el entierro que, cronológicamente, es el después, el final, el cierre de la aventura.

Pero el texto trabaja la inversión no solamente en el pasaje de la matriz al relato (lugar, género y número), en la trasposición del principio y del final, del antes y del después, lo hace en la producción misma de los dos «prólogos» (capítulos I y II); el encuentro del médico con la pareja formada por Jorge y el chivo en el cementerio, por una parte (capítulo I) y, por la otra, el relato de Godoy (transmitido por Jorge al médico) sobre su encuentro con Rita y el chivo en Constitución (capítulo II). Ambos capítulos están construidos del mismo modo: un relato previo, a cargo de un informante, sobre el hecho insólito (el «enterarse»), y luego una escena en la que el personaje «ve personalmente» («sabe» porque ve) el hecho insólito: en el capítulo I el conjunto está formado por el relato de Caseros al médico y la visión directa del médico (entierro); en el capítulo II por el relato de Godoy y la visión directa, por parte de Tito y Jorge (en la plaza Constitución). El par información-visión directa («personal») se reitera en los dos primeros capítulos; pero el trabajo de inversión no sólo consiste en trastrocar el orden de esos conjuntos, de modo que el «después» (la muerte, el entierro) se narre «antes»; lo que se invierte es *un elemento de ambos pares:* la secuencia «visión directa» del capítulo I (escena del cementerio) es inversa en relación con la secuencia «información» (previa a la visión directa) del capítulo II (el relato de Godoy).

---

independiente del narrado, un más allá: cierta «normalidad» o «realidad natural» que el contar distorsionaría. Lo único coherente, en el plano textual, es superponer series (o redes o constelaciones o «árboles») de diferentes órdenes: en este caso la serie del orden cronológico y la serie del orden narrativo.

Lo que Jorge cuenta al médico que Godoy contó ante un grupo (y que un muchacho repitió) es el «cuento» que Rita hizo a Godoy (capítulo II); lo que el médico cuenta es lo que él mismo vio en el cementerio; ambas escenas, en cada uno de los elementos que las constituyen, se niegan mutuamente; en el plano semántico aparecen como inversos (y opuestos) «ser informado» (enterarse) y «ver» (saber):

a) En el cementerio, en Santa María, el médico *espera* y Jorge y el chivo llegan (p. 61). «...desde el sábado en que fui a esperarlos al cementerio» (p. 83).

En Buenos Aires, en Constitución, Godoy llega y Rita y el chivo están allí, *esperando:* «...examinando a los que pasaban y eligiendo» (p. 74). Godoy cuenta: Rita dijo que la tía o cuñada *no la fueron a esperar* a la estación (p. 74).

Aquí la oposición-inversión consiste en «llegar el tercero» (Godoy) y estar allí, a la espera, la pareja Rita-chivo (y el hecho de que Rita diga que no la fueron a esperar), frente a «llegar la pareja» Jorge-chivo y estar allí, esperando, el tercero (el médico en el cementerio).

b) En el cementerio el cochero se niega a ayudar a transportar el ataúd hasta la tumba; el médico se ofrece: *«Puedo ayudar»* (p. 65).

En Constitución, dice Godoy: «...se me acercó la mujer arrastrando al chivito y me pide *si puedo ayudarla* con algo».

Se enfrentan, pues, «pedir ayuda» (Rita) «ofrecer ayuda» (el médico, el tercero).

c) Jorge dice al médico cuando regresan del cementerio: «¿Por qué *no me hace preguntas?»* (p. 67). El médico no formula preguntas.

Godoy dice: *«Le hago algunas preguntas* y contesta bien; se las sabe de memoria» (p. 74).

La inversión se aplica a los sintagmas «no formular preguntas» (o mejor: «preguntar por qué no se formulan preguntas»)/ «formular preguntas». En el primer caso el que pregunta por qué no le formulan preguntas es Jorge, en el segundo Godoy (el tercero).

d) El médico los *lleva en su auto,* al regreso: «Podemos meter al animal en el asiento de atrás» (p. 67).

Godoy dice a Rita que *tome un mateo,* pues «cualquier chofer de taxi va a defender el tapizado de la suciedad del chivo» (p. 74).

Aquí la oposición se centra en «llevar en auto sin temer por el tapizado»/«enviar en mateo» (se supone que el chofer defenderá el tapizado). En resumen: Rita cambia su relato (información o «cuento») por dinero, el médico ayuda sin recibir nada a cambio.

e) En el cementerio hay un *coche* fúnebre que lleva a Rita muerta y la deja en su «destino».

En la estación, el *cochero* «da la vuelta» y deja a Rita y al chivo en su punto de partida.

Se oponen los trayectos en coche con caballos: en el cementerio Rita llega efectivamente a donde era dirigida, en la estación su «destino» era falso.

f) El relato del cementerio es narrado por el médico.

Jorge narra el relato de Godoy al médico.

La inversión consiste en que el médico es emisor en un caso y destinatario en el otro.

El trabajo de encaje de la inversión, su bordado, opera en *Para una tumba* en la constitución de «escenas» narrativas (opera sobre el valor de los significantes de las escenas), en el orden narrativo mismo, en ciertos juegos estilísticos, en la contraposición y trastrocamiento de las parejas Rita-chivo/Jorge-chivo/Jorge-médico/ser informado-ver/enterarse-saber/antes-después/masculino-femenino/singular-plural/hombre maduro-joven/ser humano-animal... Pero reitera el mecanismo desde el punto de vista del funcionamiento posicional del texto en relación con el corpus en su conjunto; la secuencia «muerte de la mujer-constitución de la pareja masculina» (un hombre maduro y un joven), visible en *La vida breve* (después del asesinato de Queca, Brausen y Ernesto se unen y emprenden viaje; después del suicidio de Elena Sala, Díaz Grey se une a la pareja formada por el Inglés y Horacio Sala), y en *Juntacadáveres* (el suicidio de Julita coincide, hacia el final, con la formación de la pareja Marcos-Jorge y su instalación en el prostíbulo). En *Para una tumba* esta secuencia *abre* el relato. El primer verso de la matriz y su transformación en el texto señala, pues, un mecanismo productivo de *Para una tumba sin nombre*.

2. En la entrada de una estación sobre una plaza

Homonimias: traslaciones

La estación de la matriz (Constitución), en cuya entrada la mujer cuenta el cuento, es en el relato otra «estación»: el verano.

Rita se encuentra situada en la *entrada* de la estación; el relato se abre con la *llegada* del verano [8] y transcurre no a lo largo de un verano, sino en el principio (la entrada) *del* verano de *dos* años consecutivos. «Pasó casi un año, empecé a consolarme con el principio de otro verano» (p. 99). Son dos estaciones diferentes (dos veranos) pero la misma estación: la misma palabra en dos momentos, como «la estación» de la matriz y la «estación» del relato. Pero Rita, además, había «contado el cuento» antes, sin el chivo, en Retiro; el texto se encarga de vincular los homónimos jugando, esta vez, con el dos y el tres: «El truco invertido demostró ser eficaz en las tres estaciones de Retiro, trabajadas sucesivamente cada jornada, durante un invierno, una primavera y un verano» (p. 90). El texto se narra en una estación y no «cada jornada»; el único día de la semana mencionado es el sábado: el entierro (capítulo I) ocurre un sábado; en el capítulo II la noche del sábado siguiente (y, en su interior, Jorge narra que un sábado oyó en el club la reproducción del relato de Godoy); en el capítulo IV Tito menciona que fue a visitar a Jorge en la habitación de Rita un día sábado [9].

La homonimia es el punto de partida de uno de los fundamentos de *Para una tumba:* el juego de «lo mismo» y «lo otro», el juego *mismo* de la *diferencia:* el mecanismo básico del lenguaje. Una misma palabra que significa dos veces (como la misma estación, el verano, pero en dos momentos); una palabra que alude a la vez a un espacio (un lugar) y a un «tiempo» (a la temperatura); una palabra que, de por sí, es todo *un sistema de*

---

[8] «...a través de la ventana enjabonada, miré con entusiasmo el verano en la plaza» (p. 59). «Y aquel verano se mostraba, atenuado por la confusión de la nube blancuzca en el vidrio de la ventana, encima de la plaza, en la plaza misma» (p. 60).

[9] Verano, vacaciones y sólo sábados: *Para una tumba* afirma que el hecho de «contar un cuento» se produce en medio del ocio: durante las vacaciones del universitario o el día de descanso del médico; es un trabajo inconciliable con el «otro» trabajo: un trabajo «improductivo». «Contar el cuento» es, por otra parte, el trabajo «productivo» de Rita. En *La vida breve* Brausen progresa en la elaboración imaginaria (en su proceso de escribir sobre Santa María) los días sábados y domingos (cfr. capítulos IV, XII de la primera parte, y XI, XII y XIII de la segunda), y sólo puede llevarla a cabo completamente cuando lo despiden de su trabajo. Es en los momentos en que el corpus Onetti dramatiza con más énfasis la producción de la escritura cuando surge, inseparable de ese proceso, el día feriado, vacío, el único en el cual se puede realizar ese trabajo, fruto del ocio. Es evidente que la producción se sitúa, en Onetti, en los antípodas de una concepción aristocrática.

lugares de tránsito (las estaciones: el lugar de los pasantes, de las migraciones, el punto de partida o de llegada, el retorno o el exilio; las tierras de nadie, las zonas fronterizas; el sitio de los sin residencia, de los no establecidos: todos motivos privilegiados de la escritura de Onetti) y *un sistema en el que se organiza el transcurso*, el otro tránsito (el «buen» o «mal» tiempo, el aire, la «época» del año, las grandes divisiones, las «etapas» de la vida, los instrumentos para medir, las fechas; los relatos de Onetti transitan siempre por una o dos estaciones; es común que se abran con el fin de una estación o con el comienzo de otra) [10]. Las estaciones meteorológicas son siempre «estaciones» en el otro sentido: extensiones, superficies, lugares de pasaje y transcurso del discurso.

La *entrada de la estación* se encuentra *sobre una plaza;* el relato traslada la plaza de la matriz; ya no se habla de Constitución sino de la plaza de Santa María, vista a través de una ventana. El verano está sobre la plaza [11]; el verano es *nada* en el relato: «cargado de aire lento, de nada» (p. 60); el verano es la nada del relato: en un texto hecho de nada, narrado con nada, el verano duplica el vacío; en medio del gesto anonadante de «contar un cuento», el verano, la atmósfera, el aire, el perfume, el murmullo, son las nadas de la escritura (lo imposible de «sentir» en la escritura), pero al mismo tiempo su fundamento: un texto decepcionante, hecho de insignificancias, de movimientos ínfimos, intensidades, impulsos, matices (como las homonimias, las inversiones, los pasajes, intercambios, transformaciones, traslados: eso es lo que importa: la nada de los movimientos del trabajo de la escritura). Esa nada del clima, ese despojamiento ocioso es el verano en *Para una tumba:* es, en realidad, *Para una tumba:* «Y, más o menos, esto era todo lo que yo tenía después de las vacaciones. Es decir, nada» (p. 125).

Pero la plaza se ve siempre, en el texto, «a través»; se ve por la ventana [12]: la ventana, el vidrio, es un *topos* privilegiado en la

---

[10] Casi todos los relatos de Onetti pueden leerse según la estación en que transcurren: como relatos de verano *(Juntacadáveres, El pozo, Para una tumba sin nombre)*, de primavera-verano *(La vida breve)*, de primavera-verano-otoño *(Los adioses)*, de primavera, «Jacob y el otro», de otoño *(La cara de la desgracia)*, de otoño-invierno *(El astillero)*.

[11] Véase la nota 8.

[12] Y no sólo por la del médico, es decir, la plaza de Santa María, sino por la ventana de la pensión de Jorge en Buenos Aires, es decir la plaza Constitución: «Entonces me puse en la ventana; desde allí no podía ver a Rita [...] Pero

escritura de Onetti. La plaza aparece a través de la ventana como lo no perfectamente visible, lo susceptible de oler y de oír. El vidrio está opaco: «mirando el torbellino blanco que habían dejado en el vidrio de la ventana el jabón y el estropajo» (p. 59); «Y aquel verano se me mostraba, atenuado por la confusión de la nube blancuzca en el vidrio de la ventana, encima de la plaza» (p. 60). Hay un vidrio sucio (de jabón, sucio de limpieza) entre el relato y el afuera, ese afuera que aparece cada vez más vacío en la escritura de Onetti. El tema del vidrio, de la transparencia: *del realismo,* insiste en Onetti, opacándose cada vez más, a medida que los textos trabajan, desnudos, pura escritura, hacia una realidad mayor. En el realismo-naturalismo el vidrio no existe: es transparencia, limpieza perfectas; por un lado la mirada, por otro «la realidad»: no hay filtros; el lenguaje dice directamente el afuera; el lenguaje es el vidrio: un mediador neutro tan «limpio» y «natural» como «la sociedad», «el hombre»; el realismo naturaliza inevitablemente el lenguaje: cree que existe «el lenguaje», que hay un lenguaje normal, «claro», susceptible de «expresar», «reflejar» y «comunicar» de un modo «directo», «comprensible», «la realidad» [13].

En la escritura de Onetti puede seguirse paso a paso su relación con la ideología realista-naturalista, centrada en la ventana «a través» de la cual se ve, o no, el afuera: desde *El Pozo:* «Después me puse a mirar por la ventana [...] Las gentes del patio me resultaron más repugnantes que nunca» (en *Obras completas, op. cit.,* p. 49), donde el afuera, «la realidad», está presente, es visible pero despreciada; la repugnancia instaura un distanciamiento helado. En *La vida breve* Díaz Grey ve a través del vidrio de su ventana, duplicado por los vidrios de sus anteojos: «Díaz Grey estaría mirando, a través de los vidrios de la ventana y de sus anteojos, un mediodía de sol poderoso, disuelto en las calles sinuosas de Santa María» *(Obras completas,* p. 446). Los vidrios de los anteojos son deformantes: el afuera aparece distorsionado por esos vidrios dobles, por el lenguaje. En *Para una tumba* el vidrio opaco por el jabón es un vidrio transaccio-

---

dominaba la calle y la plaza frente a la pensión» (p. 84). Como se ve, son dos plazas, dos estaciones, dos veces la misma estación: dos hombres que dialogan.

[13] Se trata de la ideología burguesa del lenguaje, que no solamente edicta el tema de la transparencia, sino también el del significado, el sentido fijo, coagulado (y obsesivamente busca en la literatura «qué quiere decir», «qué significa», «qué sentido tiene»). Es evidente que desplaza su pasión por las rentas fijas y las «cuentas claras» al campo de los lenguajes y la escritura.

nal; el acento se pone en la «nube» del vidrio, pero lo que le quita transparencia y limpieza es un limpiador. El punto más antinaturalista (menos referencial) de la escritura de Onetti se encuentra en *La muerte y la niña:* «Bergner fue separándose de la opacidad gris de la ventana» *(op. cit.,* p. 41): «Después miró la ventana ciega por la lluvia» (p. 45); «mirando la ventana negra» (p. 49). Sólo se ve la ventana; no hay nada «más allá»; el vidrio —el lenguaje y la escritura— es ya la única realidad *contra* «la realidad».

Pero en *Para una tumba sin nombre* hay un momento, cuando el médico se asoma por la ventana, en que no se ve *la* plaza sino *el* Plaza: «...me llegó el turno de caminar hasta la ventana. Vi la noche muerta, alumbrada por cuatro faroles desleídos, el resplandor velado de la marquesina del Plaza» (p. 87). El cambio de género, que acompaña el cambio de personaje en su desplazamiento hacia la ventana, insinúa un cambio mayor (mayúsculo): *el* Plaza es «otro» lugar de tránsito, adonde van los viajeros: la estadía posterior a la estación: hay que *des-leer, velar* el resplandor de lo manifiesto, releer a la luz del significante, del cambio, del *desplazamiento,* de la homonimia, de la «otra» posibilidad. En *el* Plaza (donde es posible *tener una plaza)* se come y se bebe: «Todos nosotros, los notables, los que tenemos derecho a jugar al póker en el Club Progreso y a dibujar *iniciales* con entumecida vanidad al pie de las *cuentas* por copas o comidas en *el Plaza»* (p. 57, nosotros subrayamos). Así se abre el texto: aquí las *cuentas* con las *iniciales* (un nombre sin nombre, sin el nombre del médico, que *no se sabe)* son cuentas *del Plaza.* Lo que importa, en este vértigo generalizado de la traslación, de la polisemia, de «lo otro» que introduce la hononimia, son *las cuentas del contar (los* cuentos) que *inician,* con *las iniciales* de la ausencia del nombre de la tumba, un relato *sobre una plaza:* un lugar de tránsito, lleno de silencio.

3. CUENTA UN CUENTO

La polisemia

Rita cuenta un cuento; se trata del engaño, de la mentira: del cuento del tío. Pero el relato se abre con la muerte de Rita; la cuentista ya «no cuenta el cuento». A partir de allí *Para una tumba* cuenta indefinidamente cuentos; reitera cuentos (mentiras, versiones) que intentan conjurar el vacío inicial. La última escena cronológica, la muerte de Rita, adquiere desde esta perspectiva, otro sentido como escena inicial, como apertura del relato. Si Rita «no cuenta más el cuento», si la muerte consiste en «no contar», hay que desencadenar —por inversión, por negación— un mecanismo que, como el de Scherezada, postergue la condena. La única defensa contra la muerte reside en la economía de la muerte: la repetición del contar, la producción iterativa de versiones diversas o complementarias, el hecho de que todos los personajes cuenten, de que se pueda seguir narrando indefinidamente, convierte a *Para una tumba* en una máquina de cuentos; no es casual que esta *nouvelle* esté dedicada a Litty, la hija del escritor (como si dijera: Yo, J. C. O., cuento un cuento para mi hija); no es casual que, de entrada, el texto escriba el nombre Grimm. Hay que «contar un cuento» como el de Rita, un cuento-mentira como lo fueron los cuentos de Grimm para una hija; hay que poner en escena el gesto polisémico del contar. Hay que explorar todas las posibilidades del «contar», *de la palabra «contar»*, hay que construir una máquina «Contar»; conjugar- conjurar un verbo; todas las personas (gramaticales) lo deben conjugar contra la amenaza que pende [14] siempre sobre «el contar el cuento»: la revisión, el no, la muerte.

El relato se aplica, entonces, a diseminar la fórmula de la matriz en todas sus significaciones posibles: yo cuento, yo te cuento, tú cuentas, tus cuentas, eso es lo que cuenta, ella hace un cuento, nosotros dos contamos, él inventó el cuento... Aparecen así, en el texto:

Sacó un dinero del bolsillo y lo puso, contándolo, arriba del mostrador (p. 60).
...no a insistir en pagar al contado (p. 61).
...no buscaba orientarme ni tampoco incitarlo a que contara (p. 70).
...es posible que su participación concluya, de verdad, cuando haya terminado de contar (p. 70).

---

[14] La escritura es un trabajo, absolutamente motivado, contra el azar; la literatura instituye un islote donde lo arbitrario no tiene acceso: los nombres propios son indicios siempre privilegiados. Grimm por un lado (y su reino de lo maravilloso), Miramonte (y la catexis que pesa sobre el «ver»), y ahora Pende: el capítulo en que Jorge comienza a contar (capítulo II) se abre con el médico «leyendo con trabajo las fantasías de Pende» (p. 69). El autor de *Umanesimo biológico,* uno de los dos fundadores de la endocrinología, se levanta, esgrimiendo sus glándulas de secreción interna, para colaborar en la conjuración.

Sin contar el chivo, claro (p. 71).
Me dice —y me huelo desde el principio que es cuento— (p. 74).
...haciéndole el cuento a un cura (p. 76).
...desde que se enteró del cuento de Godoy (p. 80).
Sería desleal, se me ocurre, contarle ahora qué pienso de Tito (p. 18).
...había venido a contarme la historia (p. 81).
...estiró, sin contarlo, el dinero (p. 94).
Después contaron el dinero (p. 96).
El cabrón, que es lo que cuenta (p. 99).
Hubo un hombre que inventó el cuento para viajeros (p. 103).
...la historia que empecé a contarle (p. 108).
Jorge la debe haber contado y vaya a saber cómo (p. 115).
...el chivo y el cuento del viaje no eran más que un pretexto (p. 117).
...lo más importante de la historia, de la verdadera, de ésta que le estoy contando (p. 120).
Tito y yo inventamos el cuento (p. 123).
Lo único que cuenta es que... (p. 125).

El trabajo de la escritura es una exploración de las posibilidades de la lengua: *Para una tumba* utiliza, combina y multiplica las significaciones del contar: desde la etimología, *computare* (calcular), pasando por el contar como decir, importar, considerar, informar, mentir, numerar, narrar. Hacer un cuento, pero también hacer cuentas; lo que se cuenta pero también lo que cuenta; contar una historia pero también inventar un cuento; contar al chivo pero también el dinero... La exploración de la fórmula «contar un cuento», la expansión de la polisemia del contar, se funda en un enunciado cuyo verbo y cuyo acusativo (el objeto, el complemento directo) tienen la misma raíz; del mismo modo que «vivir la vida», nos encontramos, en «contar un cuento», ante una *figura etimológica* que, de inmediato, produce algo que se vuelve sobre sí mismo, algo que no trasciende la simple acción desnuda; finalmente no se trata de contar algo sino de contar el cuento (de vivir la vida), del narrar puro y simple (de vivir): *Para una tumba* es la narración del narrar: el texto *se* cuenta, discurre sobre sus fundamentos y sus efectos (su «producción» y su «uso», su verosimilitud, el saber que aporta, las creencias que suscita); los pronombres narradores cuentan su propio hecho de narrar y las condiciones de posibilidad de su narración. Nunca como en *Para una tumba* el materialismo de Onetti es tan radical [15]: nunca identificó hasta tal punto la má-

---

[15] Es asombroso: RUBÉN COTELO habla, a propósito de *Para una tumba sin nombre,* del idealismo de Onetti: «Todo su desesperado subjetivismo, su filosofía

quina literaria con lo maquinado, la escritura con lo escrito, lo que mueve con lo movido. El texto puede leerse como una suerte de gesto teórico que ilumina toda la producción de Onetti en la medida en que pone el acento en la invención, el narrar, la ficción, el computar, calcular, numerar acontecimientos, y donde estalla este simple hecho verbal: lo que cuenta es el contar. Por eso todos los personajes del texto cuentan algún cuento, alguna versión, menos Ambrosio y el chivo, pero Ambrosio cuenta dinero (p. 94) y el chivo es «lo que cuenta» (p. 99): a todos corresponde conjugar la conjuración. El origen de la máquina de la escritura es tu relación con la muerte.

Narrar en Onetti

Para una tumba exhibe al desnudo el molde de la narración que sostiene la mayoría de los relatos de Onetti: el código a partir del cual se constituyen; la armadura que, combinada, variada y traspuesta, se reitera en la casi totalidad del corpus a partir de *La vida breve.* Ese código —una serie estructurada de situaciones narrativas, «escenas», pasajes, actores; un conjunto de secuencias más o menos constantes: ciertos motivos— pone en escena una ideología de la literatura y teje la conexión más fuerte del corpus: Arlt por un lado, la novela policial clásica por el otro. La armadura de la narración se articula en tres momentos fundamentales: 1) la llegada de lo insólito; 2) la investigación; 3) el cierre.

1) *La llegada de lo insólito: apertura del relato.* La mayoría de los relatos posteriores a *La vida breve* se abren con la irrupción de un elemento extraño-extranjero, «otro» y transgresivo en el espacio del narrador; lo insólito (la diferencia), que casi

---

idealista que se confunde con el solipsismo», en «Realidad y creación *(Para una tumba sin nombre)»,* incluido en JORGE RUFFINELLI (compil.), *Onetti,* Montevideo, Biblioteca de Marcha, 1973, p. 52. FERNANDO AÍNSA, por su parte *(Las trampas de Onetti,* Montevideo, Alfa, 1970, p. 36) reitera la fórmula: «Ya se ha visto cómo la falta de una postura precisa, en el orden filosófico, lo conduce a ser un autor débil ideológicamente, lo que no le impide ser un autor típicamente idealista». Ambos críticos extraen el rótulo ideológico del hecho de que, en la literatura de Onetti, la verdad no existe y la realidad puede adoptar muchas variantes. Lo que tratamos de señalar es precisamente lo contrario: en el campo de la escritura es donde la verdad y la realidad oscilan. Es obvio que *la lectura de Para una tumba* desmiente el anatema ideológico; no hay análisis ideológico posible de la escritura sin una lectura que trascienda lo manifestado y trabaje, simultáneamente, en todos los niveles (estructurales).

siempre proviene de «otra» parte, rompe la estabilidad rutinaria del mundo cotidiano y familiar. La apertura del relato como narración de la llegada de uno o varios personajes extraños se reitera en «El álbum» (el encuentro con la extraña mujer, la viajera), «La casa en la arena» (el viaje y la llegada de Díaz Grey a la casa de la playa), «El caballero de la rosa» (la llegada de la extraña pareja a Santa María), «La novia robada» (el regreso-llegada de Moncha a Santa María), *Los adioses* (la llegada-entrada del hombre enfermo al almacén), *La vida breve* (la llegada de Queca, la nueva vecina), *El astillero* (la llegada-regreso de Larsen a Santa María) y *Juntacadáveres* (la llegada de Larsen y sus prostitutas a Santa María).

El relato se constituye, entonces, por la violencia de lo «otro» (y sus figuras: la prostitución, la locura, la enfermedad, el crimen) en un espacio donde se ausenta la consecuencia lógica, donde hay una irrupción salvaje: la perturbación del discurso abre el diálogo con el discurso del perturbador y desencadena el relato: de ahora en adelante hay que investigar, conocer y narrar las vicisitudes de la diferencia introducida en el mundo cotidiano. De la alteración surge *la espera del discurso*. La entrada del perturbador equivale al planteo del *enigma* en la novela policial clásica [16]; equivale, al mismo tiempo, a la ruptura, la transgresión de la norma y la carencia como aperturas características de los relatos populares.

El comienzo de *Para una tumba* es paradigmático: el mundo rutinario, la presencia del plural narrador («nosotros», que es una inflexión ideológica gregaria típica en el corpus), la erección de dos clases sociales (las familias antiguas y «los otros») y, por tanto, de los dos tipos de empresas fúnebres que sobreañaden la connotación racial. El mundo aparece como «lo conocido» en la medida en que está clasificado en dos grupos congelados; el trabajo estilístico sólo puede consistir, entonces, en una variación sobre *el dos:* la antítesis (Grimm-Miramonte), la disyun-

---

[16] Y no sólo en la novela policial sino en todo relato clásico: el enigma es una variante de la carencia, de la necesidad de conquistar un objeto mágico, de la urgencia por cubrir la grieta abierta en (por) la ficción. El código del relato clásico coincide, en gran medida, con el de la novela policial clásica: el enigma o la carencia (o el desequilibrio, la necesidad), abren el relato; la solución, la verdad, la satisfacción, el equilibrio lo cierran. La novela es el espacio cultural privilegiado para el análisis de la *forma* edípica y, al mismo tiempo, de la *ideología burguesa:* el discurso clínico y el discurso crítico se anudan, indisociables.

ción y la alternativa («a las diez o a las cuatro», p. 58), la inversión del orden («después y antes del sol», p. 57), el quiasmo:

> Grimm bosteza, se pone los anteojos y abre un libro enorme.
> —¿Qué es lo que quieren? —pregunto. Lo digo sabiéndolo o calculando.
> —Qué desgracia: tan joven. Por fin descansa, tal viejo —dice Miramonte (p. 58.)

Los sujetos de los enunciados (Grimm-Miramonte, que son polos opuestos) se sitúan en los extremos (sujeto-predicado, predicado-sujeto) y constituyen un quiasmo; la alternativa (sabiéndolo o calculando) y la antítesis (joven-viejo) acentúan la figura del dual. El saber, su reiteración («Todos nosotros sabemos», «Sabemos también, todos nosotros», «Sabemos», «También sabemos», «Sabemos también», «Todo eso sabemos», pp. 57, 58 y 59), el saber *por* reiteración, por acumulación de experiencia, se rompe abruptamente: «Pero esto no lo sabíamos; este entierro, esta manera de enterrar» (p. 59).

Caseros informa al médico sobre diversos tipos de quiebra; por un lado estalla la unidad de un cuerpo (en la referencia a la vesícula de la suegra) y, por otro, se anula un par[17]: los hijos de Malabia eran dos, pero uno de ellos ha muerto. La información consiste, sobre todo, en la puesta en evidencia de la transgresión, por parte de Jorge Malabia, del código sociorracional de Santa María: porque pertenece a una de las familias viejas, le hubiera correspondido Grimm y no Miramonte; no debía haber pedido un servicio barato; la muerta es una mujer «de los ranchos de la costa», mayor que él (quien, por otra parte, no es un «veterano» sino un adolescente). A esta serie de rupturas se añade una mayor; hay un chivo: una pareja formada por la mujer y un animal, el «otro» por excelencia.

2) *La investigación.* La espera del discurso abierta por la ruptura de la lógica gregaria y conocida, se colma con la puesta en marcha de la investigación; se trata de conocer lo extraño, de saber qué es, quién es, de seguir sus «pistas»: sus desplazamientos. El narrador es el eje de la investigación (el investigador): colaboran con él los informantes (por lo general dos en el cor-

---

[17] Las rupturas de pares al comienzo de las novelas del corpus Onetti son evidentes, sobre todo, en *La vida breve* (extirpación de un pecho de Gertrudis) y en *Los adioses* (el narrador sólo tiene un pulmón).

pus) [18] que le refieren datos sobre el (o los) personaje a investigar. Los informantes extraen sus datos de un modo directo (de primera mano); son intermediarios, filtros entre los hechos de «la realidad» y el narrador, que los organiza [19]. La investigación consiste en conocer la identidad de «lo otro»: en el corpus el problema de la identidad se confunde casi absolutamente con el problema del desplazamiento del personaje insólito *entre dos espacios*. El primer espacio es el del narrador: «lo otro» lo visita [20]; Jorge va a casa del médico y le cuenta que estaba en Santa

---

[18] El esquema puro de la investigación en el corpus se encuentra en *Los adioses:* un narrador, dos informantes (el enfermero y la mucama), el transgresor a investigar (y las dos mujeres, cuyas relaciones con el transgresor y cuyas identidades se desconocen): son dos triángulos enfrentados. *Para una tumba* combina de un modo diferente: Jorge y Tito son los informantes del médico narrador, pero sus funciones —las de Jorge— coinciden con las de lo insólito, de lo extraño que irrumpió en el espacio del narrador y desencadenó el relato. Jorge es, además, un narrador ante el médico (y, por otra parte, su lector): condensa funciones que en otros relatos del corpus aparecen encarnadas en un solo personaje.

[19] El rasgo que caracteriza a la mayor parte de los informantes en Onetti es su desvalorización, por parte del narrador: Caseros es «avaro y remero», despierta «antipatía»; Godoy es el de «las puercas manos, la puerca voz». Es como si el primer contacto directo con «la realidad» degradara al personaje; el narrador se sitúa, de inmediato, en otro plano: más allá del dato bruto, más allá de los hechos (en el capítulo II Jorge reitera el esquema: Godoy fue el primero que vio a Rita, Tito fue el primero en tomar contacto con ella). En *La vida breve* Brausen, al llegar a Santa María, destaca a Ernesto a tomar el primer contacto con la ciudad (capítulo XVI, de la Segunda parte: Thalassa).

[20] La visita es un nudo esencial en los relatos de Onetti: un demarcador de la narración. Jorge visita al médico en el capítulo II; reitera la visita en el capítulo IV; en el capítulo V el médico visita a una enferma y luego encuentra, como por azar, a Tito y a Jorge. Es evidente que este capítulo invierte el esquema (en muchos sentidos la visita es sólo un indicio): la visita *del* médico abre el capítulo dedicado a la impoducción: Tito, informante desvalorizado, narra una historia «verdadera», Jorge ya ha salido de la adolescencia.
Pero las visitas al médico no son «visitas al médico». El punto de partida del sistema de visitas se encuentra en *La vida breve:* la visita al médico (la de Elena Sala a Díaz Grey, que duplica la de Gertrudis a su médico) no solamente es el comienzo que Brausen piensa para su historia, sino la secuencia reiterada a todo lo largo del relato, que alterna con las visitas de Brausen a Queca, la prostituta. *Visitar al médico y visitar a la prostituta:* dos escenas, dos personajes fundamentales en el corpus. Son «visitas pagadas»: hay que dar dinero por «visitar», por entrar en ese espacio: el cuerpo es el motivo y el centro de esas visitas. La medicina excluye al cuerpo como órgano de goce; la prostitución lo asume; esas «entradas» implican desnudez y restauración de los cuerpos (se visita al médico huyendo del dolor, a la prostituta buscando el placer). Pero en Onetti las visitas al médico no son «verdaderas» visitas: no se pagan, los que las hacen no son

María y se enteró, allí, de que Rita se había instalado en Buenos Aires, al lado de su pensión; le narra que, al terminar las vacaciones, él y Tito regresaron a Buenos Aires, a su pensión, en un tercer piso sobre la plaza. Jorge abre, pues, *un segundo espacio:* ya no el del narrador, Santa María, sino otro, el de la otra residencia, la pensión. Pero Rita estaba allí, en su espacio, que es *contiguo,* y allí mentía, contaba el cuento, ejercía la prostitución, tenía el chivo. La investigación consiste en saber qué relaciones existen entre los espacios rutinarios, «normales», de trabajo (el de Santa María, el del narrador, pero también el de la pensión) y ese espacio «de al lado», el espacio transgresivo que ocupa Rita (que, a su vez, se había desplazado desde Santa María a Buenos Aires), contiguo pero antitético (el espacio de la estación; la habitación de Rita es su sustituto, igualmente extraño). Casi de un modo invariable el esquema de la investigación se abre, en el corpus, cuando el personaje a investigar se traslada de un espacio «normal» al espacio contiguo y «no familiar» (en realidad: antifamiliar) [21]; la investigación de esos desplazamientos *(de los*

---

meros enfermos (Elena Sala en *La vida breve* sólo pide recetas de morfina; tampoco es un enfermo Larsen en *Juntacadáveres* y en *El astillero,* cuando visita a Díaz Grey; no son enfermos Jorge y Goerdel en *La muerte y la niña).* El médico no ejerce su profesión (no es un «verdadero» médico) con los personajes de los relatos. Si las visitas al médico no son «auténticas» ni pagadas, tampoco lo son las visitas a la prostituta (desde *El pozo,* el personaje central se niega a pagar a la prostituta). Ocurre absolutamente lo contrario: la prostituta es quien debe «alimentar» al protagonista, ella debe pagarle: en este nudo de la constitución de la escritura de Onetti surge la figura del macró, del rufián, absolutamente homóloga a la figura del «creador» o escritor en el conjunto del corpus. Pero la homología entre médico y prostituta (que constituyen como los dos polos de la armadura de algunos relatos) se acentúa cuando es evidente que los «lugares» del médico y de la prostituta son sitios de intercambios relativos al cuerpo: el consultorio del médico es el espacio del saber sobre el cuerpo, sobre la diferencia de los sexos y la reproducción; el lugar de la prostituta es, por excelencia, el espacio del intercambio sexual. Todo *Para una tumba* trabaja este nivel: en «el médico» (en su lugar, su espacio, su discurso) intercambian alternativamente Jorge y Tito, del mismo modo que «en Rita».

[21] *El espacio-contiguo* es, en *La vida breve,* el departamento de Queca, separado del de Brausen por una pared; en *Juntacadáveres* la casa de Julita, separada de la de Jorge por el Jardín; en *Los adioses,* el sanatorio-hotel y la casa alquilada; en *El astillero,* el sistema constituido por los sucesivos desplazamientos entre el astillero, la glorieta y la casilla. En el espacio contiguo habita «la loca», «la prostituta», «la embarazada»; hay allí siempre un clima enrarecido, de «vida breve», extrañeza y violencia.

La topografía de Onetti es, quizá, el punto clave de su escritura. No por lo obvio: la invención de un espacio inédito —Santa María—, sino por el sistema *pasajes)* es, en realidad, una investigación de las relaciones entre el «mundo cotidiano» («la realidad», el «saber» del narrador) y el mundo «otro», desconocido: el de la locura, la prostitución, la mentira. Ese mundo «diferente», el mundo de la diferencia, es, en Onetti, al mismo tiempo, *el tema* constante de su escritura *y su escritura misma*. Narrar es investigar «el otro espacio», que es el espacio de la literatura; narrar es investigar (en) la literatura.

3) *El cierre.* Los relatos concluyen con la muerte o la desaparición, huida o partida del elemento transgresivo que arribó, abriendo la narración [22]. La investigación fracasa o logra un resultado ambiguo; no se asimila con la investigación policial; el no saber final difiere, sin embargo, de la ignorancia que inauguró el relato. Se trata de otra cosa, *de saber otra cosa:* de otro saber; no «lo que ocurrió realmente», «los hechos», «la verdad», sino en qué consistía la diferencia, cuál era ese espacio «otro» (ese otro mundo) y, sobre todo, cómo podía conocérselo. El único saber posible lo produce la narración (la escritura): se cuenta para conocer: «...y todavía no sabemos, por eso contamos» [23]. Desde este punto de vista, el esquema de la novela policial clásica se revierte en decepción: no se develó el enigma, ni siquiera se pudo saber «el nombre» [24] (de la tumba); esa «ver-

---

[22] La partida de lo insólito es evidente, entre otros en «Historia del Caballero de la Rosa y de la Virgen encinta que vino de Liliput», en «Jacob y el otro», «La casa en la arena», *Juntacadáveres, La muerte y la niña,* «El álbum», *Para una tumba sin nombre;* la muerte es evidente en *Los adioses, El astillero, La novia robada.*

[23] «La novia robada», en *Obras completas, op. cit.,* p. 1406.

[24] Son diversos los testimonios del gusto de Onetti por la novela policial, su pasión por Hammett, Chandler y otros; uno de ellos es el de FÉLIX GRANDE, «Con Onetti», en *Plural,* núm. 2, noviembre de 1971, pp. 13- 16. La presencia de elementos del sistema de la novela policial en sus relatos va desde la apertura misma (con irrupción del no saber, como enigma), pasa por la función del narrador como «investigador», por la presencia, en la última parte de muchos relatos, de la policía *(Juntacadáveres, La vida breve, Los adioses),* por la proliferación de marginados, hombres y mujeres «fuera de la ley». Sin embargo, el modelo edípico de la novela policial clásica (su estructura basada en el enigma —la pregunta— y la solución —la respuesta y el proceso de la respuesta—) resulta siempre, en Onetti, como soslayado, desmentido: ironizado. La decepción que cierra muchos relatos en los que se llega a «saber» nada (como en *Para una tumba)* puede leerse, al mismo tiempo, como el gesto de la parodia de ese mito edípico, clásico, familiar y policial.

dad» se nubla porque no se la perseguía allí sino en otra parte: la sola verdad es la del escribir, la de «contar un cuento», porque ese contar funda el ejercicio de la diferencia, de «lo otro», la antifamilia, el desplazamiento y la prostitución: el reino de la escritura es el espacio donde toda transgresión es posible, donde toda antinaturaleza es ley.

4. A LOS VIAJEROS: VIENE DE, VA A ALGUNA PARTE

Narradores y narrados: lo mismo y lo otro

Una mujer de Santa María... *cuenta un cuento de viaje a los viajeros:* acaba de llegar; no la esperan; debe trasladarse nuevamente; se encuentra en la estación, entre dos desplazamientos, y se dirige a aquellos que están en una situación idéntica. La narradora apela a sus pares, a sus cómplices del viaje, y les cuenta un cuento de viaje. Si en la figura etimológica «contar un cuento» el acusativo tenía la misma raíz que el verbo, si allí se identificaban lo que mueve y lo movido, en la fórmula «un cuento de viaje a los viajeros» el genitivo tiene «la misma raíz» que el dativo. No solamente se conjuga un verbo, el contar, sino que se *declina* algo: lo mismo narra a lo mismo: el emisor (el sujeto del enunciado coincide con el de la enunciación en el cuento de Rita: yo llego de viaje y debo viajar) y el destinatario se anudan en el «viajar»; mejor dicho: en el «estar por partir» y en el «recién llegado», o, mejor aún: en el *alto* —en la estación, en el «entre» dos desplazamientos—. Y lo que se cuenta, el «tema» del cuento, es también un viaje, una situación de viaje... El que enuncia, lo que se enuncia y a quien se enuncia son «lo mismo»: Rita narra a los viajeros, como ella, y su relato se refiere a un viaje.

Pero, de golpe, irrumpe la diferencia: lo que dice Rita, en su cuento de viaje, es que no puede seguir viajando como los otros viajeros porque no tiene dinero, y ellos, a quienes se dirige, sí lo tienen. Rita enuncia, a sus iguales, su diferencia: habla de la diferencia introducida en el corazón de lo mismo: se exhibe, inmersa en lo mismo, como «otra».

Esta fórmula se traspone, sin variaciones, al texto en su conjunto: sólo se narra a los pares, y el tema de lo narrado es, precisamente, lo que los constituye en pares: una situación común: «...pude ver, superpuestos y confundiéndose, dos respetos:

el que él [Jorge] me tuvo siempre, a pesar de todo, de tantos pequeños todos, porque sabe que pertenecemos a la misma raza [...] Podría ser su padre y no sólo por la edad» (p. 82). El «hijo» de su misma raza, el «escritor» Jorge (que escribía poemas: p. 78), cuenta al padre, al médico-escritor, se dirige a él; si *Para una tumba* dibuja el gesto de «contar un cuento» para la hija, aquí opera, una vez más, otra figura de inversión: el hijo «cuenta un cuento» para el padre. Pero le cuenta «lo mismo» que él, el médico, contó: en el capítulo II Jorge reitera lo que el médico narró en el capítulo I, pero invertido: la información sobre lo insólito, «lo otro», y su «ver personalmente» la diferencia, lo no familiar [25]. El médico recibe un relato estructurado del mismo modo que el que él mismo emitió, pero narrado por quien antes fue «lo narrado», su personaje. La situación del que narra y de su destinatario es, pues, idéntica: por eso pueden intercambiar sus funciones [26], pueden revertirse (y contarse, alternativamente,

---

[25] El hecho de que Rita haya sido sirvienta en casa de los padres de Jorge añade un dato más al tema de lo familiar: Rita es la diferencia en la familia, «lo otro» que habita su propia casa, la otra raza. Y uno de los temas del relato es, precisamene, la introducción de «lo otro» (y la enorme catexis puesta allí) en el mundo rutinario, cotidiano, familiar. Las relaciones sexuales, las elecciones (los asomos del deseo) son siempre, en un relato, relaciones sociales, raciales, históricas. La diferencia entre Jorge y Rita se marca, una vez más, en Onetti, en la relación espacial: en Santa María, cuando Rita trabajaba en casa de los padres de Jorge, éste «*bajaba* al jardín» y «la espiaba» (p. 78); la pensión de Jorge, en Buenos Aires, está en un tercer piso y Rita se encuentra *abajo,* en la estación. *El astillero* reitera el esquema: Larsen nunca pudo «ascender» a la casa, donde reside, impenetrable, Angélica Inés; sólo se introdujo al cuarto de la sirvienta, abajo: la dicotomía espacial arriba/abajo es siempre, en Onetti, una dicotomía social. Pero Rita es, además, «lo otro» en lo familiar porque (y sobre todo) en *Para una tumba* sólo hablan hombres entre sí: la mujer es la diferencia, el «otro» sexo, la «otra» raza: la antifamilia de los hombres que dialogan y constituyen el texto.

[26] Los narradores de Onetti (y sus escritores) instauran, a partir de *La vida breve,* una cadena de pares dependientes —o encajados— unos de otros, una suerte de escalera plotínica de la narración. *La vida breve* es ejemplar al respecto: Brausen inventa a Díaz Grey, su «personaje», y lo narra; pero Díaz Grey pasa por un proceso de desterritorialización absolutamente análogo al del mismo Brausen, y, en el último capítulo, asume la primera persona, narra y se narra. En Onetti narran y escriben los pares de Brausen, los «de su misma raza»: es como si el corpus repitiera indefinidamente, *y para sí mismo, La vida breve.* Pero, por otra parte, los narradores de Onetti se encuentran siempre en una situación análoga a lo narrado: en *Los adioses,* el tuberculoso narra al tuberculoso (sobre el personaje tuberculoso), en *La muerte y la niña* son todos «padres» (el «padre» Bergner, el médico, Goerdel). Es cierto que el hecho de narrar a sus semejantes, y narrar sobre una situación común, es uno de los elementos que hacen a la

uno al otro). Si en el capítulo II Jorge cuenta «lo mismo» que el médico, su par, contó en el capítulo I, en el capítulo IV Jorge, después de leer lo escrito por el médico, le narra «lo mismo» que el médico escribió, pero en otro registro, cambiando (otra vez) de sujeto: Jorge dice cómo él mismo (y no ya Ambrosio) estuvo en la cama de Rita, «tirado»; convertido en «otro». Ambos, Jorge y el médico, de la misma raza, se cuentan lo mismo variando los sujetos del enunciado y de la enunciación, pero lo que cuentan es, precisamente, su visión, su experiencia, su saber de «lo otro», del pasaje por la diferencia: de «otra cosa» introducida en el corazón de lo mismo.

5. Y NECESITA DINERO PARA EL PASAJE

La diferencia mayor: la de los sexos

Rita pide, en su cuento de viaje a los viajeros, dinero para un «pasaje»: el texto narra el «pasaje» de Jorge de la adolescencia a la vida adulta. Otro caso de homonimia y de polisemia en el traslado de la matriz al texto. En el capítulo IV Jorge narra su pasaje —y estadía— por la habitación de Rita (y su identificación con un rufián, su querer ser Ambrosio), pero en contrapunto, simultáneamente, el médico cuenta el pasaje de Jorge, ya no por un espacio sino por una época, una «etapa de la vida». Ya lo había previsto en el capítulo II: «Adiviné que si lograba contarme la historia iría gastando al decirla lo que le quedaba aún de adolescente» (p. 72); en el capítulo IV enumera: «aprendió a tomarse en serio» (p. 103); «se le ha muerto la pasión de rebeldía» (p. 104); comete «el pecado adulto de creer *a posteriori* que los actos sin remedio necesitan nuestro permiso» (p. 109) [27].

Los personajes de Onetti: prostitutas, macrós, inmigrantes, extranjeros *(los apellidos de los personajes de Onetti),* locas, dro-

---

relativamente escasa popularidad de Onetti en relación con algunos de sus «pares» latinoamericanos: Onetti escribe, a escritores, sobre la escritura. Lleva a la práctica —y a la verdad— el *dictum* de Walter Benjamin: un escritor que no enseña nada a los escritores no enseña nada a nadie.

[27] «Había pasado un año y él tenía veinticinco. Desde la última vez que nos vimos, pensé, estuvo aprendiendo a juzgar, a no querer a nadie, y éste es un duro aprendizaje» (p. 100).

gadictos, enfermos, ex campeones, son los que *han pasado de un espacio* (material en los extranjeros, figurado en los demás casos) *a otro:* son los que «se salieron» del mundo «normal», congelado, «adulto», responsable, familiar, son los desterritorializados, los marginados *(y aquí el mundo de Arlt entra con toda su violencia·en Onetti).* Los adolescentes, a la inversa, «todavía no entraron» al mundo adulto; por eso un adolescente como Jorge puede identificarse con un rufián que medita, puede encontrarse en el mismo espacio y, mediante Rita, el lugar de los intercambios, *ser él.* Por eso *Para una tumba* reitera el esquema de «Bienvenido, Bob» [28]: la melancolía de ese pasaje que siempre es degradante: el dejar de ser adolescente (el «entrar»): por eso Jorge, después del capítulo IV, ya no es adolescente y no puede contar: sirve meramente de contrapunto a Tito [29], el ya degradado desde siempre, el que *es* su padre, está en «la realidad», en los negocios y los hechos, y que posiblemente enuncie ese tipo de verdad que el texto rechaza («...o lo más importante de la historia, de la verdadera, de esta que le estoy contando», dice Tito, p. 120), y que es la más simple degradación de la «verdad» del relato. En este momento adquiere su sentido cabal la fórmula de la matriz: Rita, la que «se salió» del espacio normal y familiar, se dirige a sus pares, los que dejaron sus espacios: los simples viajeros, transeúntes.

Y por eso el médico escritor —*escribir es salirse* [30]— y el adolescente —que no entró— son «de la misma raza»: escritores, adolescentes, rufianes por una parte, y prostitutas, «locas»,

---

[28] En *Obras completas, op. cit.,* p. 1221.

[29] Tito como agente de la antiproducción, informante «de hechos», el no adolescente desde siempre, es el contrapunto de Jorge adolescente en varios sentidos, pero específicamente en su actividad perversa: frente al voyeurismo de Jorge (que «espiaba» a Rita), Tito practica otro tipo de *captura:* con la mano, con el cebo de los caramelos, atrapa chiquilinas (p. 111). El texto donde se leen con más nitidez los dos polos de la actividad perversa en Onetti (una actividad que siempre implica apropiación y se vincula directamente en la escritura) es *Los adioses:* la mujer con *anteojos oscuros* y la joven con *guantes blancos* hacen estallar, con una fuerza brutal, toda la potencia transgresiva de la «antinaturaleza» en la literatura.

[30] El escritor de Onetti es, por excelencia, Brausen *(La vida breve),* el «fundador» de Santa María. Brausen «se salió»: pasó «al lado», al mundo contiguo de Queca —locura, prostitución, más tarde crimen— y se hizo «otro», arrancándose de la familia, del trabajo y la responsabilidad. Jorge Malabia *(Juntacadáveres),* el adolescente que «no entró», es su réplica menor: escribe poemas y se traslada diariamente a lo de Julita, el mundo contiguo de la locura, donde es «otro» su hermano muerto.

adolescentes por la otra: la única diferencia es el *sexo, la diferencia mayor:* el reverso, la inversión. En el texto (y aquí la operación de la inversión adquiere una fuerza excepcional) es Rita quien paga el «pasaje» de Ambrosio y de Jorge [31]; mantiene al adolescente, al rufián, al «inventor»; los alimenta en la travesía que realizan por el espacio «otro», clandestino, de su habitación: por su espacio de mujer igualmente «salida» como ellos (de su misma raza), pero «otra» en segundo grado: Rita les paga el pasaje por su cuerpo femenino.

Pero la diferencia entre «información» y «saber» también «pasa» por el «dinero para el pasaje»: Rita lo pide y se lo dan quienes *le creen,* como Godoy, es decir, quienes toman su relato por una información y *no saben* que es «un cuento», los que no saben «contar un cuento»; los que creen en la noticia, en los «hechos» tal como se anuncian, son siempre «los que pagan», la otra raza, los informantes del relato, los que tienen el «primer contacto» con «la realidad»: Caseros («lo dejé pagar», dice el médico, p. 61), Godoy (que pagó «el pasaje» de Rita) y Tito («Saqué dinero para pagar, pero Tito me sujetó la mano», p. 122). En cambio, los que sólo creen que «el cuento es un cuento», los que saben contar un cuento, se someten a otro tipo de intercambios: son los narradores, el médico y Jorge, que revierten sus funciones y se «ayudan» de otro modo: el médico lleva con Jorge el ataúd en el cementerio y lo traslada en auto (capítulo I); Jorge le retribuye («—Se lo debía y vine», p. 69, capítulo II) con su relato; el médico escribe, Jorge lee lo escrito y le retribuye con su narración; el médico, a su vez, narra sobre Jorge, cuenta su pasaje (capítulo IV). Entre los de la misma raza sólo se intercambia cuento por cuento.

La transformación, de la matriz al texto, es, pues, múltiple: consiste en el «pasaje», en el tipo de pasaje (un desplazamiento espacial o temporal, «vital»): consiste en *quién* paga ese pasaje, y aquí se abre la diferencia mayor: pagan los que creen el «cuento» de Rita, los confiados en «los hechos» (los informantes, de otra raza) pero, por otra parte, en el interior de los capaces de

---

[31] Jorge dona su dinero a los «comunistas o a los anarquistas» (p. 120); «por puro juego [dice Tito], se dedicó a vivir de ella, de lo que ganaban [...] Rita y el chivo» (p. 118). Pero la mujer «otra», la que alimenta ese pasaje por su espacio, es la que *debe morir:* desaparece, una vez cumplida su función de «alimento» de la escritura, para dar lugar a la constitución de la pareja masculina (siempre un hombre maduro y un joven). Ya desde *El pozo,* Linacero, el escritor, se niega a pagar los servicios de la prostituta (en *Obras completas, op. cit.,* p. 62).

«contar un cuento», de *los que saben* que el cuento es «cuento» porque lo inventaron, *paga la mujer* el pasaje de Ambrosio y de Jorge por su espacio de «otra»: por su cuerpo femenino que atraviesan y «pasan» «los que se salieron».

6. PARA QUE LE CREAN, LLEVA CONSIGO UN CHIVO

En la diferencia (fonética) se funda toda escritura

Para «añadir verosimilitud» [32], para que le crean el cuento («¿Quién puede dejar de creer si ve el chivo?», p. 96), para que no sepan que es un «cuento» y paguen el pasaje, Rita lleva consigo un chivo: un chivo *creado* (inventado, concebido, pensado) para que le *crean:* creer/crear: en la diferencia fonética, de la matriz al relato, se funda el trabajo de la escritura. Ambrosio, el personaje inventado por el médico en el único capítulo «escrito» en el interior del texto, dramatiza lo que puede denominarse, en el corpus Onetti, la escena de la gestación: Ambrosio es, como Brausen *(La vida breve),* como Jorge *(Juntacadáveres)* uno de los «representantes representativos» del «creador» [33]: pasa al espacio de la cuentista-prostituta, se arroja en la cama, se transforma en «otro» y concibe, en un «ensueño de nueve meses» y alimentado por el dinero de la mujer, el chivo, el hijo, el tercero.

El texto reitera: chivo/cabrón: «Un chivo no nacido de un cabrón sino de una inteligencia humana, de una voluntad artística» (p. 85). Debe leerse «cabrón» en los dos sentidos: como «padre» del chivo (en el reino animal; ¿y qué otra cosa que

---

[32] Pero «la presencia del animal sólo podía añadir verosimilitud en Retiro» (p. 80). Es evidente la ironía en que está envuelto, «en la realidad», el problema de la creencia y de la verosimilitud en Onetti.

[33] «Creador» entre comillas; no se trata de la mítica «creación» sino de la producción. Los procesos de Brausen *(La vida breve)* y de Jorge *(Juntacadáveres)* están narrados en la denominada «primera persona» (el sujeto del enunciado coincide con el de la enunciación: narra su propio «pasaje»); en el sitio de la mujer hay, en ambos casos, un embarazo supuesto (falso: Julita se alucina embarazada en *Juntacadáveres,* y Brausen cree que Queca está embarazada en *La vida breve);* en ambos casos el personaje cambia de identidad: Brausen se hace llamar Arce y Jorge es nombrado Federico por Julita; en ambos casos la mujer muere: Queca es asesinada y Julita se suicida. Son evidentes las analogías con Rita y Ambrosio y su proceso de «creación» en *Para una tumba.*

chivo puede ser el hijo de un cabrón?) y como rufián (en el reino humano). De modo que ese enunciado puesto en Jorge equivale a: «Un chivo no nacido de (no gestado por) un mero rufián (cabrón) como Ambrosio, sino de un artista»; un cabrón (rufián) que artísticamente gesta (pro-crea) un futuro cabrón: esa variante de «lo mismo», de «la misma raza» se reitera en el tema de la gestación.

Ambrosio «crea el chivo en el espacio de Rita; esa habitación es un sustituto del sitio contiguo y antitético de la pensión; en el interior de ese espacio existe un lugar privilegiado (una plaza): la cama. *Perinde ac cadaver:* la cadaverización de Ambrosio, su mutismo, su actitud gestatoria [34] son manifiestas: después de «nueve meses» (p. 93) da a luz el producto de su invención: el «hijo chivo» que crían «con mamadera» (p. 95). El proceso de *invención* [35] en el corpus mima (reproduce) siempre una *couvade,* una figura de *inversión:* el hombre concibe, gesta su obra. La horizontalidad de Ambrosio, su feminización, son, quizá, el momento más importante del trabajo de inversión que constantemente opera el texto; el proceso de constitución de «la obra», en realidad el concebir «el cuento», el perfeccionar el relato de la mujer, es un hecho «de hombres»... pero en actitud femenina. Cadáver y mujer es, además, la misma Rita, el sujeto de la matriz, cuando se abre el «contar» de *Para una tumba.*

Procrear es producir: la gestión implica un trabajo que consume, que debe ser «alimentado», que excluye todo trabajo; la prostituta (o «la loca»: se sabe, de todos modos, que prostituta y loca, para el lenguaje popular, son lo mismo) es, en Onetti, la que suministra el alimento. Toda producción supone un cuerpo y un gasto; toda producción consume, es inmediatamente consumo. De allí la figura de Ambrosio como un rufián, réplica del escritor-«creador» [36], mantenido no sólo por el «cuento»

---

[34] «Dice» Rita, en el único momento en que el texto le otorga la palabra «directa»: «Creo que no dijo esa palabra ni ninguna otra»... «Como si acabara de morirse»... «boca arriba»... «pensando sin remedio» (pp. 91-92).

[35] El chivo es tan inventado y tan «de mentira» («un chivo de mentira», p. 85) como la historia y el texto («Todo es mentira. Tito y yo inventamos el cuento», p. 123).

[36] Larsen, el rufián de Onetti, aparece siempre como «artista» y «creador»: concibe el prostíbulo perfecto en *Juntacadáveres,* y entra en el juego-mentira perfecto en *El astillero.* Pero Larsen fracasa sistemáticamente: aparece, en realidad, como «el escritor fracasado». Por eso surge como uno de los centros más fuertes de la melancolía en los textos de Onetti.

sino por el «cuerpo» de la prostituta. Y si el nombre del hijo es «el nombre del padre», si es el padre quien pone el nombre, Rita es el padre del chivo (del texto) en *Para una tumba sin nombre:*

> Se llama Juan.
> —Jerónimo —corrigió Rita (p. 95).

Sin embargo, a lo largo del relato, cada uno de los personajes que narra *pone un nombre:* Rita, la cuentista, el nombre de Jerónimo, de la «invención»; el médico pone nombre a Ambrosio (y es el médico quien inventó al inventor); Caseros a Rita, Jorge a Godoy, Tito a Higinia (Jorge habla de una prima «sin nombre»: «Sólo le dije que no tenía nombre», p. 106). El único que no narra y no pone nombre es Ambrosio, el «creador»: el texto mismo se titula «sin nombre»: se trata de un texto materno, de un texto materialista [37]. Pero el problema del nombre se duplica en la medida en que el médico, el narrador central, carece de nombre, como el título del texto.

El acento puesto en el nombre acompaña al motivo de la identidad, del cambio de identidad de los personajes que en el corpus Onetti escriben o producen: Ambrosio se hace otro cuando procrea: está «poseído» (p. 92); una vez que da a luz puede despertar: «Parecía más delgado, un poco ojeroso, con un aire de liberación y amansado orgullo» (p. 94); el «hombre» se transforma en «el muchacho» (pp. 94-95), adquiere una «cara vulgar de un joven buen mozo [...] el rostro nunca visto...» (p. 95). Lo que se pone en escena son, básicamente, todos los problemas de subversión del sujeto: redoblamiento, escisión, desterritorialización, inversión del sexo, descentramiento, «muerte», y los problemas de identidad que implica el trabajo de la escritura: la muerte del yo, la aparición del «otro», alguien que se hace «otro». Y si el narrar consiste en investigar quién es «el otro» (el perturbador, el diferente) que advino al espacio del narrador y sus desplazamientos por un sistema de lugares («normales» y «otros»), narrar es, entonces, explorar —investigar— la producción de la escritura: reproducir el proceso de hacerse «otro» reiterar el pasaje por la diferencia, narrar esa pasaje: conocerlo.

---

[37] *Materies-ei* y *Materia-ae:* sustancia de la que está hecha la *mater,* es decir, el tronco del árbol en tanto productor de retoños.

El motivo de la identidad se duplica [38] en el texto, en Jorge: quería ser Ambrosio, se identificó con él, reprodujo su gesto de la gestación. Dice Tito: «Tirado en la cama» (p. 118), «se dedicó a vivir de ella» (p. 118), «creía ser Ambrosio» (p. 119). Y Jorge produce, a su vez, otra duplicación: construye un doble de Rita. Hay «otra» Rita, del mismo modo que hay «otro» Ambrosio (que no solamente es «otro» Ambrosio en actitud de procreación, sino él mismo, Jorge); lo que hay es, fundamentalmente, «otro» Jorge: mientras narra, en el capítulo IV, el médico se encarga de señalar su verdadero «pasaje»: ya entró en el espacio adulto, «normal», en el cual no hay posibilidad de producción; ya no puede contar más el cuento. Es como si se hubiese muerto, como Rita.

En el corpus Onetti la «gestación» (la escritura) está narrada en primera persona; es un proceso que el primer pronombre se narra: un desarrollo reflexivo. Brausen *(La vida breve)* y Jorge *(Juntacadáveres)* asumen esa primera persona, mientras relatan sus pasajes «al lado», al espacio de la mujer, su cambio de identidad y su escritura. Pero en *Para una tumba* es el médico quien, en el capítulo III, cuenta el proceso de Ambrosio: hay una falla en el sistema reflexivo. Sin embargo, se puede significar «lo mismo» en cualquier instancia del texto: los modos de significar exceden en mucho a los significados. Si en los otros relatos el plano prenominal es el significante de una práctica que siempre aparece como reflexiva, en *Para una tumba* se desplaza la reflexividad: de golpe, en medio del relato, aparece un capítulo «escrito», no emitido por nadie, «anónimo»: un escritor («otro») escribe sobre el proceso de la escritura. La posibilidad de escribir

---

[38] El texto trabaja, fundamentalmente, dos planos: lo mismo y lo otro por una parte, y la producción y la repetición por la otra. Produce y reproduce el núcleo matriz y ese núcleo produce el texto, reiterándose. En el capítulo III, después de la narración de la «creación» (producción), cuando Ambrosio se va, dejando al chivo, el texto repite: no solamente alude de un modo directo a la repetición («su vida no fue otra cosa que la repetición de actos tan idénticos», p. 97; «el exceso de repeticiones quitó convicción al monólogo pordiosero», p. 98), sino que se constituye, hasta el fin del capítulo, *reiterando la preposición «entre», quizá el núcleo lexical más importante del texto* (pp. 97-99).

Basta leer *Lo siniestro,* de S. Freud, para *aplicarlo* al texto: el tema del doble (del otro yo, de «lo mismo») se vincula con el temor ante la muerte; el constante retorno y la repetición de lo mismo, de lo familiar y conocido (que se ha tornado extraño, *Unheimlich,* por el proceso de represión) es una medida conjuratoria contra la destrucción. En una fase psíquica posterior, el doble es un mensajero de la muerte «lo mismo» desplazando el pronombre «yo» se realiza, pues, en otro campo, en el cual reina eso mismo y eso otro: lo escrito en lo escrito y lo escrito sobre la invención, el proceso de la escritura: el proceso del proceso.

Lo escrito por el médico, lo manifiestamente inventado, «creado», es lo que, en el vértigo de las versiones y los «cuentos», persiste como «verdad»; tanto Jorge como Tito adoptan de inmediato la versión de la existencia de Ambrosio y su «creación» del chivo y no la cuestionan [39]. El hecho de que ese capítulo «escrito» aparezca como verdad ilumina al texto en su conjunto: *la única historia susceptible de ser creída es la creada,* inventada: la verdad reside sólo en la escritura. El capítulo escrito, por otra parte, «rellena» los «ocho o nueve meses» (p. 87) que separaban los dos «ver personalmente»: el de Jorge en la plaza (capítulo II) y el del médico en el cementerio (capítulo I): la gestación de Ambrosio se extiende a lo largo de nueve meses. Sólo el «ver personalmente» puede compararse, en su estatuto de verdad («ver para creer»), con la invención, con lo creado (creer/crear), con lo escrito: leer es el modo privilegiado de «ver personalmente». El hecho de que ese capítulo, el «escrito», sea un capítulo sobre la escritura (la invención, la creación) y el único «creíble», reitera la reflexividad del texto en su conjunto: así como el centro de la matriz lo constituía el «contar un cuento», así como a la figura etimológica se añadía la identidad de situación del emisor y del receptor (del nominativo y el dativo), la tematización de la escritura sólo puede aparecer escrita: el objeto, la materia (lo que se mienta/e), está producido con *lo mismo* que mienta/e. *Para una tumba sin nombre* es, quizá, el texto en el que Onetti lleva más lejos el problema de lo mismo y de lo otro, de lo insólito, lo diferente, perturbador, transgresivo (el que «salió» o aún «no entró» en el espacio «normal», «familiar»), «el otro» por excelencia, y simultáneamente «el mismo», el de «la misma raza», el hijo/a que cuenta y a quien se cuenta el cuento (la madre/padre). Pero, en virtud de la exploración de ese problema, el texto irrumpe como un saber en el campo de la *diferencia:* entre creer/crear, entre las dos plazas, las dos estaciones, los dos pasajes, los dos «cabrones, entre femenino/masculino, entre moneda e intercambio, entre deuda

---

[39] La verdad es el texto, lo escrito o impreso (en cartas o fotos): las cartas de *Los adioses,* el testamento en «Historia del Caballero de la Rosa», las fotos de «El álbum», de *El infierno tan temido,* las fotos y cartas en *La muerte y la niña.*

y culpa, en el centro de la polisemia del «contar»: en ese «entre».

Ese «entre» es, entre otras cosas, la literatura [40].

[Estudio preliminar a *Para una tumba sin nombre*, Buenos Aires, Librería del Colegio, 1959, pp. 9-52. Recogido en *Onetti: los procesos de construcción del relato*, Buenos Aires, Sudamericana, 1977, pp. 143-185.]

---

[40] *Para una tumba* no sólo explora la lengua, el contar, las posibilidades de «contar un cuento», la producción, la invención, la repetición, lo mismo, la diferencia: explora, además, un símbolo. El chivo es el texto, el producto, el relato, el «otro», el animal, lo gestado por Ambrosio, el hijo del cabrón, su obra. Pero es «un símbolo de algo que moriré sin comprender», dice Jorge; una «idea-chivo», un «chivo de mentira» (p. 85), «rígido, falso», de «tamaño gigantesco», con «una placidez de ídolo», que exhibe un «desdén que no podría expresar aunque hablara, frente a los tributos ofrecidos a su condición divina» (p. 99). Ese «símbolo», «idea», cuya condición es «divina», el texto no lo nombra: lo dramatiza.

El chivo es un animal sagrado y fálico atestiguado en el culto preindoeuropeo (cfr. MARIO UNTERSTEINER. *Le origini della tragedia e del tragico: Dalla preistoria a Eschilo,* Einaudi, 1955), junto con el toro y el caballo (Jorge lleva un caballo). En una etapa primitiva de la religión, Baco (Dioniso) es un chivo; más tarde el animal lo acompaña (y lo simboliza); los sacerdotes del culto dionisíaco, en el Peloponeso, toman forma de chivos. Se sabe que los *trágoi* (chivos, cabrones) son el núcleo originario, etimológico, de la palabra *tragoidía* (tragedia); que los cabrones aparecen asociados con diversas diosas (Hera, Artemisa, Atenea) y, en muchas oportunidades, *de la mano de la diosa.* Heródoto y Píndaro atestiguan las relaciones entre la mujer y el cabrón en los cultos primitivos. Rita lleva el chivo, se expone con él y eso, quizá, sea el «cuento» que se quiere contar, la metáfora central del texto: una mujer con un falo, con el símbolo mítico y religioso del significante falo; Rita-diosa con la representación de Dioniso y, sobre todo, la irrupción contranatural (reiterada en el coche con caballos, en la pareja Jorge y su caballo), la díada persona-animal (Edipo acoplado a la esfinge), otro «otro»: bestialismo.

Pero los dioses paganos, en la Edad Media, son transformados en diablos que presiden los rituales orgiásticos de los aquelarres. El chivo (el *falo* que Ambrosio dejó a Rita, el *ídolo*) es, además, el demonio con patas, cuernos y barba de chivo: el cabrón que el guardián no deja entrar al cementerio (al camposanto, p. 65). El diablo como enemigo de la reproducción natural y como agente de la producción cultural y artística. Y el chivo es, sobre todo, el *chivo emisario:* aquel a quien se le transfieren las culpas —deudas— y se arroja al abismo para que las lleve al dios. *Para una tumba* dramatiza con más énfasis este aspecto del mito símbolo en el tema de la piedad, enunciado por Jorge: «todos nosotros, usted, yo y los demás, éramos responsables de aquello»... «Todos nosotros, culpables»... «culpables, todos los habitantes del mundo, por haber nacido y ser contemporáneos de aquella monstruosidad, aquella tristeza» (p. 107). El chivo es el emisario del texto; el que lo soporta, lo sostiene y lo retransmite; pero todo el texto es el emisario del cuento de Rita, del núcleo productor, y Rita misma es emisaria del cuento no inventado por ella; Jorge emisario de Godoy, Godoy de Rita, el médico de Jorge.

El texto: ídolo, dios, tragedia, sacerdote, demonio, falo, chivo emisario, hijo, producto, tercero...

JORGE RODRÍGUEZ PADRÓN

JUAN CARLOS ONETTI DESDE EL ÁMBITO DE LA FÁBULA

I

Podría decirse que la nueva narrativa hispanoamericana, esta que ha ido produciendo, al paso que se publican nuevos títulos, y de acuerdo con la actividad personal de sus autores, un notorio revuelo y una, desde luego lógica, admiración, ha ido centrando su interés en las zonas geográfico-políticas del continente que más conflictivas parecían. No en vano la literatura más reciente de la América de habla hispana —y creo haberlo apuntado en otras ocasiones— ha alcanzado tanta importancia y ha cautivado a lectores e interesados precisamente por el hecho de configurar de forma sorprendente, a través de la fabulación literaria, la faz de un pueblo nuevo, de una historia y una mentalidad nuevas, porque lo que ha hecho —en primerísimo lugar— ha sido rastrear las señas de identidad, los rasgos personalizadores no sólo de un determinado pueblo, sino también de una determinada cultura y de unas formas de vida y expresión que iban parejas con el despertar de una actitud socio-económico-política también nueva, también identificadora. Que desde la segunda mitad del siglo XIX hasta hoy los pueblos de Iberoamérica han ido luchando contra el fantasma de la despersonalización, no es más que repetir una viejísima verdad; pero téngase en cuenta cómo la literatura que se hace en estos países, desde entonces acá ha variado y no por mor de unas nuevas modas literarias, sino en razón de una mayor adecuación a la verdadera personalidad de esa actitud histórica nueva en el mundo y que venimos identificando con Hispanoamérica.

No ha sido, pues, en principio, extraño que Cuba, o Argentina, o Perú, o el mismo México, con sus respectivas literaturas, hayan acaparado la atención de la crítica y también de los editores, que han aprovechado ventajosamente no ya esa floración indiscutiblemente importante, sino también todos los valores ecoicos que, al socaire de esa coyuntura, inevitablemente han ido apareciendo. Hasta aquí era lógico que se desarrollasen así las cosas; el exotismo de las culturas de los países citados era atractivo más que suficiente; pero existían otras culturas literarias sobre las que pesaba «el baldón de ser *poco latinoamericanas,* porque gustosos se dejaban invadir en su crecimiento por influencias estadounidenses y europeas» [1].

Por eso, un país como Uruguay, de siempre considerado como la Suiza del continente americano, hubiera permanecido, si no al margen, sí, al menos, en un modesto segundo plano en relación con el atractivo que presentaba la literatura de esos otros pueblos aludidos. Ha tenido que producirse la conmoción política y económica en Uruguay; ha tenido que saltar a primer plano de la actualidad el descontento que se ha generalizado en el país y ha tenido que ser una realidad bien punzante la presencia de la guerrilla urbana para que Uruguay adquiriera protagonismo y, sobre todo, para que su literatura pudiese ser valorada en su justa importancia. A veces me pregunto si no operará de modo inconsciente o subconsciente el exotismo, lo extraño, como un dato valorador de toda esta literatura desde aquí, desde Europa. Porque la uruguaya había sido una literatura olvidada, entre otras. Y el olvido se había extendido también a Juan Carlos Onetti, a pesar de su sugestiva personalidad, ahora protagonista de noticias y homenajes, después de los sucesos que culminaron con su encarcelamiento, por motivos aún no del todo claros y que determinaron las dificultades del semanario *Marcha,* a cuya plantilla perteneciera Onetti como secretario de redacción. Juan Carlos Onetti era hasta entonces un escritor de segunda fila, si nos atenemos a las decisiones de los jurados de los premios y si hacemos caso sobre todo a los clarinazos propagadores de los fabricantes de mitos literarios. Onetti seguía siendo el hombre sencillo y oculto que ha sido toda su vida, y muy poco más hubiésemos conocido de él, a lo peor, si no es por la actualidad de los acontecimientos: Onetti saltó a los *flashes* de las agencias periodísticas de todo el mundo con motivo de su

---

[1] José Donoso, Prólogo a *El astillero,* Ed. Salvat-RTV, Madrid, 1970.

polémica, detención y encarcelamiento, y después de un relativamente corto período de cárcel, Onetti ha sido puesto en libertad. Y Onetti, al fin, acaba de recibir en Italia un prestigioso premio literario. Y la libertad y el premio de Onetti han coincidido con este homenaje. Quizá esta ocasión, esta especie de coyuntura favorable pueda distraer al lector del verdadero sentido de la obra del extraordinario escritor uruguayo, cuya abundante bibliografía, sin embargo, no ha sido todo lo bien difundida que su importancia requiere. Quizá su nombre se emparente mucho más con estos avatares y con estas penosas circunstancias, transitorias y provisionales como toda circunstancia, que con esa profunda saga de su novela, que es realmente subyugante y desde luego original.

Sumarse a este homenaje, pienso, debe ser hacer abstracción de toda circunstancia accidental; proponer un mejor conocimiento de ese mundo de fabulación que el escritor ha construido y observar a través de su lectura cómo esa riquísima peripecia personal se ha ido convirtiendo en creación literaria. Cómo se ha ido convirtiendo en una específica cosmovisión que hinca sus raíces en un terreno sustancialmente testimonial, dramática y trágicamente verdadero. Mi intención, en las páginas que siguen, será la de rastrear, tras la lectura de ese prodigio de novela que es *El astillero* [2], esos contactos, esa íntima relación que se puede descubrir entre el mundo de la experiencia y el mundo de la fabulación literaria, y observar como la peripecia vital se ha ido transformando, por mor de la utilización precisa y exacta del lenguaje narrativo, en una creación nueva, en un nuevo mundo donde los personajes adquieren, quizá mucha más entidad, y mucho más rigor de verdad, que en la otra realidad convencional de la historia.

II

Desde que me recuerdo invento historias. De adolescente solía ir al puerto a ver los barcos cargados, barcos que llegaban del otro lado del océano con nombres cuyo significado no entendía.

—Escribía esas historias...
—Las imaginaba... Es lo mismo [3].

---

[2] JUAN CARLOS ONETTI, *El astillero*, Ed. Salvat-RTV, Madrid, 1970, 167 pp.
[3] MARÍA ESTHER GILIO, «Onetti: el compromiso con uno mismo», *Triunfo*, Madrid, 26 de mayo de 1973.

Estas palabras de Onetti me parece que pueden servir de punto de partida para nuestro propósito. Obsérvese que, por ejemplo, desde el comienzo de esa vida imaginativa o fabuladora, Onetti se plantea una dicotomía muy definida, que se mantendrá luego a lo largo de toda su obra. Onetti, para llegar a imaginarse esas historias, que para él es lo mismo que escribirlas (nótese bien esta precisión), ha de estar situado en ese límite entre dos realidades: la palpable, la inmediatez de lo histórico referencia, y la posibilidad que lo mismo tiene de aportar toda la carga sugestiva de imaginación, de indagación —véase— a través de cosas y nombres, de objetos y palabras. Porque se siente atraído, por igual, por los barcos y su carga, pero sobre todo por el poder sugestivo de los nombres, de unas palabras que no se sabe bien qué significan, y que proceden (esto también me parece muy sintomático a la vista de su obra) «del otro lado del océano». Del otro lado de un límite que se identifica con esa frontera entre el mundo sobre el que se asienta la peripecia vital y cotidiana, y ese otro que aporta la realidad primera de las cosas, la realidad más viva, la que —al decir de José Donoso— es «paralela a la *realidad,* y que por ser paralela, jamás la toca» [4].

Luis Harss, que ha hablado de las razones que impulsan a Onetti a empezar a escribir, vuelve a insistir en la idea de lo azaroso de esa decisión, de las razones *desconocidas* que llevan a nuestro escritor a imaginar historias, a fabular sobre la experiencia cotidiana. La excitación de la imaginación no proviene sólo el bulto misterioso que avanza desde el *otro lado,* sino —y muy especialmente— de esa palabra que se llega a la frontera y le propone el mensaje que no alcanza a entender. Los personajes de Onetti, entonces, adquieren una importancia capital como trasuntos de esta actitud. No se trata de que el escritor cifre en ellos ciertas características físicas que podemos identificar con las del propio Onetti («el desgano en su andar de oficinista envejecido», esos seres que viven incomunicados «en soledad y desamparo»; «héroes maduros, ya cuarentones, extraviados en una vida frustrada...»), sino que a partir de ellas se nos va dibujando un grupo humano de muy especiales características y que, desde su aparición, centran toda la atención del relato, y no se los abandona en ningún momento, a pesar de que cada uno de estos personajes, al que podríamos considerar un ser vivo, indepen-

---

[4] Véase nota 1.

diente y capaz por sí mismo de tener una identidad específica, es plenamente libre para asumir su destino

(El olfato y la intuición de Larsen, puestos al servicio de su destino, lo trajeron de vuelta a Santa María para cumplir el ingenuo desquite de imponer nuevamente su presencia a las calles y a las salas de los negocios públicos de la ciudad odiada. Y lo guiaron después hasta la casa con mármoles, goteras y pasto crecido, hasta los enredos de cables eléctricos del astillero.)

o para ser catalizador del mismo ámbito en el que ha de desenvolverse, y que se va configurando poco a poco, al tiempo que el mismo personaje lo crea y lo moldea desde su perspectiva, y en razón de su necesaria peripecia. Ello hace que los personajes de Onetti, a la vez que podamos identificarlos física y vitalmente con el autor, aunque los consideremos en muchos casos sus otros «yos», sean personajes totalmente nuevos; surgen a la vida de la novela con total y perfecta entidad, y unas razones también intransferibles los conducen a través de las páginas del relato, hasta que su acción se consuma totalmente.

La ambigüedad es una de las características en las que coinciden la mayoría de los críticos de la obra onettiana. Pero yo creo que tal aseveración necesita algunas precisiones. Se trata de una ambigüedad muy especial, muy personal también: no se trata de que lo que en la novela se nos proponga aparezca diluido, o confuso —todo lo contrario—, sino que ese deambular de los seres por los entresijos del relato se propone como si de el debatirse con un laberinto se tratase; los seres de Onetti atraviesan los vericuetos de un específico mundo de ficción, que corresponde a un ámbito no nítidamente determinado, sino que siempre participa de esa dicotomía inicial; siempre está localizado en los márgenes de la realidad y la ficción, bascula entre la realidad testimonial y el ámbito del sueño y la imaginación. Porque no les queda otro medio en el que vivir. Mario Benedetti ha escrito que la obra de Onetti es «un renovado, constante trazado de proposiciones acerca de la misma encerrona, del mismo círculo vicioso en que el hombre ha sido inexorablemente inscrito» [5].

Esa monotonía de las vidas, ese ir y venir desnortado de los

---

[5] MARIO BENEDETTI, «Juan Carlos Onetti y la aventura del hombre», en *La novela hispanoamericana actual,* Las Américas Publishing, Madrid-Nueva York, 1971.

personajes señala con dramáticos perfiles la situación de encierro, de agobio reiterativo, que pesa sobre las vidas de estos personajes, y sobre el espacio y el tiempo que habitan. Por ello también, a pesar de que parecen salir del propio Onetti, y consecuentemente podrían ser seres de una pieza, los individuos de su saga van dispersando poco a poco su actitud y, si bien —en ciertos momentos— parece que conocemos su objetivo determinado, pronto toma un sesgo totalmente distinto, y hasta optan por reacciones totalmente contrarias a las que serían previsibles. Y tal necesidad los mantiene siempre en movimiento. Larsen, por ejemplo, en *El astillero*, desde que surge en el primer capítulo, se mueve con una insistencia muy significativa. El autor se preocupa de seguirlo con la mirada, pero sobre todo, y casi sin un respiro, lo hace con la palabra, pausada, rítmica, constante, que lo persigue con un rigor y una tenacidad muy particulares. Siempre lo veremos a través de una serie de acciones encadenadas, a veces se detendrá para tomar momentáneamente un respiro y luego continuar. Es muy sugerente esta manera que tiene Onetti de seguir a sus criaturas, como si se solazara en buscarlas y acecharlas, como si se complaciera en la persecución. Pero, al mismo tiempo, hay que advertir que estas etapas del camino de sus personajes, son etapas cerradas, porque el deambular de estos seres es una andadura circular que siempre lo devuelve, irremediablemente, al punto de partida. Un camino que termina por cerrarse ante sí mismo y cuya acción circular nos patentiza su inutilidad. Larsen llega caminando, y caminando lo dejamos al final del relato, aunque entonces alcance su final, la muerte. Tengo que precisar, sin embargo, que esta muerte —a pesar de lo que pudiera parecer— es el momento menos transcendente de toda la novela, como si al autor le importara muy poco el desenlace trágico de su personaje; pero —eso sí— se matiza con mucho detalle la marcha del final:

Caminó hasta el astillero para mirar el enorme cubo oscuro, por mandato; hizo un rodeo para husmear silencioso la casilla donde había vivido Gálvez con su mujer. Olió las brasas de la leña de eucalipto, pisoteó las huellas de tareas, se fue agachando hasta sentarse en un cajón y encendió un cigarrillo. Ahora estaba encogido, inmóvil en la parte más alta del mundo y tenía conciencia en el centro de la perfecta soledad que había supuesto, y que había deseado, tantas veces en años remotos [...] Se alzó dolorido y fue arrastrando los pies hacia la casilla. Se empinó hasta alcanzar el agujero serruchado con limpieza [...] Vio a la mujer en la cama [...] Vio la rotunda barriga asombrosa, distinguió los rápidos brillos de los ojos [...] Sólo al rato comprendió y pudo imaginar la trampa. Temblando de miedo y asco se apartó de la ventana y se puso en marcha hacia la costa. Cruzó, casi corriendo, embarrado, frente al Belgrano dormido, alcanzó unos minutos después el muelle de tablas y se puso a respirar con lágrimas el olor de la vegetación invisible, de madera y charcos podridos.

Igual importancia tiene que los personajes —ya lo hemos insinuado— vivan dentro de un ámbito que ellos mismos están configurando, que ellos mismos disponen para su peripecia. La pluralidad de personajes no supone más que un pretexto para justificar lo que Onetti realmente quiere: determinar la provisionalidad que viven estos seres siempre en marcha, con una vida precaria, oscura, frustrada de antemano, y que, a pesar de todo, siguen cumpliendo el destino para el cual han aparecido en ese ámbito novelesco, para el cual han nacido a la vida de la fábula. Por eso decía que son los propios personajes los que configuran su mundo; porque ese mundo está ahí para que en él se encuentren y se noten, o se pierdan y se diluyan progresivamente, ante nuestra mirada, y por encima de su acción imposible. Los personajes, además, van y vienen, pero deambulan entre dos puntos reconocibles; ese espacio novelesco que los encierra está polarizado siempre por unos lugares que, también, están nítidamente señalados. Notemos aquí cómo coincide otra de las circunstancias vitales de Onetti: «mis numerosos viajes de Montevideo a Buenos Aires y de Buenos Aires a Montevideo»; viajes que han condicionado la pérdida de determinadas cosas, algunos manuscritos, por ejemplo [6].

A primera vista, los personajes de Onetti son sólo vagabundos a los que el autor se complace en ver pasar de una parte a otra; pero apenas nos fijemos nos damos cuenta de que este movimiento de los personajes no responde a una referencia testimonial, ni siquiera a una dimensión novelesca más profunda, sino que su ir y venir está condicionado ya por el propio espacio en el que se mueven y que, por lo mismo, tiene más de acción cumplida que de desnortado caminar. No es casualidad que el asentamiento (imposible, por otra parte) de Larsen, y su consiguiente relación con Gálvez, Kunz, los Petrus, Josefina o la mujer de Gálvez, no sea un encuentro fugaz, sino que se con-

---

[6] JUAN CARLOS ONETTI, «Por culpa de *Fantomas*», *Cuadernos Hispanoamericanos*, Madrid, febrero 1974.

vierte en un poderoso atractivo que, aunque el protagonista lo reconoce en su fuero interno como una descabellada idea, se quiere consumar para ver cómo puede forzar su suerte, o su destino, que a nadie compete más que a él. Larsen está jugando una carta que sabe perdida, pero quiere consumar la suerte hasta el final, comprobar que todo tiene irremediablemente que consumarse, incluso su propia existencia; que el resto de su vida, como sucedía con el protagonista de *El pozo,* «será el silencio, la humillación, el escarnio de un amor solitario e indeterminado, una larga serie de frustraciones desordenadas caóticamente una sobre otra, como suelen caer las lágrimas al ritmo del dolor». Esta indeterminación aparente es lo que podemos identificar con la ambigüedad; una ambigüedad que si bien viven los personajes, nunca se trasluce en una ambigüedad del relato. El espacio no es sólo el lugar de la acción, sino que se completa con el grupo humano que lo puebla, y hasta asistimos a las constantes relaciones imposibles entre ellos, unas relaciones que, precisamente por ser producto de la situación así determinada, llegan a confundir las identidades, no sabiendo con exactitud, ni siquiera si son seres humanos («—Señora —murmuró, y quedaron mirándose fatigados con una leve alegría, con un pequeño odio cálido, como si fueran de veras un hombre y una mujer»).

Dice José Donoso en el prólogo a *El astillero,* en la edición de Salvat-RTV, que «estos fantasmas (Larsen, Gálvez, Angélica Inés...) en que encarna su pensamiento iluminan algo que no queda fuera del relato, sino dentro de él, que no señala verdades ni significados situados exteriormente a la novela, sino en su transcurso, en la experiencia de leerla y dejarse envolver por esa otra realidad ficticia...». Y es cierto. Porque una de las cosas más importantes de la escritura de Onetti es esa sustantividad de la novela: a partir de su escritura estamos asistiendo a la creación de un mundo y de unos personajes que van a configurar a su vez el espacio que les corresponde, y que le otorgarán la dimensión temporal correspondiente. Un tiempo hecho también de idas y venidas, de lanzamientos hacia el futuro, o de miradas hacia el pasado; de visiones y recuperaciones, signadas todas ellas por esa sensación de inutilidad. Por tanto, me parece fundamental, siempre que se hable de Onetti, partir de la obra misma (y de él mismo) para poder entenderla a mayor plenitud, y para leerla en su dimensión exacta y con los presupuestos más justos. No en vano los personajes vuelven siempre no sólo al punto de partida, sino a los mismos lugares por los que han estado. Y vuelven con un sentido de melancólico e irrenunciable retorno a ese ámbito que saben habrán de abandonar para siempre. Obsérvese, por ejemplo, que los títulos y la numeración de cada capítulo indican con precisión ese ir y volver cíclico. Los personajes se abren a todos los vientos y se entregan por entero a la labor de vivir con los demás, a sentirse de y para los demás; y lo que sucede es que esos seres de Onetti siempre llegan tarde; no les queda tiempo suficiente para cumplir adecuadamente su objetivo; aunque también es cierto que el ámbito al que retornan ya no es el mismo, porque en él ya no queda ninguna esperanza de recuperación.

III

Creo que es muy evidente en toda la novela de Onetti un predominio de lo situacional sobre lo discursivo. Es más, el desarrollo de la anécdota, o de la acción de los personajes para ser más precisos, mantiene un ritmo pendular, se establece siempre entre dos extremos que limitan de forma rigurosa el espacio del relato. Veamos el siguiente esquema:

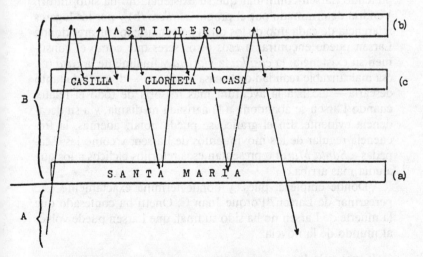

Observe el lector cómo se distribuyen los viajes de Larsen entre los extremos del ámbito predeterminado; un espacio que actúa a tres niveles diferentes: el primero (A-B), a nivel de esa dicotomía sustancial en Onetti: el mundo en el que la peripecia se desarrolla y el mundo del espacio más allá, de ese *otro lado* de donde proceden (no sabemos con exactitud cuál es su ubicación precisa) los personajes. Larsen regresa a Santa María, después de cinco años, «cuando el Gobernador decidió expulsar a Larsen (o Juntacadáveres) de la provincia». Y al final vemos cómo abandona el espacio de su peripecia y se pierde mientras camina, y nos enteramos, porque el autor nos lo dice (yo creo que sin mucha convicción), que «murió de pulmonía en El Rosario antes que terminara la semana y en los libros del hospital figura completo su nombre verdadero».

Un segundo nivel correspondería a los extremos del espacio narrativo: *Santa María* (a), la creación de Onetti, la ciudad fundada por Brausen, y que de alguna manera aglutina todas las necesidades de los personajes y las peripecias de los mismos; todas las necesidades y, por supuesto, todas sus servidumbres. Es un «villorrio rioplatense en medio de un río y una colonia agrícola» [7]; el punto de referencia que supuso la primera esperanza de culminación de su destino para Larsen; y el *astillero,* el último extremo de su caminar hacia esa consumación del destino.

Y un tercer nivel. Un espacio más reducido no sólo por la cercanía geográfica, sino también por la cercanía espiritual (en él pretende Larsen confirmar que su existencia no ha sido inútil). Vendría determinado por el propio *astillero* (b) y por los lugares referencia de cada uno de los otros personajes; los lugares donde Larsen puede encontrar a esos otros seres que como él consumen su existencia: la *casilla,* la *glorieta* y finalmente la *casa* (c), esa inalcanzable realidad de la casa en donde —después de tanto desearla— alcanza la aventura más irrisoria de todo el relato, cuando Larsen se abandona a la agrisada medianía, y a su decadencia evidente. En el gráfico se puede notar, además, la frecuencia regular de los movimientos de Larsen, y cómo las escapadas a *Santa María* representan esos retornos cíclicos a los que aludía más arriba.

¿Dónde empieza, pues, y dónde termina exactamente este peregrinar de Larsen? Porque Juan C. Onetti ha confesado que la muerte de Larsen no ha sido su final, que Larsen puede volver al mundo de la novela:

Lo que realmente sé es que por un oscuro arrebato maté a Larsen en «El astillero» y no me resigno a su muerte. Si el tiempo me lo permite

---

[7] Rafael Conte, *Lenguaje y violencia,* Al-Borak, Madrid, 1972.

estoy seguro que Larsen reaparecerá, indudablemente más viejo, posiblemente agusanado y disfrutando los triunfos de que fue despojado en las anteriores novelas [8].

Su misma timidez al confesarnos el fallecimiento de su personaje, dándole más importancia a ese diluirse en el camino que al hecho en sí de la muerte física, nos deja ante la disyuntiva de ese nuevo retorno de Larsen. Pero, seguimos preguntándonos, ¿de dónde?, y ¿cuál es su nombre completo que figura en los libros del hospital? Sobre su personaje, en torno a él, Onetti ha llegado a crear una aureola de fábula, ciertamente mítica, pero no por ello castradora de su libertad de acción y de sus posibilidades de ser novelesco. Yo me inclino por un posibilismo más que por una ambigüedad; más por una multiplicación de las soluciones, y de las situaciones, que por la disolución de las mismas en un confusionismo peligroso, o confundidor.

La actitud de Onetti me parece bien clara con respecto al mundo de su novela. Confiesa que *Santa María* «se trata de una posición de fuga y del deseo de existir en otro mundo en el que fuera posible respirar y no tener miedo. Esta es Santa María y éste es su origen. Yo no era un demiurgo y podía construir una ciudad donde las cosas acontecieran como me diera la gana. Ahí se inició la saga de Santa María, donde los personajes *van y vienen, mueren* y *resucitan*. Creo que me voy a quedar allí porque soy feliz» [9].

No quisiera desestimar estas declaraciones, porque precisamente hermanan, con mucha coherencia, la actitud personal del escritor y el sentido de su obra. El mundo onettiano no es un mundo que se halle fuera de la experiencia del propio escritor, ni siquiera al margen de ella, sino que es un verdadero trasunto, genialmente literaturizado, de esa peripecia y de esa personalidad. Por ello mismo, el espacio, que es un paisaje urbano hasta cierto punto, está matizado por una serie de elementos de tipo intelectual

(Calles de tierra o barro, sin huellas de vehículos, fragmentadas por las promesas de luz de las flamantes columnas de alumbrado; y a su espalda el incomprensible edificio de cemento, la rampa vacía de barcos, de obreros, las grúas de hierro viejo que habrían de chirriar y

---

[8] Véase nota 6.
[9] Véase nota 6. La cursiva es mía.

quebrarse en cuanto alguien quisiera ponerlas en movimiento. El cielo había terminado de nublarse y el aire estaba quieto, augural.)

o —y esto es muy importante— va adquiriendo tal protagonismo que se dinamiza, anima y llega hasta personalizarse; como afirma Rafael Conte, se trata de «una geografía interior —no irreal, como dice Harss—, donde hasta el escenario se convierte en un ser animado, surcado por la impotencia y el fracaso» [10] («la lluvia, muy suave, golpeaba en el techo y en la calle, compañera, interlocutora, perspicaz»). El *astillero* ejerce un irresistible poder de atracción sobre los personajes: no sólo los convoca a su sorda llamada, sino que se erige en personaje protagonista, y ejerce su influencia en el deambular de los seres, y asiste, con cruel indiferencia, a la consumación de su peripecia. Todos dependen de él, y todos se aferran a él para sobrevivir, pero el *astillero* va deshaciéndose de todos, va despojándose de todo, en medio de una decadencia irreversible, a pesar de estar contrapunteada por la voluntad de los personajes que intentan, a toda costa, su renacimiento ilusionado. Las alusiones a las reparaciones, a las reconstrucciones son constantes, y siempre nos dan idea de esa provisionalidad que lo caracteriza todo, o de la imposibilidad de que los proyectos se lleven a término:

Pero lo que realmente importa son los sueldos futuros. Y otra cosa: los bloques de casas que va a construir la empresa para el personal. Claro que no será obligatorio vivir en ellas, pero será sin duda muy conveniente. Pronto le voy a mostrar los planos. Respecto a todo eso tengo la palabra de Petrus.

* * *

Y así, arrastrado por el escepticismo universal, Kunz fue perdiendo la fe primera, y el gran edificio carcomido se tansformó en templo desertado de una religión extinta. Y las espaciadas profecías de resurrección, recitadas por el viejo Petrus y las que distribuía regularmente Larsen, no lograron devolverle la gracia.

El *astillero* juega con ellos, conoce perfectamente su inequívoco destino, pero nunca llega a desilusionarlos completamente. Se mantiene allí, como una sombra atrayente y destructora al mismo tiempo. Cuando los personajes, sobre todo el desesperan-

---

[10] Véase nota 7.

zado Larsen, se den cuenta de las cosas será demasiado tarde. Y se les permitirá entonces alcanzar el ámbito que han estado anhelando durante todo el relato: en el caso del protagonista, la casa de Petrus. Y cuando lo hace (que es tarde también) sólo consigue pasar a las habitaciones de Josefina, la criada, «la mujer de siempre, su igual, hecha a medida no ya para la comunicación, sino para que él tenga conciencia de que se halla en el centro de la perfecta soledad» [11]. Las desesperadas idas y venidas de Larsen no hacen sino confirmarle su soledad y su impotencia; primero, porque los extremos de ese ámbito se hallan dramáticamente cerca, y segundo, porque los demás personajes, que están en torno suyo, con su presencia física o con una presencia obsesiva, aunque no estén (esa presencia que otorga el poder y la seguridad como en el caso del viejo Petrus, que sólo aparece, y de forma fugaz, en un par de ocasiones), pero que pesa de forma agobiante en toda la novela. Así descubre el protagonista que están muy lejos de su alcance, que no llegará nunca a solidarizarse con ellos; así sentirá, poco a poco, el abandono y perfilará la desesperada solución de la marcha fuera del ámbito, de nuevo hacia el *otro lado,* hacia un más allá desconocido, desde el cual un día regresara a Santa María «para cumplir el ingenuo desquite de imponer nuevamente su presencia».

También desde ese más allá llegarán las alusiones premonitorias, reflejadas en el peculiar estado de la atmósfera y del ambiente que rodea la geografía interior de la novela y que pesa en el ánimo de los personajes en ciertos y determinados momentos («La noche estaba afuera, enmudecida, y la vastedad del mundo podía ser puesta en duda», «Hicieron sonar después definitivamente el pestillo de una puerta y la noche de lluvia se transformó en ventosa, placentera y gimiente, no más real que un recuerdo, más allá de las persianas corridas sobre la plaza»).

En las novelas de Onetti es difícil encontrar amaneceres luminosos, soles radiantes... El mundo parece desfilar ante la mirada... de alguien que no puede cerrar los ojos y que, en esta tensión agotadora, ve las imágenes un poco borrosas, confundiendo dimensiones, yuxtaponiendo cosas y rostros que se hallan, por ley, naturalmente alejados entre sí [12].

Por eso, precisamente, serán las relaciones sensoriales las que definan y precisen los contactos entre los personajes y su ámbi-

---

[11] Véase nota 5.
[12] Véase nota 5.

to, y de ahí también nos vamos a encontrar con una de las características más significativas de la escritura de Onetti: la tendencia a despistar al lector, a señalarle caminos posibles y a jugar con el azar de las soluciones, escondiendo los posibles orígenes y finales de la historia, y también utilizando una serie de trasposiciones tempo-espaciales imaginarias que, solapadamente, nos muestran que el final es una vuelta al comienzo:

Larsen sintió que recién ahora había llegado de verdad el momento en que correspondía tener miedo. Pensó que lo habían hecho volver a él mismo, a la corta verdad que había sido en la adolescencia. Estaba otra vez en la primera juventud, en una habitación que podía ser suya o de su madre, con una mujer que era su igual.

IV

La intervención del narrador únicamente se notará al ver esta provocación de posibilismo, este mantenernos en vilo mientras juega a la inquietud del azar, a pesar de que el esquema está trágicamente claro desde el comienzo («Hubo, es indudable, aunque nadie puede saber hoy con certeza en qué momento de la historia debe ser colocada, la semana en que Gálvez se negó a ir al astillero. La primera mañana de su ausencia *debe haber sido* para Larsen el verdadero día de prueba de aquel invierno; los padecimientos y las dudas posteriores se hicieron más fáciles de soportar») o para dar fuerza fabuladora a la historia que estamos viviendo, y conseguir con ello absoluta autonomía para el relato.

«Onetti crea un ámbito fantasmagórico irreal, sin recurrir a ninguna de las tutorías de la literatura fantástica; nada más que valiéndose de convenciones realistas.» [13] Esta me parece una apreciación interesante de Mario Benedetti. Porque el talante de la prosa de Juan Carlos Onetti, a pesar de permitirnos traspasar los límites, siempre está basado en la utilización de una escritura directamente conectada a la realidad que nos da como referencia. Lo que sucede, y esto es lo importante, es que con sólo nombrar esa realidad nos encontramos en un medio en que los límites, destacados con toda nitidez, fijan los extremos de la

---

[13] Véase nota 5.

tensión dramática en que se resume el movimiento —lento, pesado, acompasado— de los personajes habitantes de esa atmósfera casi irrespirable del *astillero,* pero sobre todo de la imposibilidad de conocerse, de reconocerse y de salir de allí. El aire se enrarece por momentos, y los seres necesitan imperiosamente salir de su entorno, aunque están condenados por el autor a ser, digamos, ejemplo de lo que han hecho y han de quedar, o bien estáticamente hundidos en aquel fango, o bien desaparecer en la muerte o tras esos límites que no se sabe a ciencia cierta a dónde los llevarán.

Es, pues, la peculiar ordenación de los elementos del relato lo que confiere a la obra de Onetti su originalidad. Su prosa es de clara e inmediata raigambre realista, testimonial, lo que sucede es que las referencias que se nos transmiten a través de ella, y el mundo que determina, están más allá de las posibilidades de la lógica de la realidad convencional. Para encontrarnos con los personajes de Onetti, para comprenderlos, y para seguirlos en su deambular constante y nunca finalizado, hemos de llegar al borde mismo que separa el espacio novelesco de la realidad cotidiana; allí no sólo tropezamos con los personajes y con su cosmos específico, sino que nos los encontramos cargados de cosas, de nombres, de palabras extrañas, que nunca llegamos a precisar, pero cuyo contenido, precisamente por ser múltiple, se nos hace muchísimo más verdadero, más tangible, desde luego, que esa otra realidad estrecha y regulada de la historia cotidiana.

Es curioso observar cómo el proceso de la escritura de Onetti es ése, precisamente: liberar esa realidad cotidiana suya, incluso su peripecia individual, y sus actitudes, y sus acontecimientos nimios, por medio de la palabra; de una palabra que va más allá del simple relato, de una palabra que *hace* y que *construye* una nueva historia, con un nuevo espacio y un nuevo tiempo que sólo a ella competen, y que es capaz de crear unos nuevos seres que encarnan en la fábula, que la hacen suya y la desarrollan hasta extremos que las reglas del juego habitual no alcanzarían jamás. Podríamos decir para terminar, parafraseando al propio escritor, que Juan Carlos Onetti ha cambiado su posición, su perspectiva: si de adolescente lo veíamos absorto en el muelle, viendo barcos cargueros, marinos y nombres que llegaban del otro lado del océano y que se le antojaban ininteligibles, e imaginando consecuentemente historias, ahora Onetti parte de su sabiduría novelística, y por medio de su particular peripecia vital ha logrado instalarse en ese *otro lado,* pasar al mundo de la ficción y ha encarnado él también allí, en la saga enriquecida de Santa María y sus habitantes.

Onetti ha optado por el mundo ajeno de esos seres alienados, de esos *outsiders* que, como muy bien ha señalado Alvaro Castillo, no sólo llevan un nombre extranjero, sino que participan de esa extranjeridad:

Onetti siempre ha tenido predilección por lo extranjero, casi diría lo exótico... Entre los seres de Onetti abundan los de apellido extranjero, Brausen, Larsen, la gorda Kirsten..., el luchador Jacob von Oppen; parece como si con los apellidos Onetti intentara acentuar la extranjeridad de esos individuos, su cualidad de desplazados [14].

«Los hechos son siempre vacíos, son recipientes que tomarán la forma del sentimiento que los llene», se dice en *El pozo.* Y es verdad, pero ha de tenerse en cuenta que el sentimiento se ha modificado desde el punto y hora que el escritor ha desplazado totalmente la perspectiva. Onetti ha logrado perfeccionar algo bastante difícil, y efectivo, si pensamos en lo que debe ser la narración: ha eliminado, sin que se note, la duplicidad de los mundos literarios (el del narrador y el de la ficción), y parte desde cero, creando y componiendo la peripecia novelesca desde dentro mismo del ámbito de la fábula. Pero ello no quiere decir que haya renunciado a su propia peripecia. Todo lo contrario: esta fábula se va a nutrir, precisamente, de elementos que están sustancialmente vivos, que son netamente testimoniales, y que por la misma razón pueden surgir a la nueva vida que el escritor les concede.

Penetrar de forma absoluta y total en la obra de Onetti requeriría un análisis que aquí no me he propuesto; en primer lugar porque presupondría un conocimiento mucho más vasto de su obra, que evidentemente yo no poseo; y en segundo lugar, porque sólo he querido fijarme en uno de los aspectos de su obra que me parece fundamental para acceder a la misma. Quizá pueda, a partir de aquí, continuar, en mejor disposición, mi lectura de una de las obras narrativas más sin-

---

[14] ALVARO CASTILLO, «Hacia Onetti», *Cuadernos Hispanoamericanos,* Madrid, junio 1973.

gulares de los últimos años, tanto por el tratamiento del lenguaje, como por las peculiaridades temáticas que le sirven de apoyo sustantivo.

[Publicado en *Cuadernos Hispanoamericanos,*
números 292-294 (octubre-diciembre 1974),
pp. 131-146.]

EN EL HUECO VORAZ DE ONETTI

...Varias veces, a contar desde la tarde en que desembarcó impensada-
mente en *Puerto Astillero,* detrás de una mujer gorda cargada con una
canasta y una niña dormida, había presentido el hueco voraz de una
trampa indefinible. Ahora estaba en la trampa y era incapaz de nombrarla, incapaz de conocer que había viajado, había hecho planes, sonrisas, actos de astucia y paciencia sólo para meterse en ella, para aquietar-
se en un refugio final desesperanzado y absurdo (p. 36) *.

El astillero epiloga la historia de Justa Larsen (o Juntacadáveres), la decadencia y muerte de un cafishio, de un proxeneta
ávido de redención, convertido ilusoria e irrisoriamente en gerente general de una empresa inexistente. Es el fin, el viaje de
invierno, la entrada mental y corporal en el acabamiento. El
caído, el marginal, el expulsado de Santa María vuelve del irreversible destierro en pos de una reivindicación inalcanzable, de
una rotunda revancha que realce el borroso pasado con un final
insigne, que revierta la insignificancia en significación. El deseo
de imponer una dirección a su vida, de arbitrar su destino, la
búsqueda de un sentido, de una finalidad: esa será la trampa que
lo condenará definitivamente al extravío, a la arbitrariedad (absurdo negativo), a la sinrazón, al apocamiento, a cobrar conciencia de una existencia determinada por la resta, por la caducidad,
por el vaciamiento y la incomunicación, por el continuo, implacable menoscabo de la muerte.

---

* Los números entre paréntesis corresponden a las indicaciones de página de
JUAN CARLOS ONETTI, *El astillero,* Compañía General Fabril Editora, Buenos
Aires, 1961.

El astillero, «el hueco voraz de una trampa indefinible», equivale a infierno; no sólo consuma la pérdida de sentido de la realidad, sino también la pérdida del sentido de realidad. La realidad ruinosa, miserable, degradante, la intolerable frustración del mundo empírico es suplantada por la farsa, la ficción, por ritos o simulacros fantasmales, por símbolos sin correlato objetivo que, lejos de ocultar el vacío, el anónimo anonadarse (muerte que ahueca las palabras y que hasta los silencios invalida), lo revelan en todo su poder, precipitan al descubrimiento de la inutilidad, de la gratuidad del mundo que los hombres han edificado sobre y contra la nada. Si Santa María (espacio textual y no geográfico) es tierra firme, mundo adverso cuya resistencia incita al desafío, Puerto Astillero está inequívoca y reiteradamente indicado como inexistencia infernal. Los fracasados gerentes de Jeremías Petrus, S. A., que pasan por Santa María no vuelven de un exilio, sino de un ex nihilo:

Pero este júbilo de sus ojos no era el de retorno de un destierro o no sólo eso. Miraban como si acabaran de resucitar y como seguros de que el recuerdo de la muerte recién dejada —un recuerdo intransferible, indócil a las palabras y al silencio— era ya para siempre una cualidad de sus almas. No volvían de un lugar determinado, según sus ojos; volvían de haber estado en ninguna parte, en una soledad absoluta y engañosamente poblada por símbolos: la ambición, la seguridad, el tiempo, el poder. Volvían, nunca del todo lúcidos, nunca verdaderamente liberados, de un particular infierno creado con ignorancia por el viejo Petrus (p. 104).

El astillero es un mundo cerrado, corrosivo, un infierno que envuelve, atrapa, debilita y mata. Expulsado del mundo de los otros, Larsen es confinado en ese agujero, en ese huero recinto de desaparición que se deshace y lo desintegra: anula sus defensas, invalida sus ardides, agota sus energías, desbarata su cinismo, lo desarma y lo vacía. Míticamente, el astillero representa infierno, microcosmos desprendido, isla desierta, mundo de abajo, disolvente y disoluto, mundo que retrograda a lo elemental-negativo, a lo letal, a la ineluctable descomposición sin regeneración (sin reintegro al ciclo de las transformaciones naturales). No es purgatorio, sino infierno, desagrega, desabriga, desdibuja, desnutre, descoloca, sume en la inanición. Implica condena definitiva, descendimiento hacia lo indiferenciado, hacia el mundo nocturno. Es pozo, sepulcro en vida, y sus moradores, cadáveres vivientes. Allí, las significaciones sociales operan sólo en superficie, pierden sustentáculo y vectorialidad. El astillero anula las motivaciones, las ambiciones, todo se vuelve apagadura, indistinción. La única posibilidad de contrarrestar el vaciamiento es implantar el simulacro, la réplica escenográfica, la fachada del mundo de los otros, completamente invalidado por la pérdida de la textura social, por el desbarajuste de las relaciones interhumanas y de los hombres con el mundo. El tiempo se desmembra en presentes insulares sin prospección. El aislamiento imposibilita el futuro y reifica el pasado, sume en un presente soñoliento, sonámbulo, en una suspensión onírica. Resistir es obstinarse en la simulación, en la réplica degradada del mundo activo, ponerse la máscara de hombre emprendedor. Larsen, consentido por Kunz y por Gálvez ya vencidos, desesperanzados, se empecina en autoilusionarse, se obstina por contagio del influjo profético de Jeremías Petrus el alucinado, el conductor paranoico que quiere imponer su voluntad, su juego a un mundo refractario, detenido. Inflación proyectiva, desmesura, total falta de sentido de la realidad.

En *El astillero* hay, por lo menos, dos infiernos. Uno, el de la empresa de Petrus, es desmaterializante, incorpóreo, que anubla, difumina, aletarga, abstrae, evapora, es el del simulacro a puertas cerradas con sus rituales vacantes, el de la paulatina inanición, el de la disolución en el vacío. El otro, el del Chamamé, con sus varones y hembras groseros, elementales, genéricos, está ligado con lo corporal entrañable, con sus espesas mezclas, con la crasa materialidad, con la animalidad rastrera, con lo fecal. Para Onetti, esta humanidad primaria, degradada a la indiferenciación de la especie, esta concreta emergencia del mundo de abajo, esta regresión al caos, a la indistinción del comienzo, constituye el máximo grado de castigo, de abyección, de bajeza. Esta promiscuidad, esta confusión excrementicia sería mayor castigo que el de ser esfumado por un abstracto vacío o el de padecer «el imaginado infierno general y llameante» (p. 160).

Tres infiernos —vacío, fuego, caos—, tres versiones que presuponen la noción de una justicia trascendental. Infierno, condena, salvación, no son vocablos expuestos por una lectura abusivamente escatológica; están en el texto. *El astillero* abunda en signos de una religiosidad en busca de su dios, de un insatisfecho anhelo de trascendencia que condena a la frustración, como si no hubiera otra posible fundamentación del sentido de la existencia que la suprahumana. Historia y sociedad son inoperantes para satisfacer la apetencia ontológica de Onetti. Si otorgamos al texto el máximo de intencionalidad semántica, su onomástica se vuelve simbólica. En *El astillero* varios nombres son atravesados por el eje de la religiosidad (en versión degradada). Santa María se llama la ciudad a cuya comunidad, a cuya feligresía quiere reincorporarse el excomulgado Larsen (quizá sea una reminiscencia de Santa María de los Buenos Aires). Jeremías Petrus es el profeta en negativo, el predicador alucinado, imbuido de un misticismo empresario que reclama la total adhesión y que ejerce una fascinación fatídica; es la réplica rebajada del demiurgo:

...Friolento, incapaz de indignación y de verdadero asombro, Larsen fue asintiendo a las pausas del discurso inmortal que había escuchado, esperanzados y agradecidos, meses o años atrás, Gálvez, Kunz, decenas de hombres miserables —desparramados ahora, desaparecidos, muertos algunos, fantasmas todos— para los cuales las frases lentas, bien pronunciadas, la oferta variable y fascinante, corroboraban la existencia de Dios, de la buena suerte o de la justicia rezagada pero infalible (pp. 33-34).

Angélica Inés es la traslación alienada de la virgen adolescente, que Angel Rama señaló con acierto como constante en la obra de Onetti [1]. Padre e hija comercian con la demencia; no redimen a Larsen, lo enajenan; no posibilitan su ascenso: precipitan su caída. La lectura arquetipal de *El astillero* convierte a Larsen en apóstol de Petrus y a Gálvez en su Judas, el delator que lo traiciona y se suicida porque no puede librarse de la culpa.

Toda la maquinación narrativa de *El astillero* está movilizada por un fátum irremisiblemente adverso. Lo paradójico es que desde el comienzo del relato se anuncia un desenlace trágico que se revela como ineluctable y que el desarrollo confirmará. La acción no sólo está signada por la adversidad sin grandeza, por el empequeñecimiento, sino también por el sin sentido. Larsen es el héroe alter-ego de la narrativa realista; según ella, un hombre equivale a todos los hombres. La peripecia de Larsen nos es directamente extensible. La literatura realista presupone un continuo entre ficción y realidad, donde la realidad es inmediatamente representable y la ficción representativa. Así, causalidad textual y causalidad empírica se equiparan. En la tragedia clásica, el héroe también lucha contra su sino adverso, pero dotado

---

[1] V. ANGEL RAMA, «Origen de un novelista y de una generación literaria», en *Juan Carlos Onetti,* Serie «Valoración Múltiple», Casa de las Américas, La Habana, 1969, pp. 58 y ss.

de una envergadura humana que le permite oponer una resistencia operante a los designios divinos; es un titán capaz de enfrentar el fátum cósmico. En *El astillero* se trata de un común mortal contra un mundo denigrante, contra la descomposición que lo rebaja a categoría infrahumana; es un enfrentamiento con la anulación en todas sus manifestaciones. Si hubiese que resumir la acción en relación con sus cuatro polos (virtualidad/actualización, mejoramiento/degradación) diríamos que *El astillero* condena a la virtualidad ilusoria, a «la exasperante, histérica, comedia de trabajo, de empresa, de prosperidad» (p. 32), con carencia total de mejoramiento; condena a la progresión anuladora, a una degradación irreversible. Inscribe un clímax degresivo, disfórico. Lo que es avance en el discurso es retroceso en la historia, presidida por la deflación, y la desvalorización.

El *fátum* adverso está señalado insistentemente. Indicado por doquier, desde el comienzo, expresa y alusivamente, denota (ya desde la p. 24, desde la primera entrevista en la glorieta) [2] y connota (invierno, humedad, lluvia, hambre, frío, barro, óxido, maleza, casas decrépitas, vejez, calvicie, utensilios y vestimentas desgastadas) a cada rato el texto. Provoca una restricción del enigma que invalida casi el estímulo del suspenso. Onetti opera una determinación causal y semántica que reduce la amplitud (inestabilidad, plurivalencia, labilidad) del código hermenéutico (aquel que consiste en distinguir los indicios a través de cuya diseminación un enigma se plante, resuelve o revela) [3]. Hay un desplazamiento de la atención: más que el previsto desenlace interesa la intriga como interacción entre lo factual y su repercusión intelectiva y psicosomática en el protagonista. Se produce una trasposición del enigma narrativo en enigma antropológico que dota al texto de una dimensión filosófico-metafísica. Los avatares de la relación hombre-mundo están acompañados por una reflexión a cargo del narrador o endilgada a los personajes, en la que Onetti explicita sus claves interpretativas y simbólicas. Estos detenimientos de recapacitación, de recapitulación, de autoanálisis, infunden a Larsen un espesor epistemológico, lo proyectan hacia una perspectiva supraindividual, supraempírica, lo

---

[2] «Luego vino el primer encuentro verdadero, la entrevista en el jardín en que Larsen fue humillado sin propósito y sin saberlo, en que le fue ofrecido un símbolo de humillaciones futuras y de fracaso final, una luz de peligro, una invitación a la renuncia que él fue incapaz de interpretar» (p. 24).

[3] V. Roland Barthes, *S/Z*, Ed. du Seuil, París, 1970, p. 26.

vuelven formulador de nuestros interrogantes mayúsculos: sentido, destino, tiempo, muerte, puesto del hombre entre los hombres y en el universo, razones últimas en busca de las causas primeras.

El más neto ejemplo de tales disquisiciones es el diálogo entre Larsen y el doctor Díaz Grey, que entabla una relación especular (reflejo y reflexión) entre el actuante y su lúcido observador. Díaz Grey ocupa ese papel típico de la novela realista: es, por su competencia científica, el garante de la información. Onetti relega en este portavoz suyo la función de destinador autorizado de un mensaje cognoscitivo y concierta una transferencia de conocimiento entre personajes, entre un destinador informado y un destinatario ávido por informarse. El efecto, para acrecentar la ilusión de lo real, tiene que borrar por completo las trazas del autor y del lector, destinador y destinatario reales [4]. Díaz Grey encarna la lucidez objetiva, la ecuanimidad; es el único de los personajes reconciliado con la nada fundamental, con sus días rutinarios y sus noches vacantes, sujetas siempre a la invariable repetición de los mismos actos: combinar solitarios, combinar discos, combinar drogas para dormir. Díaz Grey se refugia en una impasible costumbre, se protege en su cubículo concertando un mundo previsible, parecidas ceremonias que lo conducen cada noche «al borde de la verdad y de un inevitable aniquilamiento» (verdad y aniquilamiento son para él equivalentes). Parapetado detrás de la indiferencia y de la incredulidad, la aleatoria irrupción de Larsen viene sorpresivamente a confirmar el absurdo universal, la carencia de sentido y la finalidad de la existencia humana:

Volvió a beber para esconder su alegría y hasta pidió un cigarrillo a Larsen aunque tenía una caja llena encima del escritorio. Pero no deseaba burlarse de nadie, nadie en particular le parecía risible; estaba de pronto alegre, estremecido por un sentimiento desacostumbrado y cálido, humilde, feliz y reconocido porque la vida de los hombres continuaba siendo absurda e inútil y de alguna manera u otra continuaba también enviándole emisarios, gratuitamente, para confirmar su absurdo y su inutilidad (p. 100).

Díaz Grey considera a Larsen un conmovedor iluso que cree poder desviar la fatalidad anuladora conquistando ventajas a

---

[4] V. Philippe Hamon, «Un discours contraint», en *Le discours réaliste, Poétique,* núm. 16, París, 1973, pp. 428 y ss.

fuerza de dureza y de coraje. Para Onetti, pasión, ambición, bravata, son estímulos vitales; vivir es engañarse, buscar pretextos exaltantes, entusiasmos que carecen de correspondencia concreta con la realidad. Pero todo desafío resulta por fin inoperante contra la definitiva hoquedad, irremisiblemente signada por la muerte. Ni el amor ni la procreación constituyen antídotos o paliativos. Las relaciones eróticas de Larsen son morbosas o de conveniencia; para Larsen la gestación humana es tan abyecta como la animal [5]; el hembraje indiferenciado de Chamamé usa «batas manchadas por vómitos y orines de bebés» (p. 160); el parto de la mujer de Gálvez, representado como monstruosidad, le produce espanto y asco. Larsen y Díaz Grey son célibes. La única relación filial, la de Jeremías Petrus con Angélica Inés, está contaminada de farsa y de locura. Onetti refrendaría la sentencia de Borges: «...los espejos y la cópula son abominables, porque multiplican el número de los hombres» [6].

Para Díaz Grey-Onetti la vida está determinada por una previsibilidad fundamental; es un acaecer sin sentido que no mitiga el vacío y que no modifica el desamparo de la condición humana. Anula toda sorpresa, porque ninguna absuelve de la condena a muerte. El destino es la elección aparente de una conducta que la fatalidad negativa preestablece; simulacro de opción «...sabiendo que nuestra manera de vivir es una frase, capaces de admitirlo, pero no haciéndolo porque cada uno necesita, además, proteger una farsa personal» (pp. 105-106). Maneras de vivir son como maneras de hablar (manera: afectación mimética), obran en superficie, corresponden a la esfera no del ser, sino del parecer. Nadie devela la sinrazón, porque cada uno precisa preservar su farsa. Hombre y mundo son inconciliables; el hombre aplica sobre la realidad su universo de sentido, sus apariencias, crea su ámbito mental, sus procederes, sus avatares, su tesitura significativa como si existiese de hecho una correspondencia entre razón, lenguaje y realidad [7]. Las fisuras momentáneas, las

---

[5] «Y tal vez, además, ni siquiera pueda encontrar a Díaz Grey; tal vez haya reventado o esté en la colonia ayudándose con un farol a esperar que una vaca o una gringa bruta se resuelva a largar la placenta. Es así de imbécil» (p. 91).

[6] «Tlön, Uqbar, Orbis Tertius», en *Ficciones.*

[7] Onetti invalida también la instancia de la palabra. El astillero, es indecible; esta extremada experiencia del no ser es verbalmente intransferible («un recuerdo intransferible, indócil a las palabras y al silencio» [p. 104]). La trampa que atrapa a Larsen es innominable («Ahora estaba en la trampa y era incapaz de nombrarla...» [p. 36]). El astillero divorcia al signo de la cosa significada, las palabras no

intermitentes vislumbres, los parpadeos de clarividencia o las experiencias limítrofes —desamparo, desgracia, despojo, aislamiento, quebranto— lo confrontan con el gran Cero, con el absurdo que aparece manifiestamente cuando los símbolos-simulacros revelan su carácter ilusorio, fantasmal. De ahí ese desplazamiento en *El astillero* del enigma factual en enigma antropológico. El inevitable designio adverso hace que el interés no resida en la preparación del desenlace, sino en las conductas, en la puesta en situación de los personajes.

Frente a la caducidad, a la invalidez de toda instancia humana, quedan dos actitudes posibles: la una, parapetarse en la farsa y obstinarse en perpetuarla; la otra, entrar en la madurez que es ingreso en la muerte, asumir la lucidez anuladora de toda ilusión y establecer una sucesión de actos maquinales para rellenar el tiempo vacante. Larsen opta por la farsa, Díaz Grey por la clarividencia. El predominio farsesco convierte a la novela en una doble ficción, la una incluida en la otra. La más vasta es la de primer grado: la historia de la vida, pasión y muerte de Junta Larsen (mosaico que se recompone por la yuxtaposición de testimonios de una multiplicidad de narradores- testigos —Onetti y sus intermediarios— a veces inciertos, alternativamente omniscientes, equi y deficientes). Luego existe una ficción de segundo grado que la otra contiene: la historia ilusoria de una ilusión, la farsa del astillero, el empeño en instaurar el vacío ritual de un simulacro de trabajo productivo asentado en la irreversible quiebra, una complicidad falaz, una confabulación de interés económico, de inercia, de piedad, una necesidad.

La farsa comporta también distintos grados de autosugestión. El máximo se da en el discurso demencial de Jeremías Petrus, activado alucinadamente por su paranoia: *autosugestión permanente*. En Larsen hay una vacilación, una inestable alternancia entre lucidez depresiva y exaltación engañosa; por momentos se contagia de «la locura infecciosa del viejo Petrus»; «su mantenida voluntad de suponer un centenar fantasma de obreros y empleados» (p. 140) lo cautiva y parafrasea las profecías optimistas

---

relacionan con el mundo («Todas las palabras, incluyendo las sucias, las amenazantes y las orgullosas, eran olvidadas apenas terminaban de sonar» [p. 42]). Las palabras se vuelven significantes sin significado («temas de sonido prestigioso y que muy probablemente no aludieran a nada: alternativas de la balanza de pagos, límites actuales de la comprensión de calderas» [p. 46]). La palabra no permite comunicarse; ni comunicar el mundo ni comunicar con otros hombres.

cada vez más vanas, más inconsistentes: *autosugestión intermitente*. Luego está la desilusión pasiva o *autosugestión inerte* de Gálvez y de Kunz, de los apagados, los vencidos, los que intervienen en la farsa sólo como figurantes. El astillero es por fin el único sustentáculo de estas vidas; desenmascarar la farsa comportará la muerte de Gálvez y de Larsen, la definitiva ruina de la empresa, el desmoronamiento del astillero.

Vivir implica la empeñosa asunción de la farsa, tener pretextos para engañarse, estar estimulado, dar forma a la pasión, dar lugar a la bravata, encausarlas para confabularse, para participar en la fabulación. Así cavila Larsen en la última entrevista con Petrus:

Por qué esto y no otra cosa, cualquiera. Da lo mismo. Por qué el y yo, y no otros dos hombres. Está preso, concluido, y la calavera blanca y amarilla me está diciendo con cada arruga que ya no hay pretextos para engañarse, para vivir, para ninguna forma de pasión o de bravata (p. 190).

Los pretextos de Larsen, los movilizadores de la acción narrativa, son su afán de reivindicación, el desafío, el desquite: volver a imponer su presencia en la odiada Santa María, el anhelo de culminar con un súbito ascenso social y económico. *El astillero* relata «las alternativas del combate entre Larsen y la miseria, con sus triunfos y sus fracasos en la interminable, indecisa lucha por cuellos duros y limpios, pantalones sin brillo, pañuelos blancos y planchados, por caras, sonrisas y muecas que traslucieran la confianza, la paz de espíritu, aquella grosera complacencia que sólo puede procrear la riqueza» (p. 58). Combate perdido, invalidado de antemano por el envejecimiento de Larsen, por la convicción de que se acerca el fin, por la conciencia de su caducidad y la aceptación de su incredulidad. Y la farsa, impotente el autoengaño, se vuelve insostenible.

Hay una farsa generalizada que es inherente al vivir y hay una doble farsa particularizada por esta novela: la farsa laboral y la farsa amorosa. La primera consiste en asumir la gerencia ilusoria de una empresa en quiebra, en ocupar un despacho e instaurar los atributos exteriores de un rango ficticio, en adoptar el estilo, el lenguaje y los gestos adecuados al papel. La segunda corresponde al idilio sonámbulo con Angélica Inés, al ritual de la glorieta, a la ficción galante de cortejar una débil mental. Para cautivarla, Larsen adopta la máscara del joven triunfador: «Sonreía sin sombra de resignación al llegar a la glorieta, cincuenta metros después del portón: él era la juventud y su fe, era el que se labra o abre un porvenir, el que construye un mañana más venturoso, el que sueña y realiza, el inmortal» (p. 48). El galán en decadencia necesita conservar su aureola de mujeriego, de seductor avezado, necesita su dosis de ensueño y de sublimación, necesita «reconquistar y conservar tortuosamente un prestigio romántico e inconcreto en el jardín blanqueado de estatuas, en la glorieta que atravesaban despiadados el frío y los ladridos, en los silencios inquebrantables a los que había regresado definitivamente» (p. 149).

Ambos mitos, ambas ficciones, la laboral y la amorosa, tienen por teatro dos lugares paradigmáticos: astillero y glorieta. Astillero y glorieta están signados por la repetición de un modelo que parece instaurado *in illo tempore;* cada uno representa un escenario, un protocolo, una máscara. En estos espacios diferenciados se entra a un tiempo circular sin avance; no al tiempo del eterno retorno natural, aquel que posibilita la comunión, la conciliación plenaria, recuperar la completud primordial, sino a una circulación vacía, degradante y reificadora. Astillero y glorieta tienen sólo consistencia onírica, se vuelven pesadillas. El repetido encuentro crepuscular de la glorieta a idéntica hora «Era cada vez, y cada vez más descorazonador, como soñar un viejo sueño. Y ya, al final, como escuchar cada tarde el relato de un mismo sueño, dicho con idénticas palabras, por una voz invariable y obcecada» (pp. 163-164). Es tal la espectral abstracción producida por la farsa que la carta de Gálvez a Larsen, la única recibida por el hipotético gerente general de Petrus, S. A., se convierte en prueba irrefutable de la existencia del astillero [8]. El astillero es ninguna parte.

---

[8] El espacio de *El astillero* presupone tres mundos: un afuera incierto, Santa María y Puerto Astillero (que a su vez incluye tres ámbitos que determinan tres máscaras y tres juegos escénicos: astillero, glorieta y casilla). Según la convención establecida por el texto, el grado de realidad aumenta a medida que nos alejamos de Puerto Astillero; contrariamente, el grado de indicación y de gravitación semánticas aumentan a medida que nos aproximamos. El indeterminado afuera es un entorno señalado por una diseminación de índices geográficos, paradójicamente reales; allí pasó su destierro Larsen, allí transcurrió su pasado brumoso, allí sucedió su errabundaje sin asentamiento, de allí viene en el momento de ingresar a la narración y allí vuelve, nuevamente expulsado, para morir. Ese mundo exterior representa vagamente el país, un espacio no circunscripto ni descripto, extensivo, nebuloso. Santa María es un microcosmos, supuesta réplica del macrocosmos que la involucra. Ciudad provinciana, semirrural, prototípica,

La farsa presupone una dicotomía, implica una oposición entre realidad e ilusión, o sea, la antítesis ser/parecer, rostro/máscara, autenticidad/inautenticidad, ser profundo/ser superficial. Optar por la farsa significa desechar las evidencias tangibles (fracaso, humillación, decadencia, pobreza, hambre) y asumir los símbolos ilusorios (éxito, opulencia, poder, amor intenso, notabilidad). La perdición de Larsen se debe a que desoye los anuncios concretos, corporales, incontrovertibles; famélico, se obstina en ayunar entre quimeras.

Onetti multiplica las referencias a los dos rostros humanos: el exterior, el público, el estereotipo impuesto por la función social, y el escondido rostro original, la desnudez del comienzo que sólo se devela en soledad o que aflora con la muerte prematura, la cara primera, la dada y no la hecha, la sosegada, la cara «limpia de la triste, movediza preocupación de vivir» (p. 122). La máscara es la careta de empresario ejecutivo que se pone Larsen o la de guapo o la de amador galante; máscara es el disfraz de mujer con que Angélica Inés irrumpe en el despacho de Larsen («Siempre la disfrazaban de chiquilina, la madre, la tía, la costumbre; esa tarde estaba disfrazada de mujer, con un largo vestido negro que transparentaba la ropa interior, enagua o lo que fuera, con zapatos de tacos altísimos...» (p. 146). La vejez fija definitivamente la máscara, la fosiliza en rictus rígido y arrugado, como la que exhibe Jeremías Petrus sobre su «cabeza de momia de mono la que se apoyaba sin peso en las almohadas» (p. 112). El verdadero rostro reaparece esporádicamente, tal vez durante el sueño, o en circunstancias reveladoras, como cuando Larsen desciende por última vez a Santa María para despedirse. Renuncia a vengarse de Gálvez, depone sus urgencias, admite su fracaso y, liberado de la compulsión de su ambicioso proyecto, recobra «la calidad juvenil de sus movimientos, de su andar, de la provocación y la seguridad distraída de sus miradas y sus sonrisas».

---

está dotada de todos los requisitos para volverla verosímil; múltiples referencias topológicas contribuyen a su veracidad: puerto, centro, plaza con estatua ecuestre del fundador, calles, comisarías, jefatura de policía, suburbios, bares, hoteles, comercios, vías de comunicación. Figura el mundo de los otros, la normalidad estatuida, el cuerpo social estructurado según el patrón nacional. En Puerto Astillero hasta el nombre designa una ficción, una inexistencia; teatro del fingimiento, en él sólo lo ruinoso y miserable tiene concreción material. Pero, por relación contextual, sabemos que también Santa María resulta de una onirogénesis. En *La vida breve* asistimos a su concepción; al comienzo del capítulo segundo, Brausen, el protagonista-relator, inventa simultáneamente a Díaz Grey y a Santa María, dos fantasmas de Onetti.

Sólo una vez muerto, Gálvez se desenmascara, exterioriza la cara de abajo: «Ahora sí que tiene una seriedad de hombre verdadero, una dureza, un resplandor que no se hubiera atrevido a mostrarle a la vida» (p. 204).

La noción de farsa se liga y superpone con la de juego. Por un lado implica imitación, juego escénico: interpretar un papel, representar la comedia, asumir la complicidad que impone la ficción teatral, ser alternativamente actor y espectador de los otros comediantes. Por otra parte, juego significa entretenimiento; operar lúdicamente es operar desinteresadamente, desembarazarse de las restricciones de lo real empírico. En Onetti ambas implicaciones intervienen activamente pero con signo negativo: el juego escénico se pervierte, deviene absurda y destructiva mascarada; la diversión liberadora se vuelve jugarreta, delirio, manía; acrecienta a tal extremo su divorcio con la realidad que trastorna hasta enloquecer. Petrus es el jugador cabal, no le importa la ganancia, sino perpetuar el juego. Conoce por acumulada experiencia todas las jugadas, no tiene miedo de perder, está dispuesto a apostar todo: «Desde hace muchos años atrás había dejado de creer en las ganancias del juego; creería, hasta la muerte, violento y jubiloso, en el juego, en la mentira acordada, en el olvido» (p. 116). Larsen juega primero para ganar, para cambiar de suerte; perturbado por el apuro, por el miedo, no puede maniobrar impasiblemente, es un sentimental que finge distante frialdad. Pronto descubre que el fracaso está prescrito y se obstina en encubrir con el juego la evidencia, en postergarla. Esta ficción escenificada a diario con Kunz y con Gálvez, compartida con otros cómplices, se superpone por completo a la realidad, se vuelve aberración, factor de locura. Gálvez y Kunz están más alienados o son aún más farsantes; no creen en la pasada prosperidad del astillero, en lo que palpan, en lo que hacen, pero todos los días vuelven a intervenir en el simulacro de trabajo empresario porque para ellos el juego es más verdadero que el ámbito ruinoso, destartalado donde transcurre, más verdadero que el óxido y la podredumbre. «Y si ellos están locos, es forzoso que yo esté loco. Pero yo podía jugar a mi juego porque lo estaba haciendo en soledad; pero si ellos, otros, me acompañan, el juego es lo serio, se transforma en lo real. Aceptarlo así —yo que lo jugaba porque era juego— es aceptar la locura» (p. 62).

Larsen es el protagonista conflictivo de la narrativa realista, con la conciencia escindida por el infranqueable abismo entre deseo ilusorio y realidad deprimente. Psicologizada, la relación hombre/mundo, el conflicto dramático que impulsa la acción narrativa, se convierte en puja irresoluta entre locura quimérica y cordura nihilista. Los intervalos de insoportable lucidez consisten en cobrar conciencia de la desolación, en salir de la farsa y verla en su verdadera condición alucinadora: «Era como estarse espiando, como verse lejos y desde hace muchos años antes, gordo, obsesionado, metido en horas de la mañana en una oficina arruinada e inverosímil, jugando a leer historias críticas de naufragios evitados, de millones a ganar... Como si estuviera inventando un imposible Larsen, como si pudiera señalarlo con el dedo y censurar la aberración» (p. 61). La farsa aterra porque, desvinculándose de sus partícipes, se vuelve mecanismo autónomo librado a su endemoniada dinámica: «Era el miedo de la farsa, ahora emancipada, el miedo ante el primer aviso cierto de que el juego se había hecho independiente de él, de Petrus, de todos los que habían estado jugando seguros de que lo hacían por gusto y de que bastaba decir que no para que el juego cesara» (168). La maquinería montada con la complicidad de los jugadores se hipertrofia, se vuelve hipóstasis demencial y los aplasta. La farsa acarrea la muerte de Larsen y de Gálvez, porque fuera de la farsa no hay sino «olor de ratas y fracaso», porque salirse de la farsa es entrar en los dominios de la muerte: «En la casilla sucia y fría, bebiendo sin emborracharse frente a la indiferencia del gerente administrativo, Larsen sintió el espanto de la lucidez. Fuera de la farsa que había aceptado literalmente como un empleo no había más que el invierno, la vejez, el no tener donde ir, la misma posibilidad de muerte» (p. 88).

En su papel de observador neutral, imbuido de objetividad científica, Díaz Grey (un alter ego de Onetti) da su diagnóstico incontrovertible: locura infernal de Jeremías Petrus, tara incurable de Angélica Inés. Díaz Grey provoca la máxima deflación farsesca, el máximo distanciamiento entre el simulacro mentiroso y la realidad cada vez más restrictiva, cada vez más denigrante. La oposición se vuelve extremadamente inconciliable. Larsen sufre el máximo desmembramiento entre la ilusión que encubre un mundo ineluctablemente caduco (astillero y glorieta) y la realidad que se reduce a resabios de vida degradada hasta lo abyecto (casilla, Chamamé, pieza de Josefina). A pesar de las evidencias adversas, Larsen persiste en la farsa, en aferrarse a cumplir un designio irrealizable. Aunque con la farsa nada consiguió: ni ingresar a la casa de los pilares («un cielo ambicionado, prometido»), ni reactivar el astillero, ni heredar de Petrus un dominio [9], decide ignorar la muerte de Gálvez, su denuncia del título falso, el desbarajuste postrero que invalida el juego escénico. De regreso a Puerto Astillero, la lucidez anuladora de toda ilusión, pasión, bravata, pretexto, impone sus evidencias: soledad definitiva, imposibilidad de elección. No queda sitio ni para el orgullo ni para la vergüenza, la memoria se deslíe, cesan las urgencias, la tensión se relaja, la conciencia se vacía. Larsen acata la convicción de estar muerto:

...Fue entonces que aceptó sin reparos la convicción de estar muerto. Estuvo con el vientre apoyado en la pileta, terminando de secarse los dedos y la nuca, curioso pero en paz, despreocupado de fechas, adivinando las cosas que haría para ocupar el tiempo hasta el final, hasta el día remoto en que su muerte dejara de ser un suceso privado... Estaba desprovisto de pasado y sabiendo que los actos que constituirían el inevitable futuro podían ser cumplidos, indistintamente, por él o por otro. Estaba feliz y esta felicidad era inservible... (p. 208).

En todo Onetti está presente la oposición, la incompatibilidad entre farsa inconsistente y lucidez devastadora. Madurez significa acatar el absurdo y el vacío, instaurar una sucesión de actos maquinales para rellenar el pozo. Madurez equivale a anonimato, al desmantelamiento de ese proyecto trabajosamente elaborado que es la personalidad individual. Madurez implica la anulación de toda verticalidad ascendente, es sumirse en la indiferenciación del tiempo horizontal. Madurez significa conformarse con la insignificancia, con la poquedad, con la inutilidad de todo acto: «Lo único que queda para hacer es precisamente eso: cualquier cosa, hacer una cosa detrás de otra, sin interés, sin sentido... Una cosa y otra cosa, sin que importe que salgan bien o mal, sin que no importe qué quieren decir» (p. 78). Indiferencia ante un quehacer meramente consecutivo, cuyo progreso es sólo progresión numérica. El futuro no es más que acabamiento.

Para Onetti no hay posibilidad de elección. Todo acto está de antemano prescrito por una fatalidad que lo automatiza, lo vacía de adhesión y de sentido. La sucesión maquinal provoca un constante desdoblamiento reificador, reduce la conciencia a la condición de espectadora de un alter ego que actúa sin integrarla. Entonces los actos humanos aparecen como energías in-

---

[9] V. XIMENA MORENO ALISTE, *Origen y sentido de la farsa en la obra de Juan Carlos Onetti,* Centre de Recherches Latinoaméricaines, Université de Poitiers, Poitiers, 1973, p. 79.

dependientes del sujeto, como determinadores autónomos en busca de un ejecutor:

Larsen supo en seguida qué debía hacer. Tal vez lo hubiera estado sabiendo antes de que llegara la carta o, por lo menos, estuvo conteniendo como semillas los actos que ahora podía prever y estaba condenado a cumplir. Como si fuera cierto que todo acto humano nace antes de ser cometido, preexiste a su encuentro con un ejecutor variable. Sabía que era necesario e inevitable hacer. Pero no le importaba descubrir el por qué... (p. 180).

Actos ajenos o actos vacuos condenan a un automatismo mecánico sin participación integral de la conciencia. Actos ineluctablemente decididos por una casualidad extranjera a la persona o un quehacer deshabitado, desmunido de finalidad, de significación profunda: todo es resta, preanuncio de esa muerte tan insistentemente indicada por los textos de Onetti.

Larsen acepta la convicción de estar muerto. Josefina le ofrece la solidaridad de los pobres, la fraternidad elemental, el vínculo carnal «profundo y espeso». Larsen quema el contrato de Petrus, se hace desnudar y exige a Josefina una entrega silenciosa. El acoplamiento los vuelve idénticos, anónimos, el hombre y la mujer genéricos; los devuelve a la indiferenciación de la especie, a la noche de los cuerpos, a la espesura de confusas mezclas, donde el principio masculino y el femenino, amalgamados, establecen sus oscuras transferencias. La mujer lo despersonaliza, lo torna todos o nadie, lo convierte en ninguno. Larsen accede al perfecto sosiego, a la soledad ausente del no ser.

¿Puede filiarse *El astillero* como novela existencialista? *El astillero* es ante todo una ficción narrativa, no ilustra ninguna doctrina filosófica, pero puede involucrarla transfigurándola en imagen estética. Relata una existencia sumergida en el abismo de la nada, la de un ser en soledad cada vez más absoluta e incompartible, sujeto a una doble carencia originaria que lo condiciona negativamente: la imposibilidad de hallar un principio de razón suficiente y la irreversibilidad de un tiempo signado por la merma. Las posibilidades de dotar de sentido positivo a su vivir le están vedadas: un trabajo que le permita mancomunarse productivamente con la comunidad o una adecuada inserción en la historia colectiva, en la historia con perspectiva de futuro. Carece de la posibilidad concreta de proyectar; carece de la posibilidad de trascendencia, de ese sentido teleológico capaz de infundir significación al presente y al pasado; carece de una dirección que pueda transformar su temporalidad en valor histórico, suprapersonal, que pueda convertir al ser individual en colectivo [10].

Si la existencia, en su precario condicionamiento temporal, no puede elegir su propio camino porque aparece como impuesto en el ser único, en el ser dado, es imposible impedir la pérdida de sentido de la existencia y del ser. Larsen se siente desmantelado, anulado por el divorcio entre existencia y razón, por la sinrazón de la existencia, asolado por la experiencia de la tierra de nadie, absurdamente colocado entre lo finito de la existencia y una eternidad ajena, vacante, inhabitable:

Ni siquiera hablaba para un eco. El viento descendía en suaves remolinos y entraba ancho, sin prisas, por un costado del galpón. Todas las palabras, incluyendo las sucias, las amenazantes y las orgullosas, eran olvidadas apenas terminaban de sonar. No había nada más, desde siempre y para la eternidad, que el ángulo altísimo del techo, las costras de orín, toneladas de hierro, la ceguera de los yugos creciendo y enredándose. Tolerado, pasajero, ajeno, también estaba él en el centro del galpón, impotente y absurdamente inmóvil, como un insecto oscuro que agitara patas y antenas en el aire de leyenda, de peripecias marítimas, de labores desvanecidas, de invierno (p. 42).

El ser de la existencia se revela como ser para la muerte. La experiencia en carne viva de la negación y la ilusoria voluntad de superarla son generadoras de angustia. La necesidad y la imposibilidad de ser, de acceder a la unidad, de trascender imponen una visión nihilista [11]. Ante la nada que anonada, Larsen

---

[10] Esta lectura ideológica se complementaría con una referencial. Saltan a la vista las conexiones de *El Astillero* con el contexto uruguayo. Larsen está condenado a la condición mítica porque el sueño empresario de Jeremías Petrus es impracticable en un país de precario desarrollo industrial, condenado a su vez a la categoría colonial de proveedor de materias primas. Petrus, el extranjero emprendedor que viene a hacerse la América, busca una imposible inserción en el circuito del gran comercio internacional, imposible por la carencia de infraestructura y por la marginación impuesta a los países subdesarrollados. Todo el libro baña en una atmósfera de crisis no sólo moral sino también económica.

[11] El texto entabla una relación especular entre tres visiones que se confrontan y se influyen: *a)* la visión inflacionista, eufórica de Jeremías Petrus, cuyo desmedido optimismo es factor de fracaso; *b)* la visión cínica, oportunista, de un pragmatismo contravenido por la sentimentalidad, la apetencia de aprecio, de reivindicación, de fraternidad; es la visión conflictiva, inestable de Larsen, que alternativamente se engaña y se desengaña frente a la empedernida alucinación

alterna entre una inoperante voluntad de poder y el vacío existencial, sin comunicación ni comunión. La nada lo anula, pone entre paréntesis el mundo, hace que su ser se manifieste despojada y desnudamente como ser anonadado, hace que su existencia aparezca como lugar y tiempo de su autodestrucción. Su destino es empedernidamente negativo.

No hay salida o la salida es escribir *El astillero,* resolver la discordancia, el sin sentido, la enarmonía en imagen estética, en representación orgánica, dar a la insoluble tragedia, a la oposición de inconciliables una resolución formal. Ante la fundamental carencia ontológica, Onetti responde productiva, constructivamente; inscribe una acción textual que constituye un antídoto contra la omnipotencia de la nada.

Paradójicamente, *El astillero* es una comunicación sobre la incomunicación. Pero, si un mensaje sobre la incomunicación es comunicado, implica una merma de esa incomunicación.

El astillero es una novela, una ficción narrativa. No es la alegoría de una especulación filosófica. En una figuración simbólica, es historia, es mito, es fábula, es metáfora. Es una plurívoca urdimbre de signos en claves reveladas y ocultas, un criptograma que permite múltiples desciframientos.

[Publicado en *Cuadernos Hispanoamericanos,* núm. 292-294 (octubre-diciembre 1974), pp. 535-549. Recogido en *La confabulación con la palabra.* Madrid, Taurus, 1978, pp. 77-91.]

de Petrus; *c)* la visión nihilista, sensible, objetiva y pasiva de Díaz Grey; coincide con la de Onetti, termina por dominar en la novela. La interacción entre las tres visiones provoca una inestabilidad que indica la multivalencia del signo hombre y de su plurívoca realidad.

LA MUERTE Y LA NIÑA:
ENTRE EL MITO Y LA HISTORIA

De *La muerte y la niña* (1973) puede afirmarse que representa uno de los momentos de la escritura de Onetti de más alta conciencia acerca de los propios mecanismos imaginativos.

Es un texto áspero, descarnado en su esencialidad narrativa, que presenta, como su referente musical, una elevada concentración sentimental en las escasas escenas que lo componen.

Es un texto «de cámara», en el que se da un movimiento conceptual-referencial abierto hacia temas absolutamente soslayados en la casi totalidad del *corpus* Onetti. Hay una irrupción, sin abandonar la característica alusividad y elusividad que contradistinguen a su estilo, de la Historia extratextual (la guerrilla continental, la experiencia chilena de comienzos de los años setenta).

Simultáneamente, el relato está atravesado por un fuerte movimiento centrípeto de los núcleos imaginativos, un girar alrededor de un centro que se mutila, se transforma o se invierte, manteniendo siempre su cualidad de centro de atracción: la imaginación que produce narración.

«En literatura tiempo se escribe siempre con mayúscula», afirma un innominado narrador [1], indicando así uno de los problemas centrales e interiores del libro. Condición ineludible de su existencia: no antes o después del texto, sino conformándolo desde sus núcleos más íntimos. El Tiempo, entonces, inevitable

---

[1] JUAN CARLOS ONETTI, *La muerte y la niña*. Buenos Aires, Ediciones Corregidor, 1973; cf. p. 31. De ahora en adelante, todas las citas remiten a esta edición. Se indicará el número de página entre paréntesis en el texto.

y con mayúsculas, condiciona no sólo a la escritura, sino también a su actividad antagonista, la lectura [2].

Por una parte, el texto presenta una serie de ambigüedades cronológicas que dificultan su ubicación en la Saga de Santa María, a la que pertenece. Es importante, por ejemplo, la aparente *resurrección* de uno de los personajes más activos y presentes en el relato, el padre Bergner [3]. Además, la narración se niega a cronologizar la historia que el relato presenta con abundantes anacronías y elipsis [4]. Hay, por tanto, dos tipos de conflictos temporales. Uno referido a la serie en la que el texto se inserta. Otro específicamente referido a la historia narrada.

De algún modo, sin embargo, estas ambigüedades y conflictos temporales parecen ser sólo la superficie, la metáfora de otros problemas que el tiempo con mayúsculas de la literatura plantea.

Como en un juego de encastres pueden observarse otros aspectos del tiempo, otros planos de representación y de problematicidad que incluyen a los más evidentes ya mencionados.

No es casual en la estrategia de la escritura de *La muerte y la niña* la irrupción de la Historia (también con mayúscula), contemporáneamente a la evolución de algunos elementos y presencias narrativas de textos precedentes. Ejemplar resulta el caso del personaje-fundador de Santa María, Juan María Brausen, que llega en *La muerte y la niña* a la identificación total con Dios. Dios-Brausen, entonces, para todos los espíritus religiosos del texto. Al mismo tiempo, nunca como en este libro, Díaz Grey se interroga ontológicamente sobre la existencia de los hombres, sobre su propia existencia. Para hacerlo, lleva hasta el paroxismo a su rol de conciencia y memoria receptiva del mundo, asumiendo su esencialidad literaria, el hecho de ser un producto de la imaginación de Juan María Brausen:

Brausen puede haberme hecho nacer en Santa María con treinta o cuarenta años de pasado inexplicable, ignorado para siempre. Está obli-

---

[2] Pierre Macherey, *Pour une théorie de la production littéraire,* París, 1967, cap. VI.

[3] Cf. Angelo Morino, «La Saga de Santa María: Un meccanismo ad alta precisione», en *Studi Ispanici* (Pisa), 1977.

[4] Adoptamos las categorías *historia, relato, anacronía* en el sentido utilizado por Gerard Genette, *Figures III.* París, Seuil, 1972. Es decir, que llamamos *historia* al significado o contenido narrativo, *relato* al significante, enunciado, discurso o texto narrativos y *anacronía* a las varias formas en las que se produce discordancia entre el orden del relato y el orden de la historia.

gado, por respeto a las grandes tradiciones que desea imitar, a irme matando célula a célula, síntoma a síntoma.

Pero también tiene que seguir el monótono ejemplo de los innumerables demiurgos anteriores y ordenar vida y reproducción (pp. 23-24).

La escritura de Onetti, caracterizada por una constante afinación de recursos y procedimientos narrativos y, al mismo tiempo, por una notable «organicidad» de toda la obra (que permite y estimula reencuentros de lectura, desarrollos sucesivos de personajes y situaciones apenas esbozados en los primeros textos, etc.), tiende a crear las condiciones de una lectura diacrónica, tanto de los procedimientos técnicos como de los dos temas más recurrentes. De ese modo se produce con frecuencia una lectura que aísla los temas para seguirlos en toda su historia a través de los textos. La serie se convierte en un referente obligado de cada unidad.

Enfrentados de esa manera, la irrupción de la Historia extratextual, el sentimiento religioso, con el consecuente vacío de Dios, y el tema de la identidad devienen elementos convergentes del texto, pero aislados y distintos entre sí.

Existen, sin duda, otras posibilidades de lectura de las relaciones que mantienen las unidades del texto y sus distintos planos de representación. La Historia y la *historia* son planos y problemas complementarios, si entendemos a la primera como el espacio extraliterario que irrumpe en el texto y a la segunda como los sucesos exclusivamente escriturales. Referirse a la Historia y preguntarse por el sentido y las causas de la *historia,* revela no sólo una estrategia textual, sino también una concepción del mundo, una ideología. Aunque a veces ésta adquiera los rasgos de una tentativa de evitar asumir las categorías, y los errores, ideológicos. Una ideología, en suma, que se presenta como una no-ideología.

Nos enfrentamos a lo que podríamos definir un voluntario destierro ideológico. Cabe preguntarse si este destierro no es de por sí una ideología en la que lo humano («célula a célula»), es el presupuesto necesario de lo político.

El Tiempo con mayúscula, entonces, se plantea poliédrico: ambigüedades cronológicas en la serie narrativa de la Saga de Santa María, pero también en la historia y el relato textuales. En otro plano, la Historia extratextual y la *historia* literaria son objetos de interrogación existencial. Por ellas pasan algunos de los temas que son obsesivos (y, por tanto, le pertenecen también al estilo) de la escritura onettiana: el tema de la culpa, las culpas, y el tema de la identidad.

Como en todos los textos, el *incipit* de la *nouvelle* es extremadamente revelador acerca de los estatutos que rigen su conformación y su lectura:

El médico *se echó hacia atrás* y estuvo un rato golpeando el recetario ya inútil —muerto por el ocio, la vejez y la riqueza no buscada— con el cabo de su lapicera verde.
Pensaba, un instante, *en sí mismo;* pensaba, mirando la cara ascética del visitante imprevisto, imprevisible, el enfermo sano y bien vestido, rígido en su asiento luego de la confesión.

La escena inicial ocupa uno de los espacios de la narración privilegiados de toda la Saga: el consultorio de Díaz Grey.

El que llega es un visitante definido «imprevisto, imprevisible, el enfermo sano»; su llegada al texto lo muestra «con cara ascética». Trae consigo, es portador, de una confesión que ha sido ya entregada a su destinatario cuando el texto inicia; en efecto, el texto traduce la entidad de la misma a través de las reflexiones del médico.

La confesión es el punto de partida de la *historia.*

La historia llega al consultorio de Díaz Grey y éste *se echa hacia atrás,* piensa en sí mismo. De ese modo el texto declara que éste es el verdadero comienzo que la anécdota tiende a ocultar.

La frase que genera el texto tiene una doble vertiente de significación: echarse hacia atrás, en el pasado, y echarse hacia atrás negándose al enfrentamiento.

Echarse hacia atrás pensando en sí mismo, como anota concienzudamente el narrador señalando la clara elipsis de la mirada. La mirada en el propio pasado. Cuando la historia llega al espacio de la narración, la memoria y conciencia del mundo textual representada por Díaz Grey se echa hacia atrás e interroga al tiempo en la forma de su propio pasado.

Pero también, doblemente, ante la confesión que constituye la historia, el médico no la enfrenta, abandona su lugar y deja vacío el espacio de la conciencia.

Sobreimpresión, entonces, de actitudes no necesariamente antagonistas. Hay dos alejamientos frente a la historia: hacia el pasado y *hacia atrás.* En los dos casos y con los dos comportamientos se delinea la estrategia del texto. Refugio en el mito personal, ubicado en el pasado, por una parte; voluntario alejamiento (o destierro) ideológico desde el cual intentar abarcar (y comprender) lo humano que presupone lo político, por otra.

Textualmente lo humano ocupa una pequeñísima parte de ambiente social. El espacio de la sociedad, abarcado desde ese mirador de destierro ideológico, es necesariamente reducido, y Díaz Grey es lúcidamente consciente:

[...] volví a mi sillón y a reflexionar sobre la pequeña parte del mundo que me era permitido creer comprensible (p. 117).

La muerte y la niña está compuesta por pocas escenas, o secuencias narrativas, desarrolladas completamente en el interior de dos o tres habitaciones. Casi como para recalcar lo reducido del espacio social que está permitido creer comprensible, el aspecto «de cámara» de esta narración, aludiendo estructuralmente al referente del cuartero y los *lieder* de Schubert que contextualizan, en primera instancia, al libro.

La muerte y la niña alude desde el título a otro texto que jamás explicita. Y como en el otro texto (la obra de Schubert), también aquí es central la figura del extranjero (sobre la tierra, sobre el texto), el solitario, el viandante arquetípico. Y junto con esta figura, la inevitable cercanía de la muerte que acomuna los dos textos.

La *historia* no se presenta como un *continuum* de sucesos ordenados causal y consecuencialmente uno detrás del otro, sino como una serie no cronologizada, o sólo de manera parcial. Ninguna lectura puede obviar el dato del desfase entre el orden del relato y el orden de la historia, porque al texto le interesa, precisamente, explicitar esta condición de su existencia. La concepción temporal de la historia está dada por un sistema específico de lo que podría llamarse «incausalidad» de los eventos narrados. Nada vincula causalmente las escenas de las que se compone la historia. El mundo histórico específico encuentra las reglas de su sistema causal en el relato. En el ordenamiento y en las digresiones del relato. Analizar la relación de las secuencias entre sí y con las digresiones que generan, acerca aún más la lectura a las condiciones de producción de la escritura.

El relato puede leerse como la suma de cuatro grandes secuencias unidas, o separadas, por las respectivas digresiones. (Por supuesto, este modelo de análisis no tiene ninguna pretensión normativa sobre la lectura, sino sólo la intención de focalizar la atención sobre algunos posibles aspectos de la misma.)

La primera secuencia sería la de la llegada de la historia. Díaz Grey ha recibido ya la confesión que genera la historia, que la constituye, cuando el texto comienza. El texto no transcribe la confesión, la traduce a través de las reflexiones que la misma provoca en Díaz Grey. Goerdel, el «enfermo sano» llega al consultorio del médico no para ser curado, sino para anunciarle el futuro, inevitable uxoricidio. La maternidad encierra peligros mortales para Helga Hauser, la esposa de Augusto Goerdel, pero conflictos de orden religioso impiden tomar las precauciones del caso. La obediencia a las normas, a la escritura de las normas de Dios-Brausen que está en los cielos, se plantea como causa y excusa para la futura, probable muerte de la mujer. Díaz Grey se niega a recetar, a escribir soluciones en las que no cree. El mensajero que anuncia la muerte ha dejado una historia verdadera, ineludible. Habíamos revelado que el verdadero comienzo textual es un echarse hacia atrás. Díaz Grey piensa en sí mismo, en los rasgos de la identidad perdida en un inefable pasado. El texto transcribe el pasado de la secuencia y de los personajes. Se disgrega en los mitos del amor y de la identidad inalcanzables de Díaz Grey, vincula por contigüidad a «la mujer condenada» y a la hija ausente de Díaz Grey, «conocida sólo por malas fotografías». La segunda secuencia tiene un nombre textual. El narrador la llama la «anunciada farsa mutua» y es la culminación del pasado de Augusto Goerdel. La anunciada farsa mutua se desarrolla dentro del cuarto del adolescente Goerdel en el Seminario. El padre Bergner declara las razones de la elección de Augusto, la doble simulación (del adolescente, del sacerdote) acerca de la pasión religiosa del muchacho. Explicita sus intenciones en lo que se refiere al destino elegido para Goerdel. No será un sacerdote, será un escribano. Su trabajo para la Iglesia consistirá en cuidar los bienes económicos de la misma, en aumentarlos.

La tercera secuencia describe otra llegada de un visitante al consultorio de Díaz Grey. Este es un visitante conocido. Jorge Malabia trae consigo la noticia de la muerte de Helga Hauser y la fallida venganza: «La mató —gritó Jorge—. La mató a medianoche con un varón. Ella había siempre pensado en una hembrita. La mató a medianoche y lo buscamos para matarlo pero ya se había escondido» (p. 59). Díaz Grey desenmascara la hipocresía que hay detrás de la pretendida venganza, le descubre a Jorge Malabia la hipocresía y la farsa con que éste asume la historia. El reconocimiento de Jorge adquiere forma de pregunta: «¿Quién es usted?» (p. 71). Interroga él también a la historia a partir del pasado ejemplar del texto, el de la conciencia-memoria del mismo. La respuesta a la pregunta es lo que podría darle nombre a esta tercera secuencia: la secuencia de las fotografías. Díaz Grey explica su pasado mostrando las huellas encerradas en un «sobre hinchado de fotografías y cartas». Pero no lee las cartas, el pasado escritural es elidido en el texto, explica y muestra sólo las fotografías que reproducen el rostro «de la mujer sin cara», la hija ausente de Díaz Grey:

—Dejé de verla cuando ella tenía tres años y conservo todas las fotografías que pude conseguir, casi desde su nacimiento hasta esa edad. Después, muy espaciados me llegaron otros retratos, otras caras que iban trepando bruscamente las edades, no se sabía hacia dónde, pero sí alejándose de lo que yo había visto y querido, de lo que me era posible recordar [...] Con una regularidad cíclica *sustituía los naipes de mis solitarios nocturnos* [...] Sacaba el sobre de las fotos, apilaba las fotos, los naipes del nuevo solitario y seguía el juego [...] Pero el solitario con las fotos tenía sus leyes y yo las respetaba [...] Hasta que supe, tanto duró el juego, que ella no era ella, que yo estaba viendo otra persona sin relación con el montoncito de fotografías coleccionadas durante los primeros tres años, lejos de aquí, *en el otro mundo perdido* (pp. 76-80; subrayado, mío).

La conciencia-memoria del texto, Díaz Grey, *se echa hacia atrás* nuevamente cuando debe explicar su persona. Recurre al pasado, al atrás de la historia. No acepta el pasado como complementario y orgánicamente necesario del presente. Se echa hacia atrás frente a la historia, negando no sólo el presente y el futuro, sino inclusive la esencia misma del pasado que los contiene. Hay un juego de sustituciones en profundidad que rige los movimientos del texto. De la posible explicación se utiliza sólo una parte: no se leen las cartas ni se las comenta, sólo se mencionan. Se muestran las fotografías. Con ellas se realiza un juego que es propio de los naipes («cartas» justamente). El solitario se juega con las fotografías, no con las cartas ocultadas.

Los textos (las cartas) se sustituyen en las imágenes (las fotografías). Contemporáneamente, la Historia (la *historia* que la metaforiza) se sustituye con el mito (personal-social).

La tentativa de detener la imagen del sentimiento seleccionando las fotografías desde el nacimiento a los tres años de la niña (la niña de la muerte es sustituida en el juego por la niña del mito personal de Díaz Grey), ilumina el intento de detener el tiempo de la historia en el mito textual.

La cuarta secuencia elige también el espacio del consultorio y de la casa de Díaz Grey para desarrollarse. También en este caso se trata del arribo de un portador de historia. El mensajero es el mismo Goerdel de la primera secuencia. Es el segundo retorno, después de la muerte y la fuga [5], al pueblo. Sólo que ahora el visitante, que es conocido, no es más el mismo. Goerdel ha cambiado nombre, es sacerdote católico, «papista», en la Alemania comunista, y sigue teniendo hijos con su segunda esposa. La historia que trae tiene forma de cartas. Le deja a Díaz Grey las fotocopias de las cartas que demuestran su antigua inocencia.

Las cartas, verá, son repugnantes. Pero las fechas no fallan, son exactas. Usted es médico y comprende. Yo no estaba en Santa María cuando la concepción de la hija asesina. Ni siquiera en el caso de una sietemesina adiestrada (p. 121).

El visitante deviene, en esta secuencia, un núcleo productor de sustituciones. No sólo las que él mismo representa, en su extranjeridad aumentada, en su nombre cambiado, sino sobre todo en dos sustituciones que modifican radicalmente la lectura precedente. La sustitución del niño por la niña realiza explícitamente los desplazamientos por contigüidad textual que se habían puntualmente verificado con la hija ausente de Díaz Grey. Las cartas, las fotocopias de las cartas, replantean la identidad del asesino. También en esta secuencia se elide, en el texto, la transcripción de las cartas del amante de Helga que modifican la historia, la hacen otra. El texto les gira alrededor, describe las cartas físicamente y con minucia, deduciendo el peso de la mano que las ha escrito, el tipo de tinta, las lecturas que denota su composición. Díaz Grey y Jorge Malabia en un ejercicio de crítica textual descubren la matriz narrativa de las cartas:

Descubrimos también —y acaso fue éste el único pobre orgullo que nos dejaron las madrugadas— que todas las cartas habían sido redactadas

---

[5] El primer retorno se verifica a varios años de distancia de la muerte de la mujer y también de su segundo retorno. Intenta cumplir el sueño en el que se le aparece la mujer muerta, presentándole a la niña de la familia Insauberry. Si por una parte el texto parece indicar el próximo y probable matrimonio de Goerdel con la niña, la secuencia final sugiere la idea de que el matrimonio no se ha realizado. Se habla de la segunda mujer, «la Bock».

con un estilo idéntico: se iniciaban cursis y platónicas, se mantenían así durante dos párrafos y luego caían... (p. 120).

Se habla de las cartas, se las analiza, pero el *corpus* de las mismas no aparece, no está transcrito. Las cartas están ausentes del texto. Desaparecen mientras el texto habla de ellas. La elisión de las cartas señala, también, la elisión que el mismo texto realiza del momento de su propia enunciación. La firma al pie de las cartas es una letra H. El desconocido autor de las cartas no presentes está representado por una letra «ausente» en el código español.

Abandonándose al movimiento centrípeto que atraviesa la narración, se descubre que en realidad las cuatro secuencias que componen el conjunto son sólo dos escenas fundantes del texto, dos núcleos imaginativos desde los cuales se desarrolla el relato, invirtiendo, mutilando, sustituyendo los elementos que lo conforman.

Hay dos escenas que pueden considerarse «primitivas», no en el orden temporal de los sucesos, sino porque las condiciones de la existencia de éstas, condicionan textualmente (en la escritura y en la lectura) las de sus duplicaciones.

La primera secuencia es la escena «primitiva» de la cuarta. La segunda secuencia, la anunciada farsa mutua, es la escena primitiva de la secuencia de las fotografías.

La escena inicial condiciona la lectura primera del texto (en sus múltiples variantes y posibles acercamientos). La llegada del extraño visitante corresponde a la anunciación de la historia. El visitante trae una historia. El destinatario de la misma ejecuta la primera acción, fundante, del texto, echándose hacia atrás, interrogando las condiciones de su propia existencia a través de los estatutos de su pasado. El tiempo de la historia se elude mediante el tiempo del mito.

El visitante anuncia una futura muerte, un asesinato del cual él será el ejecutor. Se anuncia un nacimiento que provocará la muerte. La conciencia-memoria del texto, Díaz Grey, interroga su pasado para eludir a la historia y coloca en contigüidad a la misma, el mito personal de la hija ausente, sólo conocida por malas fotografías.

Por la focalización de los elementos semánticos de la historia, que el relato transmite mediante las reflexiones que la misma provoca en Díaz Grey, el texto plantea las condiciones de su producción como respondiendo a las categorías de la novela policial. Decíamos, la serie semántica que produce la reflexión de Díaz Grey: asesinato, uxoricidio, Destacamento de Policía, médico forense, futuro crimen, testigos de cargo, en la apertura del texto. Además, su estatuto de médico que recibe una confesión (otro elemento de la serie) reenvía a la figura del médico-detective que el género cuenta entre sus prototipos.

Planteada como novela policial, la apertura repite también una de las variantes del enigma. No quién es el asesino, sino cómo se llegará a probar su culpabilidad.

La secuencia final del texto, la secuencia de las cartas, repite especularmente en el cierre del relato las condiciones de la escena primitiva. Aquí también hay un visitante, que es el mismo y es otro, portador de una historia que contradice y complementa a la primera. Viene a explicar su pasado, que es el pasado del texto. Viene a infamar. Si en la escena primitiva, Díaz Grey se niega a escribir nada, en su repetición especular es el escribano Goerdel quien deja las copias de las cartas. En la escena primitiva, la tentativa de eludir la historia pasaba por un echarse atrás hacia la interrogación del propio pasado. En la escena de las cartas, es el visitante el que responde las preguntas alrededor del estatuto de su propio pasado. Si la conciencia-memoria de Díaz Grey llega al paroxismo escritural de su propia existencia, interrogándose por el destino de su ser de escritura en la primera escena, puntualmente las cartas del amante de Helga, las copias de las mismas, se ofrecen como escritura que puede ser desvelada.

Siguiendo la clave de lectura de la novela policial, la segunda anunciación de la historia asume todos los desplazamientos y las sustituciones del texto y ofrece, en el cierre, una clásica apertura del género: se conocen las condiciones de realización de un crimen, no se conoce la identidad del autor.

Sin embargo, las condiciones de producción de la escritura no se encuentran solamente en las relaciones que las secuencias del texto mantienen entre sí. También las digresiones que éstas generan, y las relaciones con las secuencias, son condiciones de la narración. La relación entre la historia y las digresiones de la misma representan, de por sí, una concepción de la historia.

En la escena primitiva, junto a la serie de indicadores semánticos de la clave policial de lectura, interviene otra serie referencial literaria. Las reflexiones que la historia del visitante provocan en Díaz Grey dan la señal de ingreso al ámbito imaginario bíblico. Que no compone, como en el caso de la serie «policial», una serie prevalentemente léxica, sino que incluye junto a esta última una serie de figuraciones que compondrán y caracterizarán la mayor cantidad de digresiones de la historia textual.

Es evidente, ya desde el punto de partida de la serie, la predilección por el antiguo testamento. Las reflexiones de Díaz Grey conllevan todo el conjunto de elementos que conformarán las más claras digresiones posteriores:

[...] se pasea por estos restos de Santa María con una carta colgada que apenas le roza el lomo, porque su andar es de malicia y lentitud, un cartel que anuncia en gris y rojo: Yo mataré. Con esto le basta. Es sincero, no puede decir que deseó la mujer del prójimo porque estaría mintiendo (p. 10).

No sólo una serie de indicadores semánticos fácilmente ubicables, sino un referente que condiciona las relaciones de la conciencia-memoria de Díaz Grey con los portadores de la historia.

La lectura de la primera escena «primitiva» y su duplicación, abre el camino para la lectura de la segunda escena «primitiva», para el segundo núcleo imaginativo productor de la narración.

La secuencia de la anunciada farsa mutua, para utilizar su mismo nombre textual, es la culminación de una historia esquemática: un sacerdote, el padre Bergner, elige, entre los niños de la Colonia suiza, uno al que asignarle un destino. El niño y el adolescente son sabiamente guiados en sus aparentes elecciones. La escena de la anunciada farsa mutua consiste básicamente en la explicación que el sacerdote da al adolescente sobre su pasado, donde el padre revela al hijo (no es forzar al texto explicar esta relación) los caminos de su futuro.

En la estrecha celda del adolescente, dominada escénicamente por «la opacidad gris de la ventana», se produce el pasaje de la niñez a la vida de adulto. El padre-sacerdote desvela los escondidos mecanismos que habían dirigido hasta el momento la vida del muchacho y descubriéndolos lo inicia en un nuevo tipo de hipocresía, consciente de su propia estructura y de sus propios límites.

Cae el telón sobre el simulado destino del sacerdocio y comienza la secularización de la persona de Augusto Goerdel, escribano, pieza económica del poder eclesiástico [6].

---

[6] Es en la escena de la iniciación de Goerdel por el sacerdote Bergner que el texto enuncia los cambios que comienzan a verificarse, paródicamente, en la estatua ecuestre del Fundador-Brausen (Dios).

La duplicación de esta escena primitiva se presenta en contigüidad en el texto. Inmediatamente después, frente a la primitiva versión, se desarrolla la escena de las fotografías.

La secuencia se inicia con el arribo de Jorge Malabia para anunciar la muerte prevista de Helga Hauser. El relato focaliza la simulación, la farsa que hay detrás de la proclamada ansia de venganza de Malabia. Son los ojos del médico, del adulto padre que descubren también aquí las hipocresías de un pasado y de un presente para el muchacho Malabia. Una lectura atenta de las dos secuencias, se encuentra inevitablemente con las simetrías del relato. La presencia del adulto como iniciador de un nuevo código de lectura de la realidad. El pasaje a otro saber que los adolescentes realizan. El desvelamiento de las hipocresías y farsas que se simulaba a medias creer.

Ejemplar la duplicación en estos pasajes. Bergner, el sacerdote, descubre al Goerdel adolescente:

¿Es que tú creíste alguna vez que yo creía tus farsas? ¿Que no supiste desde el principio que yo simulaba creer en ellas... y creer en mis palabras de estímulo y confortación? (p. 47).

Díaz Grey, el otro sacerdote-padre laico, descubre poco más adelante al Malabia adolescente:

—No —siguió Díaz Grey—, nunca tuviste un amor verdadero por el melodrama. Pero caíste gustoso en la facilidad de negarte por medio de farsas. Es lamentable; como diría tu pariente Bergner: que Brausen te perdone (p. 69).

Las relaciones especulares se dan, negándose, invirtiéndose, también respecto al pasado. En la escena primitiva el sacerdote quiebra el mito de la pasión religiosa e inaugura el mito del poder económico. En la duplicación, el padre laico inicia a Jorge Malabia en el ámbito del mito personal (el pasado de las fotografías), inaugura la conquista del pasado como término medio de la vida social.

La serie referencial del Antiguo Testamento caracteriza las digresiones de la historia. El imaginario bíblico acude solícito para ayudar al médico Díaz Grey en su trabajo de interpretación de la realidad. Cuando inicia la secuencia de las fotografías y Jorge anuncia la efectiva muerte de la mujer, el texto repite obstinadamente el gesto del *incipit*. Díaz Grey se echa hacia atrás frente a la historia e interroga los estatutos de la persona recurriendo a la mitología bíblica. La digresión es idéntica, en el estilo, a la del *incipit*. Las múltiples posibilidades del echarse hacia atrás encuentra una salida en la relación que se establece entre la historia y el mito interrogado. La muerte de Helga Hauser, o el asesinato de Goerdel, remiten al relato bíblico del asesinato de Caín.

La relación que se instaura entre las digresiones míticas y la historia adquieren otra posible significación. El pasaje de la historia al mito cambia estatuto si el mito no se entiende como lo opuesto de la historia, sino como su reduplicación textual.

Las escenas primitivas, verdaderos núcleos imaginativos productores de narración, pueden asumir también la formalización mítica que sobrentendían: la anunciación y la iniciación.

Cabe interrogarse, ahora, si acaso no son dos elaboraciones de una escena única, primordial, donde convergen imágenes arquetípicas comunes: el visitante extranjero (de otro reino, de otra edad), el nacimiento y su condición indispensable y previa, la muerte y sus variantes [7].

Las líneas de la estrategia textual identificadas en el refugio en el mito personal ubicado en el pasado, y en el voluntario destierro (alejamiento) ideológico, desde el cual intentar abarcar y comprender lo humano que presupone lo político, devienen más claras gracias a las digresiones míticas en las que el mito finalmente, se define no por oposición a la historia, sino como su reduplicación textual.

El recurso a la coherencia del tiempo y de la estructura del mito forma parte también de la astucia con que la conciencia central del texto parece oponerse a la digregación de la persona. Lo humano, que es el presupuesto de lo político, encuentra una recomposición posible de sus unidades dispersas en el mito. La «incausalidad» que parece regir a los eventos de la historia, encuentra su sistema específico de causalidad en una historia interior.

La formalización textual del núcleo imaginario de la anunciación-iniciación representa, por una parte, la posible recomposición de la persona en un espacio diferente al de la historia que

---

[7] Acerca de los mecanismos del rito de iniciación que incluyen la muerte real o figurada, cf. VLADIMIR PROPP, *Las raíces históricas del cuento,* trad. española, Madrid, Editorial Fundamentos, sin indicación del año de publicación, y J. G. FRAZER, *Il ramo d'oro,* trad. italiana, Turín, Boringhieri, 1973.

el texto teoriza. Simultáneamente señala que ese espacio cultural de recomposición no está dentro o fuera, antes o después de la historia, sino que es la condición misma de su existencia.

[Publicado en *Perspectivas de comprensión y de explicación de la narrativa latinoamericana*. Ed. de José Manuel López de Abiada y Julio Peñate Rivero. Bellinzona, Suiza, Edizioni Casagrande, 1982, pp. 199-214.]

DJELAL KADIR

SUSURROS DE EZRA POUND
EN *DEJEMOS HABLAR AL VIENTO*

Invoco el nombre de este «viejo loco» que confundió todos los síntomas con todas las causas... el Poeta Libra, un fantasma veneciano, ...recluso de un manicomio americano» (la caracterización es de Polo Febo) no porque lo impera el despotismo del epígrafe de Onetti. Lo invoco porque la presencia de Ezra Pound como voz epigramática en esta última novela de Onetti reivindica cierta sospecha que me viene asediando desde mi lectura inicial de la primera novela publicada de Onetti: la sospecha de que el pozo y el vórtice se afilian por más que la coincidencia de su forma geométrica; que el paralelismo superficial entre estas figuras topológicas secreta cierta afinidad fundada no en la geometría sino en un lenguaje y su ávido logocentrismo; que la figura metafórica de pozo o vórtice es nada más que estrategia retórica (en el sentido clásico del término) de reificación y, por eso, una jugada de ofuscación y ocultamiento a través de un vertiginoso tragadero. Así como toda reificación de la Imagen mistifica a ésta, cargándola de una mitología ideológicamente contaminada, la metáfora abismal y deglutidora de pozo y vórtice resulta, para la narración de Eladio Linacero y el discurso poético de Ezra Pound, un atragantamiento conllevador a un devolver emético: Linacero, después de su empozamiento discursivo en la configuración de una biografía que resulta grafografía (como diría Elizondo), se encuentra despojado por el remolino del discurso configurador y su lenguaje en la opacidad nocturna del tiempo y de la metáfora: «Todo es inútil y hay que tener por lo menos el valor de no usar pretextos. Me hubiera gustado clavar la noche en el papel como una mariposa nocturna. Pero, en cambio, fue ella la que me alzó entre sus aguas como el cuerpo lívido de un muerto y me arrastra, inexorable, entre fríos y vagas espumas, noche abajo.»

La inadecuación del intento de lograr una simbolización, una metáfora discursiva que «clave» la noche o la vida en autobiografía, es decir, en autoescritura (escritura que se escribe a sí misma y a Linacero), significa la devolución del autoescritor y de la imagen discursiva de su metáfora a un plano de escritura, de lenguaje, de texto que no son pretextos (como dice Linacero que no deben ser) para una biografía, una vida, sino entes de lenguaje, cifras gráficas, literatura en sí; figuraciones de autorreferencialidad que se significan como texto y no como pretexto de significantes. En este sentido, *El pozo* nos da a conocer el habla primera del viento en la distinguida carrera de Juan Carlos Onetti, es decir, la coincidencia, el cruce de una dialéctica cuyos términos consisten de una vida que se autoengendra y de un lenguaje que conscientemente apunta hacia sí en la articulación de su propio ciframiento.

Analógicamente, y aquí hablo sólo de analogías sin pretensión alguna a la existencia de *rapports de feit* o causa y efecto documentables entre el *Vorticismo* de Pound y *El pozo* de Onetti, la figuración del vórtice significa para Ezra Pound, así como lo deja bien sentado en su *ABC de la lectura* (1934), un proceso, una estratagema de devolución, de repetición que interminablemente se autorrefiere. El objeto tanto como la finalidad de tal proceso, así como resulta para el Linacero de Onetti, son el lenguaje, la escritura como finalidad de su propia cifra y configuración. Así como los sueños fantasiosos que constituyen el pasado, es decir, la materia biográfica de Linacero, el pasado para Ezra Pound ya integra un texto, no pretexto, como dice Linacero, sino un pre- texto. El vórtice de Pound, así como el pozo de Onetti, consta de una reinscripción de lo ya escrito, de inscripción previamente figurada como escritura, circunstancia que se ostenta aún más en el ciclo Santa María cuya elaboración por Onetti constituye la reinscripción de lo ya prefigurado por el fundador mitopoiético: Juan María Brausen. Claro está, y que quede bien dicho, que el paralelismo carece de consonancia categórica, ya que Onetti funciona dentro de un topocosmos autocreado y engendrado dentro de su propia intratextualidad. Por otro lado, Ezra Pound intenta una devolución o repetición, una reinscripción de la textualidad del patrimonio histórico, de una larga tradición literaria, especialmente en los *Cantos*. Si se considera a este proceso del discurrir textual, esta agregación de restos de un alfabeto disperso (como dirían Valèry, Borges y Paz) como reinscripción, es decir repetición transgresora o traducción, Ezra Pound reinscribe a Homero, Virgilio, Confucio, Dante, mientras Onetti (así como Linacero en el juego dialéctico entre su pasado biográfico y su presente auto-escrito/r) reinscribe a Onetti; tarea mucho más problemática y enredada que emprende un continuo autodesplazamiento. En su *ABC de la lectura* Pound asemeja dicho proceso de reinscripción o agregación devolutiva al barajar de las hojas de un cuaderno de páginas sueltas, diferenciándolos del topos tradicional de un palimpsesto. Para Pound, el cuaderno constantemente violado por el proceso de barajar es la tradición literaria; para Onetti, tendría que ser la saga y «tradiciones» de Santa María. La repetición transgresora, para los dos, no anula el pasado barajado sino mantiene la «alteridad», *la diferencia,* diría Derrida, de dicho pasado y orígenes de fundación.

Dejemos hablar al viento complica esta dicotomía que he trazado entre Onetti y Pound, ya que dicha obra desdobla la empresa de repetición abarcando no sólo una referencialidad intratextual sino, a la vez, una recursividad y reinscripción intertextuales. Así a los referentes de Onetti que tienen como objeto el topocosmos cerrado de su propia escritura (e.g., el viento de Santa Rosa, tan clara en la configuración del discurso textual de *La vida breve* y en la fundación de Santa María), se añade una dimensión más «literarófaga» que abarca, entre otros, a Giambattista Vico *, al mismo Ezra Pound, y a textos onettianos, como *El pozo,* que no figuran dentro de ese mundo cerrado de Santa María. Así, la necesidad, por lo menos para este lector, de una aproximación a esta obra de Onetti desde puntos de partida y perspectivas aparentemente ajenas a nuestro autor.

El desdoblamiento reiterativo forjado por Onetti en *Dejemos hablar al viento* presenta una serie de dialécticas vertiginosas, un esquema plural de equívocos en forma de cajas chinas, una figuración de polivalencias cuya resonancia se estructura en *rhetos* de *mise en abîme.* Amplifico: toda repetición o reiteración es configuración dialéctica en que consta la repetición y lo repetido, lo anterior y lo presente. En este plano, Onetti desdobla la

---

* Voy glosando la alusión a Vico, precursor clave para la lectura de esta obra de Onetti y para el deslinde de un esquema de repeticiones, los *corsi* y *ricorsi* de la *Scienza Nuova.* Una discusión más completa de este nexo entre Vico y Onetti forma parte de otro estudio que actualmente estoy preparando.

dialéctica misma por la invocación de textos previos suyos y, a la vez, la invocación de textos ajenos como los ya mentados. Dentro de este marco equívoco, es decir, de dos voces, figura otro. Este segundo desdoblamiento consiste en una paradoja, de una figuración enigmática, ya que *Dejemos hablar al viento* es simultáneamente una peroración y una anunciación a la vez, es decir, una culminación ultimadora, finalizadora y una inauguración. El primer término, la culminación y finalidad, está señalado por el epígrafe de Ezra Pound y por nada menos que la conflagración en la novela que consume a Santa María en ese incendio apocalíptico y depurador obrado por El Colorado. Hablaré del segundo término, es decir, de la inauguración, acto seguido. Por el momento, permítanme elaborar sobre el primero: la culminación.

Las tres líneas epigramáticas que encabezan esta obra de Onetti tienen su origen en el «Canto CXX» de Ezra Pound. Este «Canto» forma el último fragmento, la última entrega en esa obra voluminosa de *Cantos* que se integra a través de más de medio siglo. El «Canto CXX» se redactó en 1969 y no se integra al corpus de los *Cantos* del poeta hasta el año de la muerte de éste, es decir, en 1972. Entendamos bien que el «Canto» elegido por Onetti como cifra epigramática y titular para su obra consiste del canto autoepitafio para la obra de Pound. Las líneas elegidas por Onetti constan de los versos segundo, tercero y cuarto de dicho canto. Permítanme la presentación del canto original:

> I have to write Paradise
> Do not move
> Let the wind speak
>   that is paradise.
> Let the Gods forgive what I
>   have made
> Let those I love try to forgive
>   what I have made.

La autoinscripción, la autorreferencialidad textual del poeta y su obra quedan claramente obvias dentro del texto. Su carácter es una marcada hipóstasis, es decir, un deslinde de los fundamentos esenciales y subyacentes de este canto en particular y de la obra entera del poeta en general. Una hipóstasis es, por definición, un acto reiterativo, un gesto de inmovilidad, de cesación, de pausa; un desistimiento para sondar las profundidades del fluir heraclitano, es decir, un *contratiempo*. Que nos mantengamos alerta a las polivalencias del término: *Contratiempo* significa la postura creadora del escritor frente a la adversidad de contradicciones enigmáticas. La pertinacia ante la paradoja del pasado ausente como presencia en la actualidad de un presente imponente y reiterador, de repetición y devolución. *Contratiempo* significa la capacidad de forjar de lo equívoco del lenguaje una reconciliación momentánea en la textura, en la textualidad de la escritura. La capacidad de ponernos las máscaras (las *personae* de Ezra Pound que dan el título a uno de los primeros poemarios del Poeta Libra) y la máscara de la ironía para poder percatarnos de la veracidad del desengaño y la mentira; para poder entrever, leer y engendrar la pertinaz y duradera mentira *contra el tiempo,* es decir, la ficción, así como la define Flaubert. Una mentira cuya verdad es la paradisíaca creación de la literatura; un *Paradiso* que, como confiesa Pound, ha intentado forjar con su escritura. Llámese paradiso o Santa María, lo que perdura contra el tiempo (el contratiempo), a fin de cuentas, es la única verdad que nos queda y, aunque se funde en el artificio de la mentira, en la *inventione* ciceroniana, en la ficción de Flaubert, hay que afirmar enfáticamente con Ezra Pound y Juan Carlos Onetti que «Le Paradis n'est pas artificiel», verso clave del «Canto LXXIV» de Pound. Hay que reiterar, como lo hace el mismo Pound en el «Canto XCII», en contra del famoso *dictum* de Baudelaire:

> Le Paradis n'est pas artificiel
> but it is jugged
> For a flush
> for an hour
> The agony,
> then an hour,
> then agony
> Hilary stumbles, but the Divine Mind is abundant
> unceasing
> *improvisatore*
> Omniformis
> unstill...

Nos consta seguir el ejemplo de Pound en el proceso de la lectura, es decir, en el avivar de la escritura nos consta barajar las hojas sueltas del cuaderno, así como nos incita este «viejo loco» en su *ABC.* Al hacerlo sobreponemos el «Canto XCII» por encima de, invertimos el orden de su anterioridad al «Canto

CXX» y nos basta ver que la hipóstasis, el cesamiento son momentáneos, que el vórtice gira en su frenesí repetitivo y reiterador, que el pozo y el viento nos despojan vertiginosamente desde la pronunciada peroración y acabamiento hacia la anunciada inauguración. Ya vuelvo en este momento a la encrucijada de la dialéctica, o al desdoblamiento bifurcado que postulé anteriormente; al segundo término, la voz inaugural que enigmáticamente coexiste con la finalidad e hipóstasis dentro de esta obra onettiana.

El referente epigramático de esta obra sí se origina en el texto epifonémico de Pound; Santa María sí se incendia y consume; Juntacadáveres sí es una aparición, un fantasma agusanado. A despecho de todo este pesar, quede dicho que *Dejemos hablar al viento* es una obra inaugural, un texto de apertura y anunciación. Porque, conscientemente o no, Onetti ha dado con el principio clave de Santo Tomás de Aquino, principio que nos abre las puertas a la lectura y posibilita, así para Ezra Pound, como para Onetti, un proceso de escritura como lectura o la inscripción como reinscripción: *Nihil potest homo intelligere sine phantasmate.* Ofrezco la entonación española de Fuentes en *Terra Nostra:* «Nada puede entender el hombre sin las imágenes. Y las imágenes son fantasmas.»

La presencia del texto, sacro o profano, equivale a la afirmación, la *presentación* de la ausencia. La representación significa una duplicidad, un equívoco que presencia, que da presencia, al texto o textos anteriores y, a la vez, a la ausencia que infiere en aquella textualidad anterior. La escritura es un sucedáneo del objeto ausentado en el proceso de textualización sea este dios el autor-precursor o Juntacadáveres. A partir de la textualización original (momento del Génesis para los que creen en la Palabra de San Juan o para los que consideran el cosmos como un libro), la escritura es rito de invocación y todo rito es por definición infinitamente repetible, reiterable, devolutivo; sus actuantes y hechos son perpetuamente revivificables. Basta el aliento del autor, del lector, la *potentia textorum* y el soplar del viento. Así lo afirma el Onetti de *Dejemos hablar al viento.* Así lo afirmó Ezra Pound en 1938, un año antes de la aparición de *El pozo,* cuando escribe de William Butler Yeats en su *Guide to Kulchure:*

"I have made it out of a mouthful of air?", wrote Bill Yeats in his heyday. The *forma,* the inmortal concetto, the concept, the dynamic form which is like *the rose pattern* [subrayo yo] driven into the dead iron-filings by the magnet, not by material contact with the magnet itself, but separate from the magnet. Cut off by the layer of glass, the dust and filings rise and spring into order. Thus the *forma,* the concept rises from death...

Unos doce años después de esta afirmación, Juan María Brausen espera con anticipación mitopoética el resurgimiento de semejante *rose pattern* en el Viento de Santa Rosa cuya forma, cuyo *concetto* encarnará a la Santa María hacia la cual el viento, si lo dejamos hablar, nos devuelve y nos devolverá eternamente. Con *Dejemos hablar al viento,* Onetti nos deja las claves para la apertura y retorno perpetuos, para el pasaje al otro lado de los espectros y las cenizas sanmarianas para ver a través de un espejo, oscuramente, la vertiginosa perpetuidad de la escritura onettiana; la promesa apocalíptica, reveladora, plenamente alcanzable en los intersticios de la reiteración devolutiva.

[Publicado en *Texto Crítico,* año 6, núm. 18-19 (julio-diciembre 1980), pp. 81-86.]

EL JUICIO FINAL

La última novela de Onetti, *Dejemos hablar al viento*[1] es, bajo una engañosa apariencia lineal, acaso la más compleja y desconcertante de las que integran la Saga de Santa María, que al parecer clausura definitivamente. Es, también, un fruto de madurez que propone (exige) múltiples lecturas a distintos niveles, cuya suma proporcionará quizá la clave de un mundo hermético, opresivo, ambiguo, donde los viejos temas onettianos (la muerte, el amor, el inexorable desencuentro y la incomunicación, el malentendido existencial) se renuevan y profundizan hasta la exasperación.

La novela, concluida en Madrid, en febrero de 1979, pero comenzada en Montevideo diez años antes al menos, narra la fuga de la mítica ciudad de Santa María de un comisario —médico y pintor fracasado— «por una crisis de orgullo» (p. 36), según confiesa el protagonista, Medina.

El fugitivo se refugiará en Lavanda (deformación y apócope de *La Banda Oriental,* antiguo nombre del actual Uruguay), una ciudad tras cuya fachada es fácil redescubrir a Montevideo, adonde el propio Onetti regresó en 1955 luego de largos años de residencia en Buenos Aires.

En Lavanda, Medina se dejará empujar por su amante, Frieda von Kleist, una inquietante mujer (lesbiana, drogadicta y alcohólica, cantante fracasada) al ejercicio desapasionado de diversos oficios, entre ellos el de enfermero, y tratará de rescatarse

---

[1] JUAN CARLOS ONETTI, *Dejemos hablar al viento,* Bruguera Alfaguara, Barcelona, 1979, 254 pp.

por la pintura en la tarea imposible de asir toda la realidad en un solo cuadro. «Ahora yo quiero una ola, pintar una ola. Descubrirla por sorpresa. Tiene que ser la primera y la última. Una ola blanca, sucia, podrida, hecha de nieve y pus y de leche que llegue hasta la costa y se trague el mundo. Por eso ando yo por la playa» (p. 71).

Al final de esta primera parte, Medina tendrá un encuentro de ultratumba con Larsen (o Carreño, una aliteración de carroña), que se sitúa en el límite de lo sobrenatural o de lo fantástico.

Medina, el narrador, dirá: «Yo estaba un poco borracho y aquel hombre había muerto años atrás. Fue a sentarse en la silla que yo había usado para escribir mi carta; la hizo girar para darme el perfil. —¿Larsen...? Larsen —murmuré, con voz de funeral—. ¿Por qué no me llama Juntacadáveres? Junta. Carreño. Viniendo de usted no me ofende —hablaba con una burla suave y lejana. Removió apenas el silencio con un resoplido. Lo vi manotear los gusanos que le resbalaban de nariz a boca, distraído y resignado. Cuando había varios viboreando en el parquet adelantaba un zapato y los hacía morir con un ruido de suspiro corto y repetido» (p. 140).

Este capítulo, que contiene una de las claves de la novela, es al tiempo uno de los más admirables que jamás haya escrito Onetti.

Perfectamente consciente de los riesgos literarios que corre, Onetti sabe evitar la tentación de la facilidad, que consistiría aquí en internarse por el camino de lo maravilloso (la resurrección lisa y llana de Larsen) para mantenerse en cambio dentro del difícil equilibrio de lo fantástico.

Larsen puede ser simplemente un fantasma de la imaginación de Medina (que está borracho), puede ser un sueño, puede, en última instancia, ser una aparición que sólo se manifestará al comisario.

Sin subrayarlo, sin hacer ninguna concesión, Onetti nos sugiere que una de esas interpretaciones es la válida mediante el simple expediente de hacer ingresar a un tercer personaje, una mujer, Gurisa, quien «Entró recta y pasó junto al dueño (Larsen o Carreño) sin mirarlo. Este levantó apenas el sombrero, pero tuve tiempo de verle el escaso pelo gris peinado hacia la frente, como un delgado gorro plateado que intentara atenuar la calvicie. Volví a sentarme, Gurisa se echó en la cama, a mis espaldas y oí que abría la cartera y encendía un cigarrillo. *Desde entonces fue como si ella no viera ni escuchara a Larsen, como si él se sintiera a solas conmigo»* (p. 142) [2].

Como en esa obra maestra de la ambigüedad que es *Otra vuelta de tuerca,* de Henry James, aquí también Onetti interpone entre la esencia misma de lo que narra y su lector, una serie de figuras intermedias destinadas a reflejar las imágenes, a multiplicarlas en un juego de espejos enfrentados, de modo que finalmente no puede saberse cuál es la imagen real y la fantasmal.

Pero al mismo tiempo, este capítulo será clave en otro sentido, ya que allí tanto Medina como Larsen (o su espectro) tomarán conciencia de su condición de meros *personajes,* es decir, de su condición de fantasmas, sólo que en otra dimensión, la literaria.

«Usted puede ir a Santa María cuando quiera. Y sin que nada le cueste, sin viaje siquiera. Escuche: yo nunca gasto pólvora en chimangos, así que nunca compré ni uno de esos que los muertos de frío de por allá llaman los libros sagrados, ni tampoco los leí. Yo no puedo hacerlo, pero usted sí. Quiero decir, la prueba que le propongo. Porque yo me eduqué en la universidad de la calle y usted es hombre de lecturas. Fíjese: un amigo me habló de esos libros en el Centro de Residentes. Y, discutiendo, me mostró un pedazo. Espere», dirá Larsen (p. 141).

Larsen, o su espectro, le alcanzará a Medina un trozo de esos *libros sagrados* (en este caso uno de *La vida breve,* cuando Brausen comienza a soñar Santa María) y le pide que lo lea.

Medina leerá lo siguiente: «Además del médico, Díaz Grey, y de la mujer, tenía ya la ciudad donde ambos vivían. Tenía ahora la ciudad de provincia sobre cuya plaza principal daban las dos ventanas del consultorio de Díaz Grey. Estuvo sonriendo, asombrado y agradecido porque fuera tan fácil distinguir una nueva Santa María en la noche de primavera. La ciudad con su declive y su río, el hotel flamante y, en las calles, los hombres de cara tostada que cambian, sin espontaneidad, bromas y sonrisas» (p. 142) [3]. Como en el *Don Quijote,* aquí los personajes leerán sus propias aventuras o, al menos, tendrán conocimiento del Génesis en que fueron soñados y creados.

---

[2] Los subrayados son nuestros.

[3] Este trozo no existe como tal en *La vida breve.* Es una suerte de condensación de dos párrafos a partir del que comienza así: «Además del médico, Díaz Grey, y de la mujer — que desaparecía detrás del biombo», etc., al que se suma, también aliviado de algunos incisos, otro que empieza diciendo: «Tenía ahora la ciudad de provincia sobre cuya plaza...» Ambos figuran en la p. 444.

Y entonces, segunda vuelta de tuerca: ¿Por qué no crear ellos también una realidad paralela, competir con ese Dios Brausen que los engendró, imaginar una Santa María de segunda o tercera potencia donde instalarse provisoriamente para sufrir y hacer sufrir a los otros?

Eso es lo que sugiere Larsen, el fantasma de Larsen: Brausen. «Se estiró como para dormir la siesta y estuvo inventando Santa María y todas las historias. Está claro» (p. 142).

A lo que Medina objetará: «Pero yo estuve allí. También usted. —Está escrito, nada más. Pruebas no hay. Así que le repito: haga lo mismo. Tírese en la cama, invente usted también. Fabríquese la Santa María que más le guste, mienta, sueñe personas y cosas, sucedidos», insistirá Larsen, quien terminará sugiriéndole a Medina que se quede allí, en la casa de citas, «el tiempo que quiera» (p. 142).

Medina, por último, parece aceptar la proposición de Larsen y dirá a Gurisa: «Esto va a ser una luna de miel. Vamos a quedarnos aquí unos días hasta el aburrimiento» (p. 143).

Mediante ese procedimiento, Onetti nos sugiere que la segunda parte de *Dejemos hablar al viento* es toda ella fruto de la imaginación del comisario. En una reciente entrevista [4] Onetti habla de una nueva novela en la que está trabajando, por donde desfilarán «más de doscientos» personajes y confiesa que puede moverlos «como piezas de ajedrez».

«Las muevo, les doy un pasado y un futuro, experimentan cosas distintas. Lo que está sin definir es si Medina volvió realmente a Santa María para ejercitar venganzas o si es todo un sueño, porque fíjate que el gusanero Larsen le dice: "Tírese en la cama e invéntese una Santa María a su gusto." A lo mejor es eso, y no volvió.» El periodista pregunta, entonces: «¿Usted no lo sabe?» «Ni me importa. No creo que tenga importancia literariamente. En varios pasajes de la novela yo le hago entender al lector que se trata de una invención, de una ficción, que todo es mentira», dirá Onetti.

Así advertido, el lector podrá optar entre leer la segunda parte como un sueño de Medina o como una serie de *hechos reales*. Pero en cualquiera de los dos casos, nada en la novela será arbitrario, nada quedará librado al azar, cada movimiento

---

[4] Luis Sánchez Bardón, «Con su próximo libro *Dejemos hablar al viento,* Juan Carlos Onetti: Se acabó Santa María», en *Informaciones,* 20 de octubre de 1979, Madrid, pp. 1 y 3.

tendrá su significación, cada pieza del rompecabezas ajustará perfectamente y el todo le revelará al lector adiestrado un dibujo infalible, pero al mismo tiempo lo suficientemente equívoco como para que, al fin y al cabo, sea el lector quien deba interpretarlo, añadirle el último toque.

Esa segunda parte se cerrará con el asesinato de Frieda y el suicidio de Seoane y con el incendio y destrucción de Santa María.

Recapitulando todos estos elementos, es posible construir un esquema donde Brausen, un personaje creado por Onetti, una especie de *alter ego* suyo, se desprende de su creador, se desdobla en Arce y luego se proyecta hacia una región imaginaria, Santa María, donde a su vez será en cierto modo Díaz Grey y en cuyas calles y plazas, hoteles y ranchos, instalará una multitud de personajes para, finalmente, deslizarse él mismo en esa vida vertiginosa y tributaria.

En *Dejemos hablar al viento,* Larsen, uno de esos personajes imaginados por Brausen, un *resucitado* según Medina, le propone al comisario que él también imagine una Santa María cuyo dibujo podrá superponerse o no al inventado por Brausen.

Medina (primera interpretación) aceptará el desafío, soñará una nueva Santa María decadente y en vías de desintegración y terminará destruyéndola (purificándola) por el fuego. A este respecto conviene recordar que la purificación por el fuego, como lo señala Gastón Bachelard [5], abrasará al mundo entero en ocasión del Juicio Final, según la teología cristiana.

Pero, particularmente, dirá: «Una de las razones más importantes de la valorización del fuego [...] es su capacidad de desodorización. Es, en todo caso, una de las pruebas más directas de la purificación. El olor es una calidad primitiva, imperiosa, que se impone mediante una presencia extremadamente insidiosa, inoportuna. El olor viola auténticamente nuestra intimidad. El fuego todo lo purifica porque suprime los olores nauseabundos» [6].

Más adelante veremos la insistencia con que Onetti nos incita a asociar la idea de la descomposición física y moral de Santa María con las sensaciones olfativas.

En una segunda interpretación, Medina regresa *verdadera-*

---

[5] Gaston Bachelard, *La psychanalise du feu,* Gallimard, colección Idées, París, 1949.

[6] Gaston Bachelard, *Op. cit.,* p. 168.

mente a Santa María y la hace destruir *realmente* por el Colorado. Lo que aquí se cuestiona es la *realidad* de la creación literaria, es decir, si esos territorios mágicos nacidos de la palabra son sólo eso (palabras) o, mediante una operación misteriosa, cobran una corporeidad semejante a la de aquellas cosas o seres que nos empecinamos en llamar *reales*.

En un diálogo con Emir Rodríguez Monegal [7], Onetti afirmaba que «Brausen no tiene ningún tipo de aspiración. Y de pronto se encuentra con el milagro ese de que escribir es como ser Dios. Y todo lo que escribe es fácil y mentirosamente definitorio. O dicho de una manera más simple: el individuo ese tiene un poder. Tiene un poder de decir una palabra, poner un adjetivo, modificar un destino. Eso le pasa a un pobre desgraciado como Brausen, hasta que descubre su poder y entonces lo usa para entrar él mismo en su mundo imaginario».

De modo que aquí el Dios o el demiurgo ya no es Brausen, sino Medina, aunque también es probable que Brausen esté a su vez soñando a Medina y que éste apenas disfrute de la ilusión de la vida, como el hombre de «Las ruinas circulares», de Borges.

En ese sentido, es significativo que en cierto momento Medina diga: «La única autoridad soportable es la de Dios; tal vez ni siquiera para todos. Yo, Medina, comisario de Santa María» (p. 171). Y Seoane, un poco más adelante, subrayará: «Medina, el comisario que quiso ser Dios» (p. 177).

Medina tiene conciencia de esa ambivalencia: «Yo soy, simplemente; estoy en el mundo y hago cosas. En este caso, en el último capítulo de este caso, se me ocurrió que eras demasiado inteligente para que resultara justo el precio del aniquilamiento que estabas pagando» (p. 187). Y de inmediato se reconocerá todopoderoso: «Puedo elegir cualquier recuerdo e imponerle este perfume blanco como una luz violenta que le haga mostrar hasta la última arruga» (p. 191).

CREACIÓN Y MUERTE DE SANTA MARÍA

«El médico sospechaba que, con los años, terminaría por creer que la primera parte memorable de la historia anunciaba todo lo que, con variantes diversas, pasó después; terminaría por

---

[7] EMIR RODRÍGUEZ MONEGAL, «Conversación con Onetti», en *Onetti,* Montevideo, Biblioteca de Marcha, 1973, p. 291.

admitir que el perfume de la mujer —le había estado llegando durante todo el viaje, desde el asiento delantero del automóvil— contenía y cifraba todos los sucesos posteriores, lo que ahora recordaba desmintiéndolo, lo que tal vez alcanzará su perfección en días de ancianidad. Descubriría entonces que el *Colorado,* la escopeta, el violento sol, la leyenda del anillo enterrado, los premeditados desencuentros en el chalet carcomido y aun la fogata final, estaban ya en aquel perfume de marca desconocida que ciertas noches, ahora, lograba oler en la superficie de las bebidas dulzonas» [8].

En este largo párrafo del relato «La casa en la arena» está ya contenido, pues, el germen de la destrucción por el fuego de Santa María y algunos elementos de la clave que permitirá aproximarse a una interpretación cíclica, circular, del tiempo en Onetti.

En cierto modo, el mundo de Santa María comienza en ese Génesis que fue *La vida breve,* como ya lo hemos visto, del que «La casa en la arena» fue un capítulo desgajado y publicado independientemente, y se cierra en él, como si en el momento fulgurante, en la entrevisión de la ciudad mítica y de sus personajes, Onetti hubiera atisbado ya el final, pasando por la peripecia individual de sus héroes, Larsen, Díaz Grey, Malabia, Petrus, Medina.

Ello está, por lo menos, explícitamente enunciado: «El médico sospechaba que la primera parte memorable de la historia anunciaba todo lo que, con variantes diversas, pasó después.» Y, un poco más adelante, el autor nos sugerirá, con el símbolo del anillo, que estamos en un sistema circular del tiempo, donde, como la mitológica serpiente, la historia terminará mordiéndose la cola, infinitamente.

En «La casa en la arena» el Colorado será un instrumento en manos de Díaz Grey, quien, «cuando respira el olor del kerosene, inmoviliza al otro con un silbido imperioso y se le acerca, resbalando sobre la humedad y las hojas, saca del bolsillo la caja de fósforos y la sacude junto a un oído mientras avanza y resbala» (p. 154).

En este relato, pues, la acción se detiene exactamente en el momento en que el Colorado, un pirómano, se apresta a incendiar la casa, inducido a ello por Díaz Grey.

---

[8] Juan Carlos Onetti, «La casa en la arena», *Cuentos Completos,* Ediciones Corregidor, 2.ª ed., Buenos Aires, 1974, p. 141.

Pero ese final puede ser, él también, tan sólo el fruto de la imaginación de Díaz Grey, ya que, no lo olvidemos, se trata del final «preferido para su recuerdo».

En *Dejemos hablar al viento,* el Colorado será un instrumento manejado (¿soñado?) por Medina, y el incendio nos será sugerido más que mostrado: «De pronto, un nuevo dolor de cansancio en las corvas y un preaviso de claridad, tan leve y lejano en la punta izquierda de la ciudad. "El oeste —pensó Medina— no puede ser un alba anticipada." Y yo le dije que no por ese lugar. [...] La luz, siempre a la izquierda, comenzó a moverse y crecer. Ya muy alta fue avanzando sobre la ciudad, apartando con violencia la sombra nocturna, agachándose un poco para volver a alzarse, ya, ahora, con un ruido de telas que sacudiera el viento. Medina sentía la cara iluminada y el aumento del calor en el vidrio, casi insoportable. Temblaba sin resistirse, víctima de un extraño miedo, del siempre decepcionante final de la aventura. "Esto lo quise durante años, para esto volví." Oyó el estallido de una ventana en un lugar del departamento que llamaban cocina. Con la pistola en la mano se acercó a la cama. Sentía la necesidad casi irresistible de besar a Gurisa, pero temía despertarla antes que el griterío que comenzaba a llegar de la calle, del hotel, el techo y el cielo» (p. 254).

Onetti, cuidadosamente, se abstiene entonces (como 30 años antes) de llamar a las cosas por su nombre y se limita a darnos los elementos necesarios para que nosotros, sus lectores, completemos el cuadro. En «La casa en la arena» asistimos a la preparación del incendio, que jamás nos será indicado. En *Dejemos hablar al viento* tampoco se menciona nunca la palabra incendio, sólo que la presencia del Colorado alcanzará para llevarnos por el buen camino. Y en la descripción, Onetti se limitará a proporcionarnos dos o tres elementos: la sospechosa claridad que «no puede ser un alba», la luz, que comienza a moverse y crecer y que «ya muy alta fue avanzando sobre la ciudad, apartando con violencia la sombra nocturna, agachándose un poco para volver a alzarse», con movimientos de animal en acecho. Y, por último, la noción de calor. Eso será todo.

El propio Onetti se declara satisfecho de este final elíptico: «Ya hubo demasiada Santa María, claro, pero el final me gusta, porque he eludido la descripción del incencio, cosa hecha tantas veces» [9].

[9] Luis Sánchez Bardón, *Op. cit.,* p. 2.

Ese final no es arbitrario, entonces, está presentado desde el comienzo mismo de la Saga. Y, además, está sugerido desde la primera página de *Dejemos hablar al viento* con una imagen despiadada: «El viejo ya estaba podrido y me resultaba extraño que sólo yo le sintiera el agridulce, tenue olor; que ni la hija ni el yerno la comentaran. Estaban obligados a ventear y fruncir la nariz porque ellos eran sus parientes y yo no pasaba de enfermero, casi, falso, ex médico» (p. 15).

El primer elemento de que se servirá Onetti para ir intoduciendo a sus lectores en ese mundo en descomposición será, entonces, el olfativo, el de la hedentina, como si el olor de la descomposición todo lo invadiera, seres y cosas, e incluso como si brotara de dentro mismo de las gentes, como si ellas fueran sólo cadáveres reanimados para una última y grotesca aparición.

Así, en la página 19 podemos leer: «El leproso se exalta cuando tropieza, suda olores fosfóricos frente a la oposición más pequeña o sospechada.» Y en la 22: «Pero el olor crecía, el olor revoloteaba como una mariposa, negra y verde, iba y venía, mientras todos fingían no sentirlo.» En la 27: «... las imágenes vagabundas del muchacho en el departamento oscuro y maloliente, la mujer gorda con la cabeza llena de nudos, de tubos plásticos, de horquillas, la tristeza irritada que salía de nosotros, de los muebles como un sudor».

En la página 28, todavía: «Pero el olor de todo esto no había hecho más que crecer. Los marcos de las puertas, sobre todo, muy anchos, que fueron pintados sucesivamente de gris, de marfil, de crema, de gris, olían rencorosos y persistentes.» En la 43: «No muy encima de la pudrición, fermento agrio y el olor inquieto de las ratas, entre escaleras y pasillos, vejez, conatos de derrumbe, las voces agudas.» En la 153: «Abrió sin ruido sobre la oscuridad y el olor disgustante.»

En algunos casos, el *olor* será sustituido por el *perfume,* por el *aroma,* y en ese caso, indefectiblemente, su utilización apunta a obtener un clima de melancolía y de salto atrás en el recuerdo, de inmersión en el pasado: «Y hubo la noche, de otro sábado, en que Medina detuvo el pequeño coche asmático a dos cuadras del Casanova y fue remontando la calle en pendiente, oliendo el aire con inquietud y extrañeza, como si acabara de descubrir el rastro del verano» (p. 202).

Ese mismo registro evocativo surge en la página 179, en ese capítulo donde se narra la presunta reconciliación entre Medina y Seoane: «Bajaron a la lluvia, Medina guió por el sendero, por el perfume a tierra y azahares.» Aquí también las citas pueden multiplicarse: «Eran las doce y cuarto cuando bajó del coche a dos cuadras del Casanova y fue trepando la calle América con las narices abiertas...» (p. 206).

Incluso el nombre de Lavanda, que Onetti atribuye a Montevideo, evoca una idea de fragancia antigua y desvahída, como un recuerdo tercamente guardado entre los pliegues de vestidos o sábanas, en los cajones de arcones o bajo las tapas de panzudos baúles.

En algún pasaje, el elemento olfativo será expresamente aludido, subrayado casi: «Por qué tan justamente la palabra olfato, este gringo. Quinteros es un artista de situaciones un poco sádicas, adecuadamente discreto y perverso, incapaz de arriesgar su dominio. ¿Cómo pudo saber el inglés la historia del olfato?» (página 117).

LOS PASOS PERDIDOS

Como en tantas otras novelas y cuentos de Onetti, la clave (o una de ellas) de lo que ocurre está en el pasado, será necesario rastrear en otras páginas en busca de los pasos perdidos. O bien ocurre que ella, la clave, nos ha sido escamoteada y sólo nos está permitido entrever una parte de ese brumoso pretérito a través de alusiones a menudo hechas por los propios personajes y, por tanto, sospechosas.

Medina, el comisario, aparece por primera vez en *La vida breve,* o mejor dicho, permanece oculto tras una cortina mientras Larsen, Malabia, María Bonita y Díaz Grey discuten en la mesa de un café. En esa ocasión, Medina, que debe ejecutar la orden de expulsión dada por el gobernador contra Larsen, se limita a intervenir una vez en el diálogo, sin mostrarse: «A lo mejor usted mismo la escribió —dijo burlándose el hombre invisible—. La orden es del gobernador» (p. 600).

Esa misma escena, como ya hemos visto, será narrada, pero desde otro punto de vista, el de Jorge Malabia, en *Juntacadáveres.* Esta vez Medina tendrá una participación mayor y repetirá, ampliándola, la alusión a la orden del gobernador: «¡Bah! —dijo Medina— la deben haber escrito entre usted y el boticario. Hay orden del gobernador y para mí se acabó la historia» (p. 974).

Y Lanza, por su parte, acotará: «Usted, Larsen, reitera hasta aburrir. Las señoras se fatigan. Concejo, permiso, resolución. El amigo Medina, que acaso le haya puesto el hombro, por así decirlo, y más de una vez, a una causa noble, no hace otra cosa que cumplir con sus deberes» (p. 975). Medina, en efecto, conducirá a Larsen y a las prostitutas a la estación del ferrocarril.

En *El astillero,* por último, Medina convocará a Larsen para que reconozca el cadáver de Gálvez y allí tendrán un diálogo relativamente extenso, lleno de sobrentendidos, donde ambos hombres parecen medirse, estudiarse. Medina, incluso, volverá a aludir a la expulsión de Larsen de Santa María: «Nunca tuve nada contra usted. Cuando el gobernador dijo "basta" tuvimos que cumplir órdenes. Parece que hiciera un siglo. Le agradezco que se le haya ocurrido llamarme. Además, si puedo hacerle algún favor» (p. 1188).

La relación de Medina con Frieda es también vieja, pero ella no está mencionada en novelas o cuentos anteriores.[10]. La alusión a un pasado común está indicada desde el comienzo de *Dejemos hablar al viento:* «Ella y yo preferíamos acostarnos con mujeres y alguna noche sin recuerdo chocamos en Santa María y no gané por merecerlo sino porque la mujercita en juego tuvo más miedo de mi carnet de comisario que avidez por lo que ella, Frieda, le estaba ofreciendo en el restaurante de la costa, sin intención de cumplir» (p. 15).

En *Dejemos hablar al viento* se trata de una relación sadomasoquista, donde Medina parece dispuesto a aceptar una suerte de castigo: «Aquél era el primero de los trabajos que me había elegido Frieda cuando llegué a Lavanda y la descubrí en Avenida Brasil 1597, tan hermosa y dura como en los tiempos viejos [...] Los trabajos y los castigos» (p. 15).

Sólo que ese pasado, que jamás nos será explicitado, es tan relativo o dudoso como la existencia del tiempo en la novelística de Onetti. «La desgracia inventada por Frieda para humillarse durante semanas junto a la cama del viejo, me sirvió alguna vez para retocar un pasado. Era más real que mis hechos, que yo mismo. Con más facilidad que las piernas sangrientas, que la mandíbula torcida de la adolescente que yo acababa de matar perforándole el útero, recordaba mi grave lentitud al desprenderme la túnica en casa de la partera, en el extraño consultorio con

---

[10] Si consideramos que «Justo el 31», que fue publicado como un cuento en ciertas colecciones, es en realidad un capítulo de *Dejemos hablar al viento,* el que se recoge con correcciones.

canarios y begonias. [...] Un recuerdo, una mentira del recuerdo» (p. 22).

Medina acepta desdeñosamente esa expiación durante toda su estadía en Lavanda, donde se empeñará en alcanzar una salvación por la pintura, pero la rechazará a su regreso (imaginario o verdadero) a Santa María, al reasumir su condición de comisario.

Allí, finalmente, asesinará a Frieda tras procurarse una coartada, como uno de esos personajes de novela policial que Onetti suele frecuentar. Sólo que su presunto hijo, Seoane, se suicidará después de escribir una breve nota en la que asume la culpa del crimen, en una última y definitiva burla.

Las relaciones entre Medina y Seoane son más turbias y enigmáticas todavía. Medina jamás sabrá (y los lectores de Onetti tampoco) si Seoane es en realidad hijo suyo o no. «Mucho tiempo atrás, cuando todos teníamos veinte años o pocos meses más, cedí a la tentación de ser Dios, absurda, azarosa, y respetando mis límites. [...] El resultado fue un Seoane de diecisiete o dieciocho años, emigrado legítimo de Santa María, y su madre. Seoane era el apellido de la muchacha, mujer, y nunca supe si el niño, muchacho, era mi hijo. Ella había jugado siempre a la duda, al malentendido, la broma sin gracia» (p. 26).

En un primer momento, Medina se negará a reconocer legalmente a Seoane como su hijo, hecho que pondrá en marcha la larga venganza de María Seoane, la contrapartida de esa negación: «Me parece que te odia. Pero ya no hablamos de vos. Si hace esos mamarrachos que no se entienden, entonces debe ser que sale a vos. Papá. Pero la gracia está en que ninguno de ustedes puede estar seguro, permitime que te diga» (p. 32).

En esta situación, Medina, la madre y el hijo forman un triángulo hecho de una triple negación: la de Medina a reconocer al hijo, la de María Seoane a confirmar o desmentir si Seoane es auténticamente hijo de Medina, la de Seoane a asumir el vínculo.

El dibujo se repetirá más tarde, pero uno de los vértices será ocupado por Frieda, alternativamente amante de uno y de otro, empeñada al parecer en confundir en una sola persona a padre e hijo.

Por otra parte, Seoane, como su presunto padre, es pintor. «Encendí una mala luz y pude ver, con fatiga, que Seoane había atravesado con desparpajo y sin ningún talento todas las escuelas. [...] Pero, sudoroso y con los riñones dolidos, descubrí, como siempre sucede, algunos cuadros, pocos, que Julián había pintado para Seoane. [...] Las pinturas no intentaban decirle nada a nadie; eran silenciosas, pesadas y esquivas, estaban hechas por Seoane, para él y nadie más» (p. 31).

Esta oposición simétrica, edípica, nace entonces de la disputa por la posesión de la madre, se prolonga en la rivalidad en torno a Frieda, atizada o exacerbada por ésta y culminará en lo que realmente cuenta para los dos, en el terreno del arte.

Porque en realidad lo único que a Medina le importa, más allá de su cínica concepción de la vida, es la pintura: «Frieda y yo escuchábamos, en las pausas, la música de la radio. Era, creo, un alemán anterior a Bach y el hombre, su música, siempre tenían razón. Me decían que sólo importaba pintar. Que era necesario, hasta por higiene del alma, prescindir de las mujeres, amigos y dinero, desinteresarse de paisajes y océanos, no acceder nunca, no tomar en serio el sinsentido del mundo, de una vida que no hice yo, que me fueron impuestos, que están ahí, afuera y adentro implacables en cada despertar, sin que nadie haya tenido la cortesía de consultarme, de pedirme opinión, por lo menos, sobre algún detalle pequeñito y, en apariencia, no importante» (p. 78).

Más adelante, Medina recordará la reflexión hecha por una mujer a propósito de la pintura, es decir, del arte: «No sé nada, pero pintar, meterse en un cuadro y sufrirlo debe ser como sentir y pensar de una manera total, con todo el cuerpo y olvidado del cuerpo» (p. 83).

Medina se propone apresar el mundo en un solo cuadro que de alguna manera lo resuma y absuelva, una ola imposible, una ola monstruosa: «Tal vez ni mereciera mi firma al pie. Era una ola borrosa, con la cresta de un blanco sucio (agregar, por modestia, como dijo otro) de ópalo: inmunda mezcla de orines, ojos reventados. Elementos: vendas con sangre y pus, pero ya desteñidas; corchos con las marcas borradas; gargajos que podían confundirse con almejas; saliva de epiléptico, pedazos sin filo de yeso, restos de vómitos, bordes de muebles viejos y molestos, toallitas higiénicas semideshechas —pero cualquier playa nuestra: todo absorbido por la ola y formando su espuma, su altura, su respetable blancura dudosa» (p. 99).

Esa ola imposible será descubierta por Olga después del asesinato de Frieda: «Y pude ver que había un cuadro grande, pintado sobre cartón que representaba una ola gigantesca, hecha toda con pedazos de blancura distinta. Blancura de papel, de leche, de piel. Nunca en este río hubo, nadie puede haber visto una ola como ésa. Así que pensé que el comisario la había imaginado o que era un recuerdo de otro país, de otro río, de un mar que yo nunca vi» (p. 244).

Olga, sin vacilar, atribuye la *paternidad* del cuadro a Medina, pero nada es más inseguro. Porque aquí puede tratarse de un robo, de un despojo. Seoane, privado para siempre de su condición de hijo (es decir, de su padre), puede haberle robado a Medina (el presunto padre) la *paternidad* de la ola, así como, en definitiva, se apropiará mentirosamente de la condición de asesino de Frieda mediante una confesión tal vez falsa: «Medina pensaba en las letras temblorosas del mensaje, en *la mano* que había mentido antes de caer, en el propósito equívoco y terrible que había provocado la confesión. "Hijo de mala madre, no te preocupes más, yo maté a Frieda. Julián Seoane"» (p. 249).

En un capítulo admirable que resume y condensa prácticamente toda la novela (el capítulo XXXIX, «Un hijo fiel») Onetti no vacila incluso en introducirse él mismo, en asumir el papel de Juez, el de Creador, el de Dios de todo ese universo sofocante: «Miraba sólo a Medina y éste comprendió y recordó que odiaba a aquel hombre, sin haberlo visto nunca, desde el principio de su vida, tal vez desde antes de nacer. Pero aquél no era un odio de persona a persona. [...] Como si aquel hombre hubiera hecho débiles y casi increíbles sus viejas esperanzas, sus rebeldías, como si hubiera trabajado incansable para limitarlo a policía de un pueblo olvidado, como si él, el hombre apenas burlón y vestido de negro, a pesar del ardor del verano —lo hubiera dirigido, tenaz y paciente, hasta su encuentro con dos muertes que él, el hombre de oscuro, había previsto y ordenado desde mucho tiempo atrás. Ahora estaban frente a frente y Medina *recordó la imagen huidiza de alguien visto o leído,* un hombre tal vez compañero de oficina que no sonreía; un hombre de cara aburrida que saludaba con monosílabos, a los que infundía una imprecisa vibración de cariño, una burla impersonal» (p. 248).

Por primera vez desde la creación de Santa María en *La vida breve* (el retrato está tomado de la descripción que Brausen hace allí de Onetti), el propio Onetti, en su calidad de *Juez Supremo,* se enfrenta a sus creaturas, asume su condición de implacable hacedor, de Padre, que subrayará más adelante cuando hace una alusión a Díaz Grey: «El doctor Díaz Grey no quiere saber nada más de estas cosas. Estuve toda la mañana con él, con el teléfono descolgado para que nadie molestara. Hablamos de tantas cosas; fue como una historia de la ciudad. No recuerdo qué edad tiene. Pero lo sigo queriendo como si fuera mi hijo. Un hijo fiel» (p. 250).

El ciclo se cierra, la serpiente se muerde la cola, en ese tiempo circular que es el de Santa María, todo vuelve al principio. En *La vida breve* (el Génesis), Onetti se desdobla en Brausen, quien a su vez se personifica en Arce e imagina después a Santa María y a los hombres y mujeres de vida azarosa que habitarán la ciudad. Finalmente, se incorporará a ella, tendrá su estatua en la plaza, recibirá un parsimonioso culto. Aquí, en el Juicio Final, es el propio Onetti el que se introduce en Santa María y quien, simbólicamente, compartirá la suerte de sus creaturas. Santa María, nos indica Onetti, será arrasada por el fuego, volverá a la Nada, a la que algún día también regresará su creador.

LOS MUNDOS IMAGINARIOS

Más que en ninguna de sus otras novelas, Onetti ha proyectado inquietantes luces en *Dejemos hablar al viento* sobre sus viejas obsesiones: el desencuentro, la imposibilidad de una verdadera comunicación, la inexistencia del tiempo, el malentendido básico de la relación amorosa, la oposición viejos-jóvenes, la soledad en suma. Hay también variantes acerca de ese ente misterioso e inapresable que es *la muchacha,* que Onetti asimilará a una zona de pureza que ciertos críticos, como Rubén Cotelo, no han vacilado en calificar de *culto mariano.* Sólo en este caso, en *Dejemos hablar al viento,* la muchacha (Juanina, Olga) está también herida por ese proceso de descomposición que va subsumiendo poco a poco el mundo de Santa María.

Dentro de la cronología interna de la Saga, *Dejemos hablar al viento* transcurre después de *La muerte y la niña,* donde nos enteramos que Díaz Grey está casado con Angélica Inés Petrus, la novia imposible de Larsen.

En un diálogo con Díaz Grey, el comisario dirá: «Hace un tiempo que no nos vemos. Olvidé felicitarlo por su casamiento.» Y Díaz Grey responderá: «Gracias. [...] Perdóneme. Hace casi un año. Todos los felicitadores pensaron que me casaba con los hipotéticos millones del viejo Petrus y con la nada hipotética casa-palacio sobre pilastres, libre de hipotecas. Pero yo estaba enamorado de Angélica Inés desde que era una niña. Y como no es ni será nunca adulta, sigo enamorado. [...] Pero la verdad es que no le oculto a nadie ni mi amor, débilmente perverso, ni los millones que llegaron después» (pp. 197-198).

En suma, *Dejemos hablar al viento* transcurre algunos meses después de *La muerte y la niña,* pero los cambios operados en Santa María, el descaecimiento de la ciudad, que aquí se nos muestra como si el paso del tiempo la hubiera corroído, en pleno proceso de descomposición, es notable, desmesurado. E imposible en un plano real-imaginario. Lo que verosímilmente sucede es que esa descomposición de Santa María ocurre en el interior, en la imaginación de Medina, el narrador en primera persona de la primera parte y desde cuyo punto de vista nos está contada la segunda mitad.

«Casi pisando manos de mendigos y ladrones, Medina entró en la sombra de los arcos del mercado viejo de Santa María y se detuvo para quitarse el sombrero de paja y pasarse el pañuelo por la frente. Mustio, pálido, el gran letrero en tela rezaba: *Escrito por Brausen»* (p. 147).

Desde el comienzo, entonces, Onetti nos sugiere la decadencia física de la ciudad («casi pisando manos de mendigos y ladrones») y el carácter ilusorio (mágico) de ese mundo («escrito por Brausen»).

Pero el narrador insistirá en aquellos aspectos susceptibles de inducir al lector a instalarse en una realidad condenada a la muerte: «Como en todas las tardes de sábado, los hombres estaban sentados en herradura, descalzos o con alpargatas, ensombrerados, escarbándose los sobacos o metiendo los dedos en paquetes de papel grasiento o latas de aceite con sobras de comida. Algunos vientres desnudos e hinchados de niños viboreaban esquivando cuerpos indolentes y veloces sopapos. [...] Hasta la noche, pensó Medina; cuando la banda de varoncitos y hembritas y motocicletas y los coches de papá que descubrieron este año la mugre del mercado» (p. 147).

Las referencias puede multiplicarse: «Ladeó [Medina] la cabeza para mirar hacia la calle, la gusanera removiéndose junto al sol, sin objeto comprensible, sudorosa, alzando apenas en el aire tostados rígidos como cosas, sus olores rencorosos y miserables. La cara interna del arco de ladrillos, despintada y escrita, parecía arruinarse, con pereza, silenciosamente, en la sombra azul» (p. 150). «El coche corría con prudencia por aquella parte de la ciudad donde los restos de quintas arboladas, abatidas y musgosas, con solitarios y empecinados símbolos de riqueza y orgullo, iban siendo sitiados e invadidos por malezas o casas de comercio. [...] Puertas cocheras para nuevos ricos que guardaban los automóviles en el garaje de Shell y entraban en sus casas por aberturas modestas, vergonzantes, defendidas por planchas de madera barata» (p. 167). «Poco antes de medianoche, Medina fue atravesando los vestigios del Plata, infectos hasta por el olor generoso de la cocina italiana. Se introdujo en la humedad de pasillos deformados por albañilería reciente, recorrió laberintos fáciles e inútiles. No eran los restos de una ciudad arrasada por la tropa de un invasor. Era la carcoma, la pobreza, la irónica herencia de una generación perdida en coches sin recuerdo, en la nada. Quedaban vestigios: el polvo encima de un sillón de cuero, arrinconado y rengo; espejos manchados de cal, incrustados en madera crema; pequeñas rosas de yeso esparcidas, desordenadas, en las paredes» (p. 195).

Y, sin embargo, el verdadero tema del libro no es éste, ni los otros que ya hemos examinado, sino el de la *creación literaria,* que los contiene, los abarca y los resume.

En una reciente entrevista [11] Onetti declaró que «en varios pasajes de la novela yo le hago entender al lector que se trata de una invención, de una ficción, que todo esto es mentira». Y añade: «Donoso, cuando publicó su libro *Casa de campo,* da una larga explicación aclarando eso, y le dice al lector que jamás pretende hacer una cosa realista, que todo es inventado y no existe símbolo alguno. Yo les tengo mucha antipatía a los símbolos.»

En una palabra, como ya había intentado hacerlo en *Los adioses,* Onetti se propone aquí, pero de una manera más explícita, desalienar a su lector. Desde un primer momento le hace entender que todo es una mentira, una fábula, una pura invención y, como ya lo hemos visto, muitiplica esas advertencias a lo largo de toda la novela. Medina y el fantasma de Larsen son perfectamente conscientes de su condición de personajes, de su sumisión a un demiurgo (¿Brausen?) o a un Dios (¿Onetti?).

En cierto momento, Díaz Grey se refiere al Colorado y afirma: «Oh, historia vieja. Estuvimos un tiempo en una casa en la arena. Tipo raro. Hace de esto muchas páginas. Cientos» (p. 200).

En otra ocasión, Medina imagina (crea) una infancia para Seoane, su presunto hijo, aplicando al pie de la letra las indicaciones que le dio Larsen: «Medina ignoraba cuándo había naci-

---

[11] LUIS SÁNCHEZ BARDÓN, *Op. cit.,* p. 2.

do Seoane. Pero tiempo atrás, una noche de soledad, horizontal y solitario en su dormitorio del ex Plaza, aburrido, oyendo lejano la insistencia de la lluvia, con una botella de caña Presidente y un cartón de cigarrillos negros, raspadores de bronquios, *recordó la receta infalible e hizo nacer al muchacho en el frío de una madrugada en la Colonia, 16 de julio.* [...] Era bueno regalar a Seoane una infancia para su cumpleaños» (p. 217) [12].

Acaso el pasaje más ejemplar en ese sentido es el breve diálogo entre el propio Onetti (El Juez) y Medina, al que ya aludimos. En él, Medina, después de reconocer borrosamente el vínculo que los une, trata de comprender el odio que experimenta hacia su creador: «Pero aquél no era un odio de persona a persona; era como el odio a una cosa ineludible, era el odio a todos los sufrimientos —mezclados como una ola con otra, grandes o pequeños— que le había traído la infancia, la primera mujer, el obligatorio principio de la madurez. Como si aquel hombre (Onetti) hubiera hecho débiles y casi increíbles sus viejas esperanzas, como si hubiera trabajado incansablemente para limitarlo a policía de un pueblo olvidado, como si él, el hombre apenas burlón [...] lo hubiera dirigido, tenaz y paciente, hasta su encuentro con dos muertos» (p. 248).

No se trata de que Onetti ceda a la tentación de autorretrato, como un Piero della Francesca, sino de un cuestionario, de un juicio. Medina es consciente de su condición de creatura de Onetti y le reprocha las estrecheces impuestas a su destino, su voluntad de «limitarlo a policía de un pueblo olvidado».

Onetti se declara opuesto a la llamada *literatura experimental:* «Siempre le he rehuido al artificio, igual que no me interesa para nada eso que se llama literatura experimental.» Y, sin embargo, todo este pasaje es experimental en la medida en que el creador se introduce en su propio relato, dialoga con sus personajes, es refractado por ellos, se convierte él mismo en una de sus creaturas, desciende a la calidad de simple mortal.

Dejemos hablar al viento, entonces, cierra un ciclo, clausura la llamada Saga de Santa María. Pero nos muestra a un escritor en la cúspide de su capacidad creadora, que se ve irónicamente envejecer y que examina, con melancolía y descreimiento, ese furioso torbellino de palabras a partir del cual construyó un mundo sombrío, amargo y desolado, uno de los más terrible-

---

[12] Los subrayados son nuestros.

mente hermosos de la literatura en lengua castellana de todos los tiempos.

Un mundo del que, pese a todo, la pureza (o la aspiración a la pureza) no está ausente, como lo demuestra ese conmovedor pasaje en el que un niño asiste a la autopsia de Frieda practicada por Díaz Grey en un miserable galpón: «Yo alzaba el bisturí para clavarlo en el hueco supraesternal justo donde tiene usted el nudo de la corbata, un poco arriba del borde de las clavículas. Entonces vi al niño que había entrado silencioso y estaba de pie junto a los pies de la muerta. Estaba inmóvil como yo, como ella, con su túnica blanca y el gran lazo azul del moño rodeándole el cuello. En el sobaco izquierdo, libros y cuadernos. No miraba los duros pechos de Frieda, no le interesaban los pezones vinosos y aplastados. Tendría seis o siete años, era rubio y muy pálido, con la boca entreabierta. Fascinado, enfermo. Lentamente fue alargando el brazo libre hasta tocar la sorpresa del vello púbico. Y allí apoyó, suave y protectora, la mano como si acariciara un pájaro y tuviera miedo de hacerle daño o espantarlo» (p. 239).

Este pasaje, uno de los más poéticos (en el sentido más alto que todavía puede guardar este adjetivo) jamás escrito por un novelista, bastaría para rescatar toda la miseria y envilecimiento del mundo en que se mueven los personajes de Santa María y parece una lejanísima respuesta a otro memorable pasaje, aquel en que se relata la muerte de Ossorio en *Para esta noche,* el último intento del hombre por alcanzar ese mundo de pureza que representa la niña, Victoria Barcala, muerta poco antes en un bombardeo: «Luego movió el brazo, y su mano, en un dilatado viaje en el que acumulaba recuerdos cada frágil hueso, cada blanco pedazo de carne, fue trepando con torpe tenacidad, milímetro a milímetro, hasta aflojarse sobre el cuerpo de la muchachita; y luego a descansar, lentamente, se fue extendiendo en la blandura desnuda como un labio, y un dedo quedó cruzando el misterio» (p. 427).

[Tomado de *Juan Carlos Onetti o la salvación por la escritura.* Madrid, Sociedad General española de Librería, 1981, pp. 165-185.]

III
BIBLIOGRAFÍA

BIBLIOGRAFÍA SELECTA

OBRAS

Se incluyen solamente las primeras ediciones de cuentos y novelas. Para una bibliografía más completa, hasta 1978, consúltese HUGO J. VERANI, *Onetti: el ritual de la impostura* (Caracas, Monte Avila, 1981).

CUENTOS

«Avenida de Mayo-Diagonal-Avenida de Mayo», *La Prensa* (Buenos Aires), 1 enero 1933, 8.ª sección, p. 4.

«El obstáculo», *La Nación* (Buenos Aires), 6 octubre 1935, 2.ª sección, p. 3.

«El posible Baldi», *La Nación,* 20 septiembre 1936, 5.ª sección, p. 2.

«Convalecencia», *Marcha,* núm. 34, 10 febrero 1940, suplemento literario, sin numerar [pp. 3-5]. Publicado con el seudónimo de H. C. Ramos.

«Un sueño realizado», *La Nación,* 6 julio 1941, 2.ª sección, pp. 3 y 4.

«Mascarada», *Apex* (Montevideo), núm. 2, febrero 1943, pp. 4-7.

«La larga historia», *Alfar* (Montevideo), Año XXII, núm. 84, 1944, sin numerar [pp. 59-64]. Sobre este cuento elaborará Onetti su novela *La cara de la desgracia,* de 1960.

«Bienvenido, Bob», *La Nación,* 12 noviembre 1944, 2.ª sección, pp. 2 y 4.

«Nueve de Julio», *Marcha,* núm. 314, 28 diciembre 1945, p. 14.

«Regreso al sur», *La Nación,* 28 abril 1946, 2.ª sección, p. 2.

«Esbjerg, en la costa», *La Nación,* 17 noviembre de 1946, 2.ª sección, p. 2.

«La casa en la arena», *La Nación,* 3 abril 1949, 2.ª sección, p. 4.

«El álbum», *Sur,* núm. 219-20 (enero-febrero, 1953), pp. 66-79.

«Historia del caballero de la rosa y la virgen encinta que vino de Liliput», *Entregas de la Licorne* (Montevideo), núm. 8 (1956), pp. 45-63.

«El infierno tan temido», *Ficción* (Buenos Aires), núm. 5 (enero-febrero, 1957), pp. 60-71.

«Jacob y el otro», en *Ceremonia secreta y otros cuentos de América Latina,* Nueva York, Doubleday, 1961, pp. 349-389.

«Justo el treintaiuno», *Marcha,* núm. 1220, 28 agosto 1964, 2.ª sección, pp. 23-24. Incluido, en 1979, como capítulo de *Dejemos hablar al viento.*

«La novia robada», *Papeles: Revista del Ateneo de Caracas,* núm. 6 (1968), pp. 7-23.

«Matías, el telegrafista», *Macedonio* (Buenos Aires), núm. 8 (1970), pp. 37-52.

«Las mellizas», *Crisis* (Buenos Aires), año 1, núm. 2, junio 1973, pp. 32-34.

«El perro tendrá su día», en *Tan triste como ella y otros cuentos,* Barcelona, Lumen, 1976, pp. 325-336.

«Presencia», *Cuadernos Hispanoamericanos,* núm. 339 (septiembre 1978), pp. 369-374.

«El gato», *Liminar* (Tenerife), núm. 6-7 (octubre 1980).

«Dos relatos», *Nueva Estafeta,* núm. 9-10 (agosto-septiembre 1979), pp. 4-11. [«Los amigos» y «Jabón».]

«Dos cuentos», *Revista de Bellas Artes* (México), 3.ª época, núm. 9 (1982), pp. 2-4. [«El mercado» y «El cerdito».]

«Luna llena», *Nueva Estafeta,* núm. 54 (mayo 1983), pp. 4-7.

«El árbol», *Cuadernos de Marcha* (Montevideo), 3.ª época, núm. 13 (noviembre 1986), pp. 89-90.

NOVELAS

El pozo, Montevideo, Ediciones Signo, 1939, 99 pp.

Tierra de nadie, Buenos Aires, Losada, 1941, 253 pp.

Para esta noche, Buenos Aires, Editorial Poseidón, 1943, 211 pp.

La vida breve, Buenos Aires, Sudamericana, 1950, 389 pp.

Los adioses, Buenos Aires, Sur, 1954, 88 pp.

Una tumba sin nombre, Montevideo, Ediciones Marcha, 1959, 82 pp. [El título cambia: *Para una tumba sin nombre,* 2.ª ed., Montevideo, Arca, 1967.]

La cara de la desgracia, Montevideo, Editorial Alfa, 1960, 49 pp.

El astillero, Buenos Aires, Compañía Fabril Editora, 1961, 218 pp.

Tan triste como ella, Montevideo, Alfa, 1963, 92 p. Incluye *La cara de la desgracia,* pp. 45-92.

Juntacadáveres, Montevideo, Alfa, 1964, 275 pp.

La muerte y la niña, Buenos Aires, Ediciones Corregidor, 1973, 135 pp.

Dejemos hablar al viento, Barcelona, Editorial Bruguera, 1979, 256 pp.

PRINCIPALES RECOPILACIONES DE CUENTOS Y NOVELAS

Obras completas, México, Aguilar, 1970, 1431 pp. Prólogo de Emir Rodríguez Monegal.

Tiempo de abrazar y los cuentos de 1933 a 1950, Montevideo, Arca, 1974, 247 pp. Introducción de Jorge Ruffinelli.

Cuentos completos, Buenos Aires, Ediciones Corregidor, 1974, 384 pp. Prólogo de Jorge Ruffinelli.

ARTÍCULOS PERIODÍSTICOS

Réquiem por Faulkner y otros artículos, Montevideo, Arca/Calicanto, 1975, 239 pp. Recoge notas publicadas principalmente en *Marcha* con los seudónimos «Periquito el Aguador» y «Grucho Marx», y otros artículos dispersos.

CRÍTICA SOBRE LA OBRA DE ONETTI

LIBROS

AÍNSA. Fernando, *Las trampas de Onetti,* Montevideo, Alfa, 1970, 194 pp.

CURIEL, Fernando, *Onetti: obra y calculado infortunio,* México, UNAM, 1980, 252 pp. 2.ª ed., México, Premià, 1984.

DÍAZ. José Pedro, *El espectáculo imaginario: Juan Carlos Onetti y Felisberto Hernández,* Montevideo, Arca, 1986, 207 pp.

FERRO. Roberto, *Juan Carlos Onetti: La vida breve,* Buenos Aires, Hachette, 1986, 73 pp.

FFRANKENTHALER, Marilyn R., *Juan Carlos Onetti: la salvación por la forma,* Nueva York, Ediciones Abra, 1977, 184 pp.

JONES. Yvonne Perier, *The Formal Expression of Meaning in Juan Carlos Onetti's Narrative Art,* Cuernavaca, México, CIDOC, 1971.

KADIR. Djelal, *Juan Carlos Onetti,* Boston, Twayne Publishers, 1977, 160 pp.

LUDMER. Josefina, *Onetti: los procesos de construcción del relato,* Buenos Aires, Sudamericana, 1977, 213 pp.

MILLÁN-SILVERA, María C., *El primer Onetti y sus contextos,* Madrid, Pliegos, 1986, 196 pp.

MILLINGTON. Mark, *Reading Onetti: Language, narrative and the subject,* Liverpool, F. Cairns, 1985, 220 pp.

MOLINA. Juan Carlos, *La dialéctica de la identidad en la obra de Juan Carlos Onetti,* Frankfurt am Main, Verlag Peter Lang, 1982, 282 pp.

MORENO ALISTE. Ximena, *Origen y sentido de la farsa en la obra de Juan Carlos Onetti,* Poitiers, Centre de Recherches Latino-Américaines de L'Université de Poitiers, 1973, 119 pp.

PREGO. Omar, *Juan Carlos Onetti: perfil de un solitario,* Montevideo, Trilce, 1986, 126 pp.

PREGO. Omar y PETIT. María Angélica, *Juan Carlos Onetti o la salvación por la escritura,* Madrid, Sociedad General Española de Librería, 1981, 246 pp.

V<small>ERANI</small>, Hugo J., *Onetti: el ritual de la impostura,* Caracas, Monte Avila, 1981, 337 pp.

V<small>OLÚMENES COLECTIVOS</small>

Cuadernos Hispanoamericanos, núm. 292-294 (octubre-diciembre 1974), 750 pp. Homenaje a Onetti.

Recopilación de textos sobre Juan Carlos Onetti, ed. de Reinaldo García Ramos, La Habana, Casa de las Américas, 1969, 197 p.

En torno a Juan Carlos Onetti: Notas críticas, ed. Lídice Gómez Mango, Montevideo, Fundación de Cultura Universitaria, 1970, 105 pp.

Homenaje a Juan Carlos Onetti, ed. de Helmy Giacoan, Nueva York, Las Américas Pub. Co., 1974, 293 pp.

Onetti, Cuaderno núm. 6 de *Crisis,* Buenos Aires, Crisis, 1974, 53 pp.

Review (Nueva York), núm. 16 (invierno 1975), dedicado (en parte) a *La vida breve.*

Onetti, ed. de Jorge Ruffinelli, Montevideo, Biblioteca de Marcha, 1973, 293 pp.

Texto Crítico (Jalapa), año 6, núm. 18-19 (julio-diciembre 1980), 288 pp. Homenaje a Onetti.

E<small>STUDIOS</small>

Breve selección. No se incluyen los artículos recogidos en la presente antología.

A<small>DAMS</small>, Michael Ian, *Three Authors of Alienation: Bombal, Onetti, Carpentier,* Austin, Texas, University of Texas Press, 1975, pp. 37-80.

A<small>ÍNSA</small>, Fernando, «El amor como búsqueda imposible de la perfección», *Cuadernos Hispanoameircanos,* núm. 292-294 (octubre-diciembre 1974), pp. 190-208.

B<small>ELLINI</small>, Giuseppe, «Il gioco allucinante de *El astillero», Il labirinto magico,* Milán, Cisalpino-Goliardica, 1973, pp. 53-86.

C<small>ONCHA</small>, Jaime, «Sobre *Tierra de nadie* de J. C. O.», *Atenea,* núm. 417 (julio-septiembre 1967), pp. 173-197. Recogido en *Novelistas hispanoamericanos de hoy,* ed. de Juan Loveluck, Madrid, Taurus, 1976, pp. 65-92.

C<small>ONCHA</small>, Jaime, «*El astillero:* una historia invernal», *Cuadernos Hispanoamericanos,* núm. 292-294 (octubre-diciembre 1974), pp. 550-568.

C<small>OY</small>, José Luis, «Notas para una revalorización de JCO.: *Los adioses»,* *Cuadernos Hispanoamericanos,* núm. 292-294 (octubre-diciembre 1974), pp. 488-514.

CRISAFIO, Raúl, «Onetti: el texto vicario (la visión carnavalesca del mundo)», *Romanica Vulgaria: Quaderni*, núm. 4-5 (1982), pp. 111-126.

CROVETTO, Pier Luigi, *«Juntacadáveres*, o la conquista impossible dell' autentico». *L'Immagine Riflessa* (Génova), núm. 2 (mayo-agosto 1977), pp. 156-181.

CROVETTO, Pier Luigi, «Santa María di JCO, ovvero l'altra faccia della disgrazia», *Terra America*, ed. de Angelo Morino, Turín, Edizioni La Rosa, 1979, pp. 85-98.

CURUTCHET, Juan Carlos, «El inhumano mundo de la razón (Una interpretación de *El astillero)»*, *Cuadernos Hispanoamericanos*, núm. 292-294 (octubre-diciembre 1974), pp. 587-602.

DELLEPIANE, Angela B., «El humor negro y lo grotesco en JCO», *Cuadernos Hispanoamericanos*, núm. 292-294 (octubre-diciembre 1974), pp. 239-256.

DEREDITA, John, «El doble en dos cuentos de Onetti», en *El cuento hispanoamericano ante la crítica*, ed. de Enrique Pupu-Walker, Madrid, Editorial Castalia, 1973, pp. 150-164. [Sobre «Un sueño realizado» y «Bienvenido Bob».]

DEREDITA, John, «En lenguaje de la desintegración: notas sobre *El astillero de Onetti»*, *Revista Iberoamericana*, núm. 76-77 (julio-diciembre 1971), pp. 651-665. Recogido en *Onetti*, ed. de J. Ruffinelli, *op. cit.*, pp. 220-237.

DETOCA, Anastasia, «El sentido de la culpa en *La muerte y la niña de* JCO», *Prometeo* (Montevideo), vol. 2, núm. 6 (1981), pp. 217-232.

DI CARLO, Erica Gay, «JCO: fondazione e distruzione di una città immaginaria», *Letterature d'America*, vol. 2, núm. 6 (invierno 1981), pp. 67-88.

DÍEZ, Luis Alfonso, «Aproximación a JCO», *Revista de Occidente*, núm. 93 (diciembre 1970), pp. 367-378.

FRANCO, Jean, «La máquina rota», *Texto Crítico*, núm. 18-19 (1980), pp. 34-46. *[El astillero.]*

GERTEL, Zunilda, *«Para una tumba sin nombre:* ficción y teoría de la ficción», *Texto Crítico*, núm. 18-19 (1980), pp. 178-194.

KULIN, Katalin, «JCO: "Un sueño realizado"», *Acta Litteraria* (Budapest), tomo 19, núm. 1-2 (1977), pp. 71-76.

KULIN, Katalin, «Recursos de la creación mítica: Faulkner, Onetti, García Márquez», *Annales* (Budapest), tomo 6 (1976), pp. 97-138.

LUCHTING, Wolfgang A., «Lectura crítica de *Los adioses*. El lector como protagonista de la novela», *Marcha*, núm. 1497, 12 junio 1970, pp. 14-15. Incluido en la 4.ª ed. de *Los adioses* (Montevideo, Arca, 1970), pp. 77-90.

MÉNDEZ CLARK, Ronald, «Lo femenino en Onetti: ¿versiones?», *Sin Nombre*, vol. 13, núm. 2 (1983), pp. 44-56.

Mercier, Lucien, «JCO en busca del infierno», *Marcha,* núm. 1129, 29 noviembre 1962, pp. 30-31. [Sobre *El infierno tan temido.*] Recogido en *Homenaje a JCO,* ed. de Helmy Giacomán, *op. cit.,* pp. 225-234.

Morillas, Enriqueta, y Alonso, Sonia Mattalía, *«La vida breve* como huida del tiempo», *Anales de Literatura Hispanoamericana,* vol. 8, núm. 9 (1980), pp. 149-165.

Morino, Angelo, «La saga di Santa María: un meccanismo ad alta precisione», *Studi Ispanici 1976,* Pisa, Guardini Editore, 1977, pp. 135-149.

Musselwhite, David, «El astillero en marcha», *Nuevos Aires* (Buenos Aires), núm. 11 (1973), pp. 3-15.

Netzlaff-Monteil, Marie-Thérèse, «JCO», En *Lateinamerikanische Literatura der Gegenwart,* ed. de Wolfgang Eiter, Stuttgart, Alfred Kröner Verlag, 1978, pp. 494-511. [El alemán.]

Panebianco, Cándido, «Una svolta nella narrativa ispano-americana: *El pozo* (1939) di JCO», *Siculorum Gymnasium,* 3.ª serie, núm. 1 (1977), pp. 75-112.

Perera San Martín, Nicasio, «La adjetivación insidiosa de JCO en *Juntacadáveres», Travaux* (Saint-Etienne), vol. 14 (1979), pp. 103-124.

Puccini, Dario, «Vida y muerte como representación en "Un sueño realizado" de Onetti», *Hispamérica,* núm. 38 (1984), pp. 19-26.

Rama, Angel, «Onetti: el enclaustramiento del maestro», *Eco,* núm. 162 (abril 1974), pp. 658-666. [Sobre *La muerte y la niña.*]

Rama, Angel, «Origen de un novelista y de una generación literaria», en *El pozo,* 2.ª ed. Montevideo, Arca, 1965, pp. 57-110. Recogido en *Homenaje a JCO,* ed. de H. Giacoman, *op. cit.,* pp. 13-51.

Renaud, Maryse, «JCO: Le pacte monstreux», *Critique,* núm. 363-364, pp. 841-865.

Rodríguez Monegal, Emir, «Onetti o el descubrimiento de la ciudad», en *Narradores de esta América,* tomo 2, Buenos Aires, Editorial Alfa Argentina, 1974, pp. 99-129.

Rodríguez Santibáñez, Marta, *«La cara de la desgracia* o el sentido de la ambigüedad», *Cuadernos Hispanoamericanos,* núm. 292-294 (octubre-diciembre 1974), pp. 131-146.

Rolfe, Doris, «La ambigüedad como tema de *Los adioses», Cuadernos Hispanoamericanos,* núm. 292-294 (octubre-diciembre 1974), pp. 480-487.

Ruffinelli, Jorge, «La ocultación de la historia en *Para esta noche* de JCO», *Nueva Narrativa Hispanoamérica,* vol. 3, núm. 2 (septiembre 1973), pp. 145-159. Recogido en su *Onetti, op. cit.,* pp. 156-179.

Ruffinelli, Jorge, «Onetti: en busca del origen perdido», *La Vida Literaria* (México), núm. 9 (julio-agosto 1974), pp. 18-23. [Sobre *La muerte y la niña.*]

Saad, Gabriel, «Identidad y metamorfosis del tiempo en *El astillero*», *Cuadernos Hispanoamericanos,* núm. 292-294 (octubre-diciembre 1974), pp. 569-586.

Sánchez Rebredo, José, «"El infierno tan temido", de JCO», *Cuadernos Hispanoamericanos,* núm. 261 (marzo 1972), pp. 602-610.

Sánchez Distasio, Beatriz Leticia, «La ficción narrativa de los testigos en la novela *Los adioses,* de JCO», *Estudios de Crítica Literaria* (La Plata), vol. 3 (1973), pp. 155-176.

Solotorevski, Myrna, «Desgaste, lucha y derrota en algunas obras de Onetti», *Cuadernos Hispanoamericanos,* núm. 292-294 (octubre-diciembre 1974), pp. 209-235.

Sotomayor, Aurea María, «"El caballero de la rosa" o los inventos del prejuicio», *Inti,* núm. 12 (otoño 1980), pp. 47-64.

Terry, Arthur, «Onetti and the meaning of fiction: notes on *La muerte y la niña*», *Contemporary Latin American Fiction,* ed. de Salvador Bacarisse, Edimburgo, Scottish Academic Press, 1980, pp. 54-72.

Turton, Peter, «Para una interpretación de *El astillero* de JCO», *Reflexión 2* (Ottawa), 2.ª época, vol. 3-4 (1974-1975), pp. 275-295.

Verani, Hugo J., «Juan Carlos Onetti», en *Narrativa y crítica de Nuestra América,* ed. de Joaquín Roy, Madrid, Castalia, 1978, pp. 161-197.

Verani, Hugo J., «El palimpsesto de la memoria: *Dejemos hablar al viento* de Onetti», *Nuevo Texto Crítico* (Stanford), vol. I, núm. 9 (1987), en prensa.

Vilanova, Angel, «Introducción al mundo narrativo de JCO», *Cuadernos del Sur* (Bahía Blanca), núm. 11 (1971), pp. 315-330.

Waber, Gottfried, «JCO, *La vida breve*», *Iberomania* (Munich), vol. 2, núm. 2 (1970), pp. 134-149. [En alemán.]

ESTE LIBRO SE TERMINO DE IMPRIMIR EN LOS
TALLERES GRAFICOS DE UNIGRAF, S. A., EN
MOSTOLES (MADRID), EN EL MES DE
JULIO DE 1987

OTROS TÍTULOS DE LA COLECCIÓN
PERSILES

68. Serie «Teoría y crítica literaria»: Marthe Robert: **Novela de los orígenes y orígenes de la novela.**
69. Juan Valera: **Cartas íntimas (1853-1879).**
70. Richard Burgin: **Conversaciones con Jorge Luis Borges.**
71. Stephen Gilman: **«La Celestina»: Arte y estructura.**
72. Lionel Trilling: **El Yo antagónico.**
73. Serie «El escritor y la crítica»: **Miguel de Unamuno.** (Edición de A. Sánchez Barbudo.)
74. Serie «El escritor y la crítica»: **Pío Baroja.** (Edición de Javier Martínez Palacio.)
75. Agnes y Germán Gullón: **Teoría de la novela.**
76. Serie «El escritor y la crítica»: **César Vallejo.** (Edición de Julio Ortega.)
77. Serie «El escritor y la crítica»: **Vicente Huidobro.** (Edición de René de Costa.)
78. Serie «El escritor y la crítica»: **Jorge Guillén.** (Edición de Biruté Ciplijauskaité.)
79. Henry James: **El futuro de la novela.** (Edición, traducción, prólogo y notas de Roberto Yahni.)
80. F. Márquez Villanueva: **Personajes y temas del Quijote.**
81. Serie «El escritor y la crítica»: **El modernismo.** (Edición de Lily Litvak.)
82. Aurelio García Cantalapiedra: **Tiempo y vida de José Luis Hidalgo.**
83. Serie «Teoría y crítica literaria»: Walter Benjamin: **Tentativas sobre Brecht (Iluminaciones, III).**
84. Mario Vargas Llosa: **La orgía perpetua (Flaubert y Madame Bovary).**
85. Serie «El escritor y la crítica»: **Rafael Alberti.** (Edición de Miguel Durán.)
86. Serie «El escritor y la crítica»: **Miguel Hernández.** (Edición de María de Gracia Ifach.)
87. Francisco Pérez Gutiérrez: **El problema religioso en la generación de 1868 (La leyenda de Dios).**
88. Serie «El escritor y la crítica»: **Jorge Luis Borges.** (Edición de Jaime Alazraki.)
89. Juan Benet: **En ciernes.**
90. Serie «El escritor y la crítica»: **Novelistas hispanoamericanos de hoy.** (Edición de Juan Loveluck.)
91. Germán Gullón: **El narrador en la novela del siglo XIX.**
92. Serie «El escritor y la crítica»: **Pedro Salinas.** (Edición de Andrew P. Debicki).
93. Gordon Brotherston: **Manuel Machado.**
94. Juan I. Ferreras: **El triunfo del liberalismo y de la novela histórica (1830-1870).**
95. Serie «Teoría y crítica literaria»: Fernando Lázaro Carreter: **Estudios de Poética (La obra en sí).**
96. Serie «El escritor y la crítica»: **Novelistas españoles de postguerra, I.** (Edición de Rodolfo Cardona.)
97. Serie «El escritor y la crítica»: **Vicente Aleixandre.** (Edición de José Luis Cano.)
98. Fernando Savater: **La infancia recuperada.**
99. Vladimir Nabokov: **Opiniones contundentes.**
100. Hans Mayer: **Historia maldita de la Literatura. (La mujer, el homosexual, el judío.)**
101. Etiemble: **Ensayos de Literatura (verdaderamente) general.**
102. Joaquín Marco: **Literatura popular en España en los siglos XVIII y XIX (2 vols.).**
103. Serie «El escritor y la crítica»: **Luis Cernuda.** (Edición de Derek Harris.)